POLITIQUE DE LA CONCURRENCE
dans les pays de l'OCDE

1992 - 1993

ORGANISATION DE COOPÉRATION ET DE DÉVELOPPEMENT ÉCONOMIQUES

ORGANISATION DE COOPÉRATION ET DE DÉVELOPPEMENT ÉCONOMIQUES

En vertu de l'article 1ᵉʳ de la Convention signée le 14 décembre 1960, à Paris, et entrée en vigueur le 30 septembre 1961, l'Organisation de Coopération et de Développement Économiques (OCDE) a pour objectif de promouvoir des politiques visant :

- à réaliser la plus forte expansion de l'économie et de l'emploi et une progression du niveau de vie dans les pays Membres, tout en maintenant la stabilité financière, et à contribuer ainsi au développement de l'économie mondiale ;
- à contribuer à une saine expansion économique dans les pays Membres, ainsi que les pays non membres, en voie de développement économique ;
- à contribuer à l'expansion du commerce mondial sur une base multilatérale et non discriminatoire conformément aux obligations internationales.

Les pays Membres originaires de l'OCDE sont : l'Allemagne, l'Autriche, la Belgique, le Canada, le Danemark, l'Espagne, les États-Unis, la France, la Grèce, l'Irlande, l'Islande, l'Italie, le Luxembourg, la Norvège, les Pays-Bas, le Portugal, le Royaume-Uni, la Suède, la Suisse et la Turquie. Les pays suivants sont ultérieurement devenus Membres par adhésion aux dates indiquées ci-après : le Japon (28 avril 1964), la Finlande (28 janvier 1969), l'Australie (7 juin 1971), la Nouvelle-Zélande (29 mai 1973) et le Mexique (18 mai 1994). La Commission des Communautés européennes participe aux travaux de l'OCDE (article 13 de la Convention de l'OCDE).

Also available in English under the title:
COMPETITION POLICY IN OECD COUNTRIES 1992-1993

Avant-propos

Cette publication comporte les rapports des pays de l'OCDE présentés au Comité du droit et de la politique de la concurrence en 1992-1993. Ils concernent l'Allemagne, l'Autriche, l'Australie, le Canada, le Danemark, l'Espagne, les États-Unis, la Finlande, la France, la Grèce, l'Irlande, l'Italie, le Japon, la Norvège, la Nouvelle-Zélande, le Portugal, le Royaume-Uni, la Suède et la Suisse. De plus, les rapports annuels de la Corée, de la Hongrie, de la Pologne et de la République slovaque ont été inclus dans cette publication. Les rapports sont précédés d'un résumé des faits marquants qui souligne les aspects nouveaux de la politique de la concurrence et les tendances récentes dans l'application de la législation sur la concurrence. Durant la période concernée, l'accent a une fois de plus été mis sur la recherche et la répression des pratiques horizontales et verticales ainsi que sur le contrôle des opérations de fusion susceptibles d'avoir des effets anticoncurrentiels.

Les rapports sont rendus publics par chacun des gouvernements des pays Membres. Le résumé est rendu public sous la responsabilité du Secrétaire général de l'OCDE, qui a également pris la décision de publier le présent volume sous cette forme.

Table des matières

PRINCIPAUX FAITS MARQUANTS DANS LE DOMAINE DE LA POLITIQUE DE LA CONCURRENCE EN 1992 ET AU DÉBUT DE 1993

I. Résumé

Vingt trois pays ont présenté des rapports d'activité concernant la période en cause. De nouvelles dispositions législatives ont été adoptées ou sont entrées en vigueur dans le domaine de la concurrence dans huit pays : Australie, Espagne, Finlande, France, Norvège, Portugal, Royaume-Uni et Suède. Par ailleurs, la législation de la concurrence a fait l'objet de modifications significatives en Australie, en Autriche, au Canada, en Corée, en France, en Grèce, en Irlande et au Japon. Des propositions tendand à l'adoption de dispositions nouvelles, à la révision de la législation existante et à la mise en place de nouvelles règles de procédure ont été formulées dans cinq pays : Allemagne, Pologne, Royaume-Uni, République slovaque et Suisse. En outre, des instructions ou directives d'application visant à mieux assurer le respect de la réglementation ont été publiées sur différents aspects du droit ou de la politique de la concurrence en Australie, au Canada, aux États-Unis, en Hongrie et au Royaume-Uni.

Cette période a été caractérisée par les efforts très importants accomplis par les pays européens pour harmoniser leurs législations nationales avec les règles de la concurrence de la CEE et de l'accord sur l'Espace Économique Européen. Bien que les mesures de déréglementation, de privatisation et de suppression des monopoles aient eu une incidence importante sur la législation, les réglementations et les procédures, tous les pays ont consacré d'importants efforts à l'application de la réglementation. La répression des pratiques constituant des restrictions horizontales ou verticales de la concurrence a bénéficié d'une attention particulière. La surveillance des opérations de fusion susceptibles d'avoir des effets anti-concurrentiels a été poursuivie. Un autre domaine ayant bénéficié d'une attention particulière a été celui de la publicité mensongère. Des décisions importantes du point de vue du droit et des politiques de la concurrence ont été rendues par les tribunaux statuant en dernier ressort au Canada, aux États-Unis, en France, en Hongrie et en République slovaque.

II. Droit de la concurrence : nouvelles réglementations et projets de réforme

En **Australie**, d'importantes modifications au Trade Practices Act (loi sur les pratiques commerciales) de 1974 sont entrées en vigueur le 21 janvier 1993. Un nouveau critère permettant de déterminer l'incidence des fusions et acquisitions sur la concurrence a été adopté. Antérieurement les fusions et acquisitions étaient interdites si elles entraînaient la formation d'une position dominante sur le marché. Désormais, la fusion ou l'acquisition est interdite si elle conduit à une réduction sensible de la concurrence. Les dispositions relatives aux acquisitions extra-territoriales, affectant la concurrence sur un marché australien, ont été amendées. Les dispositions nouvelles incluent aussi une liste non exhaustive de facteurs à prendre en compte pour l'examen des effets d'une fusion sur la concurrence. Par ailleurs, une fusion peut désormais être autorisée si elle se traduit par des avantages suffisants du point de vue de l'intérêt général tels qu'une hausse sensible de la valeur réelle des exportations, une substitution importante de produits nationaux aux produits importés ou tout autre élément concernant la compétitivité internationale d'un secteur. Le délai d'examen par la Commission des pratiques commerciales pour une demande d'autorisation de fusion a été raccourci de 45 jours à 30 jours avec une possibilité de prolongation. Un délai de 60 jours, qui peut être étendu dans des cas particuliers ou difficiles, à également désormais été introduit pour permettre au Tribunal des pratiques commerciales d'examiner une décision d'autorisation de fusion de la Commission. Ces modifications se sont accompagnées d'une aggravation sensible des sanctions pour contraventions aux dispositions de la concurrence, y compris aux dispositions concernant les fusions. Par ailleurs, la pratique consistant à obtenir des entreprises l'engagement de mettre fin à certains comportements et/ou à prendre des mesures compensatoires en faveur des consommateurs est désormais sanctionnée par la loi. Les nouvelles dispositions visent également à rendre ces engagements exécutoires. La Commission a publié en novembre 1992 un projet d'instructions concernant la manière dont elle entend administrer les dispositions modifiées sur les fusions. Qui plus est, la responsabilité administrative en matière de politique de la concurrence a été transférée au cours de cette période du Procureur Général au ministère des Finances.

L'International Air Services Commission Act (loi sur la Commission des services aériens internationaux) a été adoptée le 1er juillet 1992. Elle autorise le gouvernement australien à procéder à la désignation de transporteurs internationaux supplémentaires et la Commission des services aériens internationaux à répartir la capacité disponible entre les transporteurs. Cette attribution sera révisée périodiquement. Enfin, la Commission qui a été mise en place en octobre 1992 pour mener une enquête sur la politique de la concurrence en accordant une attention particulière aux domaines se situant actuellement en dehors du champ de la loi sur les pratiques commerciales a présenté le 25 août 1993 son rapport qui contient de nombreuses recommandations. Ce rapport sera examiné par le gouvernement à la fin de 1993.

En **Autriche**, la loi sur les cartels de 1988 a été modifiée en 1993 (loi portant modification de la loi sur les cartels). A la suite de ces modifications, l'existence d'une entente n'est autorisée que si elle n'abuse pas de sa position dominante sur le marché. Le Tribunal des cartels est chargé de l'application de ces dispositions. L'autorisation qu'il accorde est valable pour cinq ans. Une fois autorisée, l'entente doit être inscrite sur le registre géré par le Tribunal des cartels. La loi interdit les ententes qui sont incompatibles avec les traités mentionnés à l'article 7 de la loi. Par ailleurs, le ministre fédéral de la Justice et celui des Affaires Économiques ont le pouvoir d'exempter de l'application de la loi par voie de règlement certaines formes de coopération pour autant qu'elles leur paraissent importantes et nécessaires pour l'économie nationale. Des seuils de notification préalable des fusions ont, par ailleurs, été fixés.

Au **Canada**, les modifications des dispositions sur la vente pyramidale de la loi sur la concurrence sont entrées en vigueur le 1er janvier 1993. Un bulletin d'information a été publié et 85 plans de ventes pyramidales ont été examinés dans le cadre du Programme d'avis consultatifs afin d'assurer le respect de ces nouvelles dispositions. Par ailleurs, pour faciliter encore l'application de la loi, le Bureau a publié deux nouvelles instructions : les "lignes directrices sur les prix d'éviction", en mai 1992 et les "lignes directrices sur la discrimination par les prix" en septembre 1992. Par ailleurs, deux bulletins d'information révisés intitulés "Aperçu général de la loi sur la concurrence du Canada" et "Programme de conformité" ont été publiés en mars 1993.

Au **Danemark**, le Conseil de la Concurrence s'est vu confier, à compter du 1er mai 1993, la responsabilité de l'application des directives de la CEE sur les marchés publics ainsi que des tâches administratives du Conseil d'appel pour les marchés publics. Par ailleurs, les critiques portant sur la législation de la concurrence figurant dans le rapport de l'OCDE de 1993 sur l'économie danoise ont donné lieu à un débat sur l'alignement de la législation danoise sur la politique communautaire de la concurrence. Un comité a été nommé pour clarifier les avantages et les inconvénients d'un tel alignement.

En **Finlande**, la législation sur la concurrence a été substantiellement révisée. Plusieurs textes sont entrés en vigueur le 1er septembre 1992 : la loi relative aux restrictions de la concurrence, sauf pour ses dispositions concernant les ententes, la loi relative au Conseil de la Concurrence et les statuts de cet organisme et la législation relative aux sociétés d'assurance et aux banques de dépôts. Les dispositions concernant les ententes sont entrées en vigueur le 1er mars 1993 et la loi sur le Bureau de la libre concurrence le 1er février 1993. Cette législation nouvelle incorpore les réglementations et les politiques de la concurrence de la CEE et de l'accord sur l'EEE dans le droit finlandais. Tandis que le Bureau de libre concurrence s'est vu confier un rôle d'enquête, le Conseil de la concurrence a été chargé d'une fonction juridictionnelle et dispose du pouvoir d'imposer des sanctions. Les décisions du Conseil sont susceptibles d'appel devant le Tribunal administratif suprême tandis que les Conseils provinciaux jouent le rôle de services régionaux du Bureau de la libre concurrence. Le Bureau, qui a également pour mission d'encourager la concurrence et d'éliminer les réglementations qui limitent la concurrence, a été réorganisé le 1er août 1992.

La loi relative aux restrictions de la concurrence s'applique à l'ensemble des secteurs à l'exception des marchés du travail et de certains produits agricoles dont la liste est fournie par la réglementation. Elle ne vise que les pratiques restrictives qui ont un effet en Finlande ou qui, bien qu'appliquées à l'étranger, affectent les consommateurs finlandais. Le Conseil d'État peut étendre le champ d'application de la loi aux pratiques restrictives de la concurrence affectant des pays étrangers. Bien que la loi ne comporte pas de disposition sur le contrôle des fusions, elle donne au Bureau le pouvoir d'exiger d'une entreprise qui détient déjà une position dominante de lui notifier toute acquisition nouvelle et de prendre les mesures nécessaires en cas d'abus de position dominante. Les entreprises ne sont plus tenues de notifier au Bureau les pratiques restrictives de la concurrence qui ne font plus l'objet d'un enregistrement. Le Bureau et les conseils provinciaux se sont, toutefois, vus accorder des pouvoirs plus étendus en matière d'obtention d'informations et d'enquêtes. Enfin, le ministère du Commerce et de l'Industrie a créé un groupe de travail chargé d'examiner la transformation du Conseil de la Concurrence en un Tribunal indépendant, mesure qui a été requise par le Parlement. Un rapport devait être présenté pour le 31 mars 1993.

En **France**, l'ordonnance du 1er décembre 1986 a été modifiée par un texte du 11 décembre 1992 qui a donné compétence au Conseil de la Concurrence pour procéder à des enquêtes ou pour requérir la Direction Générale de la Concurrence, de la Consommation et de la Répression des Fraudes de procéder à des enquêtes en vue de l'application des articles 85 et 86 du traité de la CEE et pour imposer des sanctions en cas de violations de ces articles. La même loi ainsi qu'une loi du 4 janvier 1992 et un décret du 7 septembre 1992 ont, par ailleurs, eu pour effet de transposer dans le droit français les directives communautaires dans les secteurs de l'eau, de l'énergie, des transports, des télécommunications et dans le domaine des achats publics. Plusieurs lois d'ouverture des marchés à la concurrence dans certains secteurs comme les transports fluviaux et les pompes funèbres ont été adoptées. Des dispositions nouvelles ont modifié également les règles de l'urbanisme commercial et la réglementation des pratiques du secteur de la publicité.

En **Allemagne**, ni la loi sur la lutte contre les restrictions à la concurrence ni la loi sur la concurrence déloyale n'ont été modifiées au cours de la période concernée. On estime cependant que le maintien de la compétitivité internationale de l'ouest de l'Allemagne exige certains ajustements structurels. Le gouvernement a diffusé, à cet effet, un document qui analyse la situation économique et sociale actuelle et qui présente des recommandations visant à maintenir la position de l'Allemagne en tant que terrain propice aux investissements. La conclusion la plus importante de ce rapport est celle qui concerne la nécessité de réduire le rôle de l'État à ses fonctions essentielles. Par ailleurs, le gouvernement entend adopter des réformes à la fois de fond et de procédure visant à améliorer le fonctionnement de la concurrence et des autorités compétentes en la matière.

En **Grèce**, la législation sur le contrôle des monopoles et des oligopoles et la protection de la libre concurrence a été modifiée à compter du 24 décembre 1991 par la loi 2 000/1991. Les nouvelles dispositions interdisent le recours à des conditions de vente uniformes qui aboutissent à des pratiques de fixation des prix et de prix imposés ainsi qu'à des systèmes d'exclusivité et de réciprocité, la vente de marchandises non conformes aux normes légales, l'entrave à la libre circulation des biens et des services et la publicité mensongère. Les dispositions visant l'abus de position dominante ont également été modifiées en vue d'interdire à une entreprise d'abuser de sa position vis-à-vis d'un fournisseur ou d'un client qui se trouve dans une situation de dépendance financière et qui ne dispose pas d'autres débouchés ou d'autres sources d'approvisionnement. Les concentrations ne sont pas interdites en elles-mêmes mais certaines fusions sont soumises à notification préalable. La nouvelle législation fixe également la composition du Comité de la concurrence lorsqu'il doit traiter des affaires d'importance mineure. Le montant des amendes applicables a été augmenté. Par ailleurs, le ministre du Commerce peut dorénavant faire appel à des mesures provisoires telles que les injonctions avant que le Comité de la Concurrence puisse se saisir du problème. La délivrance de certificats de non opposition a été supprimée.

En **Hongrie**, bien que la loi n° LXXXVI relative à l'interdiction des pratiques commerciales déloyales n'ait pas été révisée, l'expérience de son application au cours des deux dernières années conduit à penser que certaines modifications seraient nécessaires. Il convient d'harmoniser les dispositions de la loi avec les règles de la CEE à la suite de la conclusion de l'Accord européen entre la Hongrie et la CE. Des modifications sont également nécessaires en vue d'incorporer l'expérience et les connaissances acquises du fait des activités propres du Bureau de la concurrence économique et de celles des autorités de la concurrence étrangères. Les commentaires et avis des experts étrangers sont également pris en compte. Dans le même temps, le Conseil de la concurrence du Bureau de la concurrence économique a publié plusieurs déclarations de principes relatifs à l'application de la loi. Les plus importantes sont les suivantes : le respect de la loi par l'ensemble des participants aux marchés ; l'exactitude des informations fournies par la publicité concernant les marchandises faisant l'objet d'une vente par correspondance ; en cas de prix imposé, la sanction sera établie conjointement entre le fournisseur et le distributeur ; des modifications unilatérales d'un contrat imposées par une entreprise à un consommateur peuvent constituer un abus de position dominante ; en cas de prise de contrôle, la loi ne s'applique que si l'entreprise en cause opère sur le territoire de la Hongrie ; la fixation des prix faisant l'objet d'un accord est contraire à la loi même si les parties consentent différentes remises, suite à des négociations avec les acheteurs. Le refus de conclure un contrat peut être justifié si cela crée une meilleure situation, en terme d'intérêt public, ou si l'entrepreneur a un intérêt économique raisonnable à le faire.

En **Irlande**, deux mesures réglementaires ont affecté l'application de la loi sur la concurrence de 1991. Il s'agit dans les deux cas de dispositions de procédure. La première concerne la notification de l'octroi d'une autorisation ou de la délivrance d'un certificat et la seconde concernait l'entrée en vigueur de l'article 6(2)(b) de la loi sur la concurrence à compter du 2 novembre 1992 permettant d'intenter une action en première instance ainsi qu'au niveau de la High Court, à l'encontre d'un abus de position dominante.

En **Italie**, la loi sur la concurrence n° 287/90 n'a fait l'objet d'aucune modification au cours de cette période.

Au **Japon**, la Diète a adopté le 16 décembre 1992 une révision de la loi concernant l'interdiction des monopoles privés et le maintien de la loyauté du commerce (loi n° 54 de 1947). Elle est entrée en vigueur le 15 janvier 1993. Le montant maximum de l'amende susceptible d'être imposée en cas d'infraction pénale a été porté à 100 millions de yens. Par ailleurs, les pouvoirs d'investigation de la Commission sur la loyauté du commerce ont été élargis et renforcés. Pour sa part, la Commission a adopté une politique de publication de ses interventions officielles telles que décisions, et ordonnances imposant le paiement de pénalités et avertissements, y compris des indications spécifiques sur l'identité des coupables et de la nature des infractions. Par ailleurs, la Commission a révisé les règles de notification des accords et contrats internationaux à la date du 30 mars 1992. La version révisée des règles limite le champ de l'obligation de notification aux catégories d'accords et de contrats qui sont considérés comme affectant la concurrence. Cette révision a entraîné une diminution substantielle du nombre des notifications établies au cours de l'année.

La Commission a diffusé le projet d'instruction sur la Recherche-Développement conjointe en septembre 1992 et a consulté les parties concernées aussi bien sur le plan national qu'international. La Commission a finalisé ces instructions sur la base des observations reçues et les a publiées en septembre 1992. Elle continue à appuyer la mise en place par les entreprises sur la base du volontariat de programmes internes de sensibilisation visant à assurer le respect de la réglementation. Une enquête menée pour le compte de la Commission en janvier 1992 a montré qu'il existait une forte demande pour ce type de programmes de la part des entreprises.

En **Corée**, la loi sur la réglementation des monopoles et la loyauté du commerce a été révisée en décembre 1992. Des limites ont été imposées en matière de garanties d'emprunts consenties entre sociétés affiliées, et certaines exceptions visant les limites applicables au total des investissements pouvant être effectués par les conglomérats dans d'autres sociétés ont également été adoptées. Les dispositions relatives à l'application de la loi ont également été modifiées. La loi de 1987 concernant les conditions des contrats types a été modifiée en mars 1993. Ce texte vise à règlementer l'inclusion de conditions déloyales dans les contrats types. Les nouvelles dispositions autorisent la Commission pour la Loyauté du Commerce à revoir les contrats types en matière de consommation et lui accordent le pouvoir de prendre des décisions correctrices en vue de faire respecter la réglementation et d'assurer la protection du consommateur.

La Commission a adopté le 1er avril 1993 des dispositions qui améliorent sensiblement le système d'examen des contrats internationaux. Les dispositions de portée très étendue qui limitaient de manière très large les pratiques déloyales dans les contrats internationaux ont été supprimées et remplacées par la présentation d'exemples de pratiques déloyales concernant ces contrats. Auparavant, tous les contrats internationaux correspondant à la définition retenue étaient soumis à déclaration. Dorénavant, seuls les contrats ayant trait à la diffusion du progrès technique, les accords de concession et les accords de licence sont soumis à déclaration.

En **Nouvelle-Zélande**, la loi sur le commerce de 1986 n'a pas été modifiée durant cette période. Cette loi a toutefois fait l'objet d'un examen et certaines recommandations ont été présentées au gouvernement qui a accepté de les mettre en oeuvre mais sans fixer de délai précis pour cette mise en application. Il était recommandé de mettre l'accent sur l'analyse de l'efficience économique lors de l'examen des fusions anti-concurrentielles et de revoir les dispositions de la loi relatives aux ententes concernant les prix imposés. Le recours à ces pratiques constituerait désormais une présomption de réduction sensible de la concurrence. Enfin il était recommandé aussi de modifier la loi afin de renforcer la responsabilité de la Commission dans la définition de ses priorités et de ses procédures en matière d'application de la réglementation.

En **Norvège**, la loi relative à la concurrence dans le secteur commercial a été adoptée le 11 juin 1993 pour entrer en vigueur le 1er janvier 1994. Cette loi crée l'Autorité norvégienne en matière de concurrence qui a pour mission d'encourager une concurrence effective afin d'assurer une affectation efficace des ressources. L'autorité est également chargée d'examiner les effets possibles des mesures sur la concurrence prises par les pouvoirs publics et de donner son avis sur ce sujet. Bien que la nouvelle loi ait abrogé un grand nombre des dispositions de la loi sur les prix de 1953, certaines de ces dispositions telles que l'interdiction des ententes sur les prix et des prix imposés ont été conservées. La compétence en matière de fusions a également été transférée à l'Autorité. De nouvelles dispositions concernant notamment l'interdiction des accords visant à une répartition des marchés et le pouvoir d'agir contre toute restriction préjudiciable à la concurrence, en particulier l'abus de position dominante, ont également été adoptées. Certaines des dispositions anciennes de la loi sur les prix qui ne concernent pas directement la politique de la concurrence demeurent également en vigueur mais sont regroupées dans un texte distinct appelé loi relative à la politique des prix qui a été également adoptée le 11 juin 1993 et qui devait entrer en vigueur le 1er janvier 1994. Ces dispositions concernent notamment le pouvoir de prendre des mesures de blocage des prix et de fixation de prix maximums. Cette loi maintient également l'interdiction des prix excessifs. La mise en oeuvre des règles en matière de concurrence de l'Accord sur l'Espace Économique Européen lors de son entrée en application a fait l'objet en Norvège de lois et règlements spéciaux.

En **Pologne**, le Bureau de répression des monopoles a été amené, du fait de l'évolution de l'économie de marché et en raison des obligations imposées par les accords internationaux, à mettre en place cinq groupes de travail pour étudier une révision possible du droit et de la politique de la concurrence dans le domaine des ententes horizontales, des ententes verticales, notamment les contrats d'exclusivité commerciale, les accords de licence, les concessions de brevets et de savoir-faire, et dans le domaine des fusions et de l'aide de l'État. Des propositions de modifications ont été présentées jusqu'à présent dans le domaine du contrôle des fusions par acquisition d'actions ou de parts de capital. Il est proposé de soumettre ces modifications au Parlement polonais sous la forme d'une nouvelle loi appelée Loi sur l'évolution de la concurrence dans le courant de l'année 1994. Par ailleurs, le Bureau de la répression des monopoles a proposé des modifications à la loi concernant la répression de la concurrence déloyale. Ces nouvelles dispositions ont pour objectif d'empêcher et de réprimer la concurrence déloyale dans les activités économiques dans l'intérêt du public, des entrepreneurs, des clients et des consommateurs. Elles visent à assurer la loyauté du commerce et à lutter contre la publicité mensongère. La loi a été votée en avril 1993 et entrera en vigueur après sa promulgation par le Président de la République.

Au **Portugal**, une nouvelle législation sur la concurrence a été rendue nécessaire par les mesures de déréglementation et de privatisation de l'économie ainsi que par les progrès de l'intégration européenne et l'interpénétration croissante des économies. La nouvelle législation qui entre en vigueur le 1er janvier 1994 a pour objectif de défendre et d'encourager la concurrence et de lui conférer une plus grande efficacité. Tous les aspects de la réglementation de la concurrence ont été intégrés dans un instrument législatif unique. Par ailleurs, les principes et les concepts du droit et de la politique de la concurrence de la CEE ont été incorporés dans la nouvelle loi. Des dispositions visant l'exploitation abusive de l'état de dépendance économique ont été adoptées. D'autre part, la Direction Générale de la concurrence et des prix a été désignée comme l'autorité nationale responsable en matière de droit et de politique de la concurrence.

En **République slovaque**, des groupes de travail ont été constitués en vue de proposer des modifications de la loi sur la protection de la concurrence, de revoir la réglementation des monopoles naturels et d'examiner la suppression du monopole de l'État dans les secteurs du tabac, du sel et des boissons alcoolisées. Ces groupes ont présenté leurs recommandations au gouvernement qui devrait les accepter et les soumettre au Parlement de la République pour approbation au cours du deuxième semestre de 1993. Les modifications proposées de la loi sur la protection de la concurrence visent, plus précisément, les objectifs suivants : fixer de nouveaux objectifs, étendre le champ d'application de la loi à d'autres entités, inclure de nouvelles définitions des ententes horizontales et verticales, mettre en oeuvre un nouveau système de contrôle pour l'évaluation des ententes, faire appel à la règle de bon sens pour évaluer les pratiques contraires à la concurrence, inclure une nouvelle définition ainsi qu'un nouveau mode d'évaluation des concentrations, inclure une nouvelle définition de la position dominante, renforcer les pouvoirs et l'indépendance du Bureau de Répression des Monopoles et l'autoriser à participer à la définition de la politique d'aide de l'État et au processus de privatisation.

En **Espagne**, de nouvelles dispositions qui complètent la loi sur la protection de la concurrence ont été adoptées par décret royal. Un premier décret précise que certaines pratiques seront exemptées de l'application de la loi si elles sont conformes aux directives de la Commission de la CEE en la matière. Les pratiques concernées incluent la distribution exclusive, les achats en exclusivité, les licences d'exploitation de brevets, les concessions de ventes d'automobiles, le franchisage, le savoir faire, la spécialisation et la recherche-développement. Un second décret a précisé la procédure à appliquer par le Servicio de Defensa de la Competencia (service de défense de la concurrence) et par le Tribunal de Defensa de la Competencia (Tribunal de défense de la concurrence) pour les affaires de fusions et d'acquisitions. Il fixe également la procédure de notification préalable de ces opérations.

En **Suède**, la nouvelle loi sur la concurrence (1993:20) est entrée en vigueur le 1er juillet 1993. Elle repose sur le principe de l'interdiction alors que la loi antérieure était basée sur le contrôle des abus. La nouvelle loi incorpore les dispositions des articles 85 et 86 du traité de Rome. Elle formule deux interdictions, l'une visant les ententes anti-concurrentielles, qui est soumise à certaines exceptions, l'autre visant l'abus de position dominante. En vertu de la nouvelle loi, un accord considéré comme anti-concurrentiel peut être déclaré nul et non avenu. En cas d'abus de position dominante, le coupable peut être amené à verser une indemnité à la partie lésée. La nouvelle loi comporte aussi des dispositions concernant le contrôle des fusions. Par ailleurs, l'accord sur l'Espace Économique Européen a été ratifié par le Parlement suédois en novembre 1992, puis incorporé ultérieurement dans la législation suédoise.

L'autorité responsable de la concurrence a été instituée le 1er juillet 1992. Elle remplace le Conseil National des prix et de la concurrence et le Bureau de la concurrence de l'Ombudsman. Elle est chargée de l'application de la nouvelle loi, de l'examen des restrictions de la concurrence, de l'analyse des effets sur la concurrence des réglementations nouvelles et existantes, d'effectuer des propositions de changements et de la diffusion dans le public d'informations concernant la politique de la concurrence. Elle a le pouvoir de délivrer des attestations de non opposition selon lesquelles un accord ou une pratique n'est pas soumis à une mesure d'interdiction. Elle est également habilitée à imposer des amendes en cas de violation d'une mesure d'interdiction. Elle peut obliger les entreprises et les administrations à lui communiquer des informations et dispose de pouvoirs de perquisition et de saisie. Le Tribunal de Stockholm peut, sur demande de l'Autorité responsable de la concurrence, ordonner le versement d'amendes par une entreprise convaincue d'infraction à une mesure d'interdiction. Les recours contre des décisions de l'Autorité sont jugés par le Tribunal de Stockholm dont les décisions sont susceptibles d'appel devant le Tribunal du marché. Les affaires impliquant l'octroi d'indemnités et l'application d'amendes donnent lieu à un recouvrement de compétence entre les tribunaux ordinaires et le Tribunal de Stockhom.

En **Suisse**, des propositions de révision de la loi sur les cartels ont été présentées et devaient être soumises au Parlement au printemps de 1994. Selon ces dispositions nouvelles, les ententes et accords verticaux qui n'ont pas pour effet de supprimer la concurrence sont légaux s'ils améliorent l'efficience économique. Par ailleurs, est instituée une liste des pratiques constituant un abus de position dominante. Des seuils sont fixés en ce qui concerne les fusions soumises à autorisation préalable; sont par ailleurs interdites les fusions qui tendent à supprimer une concurrence effective. Qui plus est, les entreprises publiques seront soumises aux dispositions de la loi. Les propositions concernent aussi la création d'un Bureau fédéral de la concurrence qui serait chargé des enquêtes et celle d'un Conseil de la concurrence doté de l'autonomie administrative mais dépourvu de compétences juridictionnelles. Le Conseil remplacera la Commission des cartels. De nouvelles procédures visant à accroître l'efficacité de l'application de la loi sont également proposées. Par ailleurs, des sanctions sévères ont prévues en cas de violation de la loi.

Au **Royaume-Uni**, aucune modification n'a été apportée à la législation sur la concurrence en vigueur. Des dispositions nouvelles destinées à renforcer les pouvoirs de contrôle des ententes seront, toutefois, adoptées dans l'avenir. Un document consultatif sur l'abus de position dominante sur le marché a été publié en novembre 1992. L'une des solutions proposées consistait à instituer une interdiction des ententes anticoncurrentielles analogue à celle prévue par l'article 85 du Traité de Rome. Les résultats de la consultation seront connus prochainement. Les principales dispositions de la loi sur la concurrence et les services (d'utilité publique) de 1992 sont entrées progressivement en vigueur. Le principal objectif de la loi est de faire en sorte que l'ensemble des organismes chargés de la réglementation des services d'utilité publique privatisés disposent des pouvoirs les plus étendus actuellement dévolus à certains d'entre eux. Elle accorde par ailleurs à ces organismes des pouvoirs de réglementation leur permettant de fixer et de contrôler les normes applicables aux sociétés gestionnaires des services et de résoudre les litiges entre les sociétés et leurs clients. Elle contient aussi des dispositions visant à faciliter un renforcement de la concurrence dans les secteurs de la distribution de gaz, de la distribution d'eau et des services d'assainissement. De nouvelles orientations concernant les accordes restrictifs ont été publiées en juin 1992. Elles fournissent à l'ensemble des entreprises un guide général sur la législation relative aux ententes commerciales restrictives qui explique l'incidence que peuvent avoir ces dispositions sur l'exercice de leurs activités.

Aux **États-Unis**, la Federal Trade Commission (FTC) (Commission fédérale du Commerce) et le ministère de la Justice ont pour la première fois publié le 2 avril 1992, des directives conjointes sur les fusions horizontales. Ces directives procèdent à une mise à jour de règles antérieures, notamment les Directives sur les fusions de 1984 du ministère et la Déclaration de 1982 de la FTC concernant les fusions horizontales. Elles précisent de manière plus détaillée les conditions dans lesquelles une fusion peut comporter des effets négatifs sur la concurrence, développent les aspects concernant l'entrée sur le marché, les efficiences et les défenses contre les fusions et intègrent dans l'analyse des fusions un certain nombre de facteurs non structurels susceptibles d'affecter la concurrence. Le ministère et la Commission ont également annoncé, en 1992, de nouvelles procédures de coordination avec les organismes d'application de la législation antitrust des États lors de la phase d'enquête sur les fusions. Ces nouvelles procédures visent à réduire le nombre des demandes d'informations faisant double emploi lorsqu'une même opération de fusion fait l'objet d'une enquête à la fois par les autorités fédérales et celles des États. Par ailleurs, le ministère de la Justice a annoncé le 3 avril 1992 qu'il prendrait en tant que de besoin les mesures nécessaires pour réprimer les comportements anticoncurrentiels adoptés à l'étranger et ayant pour effet de restreindre les exportations des États-Unis. Cette décision n'affecte pas les dispositions statutaires ou légales ni les principes établis en matière de compétence personnelle. Enfin, le ministère a annoncé le 1er décembre 1992 l'adoption d'un programme pilote visant à expérimenter une nouvelle procédure accélérée d'instruction des demandes des entreprises concernant des projets de co-entreprises ou des programmes d'échange d'informations.

III. Mise en oeuvre de la législation et de la politique de la concurrence

En **Australie**, la Commission des pratiques commerciales a examiné un certain nombre de demandes concernant l'autorisation de pratiques normalement interdites par le Trade Practice Act. Des autorisations ont été accordées sur plusieurs dossiers : une acquisition dans l'industrie des boites de vitesse, une fusion et un code de conduite dans le secteur des systèmes informatisés de réservation des places pour l'aviation civile, un accord de branche concernant la commercialisation d'aliments pour bébés, des règles applicables à un système de négociation des titres à la bourse des valeurs, des modifications des règles de compensation et de règlement visant à faciliter le fonctionnement du système de règlement T + 5 de la bourse des valeurs et un système de contrôle de la qualité pour le secteur de la fabrication d'articles capitonnés. L'octroi d'autorisations est en cours d'examen en ce qui concerne des systèmes de groupage de services dans le secteur de la télévision à péage et pour un système de compensation des paiements. Une autorisation sera accordée dans l'avenir pour un code d'auto-discipline dans le secteur du franchisage. Des refus ont été opposés à des demandes d'autorisation concernant des accords de commercialisation dans l'industrie des feuilles de tabac et un projet de co-entreprise destinée à proposer une assurance de la responsabilité publique et des indemnités professionnelles aux conseils municipaux.

La Commission a également examiné les autorisations accordées depuis 1980 et concernant des accords relatifs à la distribution des journaux et des magazines. Elle a révoqué l'autorisation accordée en 1984 pour un système obligeant les acheteurs d'animaux de boucherie de Nouvelle Galles du Sud à obtenir une accréditation de la Stock and Station Agents' Association (Association des Éleveurs et des Fermiers) pour pouvoir bénéficier de conditions commerciales préférentielles ainsi que celle concernant les règles de constitution et d'accréditation de l'Association des Éleveurs de l'État de Victoria. Ces deux décisions de révocation ont fait l'objet d'un recours devant le Tribunal des pratiques commerciales. La Commission a également intenté de nombreuses actions devant les tribunaux pour diverses infractions à la loi, notamment aux dispositions concernant les contrats, arrangements ou ententes ayant pour effet de restreindre les transactions ou affectant la concurrence, et à celles relatives à l'abus de position dominante sur le marché et aux prix imposés. Des procédures privées ont également été intentées pour des infractions aux mêmes dispositions. Enfin, la Commission a examiné un total de 86 opérations de fusions.

En **Autriche**, les règles contenues dans l'Accord sur l'Espace Économique Européen qui doit entrer en vigueur au début de 1994 devront être appliquées. Ces règles sont identiques à celles de la CEE. Les entreprises autrichiennes ont commencé à se conformer aux nouvelles règles de concurrence notamment dans l'industrie de la fabrication de skis.

Au **Canada**, le Procureur Général a intenté des poursuites dans 17 affaires d'infractions aux dispositions pénales de la loi sur la concurrence. Les poursuites intentées dans 29 autres affaires ont abouti à des condamnations dont plusieurs portaient sur des amendes très importantes. Il s'agissait notamment d'affaires relevant des dispositions de la loi visant la publicité mensongère et les pratiques commerciales trompeuses ainsi que d'affaires mettant en cause des accords anti-concurrentiels entre entreprises indépendantes tels que les ententes et les soumissions frauduleuses et certaines pratiques de prix imposés.

Le Bureau de la politique de la concurrence a enregistré 34 141 demandes d'informations au titre des dispositions de la loi concernant la publicité mensongère et les pratiques commerciales trompeuses. Par ailleurs, il a pris diverses initiatives visant à compléter son activité d'application de la loi dans ce domaine notamment en mettant en place un programme de formation destiné aux vendeurs à paliers multiples et portant sur les nouvelles dispositions de la loi visant les ventes à paliers multiples et les ventes pyramidales et sur le recours à d'autres mécanismes de résolution des affaires.

L'élément nouveau le plus important au regard des dispositions visant les ententes anti-concurrentielles a résidé dans la décision rendue par la Cour Suprême du Canada dans l'affaire Nova Scotia Pharmaceutical Society et qui a été publiée le 9 juillet 1992. Cette décision a confirmé la constitutionnalité des dispositions de la loi visant les complots et a défini un cadre analytique clair pour l'examen des affaires relevant de ces dispositions. Le Bureau a poursuivi le règlement des affaires et a obtenu des amendes substantielles dans des affaires d'ententes frauduleuses concernant des entreprises de fil servant à ficeler les balles de pâtes à papier et de gaz comprimé. La décision positive de la Cour Suprême concernant la constitutionnalité des dispositions relatives aux ententes frauduleuses a permis de lancer des procédures concernant 62 affaires tandis que sept affaires faisaient l'objet de décisions des tribunaux au cours de l'année. Par ailleurs, le Directeur des enquêtes et des recherches a poursuivi avec le Procureur Général la mise en place d'un programme de renonciation aux poursuites destiné à inciter les sociétés et les personnes physiques à déclarer volontairement leur participation à des complots ou à des activités de truquage des appels d'offres avant qu'elles viennent à la connaissance de l'administration. Cette initiative a connu sa première application en permettant aux firmes Abbot Laboratories et Abbot Laboratories Ltd. d'échapper à des poursuites pour une infraction à la loi. Cette affaire concernait un complot et un truquage des offres pour la vente et la fourniture d'un insecticide biologique. Alors que l'autre fournisseur a fait l'objet de poursuites pénales, le programme de renonciation aux poursuites a conduit en ce qui concerne Abbot à un règlement en vertu duquel la firme a accepté d'effectuer des restitutions et de se conformer à une ordonnance d'interdiction. Ces dispositions ont également amené le Bureau à mettre en place un programme spécial de formation en vue d'améliorer la détection et la prévention des soumissions frauduleuses par les organismes d'achats tant publics que privés. Les dispositions de la loi en matière de soumissions frauduleuses ont donné lieu au cours de la période au lancement de 12 enquêtes dont quatre ont été déférées au Procureur Général.

Le Bureau a examiné 238 projets de fusions. L'examen de projets de fusions dans le secteur du transport aérien et les tâches interministérielles connexes ont mobilisé un volume de ressources significatif. Des examens ont été menés à terme en ce qui concerne plusieurs affaires relatives à des fusions dans les secteurs de la fabrication de tubes en plastique, de l'emballage, de la papeterie industrielle et de luxe, de la bière, des céréales alimentaires pour le petit déjeuner et des cartes de crédit et de paiement utilisées pour le tourisme et les loisirs. Deux affaires de fusions examinées au cours des années antérieures ont connu de nouveaux développements : il s'agit de fusions dans les secteurs de l'enlèvement des déchets industriels et du matériel électrique. Trois affaires ont été portées devant le Tribunal de la concurrence au cours de la période concernée. Le Directeur a présenté, le 5 novembre 1992, une requête tendant à modifier une ordonnance émise en juillet 1989 qui autorisait les sociétés Air Canada et Canadian Airlines International à fusionner leurs systèmes informatisés de réservation. Le Tribunal a décidé, le 22 avril 1993, qu'il n'était pas compétent pour accorder la dérogation demandée. Il a toutefois indiqué, à l'unanimité de ses membres, qu'il aurait consenti cette dérogation s'il avait été compétent pour le faire. L'affaire fait l'objet de recours et d'appel devant la Cour d'Appel fédérale. Le Tribunal a annoncé le 2 juin 1992, sa décision en ce qui concerne les marchés de la publicité de l'immobilier et du commerce de détail dans la presse écrite sur certains marchés spécifiques de la Colombie britannique. Cette décision a fait l'objet d'un recours devant la Cour d'Appel fédérale. Le Directeur a procédé, le 22 août 1992, au retrait d'une requête déposée devant le Tribunal et concernant l'industrie du plâtre de la province de Québec. L'affaire Alex Couture et Lomex Inc. et Paul et Eddy Inc. a fait l'objet d'appels devant la Cour d'Appel du Québec pour des motifs de constitutionnalité. Dans sa décision, la Cour a confirmé la constitutionnalité de la loi sur la concurrence, de ses dispositions relatives aux fusions et du Tribunal de la concurrence. Elle a conclu également que le secteur en cause n'était pas soumis à exception pour conduite réglementée. Cette décision a été confirmée par la Cour Suprême du Canada. La requête déposée devant le Tribunal a toutefois été retirée par la suite.

Certaines affaires relevant des dispositions relatives aux questions susceptibles d'examen et ayant fait l'objet de décisions antérieures du Tribunal de la concurrence ont connu des développements supplémentaires. La firme Digital Equipement of Canada Limited s'est engagée par écrit à ne pas se livrer à certaines pratiques constituant des ventes liées. Deux cas de défaut de notification préalable de transactions excèdant les seuils fixés à la Partie IX de la loi ont été constatés. Après enquête sur ces deux affaires, le Directeur a conclu qu'elles ne soulevaient pas de problème du point de vue de la concurrence et n'a entrepris aucune poursuite. Enfin, en reconnaissance de la dimension internationale des affaires relevant du droit de la concurrence, on notera que le Bureau et la Division antitrust du ministère de la Justice des États-Unis ont coopéré sous l'égide du traité d'assistance juridique mutuelle dans trois enquêtes.

Au **Danemark**, le Conseil de la Concurrence a tenu dix séances et réglé 46 affaires. Le Tribunal d'appel en matière de concurrence a été saisi de 31 recours dont 28 étaient encore en instance au 1er août 1993. Dans une affaire, le Conseil a publié une liste des primes et remises consenties par les fournisseurs d'appareils électroménagers aux détaillants en vue d'encourager la concurrence et l'efficience et de promouvoir le respect des dispositions de la loi sur la concurrence. Le Conseil a traité avec un certain nombre d'instances, d'affaires horizontales de prix imposés impliquant l'Association des agents immobiliers et l'Association des notaires et avoués. Il est également intervenu à propos d'accords qui visaient à supprimer ou à réduire la concurrence sur le marché du béton léger et dans la distribution de lait et la préparation de produits laitiers. Le Conseil a également agi dans des affaires concernant des pratiques anti concurrentielles verticales telles que le refus de vente et la restriction de l'offre sur le marché. Le Conseil a accompli des efforts considérables pour faire en sorte que le secteur public n'agisse pas de manière anti-concurrentielle dans l'application de la réglementation. En ce qui concerne les fusions, le nombre des acquisitions d'entreprises a diminué de 27 pour cent en 1992 par rapport à 1991. Les prises de contrôle par des étrangers ont représenté une part plus importante du nombre total des acquisitions.

Sur un plan plus général, le Conseil a entrepris une étude des conditions de la concurrence dans les professions libérales. Cette étude a conduit à certaines modifications concernant la Chambre des avoués et l'Association des chirurgiens vétérinaires. La décision du Conseil concernant l'Institut des experts comptables agréés a fait l'objet d'un recours devant le Tribunal des appels en matière de concurrence qui en a confirmé la validité.

En **Finlande**, le Bureau de la Libre Concurrence a résolu 332 affaires concernant des restrictions de la concurrence. Le Conseil de la concurrence a été saisi de quatre affaires et a rendu une décision. Les nouvelles dispositions relatives aux ententes n'étant entrées en vigueur que le 1er mars 1993, la répression des restrictions de la concurrence résultant d'ententes horizontales s'est appuyée sur la législation antérieure qui appliquait le principe de l'abus. Une affaire importante concernait les recommandations en matière d'honoraires adressées à ses membres par l'Association des médecins. Le Bureau a également accordé une dérogation limitée à un an à la Fédération du Commerce et à l'Association des détaillants autorisant la commercialisation groupée dans le cadre de campagnes de promotion. Le Bureau a également traité une affaire concernant le refus de la fourniture de pièces détachées destinées à des distributeurs de billets et un cas de refus par un magazine de plein air d'insérer la publicité d'un importateur d'armes parallèle. Le Bureau a également traité une demande présentée par une société de téléphone qui souhaitait être autorisée à ne pas appliquer les tarifs maximums pour les appels des numéros de service. Plusieurs affaires concernant des abus de position dominante ont été constatées. Un grand nombre d'entre elles impliquaient des entreprises publiques et le secteur de l'énergie, notamment la fourniture de gaz naturel. Le Bureau a également examiné une affaire de vente de cuisinières à gaz à Helsinki ainsi qu'une affaire dans laquelle Digital Equipment Corportation avait abusé de sa position dominante à l'égard du système d'exploitation VMS et du logiciel de réseau DECnet en liant le droit à obtenir la mise à jour de ce logiciel à la conclusion d'un contrat de service global couvrant l'entretien du matériel et du logiciel et en appliquant à ces contrats des tarifs qui empêchaient le client de faire appel à la concurrence pour les services d'entretien du matériel et du logiciel.

En **France**, le Conseil de la concurrence a rendu 69 décisions concernant des cas litigieux, a statué sur 11 demandes de mesures conservatoires et a formulé 11 avis. Il a imposé des amendes dans 21 affaires impliquant des pratiques anti-concurrentielles. Des injonctions ont été adressées et la publication de certaines décisions du Conseil par voie de presse a été ordonnée. La Cour d'Appel de Paris a été saisie de recours à l'encontre de 31 décisions du Conseil mais elle a confirmé ces décisions dans la plupart des cas.

Les 69 décisions concernaient des pratiques anti concurrentielles constatées dans le secteur de la distribution, les services et les industries manufacturières ainsi que dans le domaine des marchés publics. Elles ont donné au Conseil l'occasion de préciser le champ de sa compétence dans l'application tant de la législation nationale que des directives communautaires. Elles lui ont également permis d'approfondir son analyse des notions d'entente et d'abus de position dominante. L'Ordonnance du 1er décembre 1986 a été appliquée dans des affaires impliquant une entreprise de réparation de conteneurs, un commerce installé dans une gare du chemin de fer, un organisme de presse, des entreprises de déménagement, un pharmacien et une autorisation de station d'émission dans le secteur de l'audiovisuel. Le droit communautaire a été appliqué dans plusieurs affaires concernant la fabrication de fromage dans le département du Cantal, le marché du calcium-métal, une entreprise de parfumerie, l'huile d'olive, la distribution de matériel dentaire et médical, l'essence sans plomb à indice d'octane élevé, et des litiges opposant des discothèques et la SACEM.

Le Conseil a également rendu des décisions à l'encontre des auteurs de pratiques interdites prenant la forme d'ententes verticales ou horizontales. S'agissant des ententes horizontales, le Conseil a examiné plusieurs pratiques : ententes sur les prix, mise au point et diffusion par des associations professionnelles de barèmes de prix ou de prix recommandés, échanges d'informations, répartition du marché, boycottage, etc. Il a également constaté de telles ententes dans les marchés publics. Deux affaires de prix imposés méritent d'être relevées. Dans l'affaire GITEM, le Conseil a considéré que les propositions de la direction des coopératives tendant à fixer les prix de détail des produits offerts à la vente par l'ensemble des adhérents constituaient une pratique concertée. Dans une autre affaire concernant le secteur des produits phyto-sanitaires, le Conseil a décidé que la pratique n'était pas anti-concurrentielle. Des ententes visant à une répartition du marché ont été constatées dans des affaires concernant la distribution de boissons au secteur de l'alimentation et aux cafés, hotels et restaurants. Le Conseil a traité une affaire dans laquelle une pratique concertée visait à évincer un concurrent à l'occasion de la 20ème foire-exposition Velay-Auvergne. Le Conseil a examiné, par ailleurs, une affaire de boycottage mettant en cause le syndicat des producteurs de films publicitaires. S'agissant des restrictions verticales, l'une des affaires importantes examinées par le Conseil dans le domaine des rapports entre fournisseurs et distributeurs concernait certaines clauses incluses dans des contrats de commercialisation du super carburant sans plomb à degré d'octane élevé. Dans le domaine des marchés publics, le Conseil a dû se prononcer sur le caractère anti-concurrentiel de la constitution, par des firmes concurrentes indépendantes, d'un groupement en vue de soumissionner à un appel d'offres. Il a examiné les appels d'offres de transport sanitaire de l'établissement des Hospices civils de Lyon et l'appel d'offres du Centre de secours et de lutte contre l'incendie de Tourcoing.

En ce qui concerne l'abus de position dominante, la Conseil a rendu six décisions concernant l'application de l'article 8.1 qui interdit cette pratique. Il ne s'est pas prononcé en revanche sur l'application de l'article 8.2 prohibant l'abus de situation de dépendance économique. La fiabilité de la méthode utilisée par le Conseil pour parvenir à une définition du marché pertinent a été confirmée par l'affaire Pont-à-Mousson qui concernait des tuyaux en fonte ductile et des tuyaux en PVC qui ont été considérés comme des produits relevant de marchés distincts. Le Conseil a confirmé la validité de son processus d'analyse pour la définition de la position dominante dans ses décisions concernant la situation de la concurrence sur le marché du calcium métal, les pratiques relevées sur le marché des produits phyto-sanitaires, la Direction de la météorologie nationale et la Société Prisca. Le Conseil a rendu trois avis concernant des opérations de concentration dont deux ont donné lieu à une décision ministérielle. Cinq avis ont été rendus sur d'autres questions se rapportant à la concurrence. Quatre d'entre eux faisaient suite à des requêtes d'organisations professionnelles et le cinquième à une demande du ministère de l'Économie et des Finances. Par ailleurs le Conseil a été sollicité à deux reprises en 1992 par les tribunaux pour formuler un avis sur des pratiques ayant été évoquées au cours de procédures judiciaires. Ces deux affaires concernaient des pratiques observées sur le marché de l'entretien des automobiles et dans le secteur des services de déménagement destinés aux fonctionnaires. Par ailleurs, un projet d'arrêté relatif aux caractéristiques des produits d'alimentation distribués en pharmacie a été soumis au Conseil pour avis.

La Cour d'Appel de Paris a rendu en 1992 certains arrêts importants du point de vue de la jurisprudence. L'un de ces arrêts concernait les marchés publics attribués dans le département du Puy de Dôme. Une autre décision concernait des pratiques de répartition du marché du Comité interprofessionnel du Cantal. Plusieurs décisions ont permis par ailleurs à la Cour de préciser sa jurisprudence en matière de groupements. La Cour de Cassation a rendu, pour sa part, sept décisions très importantes. Dans l'arrêt sur le pourvoi intenté par le Bureau Veritas, la Cour a apporté une précision importante quant à l'application de l'article 7 de l'ordonnance à des groupements d'entreprises qui soumissionnent à des appels d'offres pour des marchés publics. Dans l'arrêt rendu sur le pourvoi de la société Lesaffre, la Cour a précisé sa jurisprudence vis-à-vis du parallélisme des comportements susceptible d'établir une entente.

La Direction Générale s'est montrée particulièrement vigilante à l'égard de pratiques d'éviction prenant la forme de boycottages et de discrimination déloyale. S'agissant de la discrimination, l'accent a été mis sur l'application effective des dispositions de l'article 36.1 de l'Ordonnance. Cette nouvelle politique a conduit à assigner plusieurs grandes sociétés de distribution devant les tribunaux de grande instance. Les actions menées en 1992 concernaient les activités discriminatoires les plus flagrantes et les plus abusives. La Direction Générale a dénoncé des accords contractuels liant un fabricant à un distributeur et fixant le prix de cession d'un produit pour une période déterminée. Elle a également dénoncé l'exigence d'un "ticket d'entrée" sous forme de versements au titre d'une coopération commerciale ne correspondant à aucune contrepartie réelle ou prétendue. Deux décisions des tribunaux à propos de l'article 36.1 ont eu une portée significative. La première, rendue par le Tribunal de commerce de Périgueux en novembre 1992, a confirmé la présomption contenue dans cet article et la seconde rendue par le Tribunal de Grande Instance de Bordeaux a confirmé l'applicabilité de l'article 36.1 aux prestations de services tout en soulignant l'obligation de transparence.

En **Allemagne**, l'Office fédéral des Ententes s'est attaqué aux ententes horizontales restrictives. Il a mené à terme des actions à l'encontre des grossistes du secteur de la verrerie et des fabricants de verre isolant et de leurs dirigeants ainsi qu'à l'encontre de fabricants de matériels de lutte contre l'incendie et de leur personnel de direction pour avoir conclu des ententes restrictives portant sur les prix et les remises. Des actions analogues ont été intentées contre des fabricants de sel et des firmes de collecte de déchets. En décembre 1992, il existait en Allemagne 227 ententes légalisées. Un grand nombre d'entre elles représentaient des ententes coopératives. L'Office encourage en effet la constitution d'ententes de ce type entre les entreprises petites et moyennes afin de leur permettre d'être plus compétitives vis-à-vis des grandes entreprises. Le nombre des ententes formées en vue de l'exportation a toutefois diminué depuis la dernière période. Les dispositions relatives à l'abus de position dominante ont donné lieu à un nombre de procédures assez faible : les actions intentées visaient par ailleurs des fournisseurs établis sur des marchés régionaux et protégés de la concurrence nationale ou internationale ou appartenant à des secteurs réglementés tels que l'industrie pharmaceutique, le secteur bancaire, l'assurance et le secteur de l'énergie.

L'Office fédéral des ententes a reçu des notifications concernant 1 743 fusions, ce qui traduit une diminution par rapport au nombre des déclarations de l'année précédente. Au cours des cinq premiers mois de 1993, 634 fusions ont été notifiées à l'Office. On a constaté une poursuite de la tendance pour les grandes entreprises à acquérir des entreprises de taille petite et moyenne. L'Office a interdit deux fusions. Il s'est opposé à la fusion de Gillette UK avec Eemland Holdings NV (Wilkinson Sword Europe) les deux principaux fabricants mondiaux de produits de rasage au motif qu'elle aurait conduit à une situation de quasi monopole. Bien que Gillette n'acquière que 22.9 pour cent des actions sans droit de vote d'Eemland, l'Office a considéré qu'elle détiendrait une influence significative sur le plan de la concurrence dans Eemland et indirectement dans Wilkinson à travers des accords annexes comportant des droits de préémption, une répartition des marchés et des accords d'exclusivité et un contrôle de la production et des quantités vendues ainsi que des ressources financières et de la structure de la dette de Wilkinson. L'Office a également interdit l'acquisition de Allison Transmission Division (General Motors Corp.) par Zahnradfabrik Friedrichshafen. Il a considéré que cette fusion renforcerait encore la position de l'acheteur sur le marché allemand des boites de vitesse automatiques à haut rendement destinées aux camions et autocars de plus de dix tonnes et des changements de vitesses pour les véhicules de travaux publics. La fusion aurait eu une incidence sur le marché mondial de ces produits dans la mesure où l'entreprise résultant de la fusion aurait acquis une position dominante dans le monde du fait de sa gamme de produits, de son savoir faire technologique et de son réseau de distribution et de service. La position dominante de la firme au plan mondial se serait elle même répercutée sur l'industrie allemande des véhicules industriels et des véhicules de travaux publics. L'acquéreur a interjeté appel de la décision de l'Office devant la Cour d'Appel de Berlin. L'Office a instruit 40 projets de fusions qui ont été notifiés à Bruxelles en vertu des directives communautaires sur les fusions et qui auraient eu un effet en Allemagne. En outre, l'Office a présenté des observations sur un certain nombre de procédures de contrôle des fusions en instance à Bruxelles qui étaient dépourvues d'effet en Allemagne mais qui soulevaient des questions de droit ou d'interprétation jugées importantes par elle.

En **Grèce**, la Direction de la Recherche sur les Marchés et de la Concurrence a examiné 70 affaires entre octobre 1991 et le début de 1993. Elle a renvoyé 11 d'entre elles pour examen au Comité de la concurrence qui a formulé des avis sur l'ensemble de ces cas. Dix d'entre eux ont été soumis au ministre du Commerce pour décision définitive. Les Cours d'Appels Administratives n'ont rendu aucune décision durant cette période. Les affaires en cause concernaient notamment une plainte relative à un système de distribution exclusive concernant les montres Swatch, la notification d'une acquisition dans le secteur des articles de verre à usage domestique et commercial, la diffusion par l'Association Panhellénique des opticiens d'une liste de prix fixant le prix des lentilles applicable par l'ensemble de ses membres et un accord entre BP Supergas Co et Lagos Gas Station Joint Stock Company portant sur la distribution exclusive de l'essence. Par ailleurs, cinq demandes concernant la délivrance de certificats de non opposition à des accords de distribution sélective entre importateurs et revendeurs de produits cosmétiques ont été déposées. Tous ces certificats ont été délivrés par le Comité et ont été suivis de décisions ministérielles. D'autres affaires ont donné lieu à l'imposition d'amendes à des entreprises pour refus de communication d'information. Enfin 14 notifications de fusions dans les secteurs de l'alimentation, du café, des boissons, de la pate à papier et du carton, des textiles, des produits industriels divers et des matériaux de construction ont été déposées.

En **Hongrie**, le Bureau de la Concurrence Économique a examiné, en 1992, 255 affaires et est parvenu à des conclusions dans 223 d'entre elles. La moitié de ces affaires environ ont été soumises au Conseil de la Concurrence pour décision définitive. Les autres affaires ont été closes dans la phase d'instruction. L'Office a examiné 24 affaires dans lesquelles était invoquée une fraude à l'égard des consommateurs. Dans 19 de ces affaires, l'Office a constaté une violation de la loi. La majorité de ces affaires concernaient une publicité mensongère. L'Office a également traité trois affaires concernant des ententes et a constaté des violations de la législation dans deux d'entre elles. Les enquêtes dans ce domaine sont entravées par le fait que l'absence de concurrence attestée par l'existence de prix imposés ou d'accords de répartition du marché est encore considérée comme normale par certains participants du marché. Ce domaine d'activité a été affecté par d'autres facteurs à savoir la diminution de la demande qui a conduit à un renforcement de la concurrence sur un marché en contraction, les effets inconnus de la privatisation qui est encore trop récente et les effets de l'inflation sur le développement d'un système de marché.

Il y a eu en 1993, 252 procédures entamées par le Bureau. Au début de l'année, 32 étaient en cours. Le nombre total d'affaires traitées par le Bureau était de 284 , dont 245 ont été conclues et 39 demeuraient en instance, fin 1993 début 1994. 17 affaires ont été initiées *ex officio* quoique une majorité d'affaires ait été demarrée à partir d'une demande. En ce qui concerne les ententes, le Bureau a entrepris d'instituer un suivi permanent des structures du marché et d'intenter des procédures si nécessaire. Il a traité deux demandes d'approbation d'accords de cartel. Par ailleurs, le Bureau a enquêté en 1992 sur 32 affaires et en 1993 sur 26, dans lesquelles était allégué un abus de position dominante. Le Bureau a reçu en 1992 huit demandes d'autorisations de fusions et en 1993, trois. Le Tribunal a été saisi en 1992 de 15 recours en appel. Il a confirmé la décision du Bureau dans 12 de ces affaires et il a révisé cette décision dans les autres cas. La procédure d'appel a permis de clarifier d'importantes questions. Elle a permis aussi au Tribunal d'acquérir une expérience en matière d'application et d'interprétation de la loi. Deux affaires ont fait l'objet d'un recours devant la Cour Suprême. Cette dernière a statué en faveur du Bureau dont elle a confirmé la décision dans l'affaire concernant les activités de la Société de commerce en gros de la viande de Budapest. Enfin, le Conseil de surveillance des banques a adopté trois décisions dans le cadre de ses responsabilités en matière de politique de la concurrence. La loi n° CXII/1993 sur la banque a étendu au système bancaire la compétence du Bureau.

En **Irlande**, du fait de l'existence d'un grand nombre d'accords antérieurs à l'entrée en vigueur de la loi sur la concurrence en 1991, l'enregistrement et l'examen préliminaire des notifications devant être effectuées par les parties à ces accords ont représenté une part importante de l'activité de l'Autorité chargée de la concurrence. La date limite d'envoi des notifications était le 1er octobre 1992. Elles concernaient des accords d'exclusivité en matière de fabrication et de distribution, des baux de centres commerciaux, d'autres baux immobiliers, des accords de prise de participation, des accords concernant des fusions et des cessions d'entreprises, la constitution de co-entreprises, des accords de franchise, des contrats de travail, des systèmes de prix imposés et des accords relatifs à la propriété intellectuelle. L'autorité a été en mesure de rendre 11 décisions officielles concernant 16 notifications : il reste donc 1 128 notifications à traiter. Dans ses décisions, l'Autorité a formulé son avis sur plusieurs questions très importantes telles que la définition d'un entrepreneur, les relations entre mère et filiale, la définition d'une entreprise à but lucratif, les fusions et acquisitions et les clauses de non concurrence, les accords d'exclusivité en matière d'achats et les pratiques de prix imposés. Par ailleurs, l'Autorité responsable de la concurrence a été saisie d'une fusion par le ministère du Commerce en vertu de la loi sur la concurrence de 1991 pour la première fois le 19 février 1992. Cette opération concernait un projet d'acquisition supplémentaire par Independant Newspapers plc d'actions de Tribune Group. Le Directeur des Affaires de la Consommation a été en mesure, d'autre part, de résoudre certaines affaires ayant débuté en 1991 en vertu du Restrictive Practices (Groceries) Order (décret concernant les pratiques restrictives des magasins d'alimentation). Deux affaires concernaient des violations des dispositions du décret en matière de prix imposés par le secteur laitier et les boulangeries. Une autre affaire concernait une violation par Dunnes Stores Ltd de l'interdiction de la vente de marchandises à un prix inférieur au prix net facturé.

En **Italie**, l'Autorité chargée de la concurrence a statué sur 27 accords, 18 affaires d'abus de position dominante et 499 concentrations. Elle a également présenté 33 avis à l'Autorité responsable des monopoles de la presse et de la radio-diffusion et à la Banque d'Italie au titre de l'article 20(1), (2) et (3) de la loi sur la concurrence (n° 287/90). L'Autorité chargée de la concurrence a également effectué des enquêtes de caractère général sur divers secteurs : téléphone cellulaire, lait et produits laitiers, cinéma, matériel roulant, système de train à grande vitesse et services portuaires. Par ailleurs, l'Autorité a pris diverses mesures spécifiques pour encourager la concurrence notamment dans les secteurs des télécommunications, des marchés publics, des transports, des services financiers et d'assurance, de la publicité et de la distribution. Le décret loi n° 74 qui est entré en vigueur le 25 janvier 1992 a conféré à l'Autorité le pouvoir de règlementer la publicité mensongère afin de protéger les consommateurs, les sociétés concurrentes et le public en général. Depuis cette date, elle a examiné 43 affaires et constaté 17 cas de publicité mensongère qui ont donné lieu à des décisions d'interdiction. L'Autorité a enquêté et s'est prononcée sur des accords ayant pour effet d'entraver, de limiter ou de fausser la concurrence. Elle a constaté 13 cas constituant des violations de l'article 2 de la loi. Ces affaires concernaient la fabrication de ciment, les services de transports routiers internationaux, la vente de livres et de publications étrangères, les services portuaires, la production et la vente de différents types d'adhésifs et les services de transport maritime de voitures et de poids lourds entre l'Italie et la Sardaigne. L'Autorité a enquêté et s'est prononcée également sur des affaires impliquant l'abus d'une position dominante. Elle a constaté sept cas de violation de l'article 3 de la loi concernant la gestion et la diffusion d'informations commerciales par les Chambres de Commerce à des sociétés d'information commerciale, le transport de marchandises entre la Sardaigne et l'Italie continentale, l'achat et la distribution de semences de betteraves à sucre, les services de mesurage des bâteaux de plaisance et le soutien de l'organisation de régates en mer, la fourniture de l'ensemble des services d'escale à l'aéroport Fiumicino de Rome et la commercialisation de téléphones cellulaires. L'Autorité a également examiné six opérations de fusion concernant des entreprises de broyage des oléagineux en vue de la production d'huile et de farine, des firmes d'emballage et de commercialisation de l'huile, des cimenteries en Calabre, la production de matériels de télédiagnostic et de dispositifs de mesure du trafic téléphonique, les marchés des pommes de terre frites et des chips et de la production de biscuits pour l'apéritif, et les marchés du gaz comprimé et du gaz liquéfié.

Au **Japon**, la Commission de la Loyauté du Commerce a examiné en 1992 226 affaires concernant des violations de la loi relative à l'interdiction des monopoles privés et au maintien de la loyauté des pratiques commerciales. Des conclusions ont été rendues dans 146 de ces affaires et se sont traduites par des recommandations de cessation et des ordres de désistement visant des soumissions frauduleuses et des pratiques de prix imposées et par des avertissements, etc. Les principales affaires ayant donné lieu à des recommandations de la Commission concernaient : une entente visant à augmenter le prix des films en chlorure de polyvinyle à usage industriel, des ententes visant à augmenter le prix de différentes catégories d'encres (encre typographique, encre à marquer les tissus d'emballage et encre d'inprimerie) et d'autres produits, des soumissions frauduleuses concernant des appels d'offres pour l'impression de cartes magnétiques de péage autoroutier et d'autres articles, pour l'impression de reçus, de tickets et d'autres articles, pour des travaux de génie civil, pour des services de conseil en bâtiment et de surveillance de projet et une pratique déloyale visant à inciter les magasins de vente au rabais à afficher des prix minimums dans leurs publicités dans la presse et sur leurs étiquettes pour des produits électroniques grand public nouveaux. Par ailleurs, la Commission a ordonné le paiement d'amendes dans 19 affaires concernant des ententes. Elle a intenté des poursuites pénales devant le Procureur Général à l'encontre de quatre fournisseurs qui avaient participé à des soumissions frauduleuses à l'occasion d'appels d'offres concernant des enveloppes scellées pour l'administration de la sécurité sociale. La Commission n'a lancé aucune nouvelle procédure d'audition. Elle a toutefois rendu des ordonnances de cessation et de désistement à propos de deux affaires ayant donné lieu à des auditions au cours de la période antérieure. Ces affaires concernaient des ventes liées de jouets électroniques et une pratique de prix imposés dans le secteur des tôles laminées.

En vertu de la loi visant à éliminer les retards de règlement des sous traitants, la Commission a effectué des enquêtes documentaires auprès de 12 493 entreprises et de leurs 70 735 sous traitants. L'Agence des petites et moyennes entreprises a réalisé une enquête analogue auprès des PME. La Commission a enquêté sur 1 547 affaires en vertu de la loi visant à éliminer les primes injustifiées et les représentations trompeuses. Par ailleurs, elle a reçu 1991 notifications de fusions au titre de l'article 15 de la loi et 1 072 notifications de transferts d'activités au titre de l'article 16 de la loi. La Commission n'a entrepris de procédure officielle sur aucune de ces affaires. Les principales affaires concernaient la fusion de Iyo Bank Ltd. et de Sanyo-Kokusaku Pulp Company

Ltd. Une autre affaire concernait la création d'une filiale commune par Anheuser-Busch Inc. et Kirin Brewery Company Ltd.

En **Corée**, entre le 1 janvier 1992 et le 30 juin 1993, la Commission responsable de la loyauté du commerce a formulé 547 avertissements, 100 recommandations de redressement, 198 ordonnances de redressement, 35 ordonnances de paiement d'une pénalité et dix requêtes de mise en accusation pour violation de la loi sur la réglementation des monopoles et la loyauté du commerce. Afin de contrôler le niveau des concentrations, les titulaires d'investissements en capital excèdant le plafond autorisé par l'article 10 de la loi devaient s'en dessaisir. A la date limite du 31 mars 1992, le taux de dessaisissement atteignait 99 pour cent pour les conglomérats qui avaient été désignés comme entrant dans cette catégorie. Les désinvestissements restant à opérer avaient été effectués en avril 1993. Par ailleurs, de grands conglomérats avaient été aussi requis en 1991 de se dessaisir d'investissements croisés en vertu de l'article 9 de la loi. La date limite fixée était également le 31 mars 1992. D'importants désinvestissements avaient été opérés à la fin de 1992. La Commission a toutefois délivré 12 ordonnances pour non respect de ces dates limites à l'encontre de sociétés qui se sont également vues infliger une amende. Un cas notable concernant ce type de concentration est celui d'un conglomérat automobile qui excédait la limite autorisée de participation dans d'autres sociétés. Par ailleurs, 201 cas d'associations d'entreprises ont été notifiés à la Commission. Bien que cette dernière n'ait constaté aucun cas de restriction de la concurrence, elle a conclu à l'existence de 34 cas de violation des procédures administratives.

L'existence d'une position dominante sur le marché a été constatée à propos de 284 produits et 687 entreprises. Au cours de la période concernée, 59 ordonnances concernant le redressement de pratiques commerciales abusives ou déloyales de la part d'entreprises occupant une position dominante sur le marché ont été délivrées. Elles visaient notamment des conditions de vente restrictives et des pratiques de prix imposés. La principale affaire impliquant l'abus d'une position dominante concernait la fabrication et la distribution de biscuits. La Commission a enquêté sur 20 affaires d'ententes frauduleuses entre entrepreneurs et sur 82 affaires concernant les activités d'associations commerciales ayant pour effet d'entraver ou de limiter la concurrence et qui ont donné lieu à des ordonnances. Les ententes frauduleuses entre entrepreneurs concernaient notamment des pratiques de prix imposés, de restriction du marché et de restriction de l'offre de produits. Les pratiques anti-concurrentielles des associations professionnelles concernaient notamment des prix imposés, la restriction de l'entrée sur le marché et la restriction des activités commerciales des entreprises membres. La principale affaire d'entente frauduleuse impliquant une association professionnelle concernait l'augmentation concertée des tarifs des services bancaires et celle impliquant des entrepreneurs concernait un accord entre deux fabricants de motocyclettes en vue d'augmenter les prix de leurs produits. Par ailleurs, la Commission a examiné au cours de la même période 446 affaires concernant des pratiques commerciales déloyales qui ont donné lieu à des mesures correctrices sous la forme d'ordonnances et de recommandations. Les pratiques visées concernaient des refus de vente, des publicités mensongères ou exagérées, des cadeaux promotionnels excessifs, des ventes avec remises trompeuses, l'abus d'une position de force dans une négociation, des prix imposés et l'imposition de conditions restrictives. Les principales affaires de ce type incluaient le cas d'un fabricant et importateur de montres et d'horloges dont la publicité indiquait que les produits étaient entièrement fabriqués à l'étranger alors qu'en fait il importait des pièces détachées qui étaient assemblées en Corée. Un fabricant de machines agricoles a été convaincu d'abus de position dominante pour avoir obligé les distributeurs à prendre livraison de produits dont ils n'avaient pas besoin. La Commission a reçu notification de 1 451 contrats internationaux dont un faible pourcentage nécessitait des modifications destinées à en faire disparaître les aspects anti-concurrentiels. Dans l'un de ces contrats, une société des États-Unis détenant des droits de propriété intellectuelle sur un logiciel interdisait à une firme coréenne d'utiliser une technologie concurrente ou imposait des redevances sur les produits n'utilisant pas la technologie faisant l'objet du contrat. Par ailleurs, entre mars et juin 1993, la Commission a été saisie de 104 demandes d'examen de contrats types en vertu de la loi de 1987 concernant les conditions types des contrats. Ces contrats types se rapportent à la location et à la vente de logements et d'immeubles commerciaux, à des baux commerciaux, à des propriétés commerciales, à des accords d'adhésion et à des conditions de transport. Par ailleurs la Commission a adopté, en vertu de la loi de 1984 sur la loyauté de la sous traitance, des mesures correctrices visant 471 cas de pratiques déloyales concernant des transactions de sous traitance.

En **Nouvelle-Zélande**, aucune demande d'autorisation concernant une pratique commerciale restrictive n'a été déposée entre le 1er juillet 1992 et le 30 juin 1993. Les investigations de la Commission du Commerce ont, toutefois, débouché sur sept procédures judiciaires. La Commission a eu gain de cause dans la procédure engagée contre Hewlett Packard (NZ) Ltd. qui était accusée d'appliquer des prix imposés dans ses opérations avec l'un de ses agents. La Commission a également obtenu l'énoncé d'une injonction à l'encontre d'une chaine d'hôtels de tourisme pour avoir pratiqué des prix imposés. Cette affaire était encore en instance à la fin de la période de même que d'autres procédures engagées dans les secteurs de la sécurité, de la laine et du lait. En outre la Commission a conclu plusieurs règlements administratifs ou adressé des avertissements informels lorsqu'une procédure judiciaire était jugée inopportune. Elle a entrepris, par ailleurs, des études préparatoires sur les problèmes de concurrence qui peuvent se poser à la suite de la déréglementation récente des secteurs de la santé et de l'énergie. En ce qui concerne les actions privées, la High Court a rendu un arrêt stipulant que la société Telecom Corporation of New Zealand Ltd. avait abusé de sa position dominante dans ses négociations avec la firme Clear Communications Ltd. concernant l'interconnexion pour l'accès au réseau téléphonique local. La firme a fait appel de cette décision.

Le système de notification volontaire préalable des fusions a donné lieu à 40 demandes d'agrément et à deux demandes d'autorisation. Sont à noter en particulier les 11 demandes d'agrément déposées auprès de la Commission en vue de l'acquisition de New Zealand Rail Ltd. La Commission n'a engagé aucune action devant la High Court au titre des fusions. La Cour a toutefois examiné deux recours à l'encontre de décisions antérieures de la Commission concernant des fusions. Elle a infirmé la décision de la Commission selon laquelle la fusion entre South Island Co-operative et Countdown Supermarkets se traduisait par une position dominante sur le marché. Elle a en revanche rejeté l'appel interjeté par Air New Zealand Ltd. et confirmé l'autorisation donnée à la Couronne d'augmenter sa participation dans Auckland International Airport.

En **Norvège**, la Direction des prix a examiné certains accords, arrangements et opérations afin de vérifier s'ils étaient anticoncurrentiels et contraires à la loi sur les prix. Elle a examiné le secteur du livre, la distribution des équipements sanitaires, la distribution des équipements électro-ménagers, la vente en gros de médicaments et de produits médicamenteux, la distribution d'électricité, les conditions de préavis imposées aux clients désireux de changer de fournisseur, les accords d'exclusivité à long terme entre fournisseurs et distributeurs et les hausses des prix au comptant de l'électricité. En ce qui concerne le secteur du livre, la Direction a accordé une dérogation à l'interdiction des prix imposés et des ententes sur les prix en raison des gains en termes d'efficience conduisant à une réduction des coûts et des prix. Quatre entreprises ont été dénoncées pour s'être concertées en vue de soumissionner à un appel d'offres sur un projet de construction. Par ailleurs deux cas de prix imposés ont été signalés ainsi qu'un cas de violation de l'interdiction de règlementer les prix de détail. Les amendes appliquées en 1991 à quatre fabricants de carton ont été annulées en appel. Conformément à une pratique traditionnelle, la Direction des Prix est intervenue à l'encontre de remises de fidélité et de systèmes de primes récompensant la fidélité. Les règles déontologiques de diverses professions libérales ont également fait l'objet d'une intervention. Enfin, 189 fusions ont été enregistrées au cours des dix premiers mois de 1993. Neuf d'entre elles ont fait l'objet d'une enquête supplémentaire. Le Conseil des prix n'a été saisi d'aucune demande d'intervention.

En **Pologne**, le Bureau de répression des monopoles a adopté 113 décisions, concluant dans 42 cas que les entités en cause s'étaient livrées à des pratiques monopolistiques. La moitié des cas constituant des infractions à la loi sur la répression des pratiques monopolistiques concernaient l'imposition de conditions contractuelles onéreuses. Les affaires notables ont concerné le secteur de l'édition et de la distribution des journaux et une co-opérative de logement. D'autres affaires concernaient l'exercice de fonctions de direction par une même personne dans des entités concurrentes, des ententes sur les prix entre concurrents, la restriction de l'accès au marché et l'abus de position dominante. Les principales affaires concernant des pratiques de prix imposés ont impliqué l'industrie du sucre et le secteur de l'assurance. Le Bureau a entrepris 465 enquêtes à la suite de plaintes émanant des consommateurs et invoquant l'abus d'une position dominante par un fournisseur disposant généralement d'un monopole naturel. Il a aussi examiné des cas découlant de l'existence de lacunes dans diverses réglementations qui n'ont pas suivi les évolutions économiques. Il s'agissait, dans une large mesure, de problèmes rencontrés à l'égard des services municipaux. Le Bureau a également participé à des enquêtes sur les hausses de prix importantes pour vérifier si les dispositions de la loi étaient respectées.

Dans le domaine des monopoles naturels dont les tarifs sont encore fixés par le ministère des Finances en l'absence d'un contrôle règlementaire global, le Bureau a joué un rôle actif dans l'élaboration de structures réglementaires futures. Ses représentants participent aux conseils de surveillance de ces monopoles naturels. En 1992, le Bureau a adopté 25 décisions sur des affaires concernant des monopoles. Les affaires les plus importantes qui ont préoccupé le Bureau se sont situées dans le financement de la construction et l'exploitation de réseaux de distribution de gaz et de chauffage et dans l'installation de réseaux de télécommunications y compris de télévision par câble.

Au **Portugal**, la Direction Générale de la Concurrence et des Prix a procédé à des enquêtes sur 12 affaires dont le Conseil de la Concurrence a ensuite été saisi pour décision. Ces affaires concernaient le refus de vente, des accords de distribution sélective, des accords de distribution exclusive et des pratiques de prix imposés. Elles se situaient dans les secteurs de la fourniture de matières premières pour les industries de fabrication du ciment et d'élaboration du béton, des vitrines de présentation de cristaux, de la commercialisation des vins, des produits de beauté, de la distribution d'appareils électroménagers et des agences de voyages. Entre le 1er juillet 1991 et le 30 juin 1993, le Conseil de la Concurrence a rendu cinq décisions relatives à des affaires dont il avait été saisi pour attribution par la Direction Générale. Trois de ces décisions ont fait l'objet de recours devant les tribunaux judiciaires. Dans une affaire concernant un refus de vente et une autre concernant une clause d'exclusivité de distribution, les tribunaux ont annulé les sanctions imposées par le Conseil. Dans la troisième, ils ont confirmé l'amende appliquée par le Conseil. Au cours de la période sous revue, 22 opérations de fusions, qui avaient été examinées au préalable par la Direction Générale, ont été notifiées au ministère du Commerce et du Tourisme. Ces opérations se situaient dans les secteurs des industries de transformation (alimentation et boissons, produits chimiques, machines et équipements, ascenseurs, appareils électro-ménagers) ainsi que dans le commerce de gros (produits pharmaceutiques, biens de consommation, papier, tabac) et dans le commerce de détail des biens de consommation.

En **République slovaque**, le Bureau de répression des monopoles a enquêté sur un total de 47 affaires concernant des abus de position dominante ou de monopole, 55 affaires concernant des ententes et 16 opérations de fusions. La principale affaire d'abus de position dominante concernait la firme Incheba Ltd. qui exigeait des participants aux expositions organisées par elle qu'ils fassent appel à ses services d'assistance technique. Cette pratique empêchait la Société Exposervice d'entrer sur le marché de ces services. Incheba a été condamnée à une amende et a fait appel de cette décision devant la Cour Suprême de la République slovaque. Cette dernière a rejeté ce recours et confirmé la décision du Bureau. En matière d'ententes, une affaire importante a été celle concernant un accord sur les prix des carburants entre Slovnaft et Benzinol, deux distributeurs qui procèdaient à des échanges d'informations et s'entendaient pour fixer les prix indirectement par le biais de la fixation de marges élevées. Le Bureau a décidé d'interdire cet accord.

En **Espagne**, le Servicio de Defensa de la Competencia a examiné 210 affaires concernant plusieurs types d'infractions : accords de fixation des prix et de répartition du marché, ententes visant à éliminer les concurrents, abus résultant de conditions de prix et de conditions commerciales et de services déloyales ainsi que de restrictions de la production, de la distribution ou du développement technique, abus résultant du refus de livrer et de la fixation de conditions discriminatoires ou de l'obligation de faire appel à des services auxiliaires inutiles. Ces affaires se situaient dans différents secteurs : pêche, agriculture, alimentation, boissons et tabac, bâtiment et travaux publics, commerce et services. Parmi les affaires les plus notables figuraient les hausses des prix des services de pompes funèbres de Vigo et de Madrid, une entente visant à augmenter les prix conclue par une association d'hôtels, l'abus d'une position dominante par un fabricant d'équipements de chauffage qui avait imposé certaines conditions commerciales à ses distributeurs, une entente entre fournisseurs de matériels orthopédiques en vue de soumissionner à un appel d'offres des hôpitaux publics. Le Service a également procédé à des enquêtes générales sous la forme d'inspections nationales. Il a, par ailleurs, participé avec des fonctionnaires de la

Commission des Communautés européennes à plusieurs inspections dans diverses localités espagnoles. En ce qui concerne les fusions, le décret royal 1080/92 a approuvé la procédure mise en place en matière de contrôle des fusions ainsi que le contenu et la forme de la notification volontaire préalable des fusions. S'agissant des fusions relevant de la réglementation communautaire, le Service a examiné 114 opérations au cours de la même période.

Le Tribunal de Défense de la Concurrence a rendu des arrêts sur les affaires concernant des pratiques anti-concurrentielles. Les plus notables d'entre eux concernaient les concessionnaires d'automobiles et les sociétés d'assurances, une association d'entreprises de pompes funèbres, des marchands d'huile d'olive, des courtiers, des architectes, des fabricants de serviettes hygiéniques jetables, des assurances médicales mutuelles, la diffusion de matchs de football à la télévision, des grandes banques et la Société Telefonica. La décision concernant la diffusion de matchs de football concernait une affaire complexe. Le Tribunal a jugé que la Ligue Nationale de Football professionnel avait commis un abus de position dominante en tant qu'organisatrice des matchs et titulaire exclusif des droits de diffusion des matchs de football. La ligue avait effectivement bloqué l'accès de deux chaines de TV privées à la retransmission des images des matchs. Un mécanisme de surveillance efficace a été mis en place en vertu de l'article 31 de la loi 16/89 relative à la protection de la concurrence en vue d'assurer l'exécution des décisions du Tribunal. Le Tribunal a rendu huit avis sur des affaires de fusions à la demande du ministère des Finances et après examen par le Service.

En **Suède**, les dispositions de la nouvelle loi sur la concurrence ont été appliquées pendant l'ensemble du second semestre de 1992 bien que leur entrée en vigueur ne soit intervenue qu'au 1er juillet 1993. Dans un certain nombre de cas, les entreprises ont pris des engagements et modifié ou même annulé certains accords parce qu'ils auraient été contraires aux nouvelles règles de la concurrence. L'Autorité chargée de la concurrence a examiné les clauses d'exclusivité contenues dans les accords entre l'administration nationale des postes Postverket et ses clients et conclu qu'elles constituaient un abus de position dominante en vertu de la loi sur la concurrence. L'Autorité a également examiné des fusions opérées dans le secteur du transport aérien entre SAS et Linjeflyg, dans l'industrie du sucre entre Sockerbolaget AB et Danisco A/S et dans l'industrie de l'acier inoxydable entre Avesta AB et British Steel plc. Les fusions dans l'industrie du sucre et dans la sidérurgie ont, l'une et l'autre, été considérées comme ne posant pas de problème du point de vue de la concurrence. La fusion dans le transport aérien a été considérée comme aboutissant à constituer une firme occupant une position dominante dans ce secteur. Les effets anti-concurrentiels de cette opération étaient toutefois atténués par deux facteurs importants : en premier lieu, Linjeflyg connaissait des difficultés financières et la déréglementation du transport aérien était en cours. Qui plus est, l'acquéreur acceptait des engagements garantissant qu'il n'abuserait pas de sa position dominante après la fusion.

En **Suisse**, la Commission des cartels a procédé à plusieurs enquêtes concernant les caisses d'assurance maladie, la presse, l'industrie des wagons de chemin de fer, les heures d'ouverture des magasins et l'industrie laitière. L'enquête sur les caisses maladie était étroitement liée à la révision complète de la loi sur l'assurance maladie. La Commission a proposé des modifications et des compléments à la législation en vue de faire jouer à la concurrence un rôle plus actif dans ce secteur en supprimant ou en démantelant les cartels privés afin de permettre une concurrence entre les prestataires de soins et les organismes d'assurance. En ce qui concerne l'industrie des wagons, la Commission a noté que le jeu de la concurrence était largement déterminé par l'attitude et la politique des CFF (Chemin de fer fédéraux). S'agissant des heures d'ouverture des magasins, la Commission a recommandé la suppression des prescriptions en matière d'heures de fermeture. A la suite de son enquête sur l'industrie laitière, la Commission a recommandé de procéder à une refonte du marché du lait en deux étapes. A la suite de ses conclusions, la réglementation des prix du lait UHT a été supprimée, le 1er janvier 1993, et les droits de préemption entre coopératives et fédérations laitières le seront le 1er mars 1994. La Commission devait publier son rapport sur l'industrie du ciment à la fin de 1993. Elle poursuit ses investigations dans les domaines suivants : gravier et béton prêt à l'emploi, farine panifiable, automobile et installations de télécommunications. Deux enquêtes ont été ouvertes, l'une sur le marché du fromage et l'autre sur le recyclage des déchets. Enfin quatre enquêtes ont été abandonnées : deux d'entre elles concernaient l'activité de psychologue et les deux autres le secteur de l'horlogerie.

L'enquête de la Commission dans l'industrie des wagons portait sur la fusion entre Schindler et FFA. A l'occasion de cette enquête, la Commission a posé le principe qu'elle pouvait recommander aux entreprises de lui soumettre à l'avance leurs projets de fusions c'est-à-dire en fait de lui transmettre des notifications préalables des fusions. Etant donné que la loi sur les cartels ne prévoit pas de contrôle réel sur les cartels, l'affirmation de ce principe qui a été énoncé à nouveau lors de l'enquête sur la concentration dans la presse a permis à la Commission de procéder durant cette période à des enquêtes sur trois fusions dans le commerce de détail et dans la presse. Le but de telles enquêtes est de rendre les intéressés attentifs aux effets nuisibles pouvant découler d'une position dominante. Pour sa part le préposé à la surveillance des prix a examiné les domaines suivants : circuits de télécommunications loués, assurance responsabilité civile pour véhicules à moteur, cigarettes, assurances accidents, redevances radio-télévision et prix des médicaments.

Au **Royaume-Uni**, 1 249 accords ont été communiqués au Bureau de la loyauté des pratiques commerciales en vertu des lois de 1976 et 1977 sur les pratiques commerciales restrictives : 589 d'entre eux ont été inscrits sur le registre des pratiques commerciales restrictives. Le Bureau a estimé que 534 accords ne comportaient pas de restrictions significatives et a suggéré au ministre du Commerce et de l'Industrie de décider qu'il n'y avait pas lieu dans ces cas de saisir le Tribunal des pratiques restrictives. A la suite de cet avis, le ministre a formulé 503 décisions dans ce sens. Le Bureau a également ouvert des enquêtes sur 50 accords qui n'avaient pas été notifiés alors qu'ils étaient soumis à enregistrement. Par ailleurs, un accord illégal qui, selon le Directeur Général responsable de la loyauté des pratiques commerciales avait été volontairement dissimulé, a été déféré au Tribunal. Des actions en justice sont en préparation pour d'autres affaires se situant dans les secteurs suivants : sucre, distribution des journaux, ciment, retransmission télévisée des courses de chevaux dans les bureaux d'enregistrement des paris et isolation thermique.

Le Bureau a, par ailleurs, résolu trois affaires constituant des infractions à la loi de 1976 sur les prix de vente. Le Directeur Général a obtenu des fournisseurs l'engagement écrit de ne pas chercher à imposer des prix minimum de vente dans les secteurs des vêtements pour enfants, des textiles et des voitures de sport. Le Directeur Général a également publié un rapport d'enquête sur une pratique commerciale qui contrevenait à la loi sur la concurrence de 1980. Ce rapport constatait que Southdown Motor Services Ltd., désormais Sussex Coastline Buses Ltd., avait pratiqué des tarifs non économiques sur deux itinéraires à Bognor Regis en vue d'éliminer la concurrence. L'affaire a été soumise en septembre à la Commission des monopoles et des fusions. Le Directeur Général a saisi à huit reprises la Commission dans le cadre de la mission de surveillance qu'il exerce en vertu de la loi de 1973 sur la loyauté des pratiques commerciales. Ces affaires concernaient la fourniture de solution pour lentilles de contact, la presse nationale d'Angleterre et du Pays de Galles, la médecine privée, les déchets animaux en Angleterre, au Pays de Galles et en Ecosse, les parfums et les services de bus dans le Mid-Kent. Le ministre et le Directeur Général ont par ailleurs procédé à une double saisine de la Commission en ce qui concerne la distribution de gaz aux clients payants et gratuits et les services de transport ou de stockage de gaz assurés par les producteurs publics. La Commission des monopoles et des fusions a, pour sa part, publié cinq rapports concernant les véhicules à moteur neufs, les pièces détachées pour automobiles, les Cross-Solent ferries, les allumettes et les briquets jetables et les services de diffusion de la télévision. La Commission a également pris certaines mesures à la suite de rapports établis au cours des années précédentes sur des affaires comme la fourniture de sel blanc, la distribution de gaz et la fourniture de bière. Le Bureau a procédé à des enquêtes informelles sur des affaires qui ont été résolues sans qu'il soit nécessaire d'effectuer une investigation en vertu de la loi sur la concurrence ou de recourir à une déclaration de monopole en vertu de la loi sur la loyauté des pratiques commerciales. Les cas les plus importants concernaient une association de sport automobile (RAC) une association d'équitation (British Equestrian Trade Association), une firme de publications professionnelles (VNU) et des cartes en plastique.

L'activité des tribunaux a également concerné l'application de la réglementation communautaire de la concurrence. Des problèmes de concurrence ont également été soulevés à l'occasion de l'élaboration de la réglementation des services publics privatisés, notamment par le Bureau des télécommunications, le Directeur Général de l'Electricité, le Directeur Général des Services des Eaux et par l'OFGAS.

En ce qui concerne les fusions, le Bureau responsable de la loyauté des pratiques commerciales a examiné 200 projets et opérations de fusions dans le cadre des responsabilités qu'il exerce en vertu de la loi de 1993 sur la loyauté des pratiques commerciales. Le Directeur Général a formulé un avis à l'attention du ministre sur 125 fusions et projets de fusions. Ces fusions ont eu lieu dans un grand nombre de branches d'activité dans tous les secteurs. Le Bureau a reçu douze notifications de fusions au titre de la procédure de notification préalable volontaire instituée en 1990. La Commission de la CEE a reçu notification de 58 fusions au titre de la Directive du Conseil de la CEE 4064/89 sur les fusions. L'opération de création d'une co-entreprise entre Tarmac et Steely s'est avérée d'un intérêt particulier pour le Royaume-Uni. Bien que les effets de cette opération sur la concurrence dans le secteur des matériaux de construction soient limités au Royaume-Uni elle relevait de la compétence de la Commission européenne en raison de la taille des sociétés concernées. Toutefois, du fait que la co-entreprise affectait deux marchés régionaux situés au Royaume-Uni, il a été demandé que cette partie de la transaction soit renvoyée aux autorités du Royaume-Uni pour enquête en vertu de l'article 9 de la directive sur les fusions. L'affaire a été soumise par la suite à la Commission des monopoles et des fusions. Il s'agissait de la première requête présentée par un État membre au titre de l'article 9 de la directive qui ait abouti.

Le ministre a soumis dix affaires à la Commission des fusions et des monopoles en vertu des pouvoirs qui lui sont conférés par la loi sur la loyauté des pratiques commerciales. La Commission a publié huit rapports et a constaté dans cinq cas que la fusion serait probablement contraire à l'intérêt public. Aucun projet de fusion n'aurait impliqué une saisine obligatoire de la Commission des monopoles et des fusions en vertu de la loi sur la distribution de l'eau. Toutefois, un projet de ce type qui n'atteignait pas le seuil fixé par cette loi mais qui concernait des entreprises de distribution d'eau a été soumis à examen en vertu de la loi sur la loyauté des pratiques commerciales.

Aux **États-Unis**, la Division Antitrust du ministère de la Justice a ouvert 181 enquêtes officielles et engagé 89 actions antitrust. Elle a participé à 20 procédures devant la Cour Suprême ou les Cours d'Appel fédérales et est intervenue en tant qu'*amicus curiae* dans six recours jugés au niveau fédéral concernant des affaires antitrust privées. Par ailleurs, elle a participé à 48 audiences d'organismes réglementaires. Sur le plan pénal, la Division a intenté 78 actions en justice. Des condamnations ou des aveux de culpabilité ont été obtenus à l'égard ou de la part de 39 personnes physiques et de 51 sociétés défenderesses. La Division a examiné 1 621 projets de fusions et ouvert des enquêtes sur 88 d'entre eux. Sur le plan civil, la Division a entrepris 156 enquêtes et formulé 446 demandes d'enquêtes. La Division a intenté 11 plaintes et proposé 13 règlements amiables ou jugements définitifs dans des affaires civiles. Les tribunaux ont homologué dix de ces règlements ou jugements. En ce qui concerne particulièrement les fusions, la Division a contesté publiquement huit opérations et intenté des actions visant à interdire trois opérations. Des demandes d'informations supplémentaires au nombre de 47 ont été présentées aux parties soumises à l'obligation de notification préalable prévue par la loi Hart-Scott-Rodino. Pour sa part en 1992, le Bureau de la concurrence de la Federal Trade Commission (FTC) a formulé deux avis et engagé deux recours administratifs. Il a donné son approbation définitive à 16 règlements amiables ; fin 1992, quatre règlements amiables ayant reçu une approbation provisoire demeuraient en instance dans l'attente des résultats de la consultation publique. La Commission a ouvert 83 enquêtes préliminaires et 42 enquêtes complètes. Elle a modifié un règlement définitif et intenté trois actions devant les tribunaux civils qui ont donné lieu à deux condamnations à des amendes de 2.73 millions d'une part, et à deux condamnations d'un montant de 1.39 millions d'autre part, au titre d'actions intentées en 1991. Elle a également autorisé une injonction préliminaire à l'encontre d'un projet de fusion.

La Cour Suprême n'a statué sur aucune affaire concernant le ministère de la Justice. Elle s'est toutefois prononcée sur une décision de la FTC selon laquelle l'entente conclue entre sociétés d'assurance des titres de propriété pour fixer les tarifs des opérations de recherche et d'examen de ces titres constituait une pratique de prix imposés. Dans sa décision sur l'affaire Ticor Title Insurance Co, la Cour a considéré que cette pratique n'était pas protégée par la doctrine dite "state action" (action de l'État) au regard des États du Montana et du Wisconsin et a renvoyé l'affaire à la Cour d'Appel pour examen supplémentaire en 1993. Dans une affaire privée entre Eastman Kodak Co et Image Technical Services Inc., la Cour Suprême a confirmé le jugement d'un Tribunal de niveau inférieur selon lequel le fait qu'une société ne dispose pas d'une position dominante sur le marché du premier équipement n'implique pas nécessairement qu'elle ne dispose pas d'une telle position sur le marché secondaire des services et des pièces détachées de ses propres produits et selon lequel si une marque de produit ou de services n'est pas interchangeable avec celle d'une autre société, cette marque peut constituer un marché distinct en vertu du Sherman Act. Le ministère de la Justice et la FTC ont déposé des conclusions dans des affaires privées jugées par la Cour Suprême. En particulier, le ministère est intervenu dans une affaire concernant la portée de "l'exception pour opération fictive" de la doctrine Noerr-Pennington. Il est également intervenu dans une affaire de tentative de création d'un monopole qui soulevait la question de la validité de la règle de Lessing qui a été élaborée et formulée pour la première fois en 1964. D'autres conclusions soutenaient qu'une entente entre certaines sociétés d'assurance et de réassurance de la branche accidents tendant à refuser de réassurer des assureurs concurrents constituait un "boycottage" ou une "coercition" au sens du McCarran-Ferguson Act et que ce comportement ne serait donc pas susceptible de bénéficier d'une immunité au titre de la loi antitrust. Ces conclusions faisaient valoir au surplus qu'une société d'assurance ne perdait pas le bénéfice de l'immunité prévue par la loi en agissant de concert avec des entités étrangères non exemptées et que les principes du respect de la législation et de la chose jugée des autres pays tels qu'énoncés antérieurement constituaient une base appropriée pour permettre à un Tribunal de refuser d'entendre une affaire antitrust privée comportant des éléments étrangers excessifs. Dans une autre affaire, le ministère a opposé une requête *a certiorari* à la révision du jugement d'un tribunal inférieur qui avait estimé que le fait d'exiger une adhésion à une association d'agents immobiliers pour pouvoir utiliser le service de listage pourrait constituer une pratique illégale de vente liée ou de boycottage.

Au niveau des Cours d'Appel, 14 des actions pénales antitrust intentées par le ministère de la Justice ont été jugées. Plusieurs décisions présentaient un intérêt significatif sur le plan théorique ou de la politique. Dans une décision importante au regard du programme d'exécution de la loi par recours à des poursuites pénales mis en oeuvre par le ministère, la Cour a confirmé que la pratique des prix imposés dans les professions libérales est illégale *per se* et passible de sanctions pénales. Dans une autre affaire, la Cour a jugé que la détermination d'une infraction en soi à la législation antitrust dans le cas d'une entente visant à fausser un appel d'offres dépendait de l'existence d'un accord pour supprimer la concurrence et non pas de la capacité de chacune des parties à l'entente d'exécuter les prestations. Les Cours d'Appel ont statué en 1992 sur trois affaires intéressant la FTC. Dans la plus notable, le Sixième Circuit a confirmé la décision de la Commission selon laquelle une entente entre concessionnaires de voitures de Détroit pour limiter les horaires de la vente des automobiles constituait une méthode de concurrence déloyale. Le Neuvième Circuit a également confirmé en février 1993 la décision de la FTC exigeant une cession d'actifs dans le cadre d'une fusion de fabricants de produits chlorés destinés aux piscines.

Les 78 actions antitrust intentées par le ministère de la Justice couvraient une grande variété de marchés de produits. Le ministère a obtenu la condamnation ou la reconnaissance de culpabilité de 51 sociétés et de 39 personnes physiques défenderesses. Il a vigoureusement poursuivi devant la justice les ententes frauduleuses à plusieurs paliers, les agissements visant à fausser les appels d'offres pour la fourniture de lait aux écoles, les soumissions frauduleuses pour l'achat de marchandises lors d'enchères publiques et les comportements anti concurrentiels visant les marchés publics de l'État fédéral. Par ailleurs, certains règlements amiables ont été modifiés ou rapportés. Le ministère a également procédé à la présentation devant les tribunaux de district et ¹es Cours d'Appel de mémoires relatifs à l'interprétation et à l'application de règlements amiables. Il a, par ailleurs, engagé diverses actions civiles invoquant un comportement contraire à la concurrence dans des contextes autres que celui des fusions. S'agissant de ses activités de mise en oeuvre dans des domaines autres que les fusions, la FTC a intenté en 1992 des actions concernant des soumissions frauduleuses, des collusions sur les prix, des boycotts, des échanges d'informations entre concurrents, des restrictions à la concurrence, dans des secteurs tels que les services psychologiques, le courtage immobilier, la chiropraxie, le travail social ainsi que des opérations liées illégales.

Sur un plan général, en ce qui concerne les fusions, le ministère de la Justice et la FTC ont reçu 3 098 déclarations au titre de la Loi Hart-Scott-Rodino, concernant notamment 1 621 transactions déclarées dans le cadre du programme de notification préalable. A la suite de l'examen des notifications préalables des fusions, le ministère a établi 47 demandes d'informations complémentaires concernant 23 opérations. Il a examiné par ailleurs 1 539 fusions et acquisitions concernant des banques et des institutions financières qui ne sont pas couvertes par la loi Hart-Scott-Rodino. De son côté, la FTC a examiné 32 opérations qui ont fait l'objet de demandes d'informations complémentaires. Le ministère et la FTC se montrent très attentifs au respect des obligations de notification prévues par la loi Hart-Scott-Rodino. La FTC par l'intermédiaire du ministère, et le ministère en son nom propre, ont intenté des actions devant les tribunaux fédéraux au cours de l'année pour infraction aux dispositions de la loi. Sur les 88 fusions et acquisitions qu'il a examinées, le ministère a contesté huit projets et intenté trois actions devant les tribunaux fédéraux. Sept projets ont été abandonnés ou restructurés après l'annonce par le ministère de son intention d'engager une action ou de déposer une plainte. De son côté la FTC s'est efforcée de bloquer une fusion devant le Tribunal fédéral de district. Elle a déposé une plainte administrative concernant un projet d'acquisition et rendu une décision d'annulation d'une autre plainte administrative. La FTC a également conclu six règlements amiables définitifs et deux règlements amiables provisoires visant à régler les effets anti concurrentiels de projets de fusions.

IV. Déréglementation, privatisation et politique de la concurrence

En **Australie**, on observe une accélération du processus de déréglementation et d'ajustement structurel. Sur le marché du travail, le gouvernement a encouragé une approche des relations du travail plus axée sur la coopération dans le cadre de l'Accord, contribuant ainsi à un assouplissement du système des relations du travail. En matière de négociations au sein de l'entreprise, la mise en place d'un régime salarial plus décentralisé a été poursuivie. Dans le secteur de l'électricité, la constitution d'un marché concurrentiel pour les usagers importants dans le Sud et l'Est du pays doit intervenir le 1er juillet 1995. Dans les télécommunications, des mesures favorables à la concurrence ont été prises par le biais d'un accord duopole conduisant à la création d'un marché libre en 1997. S'agissant des activités portuaires, le programme triennal de réforme du secteur de la manutention a été achevé avec succès le 31 octobre 1992. La prochaine phase de la réforme sera axée sur les autorités portuaires. Dans les transports maritimes, un programme triennal de réforme complémentaire destiné à améliorer l'efficacité et la compétitivité de ce secteur a été annoncé en avril 1993. Le gouvernement australien a entrepris, le 20 avril 1993, un examen approfondi du chapitre X de la loi de 1974 sur les pratiques commerciales. Dans le secteur de l'aviation civile, l'adoption d'une nouvelle politique en février 1992 s'est accompagnée de la création de l'International Air Service Commission (Commission Internationale des Services Aériens) chargée d'assurer la répartition de la capacité sur les lignes internationales entre les transporteurs australiens. Cet organisme doit statuer d'après un critère strict d'intérêt général. Dans le secteur de la radiotélédiffusion, le Broadcasting Services Act de 1992 (loi sur les services de radiotélédiffusion) qui est entré en vigueur le 5 octobre 1992 contient toute une série de dispositions en matière d'autorisation et de réglementation des services de radiotélévision en Australie. La Commission des pratiques commerciales a pris part au débat concernant les secteurs des télécommunications, des activités portuaires et des transports maritimes, du transport aérien national et international et de la radiodiffusion-télévision.

La Commission a réalisé un certain nombre d'études importantes. L'étude exhaustive des conditions de la concurrence sur les marchés des services des professions libérales a été axée au cours de l'année sur la profession juridique. Le projet de rapport sur ce sujet a été publié le 6 octobre 1993. En matière de passation d'actes translatifs de propriété, la Commission a publié en novembre 1992 un document de travail dans lequel elle concluait que la réglementation étatique stricte régissant ces opérations faisait obstacle à la concurrence et imposait des coûts excessifs et inutiles aux acquéreurs et aux vendeurs de biens. S'agissant de l'architecture, la Commission a conclu, dans son rapport définitif sur ce sujet, que les architectes et les ingénieurs ne devaient plus échapper à l'application des dispositions de la Trade Practices Act sur le caractère approprié et la qualité des services fournis aux consommateurs. En ce qui concerne les activités portuaires et les transports maritimes, la Commission, dans son projet de rapport sur la politique de mise en location des installations portuaires menée par les autorités portuaires australiennes publié en décembre 1992, a conclu que cette politique avait favorisé les inefficiences, fait obstacle à une concurrence effective et entraîné une hausse des prix des importations et des exportations.

En **Autriche**, aucune activité n'a été mentionnée dans ce domaine sinon que les règles sur la concurrence du traité l'EEE qui est entré en vigueur au début de 1994 ont été intégrées dans la législation autrichienne par un nouveau texte législatif.

Au **Canada**, le Directeur des Enquêtes et Recherches a présenté des observations aux Offices, Commissions et autres Tribunaux en vertu des articles 125 et 126 de la loi sur la concurrence ainsi qu'à des organismes tels que les comités ou les groupes de travail gouvernementaux dans neuf cas concernant les secteurs des transports, des télécommunications, de l'agriculture et de l'énergie. En ce qui concerne le marché canadien, le Bureau a contribué aux travaux du Secrétariat de la prospérité et du Groupe Directeur de la prospérité du secteur privé qui ont publié un rapport en octobre 1992. Le Bureau a également examiné la question de savoir dans quelle mesure la politique de la concurrence facilitait l'ajustement structurel et a fait diffuser un rapport sommaire sur cette question à la fin de 1992. Dans un exposé présenté en mars 1993 devant le Conseil de la Compétitivité agro-alimentaire, le Bureau a analysé à nouveau la façon dont la politique du Canada facilitait l'ajustement structurel et la compétitivité internationale des entreprises agro-alimentaires canadiennes. Le Bureau étudie par ailleurs l'émergence de vastes sociétés "apatrides" et leur incidence sur la politique de la concurrence et d'autres lois cadres. Il a collaboré aussi à l'élaboration d'une politique canadienne en matière de sciences et de technologie ainsi qu'à l'étude des obstacles interprovinciaux à la circulation des marchandises et des capitaux. Il a continué à suivre de près les activités du Conseil canadien des administrateurs en transport motorisé et participé à un Forum interministériel et industriel sur le transport routier. Le Bureau a également continué à participer aux consultations et discussions interministérielles concernant la négociation d'un nouvel accord avec les États-Unis sur le transport aérien et la tenue de Conférences maritimes sur le marché maritime international par dérogation à la loi sur la concurrence. S'agissant de la politique commerciale, le Bureau a contribué à la rédaction du chapitre 15 sur la politique de la concurrence et le commerce de l'Accord de libre échange nord américain avec les États-Unis et le Mexique. Le Bureau a également continué à participer aux travaux interministériels ainsi qu'aux consultations avec des représentants du secteur privé visant à établir les positions du Canada dans les négociations découlant de l'article 1 907 de l'Accord de libre-échange entre le Canada et les États-Unis qui traite des droits antidumping, des subventions et des droits compensateurs. Enfin le Bureau travaille à l'élaboration des positions du Canada au regard de l'inclusion de la politique de la concurrence dans la Charte européenne de l'énergie. Le Bureau participera à l'organisation d'une Conférence sur les politiques en matière de commerce, d'investissement et de concurrence qui aura lieu en mai 1993.

Le Directeur participe également aux activités internationales. Le Bureau de la Politique de la Concurrence entretient des relations bilatérales avec des organismes antitrust de différents pays, plus particulièrement les États-Unis et, de plus en plus, la CEE. Par ailleurs, il participe depuis longtemps aux travaux de groupes multilatéraux qui s'intéressent au droit et à la politique de la concurrence, plus particulièrement l'OCDE.

Au **Danemark**, le Conseil de la Concurrence a présenté des communications sur les professions libérales auprès des autorités compétentes. Il a recommandé au ministère de l'Industrie d'assouplir la réglementation applicable à la profession d'expert comptable. En ce qui concerne les géomètres experts agréés, le Conseil a recommandé au ministre du Logement et de la Construction d'abroger les dispositions relatives au droit d'exclusivité. S'agissant des agents immobiliers, il a recommandé au ministère de l'Industrie d'abroger, dans le cadre d'un projet de loi sur le transfert des biens immobiliers, une disposition interdisant aux agents immobiliers de passer des actes juridiques. Le Conseil a également saisi le ministère des Transports et les Chemins de Fer de l'État de la question de l'accès des sociétés privées de ferry aux installations portuaires. Le Conseil a par ailleurs saisi le ministère de l'Environnement du problème de l'accès des firmes privées au marché de l'évacuation des déchets. Il a également entrepris une enquête sur le secteur de l'énergie. Enfin, le Conseil a recommandé, dans des communications aux ministères de l'Énergie et des Finances, la prise en compte des questions de concurrence lors de la préparation des mesures de politique de l'énergie et des mesures de politique fiscale.

En **Finlande**, le Bureau de la libre concurrence a poursuivi activement ses efforts visant à supprimer les obstacles à la concurrence existant dans l'industrie alimentaire, le secteur de l'énergie, le bâtiment, la planification, les services de transport et le secteur bancaire. Il a lancé 15 initiatives spécifiques visant à démanteler les restrictions publiques affectant la concurrence dans le commerce intérieur, la distribution d'électricité et de gaz naturel, les importations de sucre et pour le paiement des aides de l'État. Le Bureau a par ailleurs établi 53 mémoires concernant la réglementation publique à l'intention de diverses autorités gouvernementales.

En **France**, la Direction Générale de la Concurrence, de la Consommation et de la Répression des Fraudes, a préparé l'ouverture du marché unique européen. Elle a orienté ses actions autour de deux axes, de sorte que l'interpénétration croissante et inéluctable des marchés européens préserve l'intérêt légitime des consommateurs et des entreprises. Le premier axe visait au maintien de structures concurrentielles par un développement sensible du contrôle des concentrations et par l'abaissement raisonné des barrières à l'accès au marché dans les secteurs encore indûment protégés. Le second visait à faire en sorte que, sur ces marchés ouverts et où le risque de déloyauté devient plus important, les entreprises puissent bénéficier de conditions de fonctionnement équitables et transparentes.

Un débat sur le rôle adéquat de la politique de la concurrence s'est ouvert en liaison avec la constitution du marché unique et à la suite de l'affaire De Havilland de 1991. Il a conduit à des actions visant à améliorer la communication avec les milieux professionnels et juridiques afin de mieux faire comprendre les positions des autorités françaises de la concurrence, à renforcer la transparence de la politique de contrôle des concentrations et à intensifier le recours à l'expertise du Conseil de la Concurrence. Les efforts d'ouverture des marchés se sont concentrés sur les grands services publics marchands organisés en monopoles. Plusieurs décisions importantes ayant pour objet de mettre en oeuvre des réformes structurelles dans ces secteurs ont été prises. La Direction Générale a joué également un rôle moteur dans la rédaction de nouveaux textes de lois. Par ailleurs, l'ouverture de certains services de télécommunications à la concurrence s'est poursuivie. De même, la réforme progressive des transports aériens a connu une nouvelle étape avec l'harmonisation des conditions imposées aux transporteurs pour s'établir dans les pays de la CEE.

En **Allemagne**, le Gouvernement a poursuivi la mise en oeuvre de sa politique visant à lever les obstacles législatifs entravant les initiatives des entrepreneurs et à permettre à la concurrence de s'exercer plus librement au sein de l'économie grâce à la privatisation et à la déréglementation. Les privatisations qui se sont poursuivies dans les secteurs des banques et des transports ont permis de réduire considérablement les participations de l'État. D'autres privatisations sont programmées concernant Telekom, les chemins de fer et les autoroutes. Des efforts supplémentaires restent à accomplir, notamment l'étude d'autres domaines des infrastructures publiques susceptibles de faire l'objet de privatisations, la réduction des participations de l'État dans le capital des entreprises, la cession de biens fonciers et la liquidation de la Treuhandanstalt à l'expiration de son mandat en 1994. De leur côté les laënder ont commencé à étudier la privatisation d'une partie de leurs participations. Par ailleurs, les propositions de la Commission de la déréglementation concernant les services de consultants et les conditions d'accès aux professions et aux métiers ont été adoptées.

L'Office fédéral des Ententes a continué à jouer un rôle actif de consultation sur les aspects touchant à la concurrence de plusieurs réglementations existantes ainsi que des projets de lois et de règlements. Il a également présenté, soit sur demande du ministère fédéral de l'Économie soit de sa propre initiative, des avis sur les questions concernant la politique des échanges et la politique industrielle et structurelle. L'Office constitue un comité de surveillance qui sera chargé de vérifier l'application des directives communautaires en matière de marchés publics à l'ensemble des appels d'offres des collectivités publiques. Dans la perspective de la privatisation des chemins de fer fédéraux, la création d'un conseil d'arbitrage chargé d'assurer un accès sans aucune discrimination au réseau ferroviaire est envisagée.

En **Grèce**, aucune activité n'a été mentionnée dans ce domaine au cours de la période.

En **Hongrie**, le processus de privatisation s'est poursuivi. L'application des dispositions relatives aux fusions et aux acquisitions a toutefois soulevé une importante question : la loi n° LXXXVI ne serait, en effet, pas applicable à certaines opérations de privatisation, ce qui serait contraire à l'esprit du texte et risquerait d'entraîner un accroissement de la concentration. Le Bureau de la Concurrence Economique a considéré qu'il convenait de réviser la loi afin de corriger cette lacune. Il a reconnu aussi que d'autres questions de ce type pourraient être soulevées lors de la poursuite du programme de privatisation. Par ailleurs, le Bureau a présenté, en vertu de l'article 60 de la loi, ses observations sur environ 200 lois et règlements. Au stade des projets législatifs, le Bureau contribue en permanence à l'élaboration de la réglementation (ex-réglementation sur les marchés publics).

En **Irlande**, aucune évolution importante n'a été observée en matière de déréglementation et de privatisation. L'autorité responsable de la concurrence n'a pas participé de manière importante à la formulation d'autres politiques.

En **Italie**, des propositions ont été formulées en vue de l'ouverture à la concurrence des télécommunications, du transport aérien, et de la production et de la distribution du gaz et de l'électricité. Par ailleurs, il a été proposé de réviser les dispositions régissant les appels d'offres pour l'attribution des marchés publics afin de les harmoniser avec les directives de la CEE. En outre, le gouvernement a proposé, en décembre 1992, des mesures de réorganisation et de privatisation des sociétés appartenant à l'État. Le pouvoir conféré au gouvernement par l'article 25 de la loi sur la concurrence d'exempter certaines fusions de l'application de la loi a conduit l'Autorité à demander que le rôle du gouvernement à cet égard soit précisé. Elle a demandé aussi que soit clarifié son propre pouvoir d'exempter certaines opérations de l'application de la loi. L'Autorité a également précisé la relation entre les règles communautaires sur la concurrence et la loi sur la concurrence.

Au **Japon**, le Gouvernement a poursuivi son examen exhaustif de la réglementation conformément à son programme pour le développement de la déréglementation. Le Conseil spécial pour la réforme administrative a étudié des mesures de déréglementation et a entrepris, dans le cadre de son examen général, de revoir les exceptions prévues par la législation à la loi concernant l'interdiction des monopoles privés et le maintien de la loyauté du commerce. Le Conseil a présenté en juin 1992 ses conclusions et recommandations concernant l'entrée sur le marché et les installations industrielles et la réglementation des prix. La Commission pour la loyauté du commerce a participé à cet effort. Des modifications substantielles sont intervenues depuis lors en ce qui concerne les ententes autorisées ainsi que les dérogations aux dispositions prohibant les pratiques de prix imposés contenues dans la loi antimonopole. Les 222 ententes bénéficiant de dérogations ont fait l'objet d'un nouvel examen qui a conduit à supprimer 60 d'entre elles. La suppression des ententes dans l'industrie textile est intervenue en 1993. La Commission a partiellement supprimé, à compter d'avril 1993, les dérogations de fixation de prix s'agissant de certains produits cosmétiques et de certains produits pharmaceutiques. Les mécanismes autorisant les ententes et autres, à déroger à la loi antimonopole par le biais de lois spécifiques seront revus de manière à ce qu'ils soient abolis, en principe, dans les cinq ans, et que des solutions concrètes soient trouvées d'ici la fin de l'année 1995. S'agissant du système de fixation de prix imposés, on s'efforcera de ne plus identifier de produits pouvant en bénéficier et on s'attachera à préciser, d'ici fin 1998, l'étendue des travaux protégés par les droits d'auteur.

La Commission a publié, en février 1992, les conclusions de son étude sur les liaisons interentreprises et les transactions entre six groupes importants. En avril 1992 le Groupe d'étude sur la réglementation publique et la politique de la concurrence, établi au sein de la Commission, a publié les conclusions de son étude sur la concurrence en matière de tarifs des transports aériens internationaux applicables aux vols commerciaux partant du Japon, en particulier en ce qui concerne les tarifs spéciaux en faveur des groupes et des particuliers. Dans le même temps, il publiait les résultats de son étude sur la concurrence en matière de diffusion de l'information et plus particulièrement sur les questions de la réglementation de l'audiovisuel. La Commission a également recommandé aux conférences sur la loyauté du commerce d'examiner la réglementation sur les offres de primes des Codes pour la loyauté de la concurrence de manière à ne pas décourager l'entrée sur le marché de nouveaux participants. Cet examen a conduit à assouplir la réglementation en cause dans diverses branches d'activité.

En **Corée**, bien que la loi sur la réglementation des monopoles et la loyauté du commerce ait exigé de tous les responsables des administrations centrales qu'ils consultent la Commission pour la loyauté du commerce sur tous les projets de lois et de règlements, la consultation et la concertation font souvent défaut dans ce domaine. La Commission a donc décidé de remédier à cette situation. Elle s'est aussi engagée à assurer une exécution loyale et transparente de la politique de la concurrence et à renforcer ses activités de coopération internationale afin de résoudre les frictions résultant de l'application de la politique de la concurrence de chaque pays. A cet effet, la Commission a décidé de renforcer sa participation aux instances internationales telles que l'OCDE et la CNUCED.

Le gouvernement coréen a énoncé ses principes fondamentaux pour une politique de la concurrence loyale dans le nouveau plan économique à cinq ans. La Commission a décidé de mettre en oeuvre avec vigueur ces principes fondamentaux par l'application des mesures visant à réprimer la concentration économique à travers une réduction progressive des garanties d'emprunts réciproques, et une amélioration rationnelle des normes de désignation des grands conglomérats. Elle a décidé aussi de créer les conditions favorables à la concurrence par la mise en place d'un système commercial équitable conforme aux normes internationales, l'institution de systèmes d'inspection des pratiques commerciales déloyales, la réglementation de la sous traitance et la prévention des pratiques déloyales dans le secteur public. La Commission a également décidé de renforcer le système d'application de la politique de la concurrence par la mise en place et la gestion du programme d'application de la réglementation des monopoles et de la loi sur la loyauté du commerce, par l'organisation d'un comité pour la loyauté de la concurrence et l'activation de la consultation préalable sur les lois qui limitent la concurrence.

En **Nouvelle-Zélande**, de profondes modifications ont été apportées, à compter du 1er juillet 1993, à la structure des services de santé financés par l'État. Il a été décidé notamment que la loi sur le commerce s'appliquerait, sous réserve de quelques exceptions, à l'achat et à la vente de services de santé et d'invalidité. La Commission a décidé d'axer ses efforts, au cours de la première année du nouveau régime, sur l'information à propos des dispositions de la loi plutôt que sur l'exécution forcée. Le gouvernement a approuvé la décision de la

Commission d'insister sur ce rôle d'information au cours de la période de transition.

Par ailleurs, les réformes engagées par le gouvernement dans le secteur de l'énergie sont presque achevées en ce qui concerne certains de leurs aspects importants. Les services de distribution d'électricité ont été, en quasi totalité, organisés sous forme de sociétés et la structure de leur capital a été déterminée par application de procédures définies dans la loi de 1992 sur les compagnies d'électricité. Le contrôle sur les prix du gaz a été levé le 1er avril 1993. Par ailleurs, l'ensemble des restrictions affectant les franchises seront supprimées à compter du 1er avril 1994. Un nouveau régime de réglementation assez souple ("light handed") sera mis en place dans l'industrie du gaz et de l'électricité en raison de la position de force que détiennent encore sur le marché, du fait de leur monopole, les sociétés de transmission ainsi que les distributeurs déjà en place sur le marché du détail. Dans le secteur de l'électricité, les travaux en vue de la mise en place d'un marché de gros se poursuivent. Le Wholesale Electricity Market Development Group, organisme financé conjointement par les pouvoirs publics et par l'industrie établira un rapport détaillé sur la mise en oeuvre d'un marché de gros de l'électricité en avril 1994. Une autre mesure destinée à faciliter la concurrence dans le secteur de l'électricité sera la séparation des activités de transport et de production. Une tarification séparée du transport et de l'énergie sera mise en place le 1er octobre 1993. Dans le secteur des communications il n'existe encore aucune concurrence au niveau de la desserte des abonnés. Un entrant potentiel n'a pas été en mesure de conclure un accord de raccordement qui lui aurait permis d'accéder à ce marché. Les tribunaux ont été saisis de cette affaire au titre de la loi sur le commerce et n'ont pas encore statué.

En **Norvège**, la Direction des prix, l'Autorité responsable de la concurrence, a donné son avis sur plusieurs mesures publiques. Bien que l'Autorité responsable de la concurrence ait indiqué qu'elle était favorable à la proposition de création d'organismes dotés de pouvoirs de réglementation à l'égard des redevances d'accès, des normes techniques et du contrôle des prix, elle a précisé qu'elle entendait maintenir sa compétence vis-à-vis de tous les problèmes et questions de concurrence.

En **Pologne**, le Bureau Antimonopoles a été autorisé à adopter des décisions concernant la transformation et l'établissement d'entités économiques conformément au Chapitre III de la loi sur la répression des pratiques monopolistiques. Le Bureau a participé directement à la mise en oeuvre des incitations prévues par la loi ainsi qu'aux activités d'autres organismes visant à établir des plans de restructuration de l'économie conformément aux article 11 et 12 de la loi. Le Bureau a rendu 740 décisions en vertu de l'article 11 de la loi concernant les transformations structurelles des entités économiques ; 382 d'entre elles concernaient la transformation d'une société d'État en société commerciale, 345 l'établissement d'une société commerciale et 13 des fusions de sociétés. Sont à noter particulièrement les décisions concernant l'industrie du bois et l'agriculture et les industries agro alimentaires. En vertu de l'article 12 de la loi, le Bureau a rendu trois décisions ordonnant la division de sociétés opérant dans le secteur agricole dont deux concernaient le commerce des semences et une la transformation de la viande. Le Bureau a par ailleurs lancé une étude sur la structure des monopoles qui a pour but d'analyser l'évolution du niveau de concentration et de déterminer les entités qui devraient faire l'objet d'une restructuration par division. Le Bureau a également contribué à encourager la concurrence en améliorant le système juridique polonais et en insérant des solutions favorables à la concurrence dans divers textes législatifs.

Les règles de concurrence de l'Accord intérimaire avec la CEE sont en vigueur depuis le 1er mars 1992 en Pologne. Une sous commission de la concurrence a été mise en place le 29 juillet 1992 pour assurer un fonctionnement correct des dispositions de l'accord en matière de concurrence et pour élaborer des règles d'application de l'article 33. La Sous Commission a décidé à cette époque que la Recommandation du Conseil de l'OCDE de 1986 concernant la Coopération entre Pays Membres dans le Domaine des Pratiques Commerciales Restrictives Affectant les Échanges Internationaux et l'article V de l'accord bilatéral entre la CEE et les États-Unis détermineraient le champ de la coopération entre les parties. Le Bureau a établi certaines propositions de réglementations visant à harmoniser le droit national de la concurrence avec celui de la CEE. Ces réglementations entreront en vigueur en 1993 et 1994. Le Bureau a, par ailleurs, participé activement aux négociations qui ont conduit aux accords avec les pays de l'AELE et de l'ALEEC. Ces accords ont été signés à la fin de 1992. Le Bureau a également participé activement aux affaires internationales. L'objectif de sa participation aux réunions et conférences a été de présenter à la communauté internationale l'état actuel du système juridique polonais de répression des monopoles et les résultats obtenus par le Bureau en matière d'application de ce système.

Au **Portugal**, dans le cadre de l'effort de libéralisation des prix des produits et des services, il a été décidé de lever les contrôles des prix de la banane, de la production et du raffinage du sucre, des engrais simples et complexes, de l'alcool éthylique, de la production et de l'importation du ciment, des gaz industriels, des services des postes et des télécommunications, et de la production et de l'importation de gaz médicinaux. D'autre part, le gouvernement a poursuivi la mise en oeuvre de sa politique de privatisation. Cette dernière a concerné des firmes d'abattage de bétail, de commercialisation de produits carnés, de fabrication de ciment, de pâte à papier, des aciéries, une firme de transformation des matières plastiques, une firme produisant de l'aniline, une banque, une entreprise de transport de carburant liquide, diverses entreprises de transport sur route, une station de radio commerciale et une firme de services de transitaires.

En **République slovaque**, l'accent a été mis sur le développement de la coopération internationale à travers des réunions bilatérales en vue d'aligner la législation et la pratique slovaques en matière de répression des monopoles sur celles des pays de la CEE, de l'AELE et des Nations Unies. La collaboration a été particulièrement intense avec l'OCDE, les États-Unis, l'Allemagne, la France, le Royaume-Uni et les pays de l'ALEEC.

En **Espagne** le Tribunal de Defensa de la Competencia a présenté en juin 1992 son rapport sur les professions qui recommandait une réforme des dispositions les plus anti-concurrentielles de la loi de 1974 sur les associations professionnelles. Le Conseil des ministres a adopté ces propositions et déposé un projet de loi devant le Parlement. La dissolution du Parlement et l'organisation d'élection générales au primtemps de 1993 ont toutefois empêché l'adoption de ce projet. Le Tribunal a également examiné les mécanismes permettant de renforcer la concurrence dans le secteur des services à travers des réformes structurelles. Il a publié, par ailleurs un rapport sur la compétitivité de l'économie et les secteurs des transports, de l'électricité, des télécommunications ainsi que sur les monopoles locaux et l'urbanisme. D'autres secteurs feront l'objet de rapports ultérieurement : distribution de l'eau et du gaz, services de messageries, services portuaires, pharmacies et diffusion des publications.

Pour sa part, le Servicio de Defensa de la Competencia a également réalisé des études sur certains secteurs économiques. L'analyse des secteurs économiques dans lesquels la concurrence est faible en raison de réglementations administratives a servi de base à l'établissement du plan de convergence de l'économie espagnole avec la CEE. Il a également été repris en partie dans certains des rapports du Tribunal. D'autres études et enquêtes ont été effectuées notamment sur les sujets suivants : marché des huiles végétales, secteur laitier, droits de reproduction, installation et entretien des ascenseurs, installations de gaz et d'électricité, notaires publics, pharmacies, édition, média, télécommunications, prix des livres, vente au détail de l'essence et industrie du bâtiment. Le Service a également établi des rapports sur des projets de lois et recommandé au Tribunal des modifications de la réglementation. Il a participé aux activités des organisations internationales telles que la CEE, l'OCDE et la CNUCED. Il a également participé activement aux relations bilatérales.

En **Suède**, l'Autorité chargée de la concurrence a analysé les effets qu'avait eue la déréglementation sur certains secteurs de l'économie. En ce qui concerne les services de taxi, elle a constaté qu'en dépit de certaines difficultés de caractère temporaire, la déréglementation qui est intervenue en 1990 atteignait, dans l'ensemble, ses objectifs. Par ailleurs, l'Autorité a publié, en février 1993, un rapport sur la déréglementation opérée dans les secteurs du textile et de l'habillement par la levée des restrictions quantitatives affectant les importations en provenance de certains pays. Sa conclusion a été que la déréglementation avait eu des effets extrêmement positifs sur les consommateurs. Dans le secteur de l'électricité, le Parlement a adopté des lignes directrices concernant la déréglementation au printemps de 1992. L'objectif est de faire en sorte que l'ensemble des réseaux de transport et de distribution soient librement accessibles et que l'achat et la vente d'énergie électrique soient séparés de la fourniture de services de transport. Une Commission gouvernementale a présenté un rapport en juin 1993. L'Autorité a prêté son concours à la Commission pour l'établissement d'un rapport sur l'applicabilité de la loi sur la concurrence à un marché déréglementé. Elle a également réalisé des études se rapportant à la politique de la concurrence et traitant des ententes horizontales sur les prix et des accords de répartition du marché, de la situation de la concurrence dans le secteur des brasseries et des effets de l'Accord sur l'EEE sur la concurrence en Suède.

En **Suisse**, la Commission des cartels a donné son avis sur plusieurs projets de lois et d'ordonnances dont les plus notables étaient l'ordonnance d'exécution sur le cinéma et la loi sur les fonds de placement. Le traité mettant en oeuvre l'Espace Économique Européen a été rejeté le 6 décembre 1992 par le peuple suisse. Les relations avec la CEE continuent donc d'être régies par l'Accord de Libre-Échange de 1972 qui contient des dispositions relatives aux problèmes de concurrence pouvant surgir entre les deux parties. Aucun problème de ce type n'est apparu. Enfin la Commission a continué à participer activement aux travaux du Conseil de l'Europe relatifs à la concentration dans les média.

Au **Royaume-Uni**, aucune activité particulière n'a été mentionnée sous cette rubrique.

Aux **États-Unis**, le ministère de la Justice a continué à préconiser un renforcement de la concurrence dans les secteurs réglementés, soulignant la nécessité d'éliminer les interventions gouvernementales inutiles ou contre productives entravant le libre jeu des forces du marché. Lorsque l'intervention de l'État sur un marché répondait à des objectifs légitimes de réglementation, le ministère a recommandé instamment d'utiliser les formes d'intervention les moins contraires à la concurrence. Le ministère a présenté des observations sur les réglementations en général ainsi que sur plusieurs sujets particuliers : les tarifs du transport maritime et le transport maritime de marchandises, le système de réservation informatisé d'une compagnie aérienne, les tarifs du transport aérien, l'intiative "ciel ouvert", les tarifs du transport routier, le projet d'acquisition de lignes de chemin de fer, la déréglementation de la distribution du lait, les restrictions affectant la vente d'oranges fraîches, le "plan de gestion des pêcheries" de la morue d'Alaska, les modifications du régime réglementaire des gazoducs et diverses questions concernant les télécommunications. Par ailleurs, le ministère a reçu 13 demandes présentées en vertu de l'Export Trading Company Act et de ses règlements d'application et il a participé à la délivrance de dix certificats d'examen concernant les fruits, les textiles, les matériels de communication et les services auxiliaires du commerce. Dans le cadre de son programme de défense de la concurrence et à travers le Bureau de la Défense du consommateur et de la concurrence, la FTC a présenté des observations à titre d'*amicus* aux organismes réglementaires des États et aux instances d'auto-discipline sur des questions concernant la concurrence dans des domaines tels que les télécommunications, les transports, divers services et professions de santé ainsi que le commerce de gros et de détail de l'essence.

Le ministère de la Justice a continué à participer aux discussions et aux décisions interministérielles concernant la formulation et la mise en oeuvre de la politique commerciale des États-Unis. Plus précisément, le ministère a participé aux négociations sur le chapitre relatif à la politique de la concurrence de l'Accord de Libre-Échange Nord-Américain, aux négociations de l'Uruguay Round sur le GATT et à l'Initiative sur les obstacles structurels entre les États-Unis et le Japon. Il a également donné son avis sur des projets de lois et des propositions de mesures, notamment sur la réforme de l'assurance maladie, les pratiques de prix imposés et les activités des Sociétés d'exploitation Bell en vertu du Règlement définitif modifié, règlement amiable de 1982 qui a mis fin à l'action antitrust à l'encontre d'AT&T. Au titre de ses activités internationales, la Division Antitrust a participé aux travaux de l'OCDE visant à un renforcement de la coopération et de la convergence en matière d'application des mesures antitrust au plan global.

AUSTRALIE

(juillet 1992 - juin 1993)

I.   Modifications apportées au droit et à la politique de la concurrence

En mars 1993, la responsabilité en matière de surveillance de l'application des dispositions en matière de politique de la concurrence figurant dans la Trade Practices Act (Loi sur les pratiques commerciales) de 1974 (la "TPA") a été transférée du ministre de la Justice au ministre des Finances et au ministre des Finances adjoint. Cette mesure était destinée à resserrer les liens croissants entre le programme de réforme structurelle dans de nombreux secteurs industriels et des aspects plus vastes de la politique de la concurrence. Le transfert de responsabilité complétera les autres mesures de la réforme micro-économique arrêtées par le gouvernement et fera porter davantage l'accent sur les aspects économiques de la politique de la concurrence tout en préservant ses principaux aspects juridiques.

A côté du transfert des moyens du ministère de la Justice au ministère des Finances, la responsabilité pour la Commission des pratiques commerciales et le Tribunal des pratiques commerciales a également été transférée au ministère des Finances.

Nouvelles dispositions législatives

D'importants amendements à la partie IV (pratiques commerciales restrictives) et aux parties relatives à la loi sur les pratiques commerciales sont entrés en vigueur le 21 janvier 1993.

L'article 50, qui traite des acquisitions et des fusions anticoncurrentielles, a été modifié. Le nouveau critère de l'application de cette disposition concerne le point de savoir si la fusion ou l'acquisition en cause entraînera une réduction sensible de la concurrence. Antérieurement, les fusions et les acquisitions qui entraînaient la formation d'une position dominante sur le marché étaient interdites. La modification a pour effet que le critère de la fusion est axé désormais sur l'effet d'un projet de fusion exercé sur la concurrence sur un marché - c'est-à-dire sur le comportement des firmes sur un marché et non sur leur structure. Une modification similaire a été apportée en ce qui concerne l'article 50A qui cible certaines acquisitions réalisées en dehors de l'Australie.

Une liste non exhaustive des facteurs économiques à prendre en compte pour l'examen du point de savoir si une fusion particulière est appelée à réduire sensiblement la concurrence a été incorporée dans la TPA. Cette liste regroupe des éléments tels que le niveau de concurrence des importations sur le marché et l'importance des obstacles à l'accès au marché.

Des modifications sensibles à l'article 50 de la TPA, régissant les fusions et les acquisitions, sont entrées en vigueur le 21 janvier 1993. L'article 50 interdit désormais les fusions qui auraient pour effet ou pour effet probable de réduire sensiblement la concurrence sur un marché important - soit un seuil différent de l'ancienne interdiction des fusions entraînant la formation ou le renforcement d'une position dominante.

L'article 50 modifié oblige les juridictions à tenir compte, en évaluant les fusions, des éléments énumérés ci-après (dont la liste n'est pas exhaustive) en ce qui concerne le marché en cause :

-- le niveau effectif et potentiel de la concurrence des importations ;

-- l'importance des obstacles à l'entrée ;

-- le niveau des concentrations ;

-- l'importance du pouvoir de riposte ;

-- la probabilité que l'acquisition mette la firme absorbante en mesure d'accroître sensiblement et durablement les prix ou les marges bénéficiaires ;

-- la mesure dans laquelle il existe ou il existera probablement des produits de substitution ;

-- les caractéristiques dynamiques du marché, y compris la croissance, l'innovation et la différenciation des produits ; la probabilité que l'acquisition ait pour effet de chasser du marché un concurrent vigoureux et efficace ; et

-- la nature et l'ampleur de l'intégration verticale sur le marché.

Il reste loisible aux parties à des fusions risquant de constituer des violations de la TPA d'en demander l'approbation à la Commission pour des motifs d'intérêt général. En pareil cas, la Commission est expressément tenue par la TPA modifiée de tenir pour des intérêts généraux :

-- un accroissement sensible de la valeur réelle des exportations ; et

-- le remplacement, dans une mesure sensible, des importations.

L'article 90 prévoit qu'une fusion peut être autorisée par la Commission des pratiques commerciales (ou par le Tribunal des pratiques commerciales, en cas de recours), si des intérêts généraux suffisants peuvent être invoqués. Sans limiter la gamme des intérêts généraux qui peuvent par ailleurs être examinés, les amendements susvisés prévoient qu'une hausse sensible de la valeur réelle des exportations ou une substitution importante des produits nationaux aux produits importés sont tenues pour un intérêt général et qu'il faut également tenir compte de tout autre élément concernant la compétitivité internationale de tout secteur de l'industrie australienne.

Le délai d'examen par la Commission des pratiques commerciales d'une demande d'autorisation de fusion a été réduit en passant de 45 jours à 30 jours, sauf dans des affaires particulièrement complexes dans lesquelles la Commission des pratiques commerciales peut porter le délai à 45 jours. Un délai de 60 jours a été fixé, délai dans lequel le Tribunal des pratiques commerciales doit examiner les demandes d'examen des décisions rendues par la Commission dans les affaires d'autorisation de fusions. Ce délai n'est pas applicable là où l'affaire est particulièrement complexe ou lorsque d'autres circonstances spéciales se présentent.

Les peines frappant les violations de la TPA ont été sensiblement aggravées. Les sanctions pécuniaires des violations des dispositions de la partie IV relatives à la concurrence, à l'exception des dispositions relatives au boycottage secondaire (article 45D et 45E), ont été aggravées en passant à un maximum de dix millions de \$A pour les personnes morales et de 500 000 \$A pour les personnes physiques. Les sanctions des violations des dispositions relatives au boycottage secondaire sont maintenues à leur niveau maximum actuel de 250 000 \$A pour les personnes morales.

Dans le cadre de sa stratégie d'application de la loi, la Commission des pratiques commerciales a dans le passé cherché à obtenir des entreprises l'engagement de mettre fin à certains comportements et/ou de prendre des mesures compensatoires en faveur des consommateurs. C'est là une pratique qui est désormais sanctionnée par la loi qui prévoit l'exécution d'engagements en ce sens.

Mesures connexes

L'International Air Services Commission Act (loi sur la Commission des services aériens internationaux) dite "la loi IASC" a été adoptée le 1er juillet 1992. Cette loi est destinée à renforcer la concurrence et l'efficacité pour les services aériens internationaux en favorisant :

-- l'accroissement de la concurrence entre les transporteurs australiens et le renforcement de l'efficience économique dans le secteur des transports aériens ;

-- une réceptivité accrue des compagnies aériennes aux besoins des consommateurs, y compris en ce qui concerne une gamme élargie de choix et d'avantages ;

-- le tourisme et les échanges australiens ; et

-- la survie des transporteurs australiens capables de concurrencer efficacement les compagnies aériennes de pays étrangers.

La mise en oeuvre comportera la désignation de transporteurs internationaux supplémentaires par le gouvernement et la mise en place d'une capacité disponible pour les transporteurs désignés par une commission indépendante.

La loi IASC prévoit la création de la commission des services aériens internationaux, dont la fonction essentielle est d'arrêter des décisions de répartition de la capacité disponible entre les transporteurs australiens. Dans ses décisions, la Commission précisera quelles sont les compagnies aériennes désignées qui auront été choisies pour l'exploitation d'une certaine capacité disponible et fixera les conditions nécessaires. Ses décisions seront examinées après une période déterminée (habituellement cinq ans).

Modifications futures éventuelles

Dans le rapport de l'année dernière, il était fait état d'une enquête engagée au sujet de l'application de la TPA. En octobre 1992, le premier ministre a mis en place une équipe chargée d'examiner la politique nationale en matière de concurrence dans le cadre d'une grande enquête indépendante sur la politique de la concurrence en Australie, l'accent étant spécialement mis sur des secteurs ne relevant pas actuellement du champ d'application de la TPA. Le premier ministre a demandé à l'équipe chargée de l'enquête d'étudier notamment les questions suivantes :

-- les meilleurs moyens d'établir des règles cohérentes en matière de concurrence applicables au niveau national à toutes les entreprises indépendamment de leur statut en ce qui concerne la propriété ou leur forme juridique ;

-- les mécanismes provisoires nécessaires afin d'amener les entreprises actuellement non assujetties aux règles nationales régissant la concurrence dans leur champ d'application ; et

-- les améliorations potentielles de la TPA dans le nouveau contexte de la législation régissant la concurrence, à recommander par l'équipe chargée de l'examen, les modifications à la législation connexe (par exemple en ce qui concerne les prix ou les intérêts du consommateur) et le contexte juridique de l'application de la TPA.

L'équipe chargée de l'examen a présenté son rapport aux directeurs de l'administration australienne le 25 août 1993 et a recommandé l'adoption d'un train général de mesures dont les six éléments essentiels sont les suivants :

-- l'application généralisée d'une série de règles en matière de concurrence de la catégorie visée à la quatrième partie de la TPA ;

-- des principes et des méthodes visant à veiller à un examen plus rigoureux et systématique des règles étatiques et des politiques en matière de propriété restrictives de la concurrence ;

-- les principes et les méthodes visant à veiller à un examen approfondi des structures des monopoles publics en vue de l'identification des possibilités de renforcement de la concurrence ;

-- un nouveau régime juridique destiné à permettre l'accès aux tiers à certains services indispensables pour une concurrence efficace et qui ne peuvent donner lieu à des doubles emplois pour des raisons économiques ;

-- un système ciblé de surveillance des prix destiné à répondre aux préoccupations au sujet de l'établissement des prix de monopole, là où des réformes favorables à la concurrence ne sont pas faisables ou suffisantes ; et

-- un cadre de règles visant à obtenir la "neutralité concurrentielle" entre les entreprises propriété des pouvoirs publics et les firmes privées, là où elles se font concurrence sur un seul marché.

Le cadre dans lequel s'inscrit l'action de l'équipe chargée de l'examen serait basé sur deux institutions essentielles :

-- un "conseil national de la concurrence", qui serait mis en place conjointement par le Commonwealth, les gouvernements des États et des

Territoires en vue de la fourniture de conseils de haut niveau et indépendants au gouvernement et d'une assistance dans la coordination et la mise en oeuvre de réformes concertées, et

-- une "commission australienne de la concurrence", fondée sur la commission des pratiques commerciales actuelle et l'autorité de contrôle des prix, mais investie d'un plus grand nombre de missions, et qui gérerait la nouvelle politique sous d'importants aspects.

Le rapport de la commission d'enquête devra être examiné lors de la prochaine réunion du conseil des gouvernements australiens prévue pour la fin 1993.

II.   Mise en oeuvre des lois et des politiques de la concurrence

La Commission des pratiques commerciales (la "Commission") est une instance indépendante, qui a pour mission essentielle de faire respecter les dispositions de la loi sur les pratiques commerciales (la TPA) traitant des pratiques anticoncurrentielles et des fusions. Elle a pour double fonction de faire appliquer la loi et de statuer. Les firmes ou les particuliers peuvent également engager des actions devant les juridictions au titre de la TPA.

Décisions contentieuses

La Commission a le pouvoir d'autoriser des projets de fusion ou certaines pratiques anticoncurrentielles qui constitueraient par ailleurs des violations de la TPA.

Les parties tenant à obtenir une autorisation doivent saisir la Commission. Pour que l'autorisation soit accordée, la Commission doit avoir la certitude qu'une des conditions énoncées ci-après est remplie.

-- Lorsqu'il s'agit d'accords risquant de limiter sensiblement la concurrence, le demandeur doit convaincre la Commission que les clauses de cet accord entraînent pour le public un avantage qui compense l'effet nuisible à la concurrence.

-- Lorsqu'il s'agit de boycottages primaires et secondaires, d'accords de vente liée, de fusions et d'acquisitions, le demandeur doit convaincre la Commission que le comportement entraîne, pour le public, un avantage tel que l'autorisation doit être donnée.

Les intérêts généraux dont la Commission a reconnu l'existence comportent la stimulation de la concurrence dans un secteur industriel, l'exploitation des ressources naturelles par la recherche, l'étude et l'investissement communs, la stimulation de l'efficacité commerciale, la rationalisation industrielle et la croissance des marchés d'exportation.

La notification confère la même protection que l'autorisation et peut être accordée pour un comportement lié à des clauses d'exclusivité relevant de l'article 47.

Action dirigée contre les pratiques anticoncurrentielles

Autorisations

TRW Australia/James N Kirby

Le 11 décembre 1992, la Commission a autorisé TRW Australia Holding Ltd, soit à acquérir les actifs de James N Kirby Products Pty limited, soit à constituer une entreprise commune avec la société en exploitant la filiale en propriété exclusive Duly & Hansford Limited de TRW. TRW et Kirby sont les seuls fabricants nationaux de boîtes de direction en Australie.

La Commission a reconnu que l'acquisition de Kirby par TRW aurait les avantages suivants :

-- réaliser une échelle de production minimum efficace ;

-- atteindre les objectifs gouvernementaux au titre du programme de l'automobile, en parvenant à la compétitivité internationale ; et

-- renforcer les créneaux d'exportation.

La Commission a refusé à l'origine l'autorisation parce qu'elle ne pouvait évaluer l'ampleur du préjudice à la concurrence qui risquait de résulter de l'acquisition avant l'issue des négociations au sujet de l'exploitation par Kirby de la technologie au titre de la licence accordée par A E Bishop. Par la suite, TRW a communiqué que les points essentiels concernant le préjudice à la concurrence avait été résolus comme suit. Les négociations avec Bishop s'étaient conclues avec succès et un accord d'exploitation de licence avait été définitivement mis au point. De plus, TRW avait souscrit à un engagement d'approvisionner le marché du renouvellement en fournissant des pièces TRW et Kirby pour les boîtes de direction après la fusion.

La Commission a accordé l'autorisation en concluant que le préjudice à la concurrence serait probablement négligeable. Alors qu'il se pourrait que TRW soit en position de monopole à court terme, si la société cherchait à augmenter ses prix ou à refuser la fourniture de boîtes de direction, les constructeurs de voitures seraient en mesure d'importer des boîtes de direction en provenance de fournisseurs étrangers utilisant la technologie Bishop.

Les accords de commercialisation d'Australian Tobacco Leaf Corporation Pty Ltd

Le 24 novembre 1992, la Commission a refusé d'approuver les accords de commercialisation proposés par Australian Tobacco Leaf Corporation Pty Ltd pour la production nationale de feuilles de tabac au motif que les effets anticoncurrentiels du projet l'emporteraient sur les avantages pour le public. Cette société avait déposé sa demande d'autorisation le 23 novembre 1991 à la suite de l'annonce par le gouvernement du Commonwealth en 1988 que le programme de stabilisation de l'industrie du tabac serait liquidé progressivement. Ce programme fixe un quota national pour la quantité de tabac cultivé et les prix auxquels il doit être vendu aux producteurs. Ce projet relatif au contenu local prévoit des tarifs de faveur si les fabricants satisfont 50 pour cent de leurs besoins par des achats locaux. Les accords faisant l'objet d'une demande d'autorisation étaient presque identiques aux accords de fixation des prix, des qualités et des quantités au titre du programme, la différence essentielle tenant à ce qu'ils étaient facultatifs.

La société a fait valoir que le système proposé n'était pas anticoncurrentiel et visait à remédier aux très graves défauts qui l'empêchaient d'exercer efficacement ses activités sur le marché. Elle a fait valoir que le projet était conforme à l'intérêt général dans la mesure où il donnerait au secteur en cause et aux collectivités de producteurs de tabac de Mareeba et de Myrtelford le temps nécessaire pour s'adapter aux pressions s'exerçant sur leurs activités tout en étant exposés au marché mondial. Les accords de commercialisation ont été approuvés par toutes les branches de la production dans ce secteur, les conseils de commercialisation de l'État et les trois producteurs. Divers organismes préoccupés par les risques pour la santé liés à la tabagie se sont opposé à ces accords.

Néanmoins, la Commission a estimé que le secteur était tenu de s'adapter à la suite d'une décision sans ambiguïté des pouvoirs publics de réduire le niveau de la protection et que le système proposé ne contribuerait pas à l'adaptation du secteur. Une entente sur les prix n'aboutirait pas nécessairement à l'établissement d'un prix plus favorable pour les producteurs et risquait de mettre fin à la concurrence éventuelle au niveau de prix entre les producteurs (le marché australien, qui est un segment du marché mondial, ne comprend que trois acheteurs et plus de 600 vendeurs). La Commission craignait que le système de quotas proposé ne retarde l'adaptation du secteur à un marché déréglementé. Alors qu'il est admis que les mesures destinées à empêcher les pertes de revenus dans les collectivités régionales seraient conformes à l'intérêt général, elle était préoccupée par les coûts à long terme tant pour Mareeba que pour Myrtelford, ainsi que par les coûts durables des retards d'adaptation pour la collectivité dans son ensemble.

La Commission a rencontré des représentants de la société en vue de la mise au point d'autres arrangements qui n'auraient pas des effets aussi préjudiciables sur la concurrence mais aucun arrangement acceptable pour la société n'a pu être élaboré.

Australian Broadcasting Corporation

Au titre de la Broadcasting Services Act (loi sur les services de radiodiffusion) de 1992, l'Australian Broadcasting Corporation (ABC) doit recevoir l'autorisation de fournir des services de radiodiffusion sur abonnement (télévision payante). Le ministre des transports et des communications doit attribuer l'autorisation C de deux chaînes à une filiale de l'ABC (le concessionnaire C), dès qu'il le jugera opportun après l'attribution des autorisations commerciales pour l'exploitation de chaînes de télédiffusion payantes A et B.

En mars 1993, ABC a déposé des demandes d'autorisation de systèmes qui permettraient au concessionnaire C de combiner ses services avec ceux des concessionnaires A ou B. La demande était fondée sur le principe que les recherches commandées par ABC avaient révélé que sa filiale de services de radiotélévision payante ne serait sinon pas rentable commercialement. Des éléments du projet d'association risquent de constituer des violations de la TPA. ABC a demandé l'autorisation, au motif que l'intérêt général serait suffisamment servi par le projet d'arrangement au point de dépasser le préjudice à la concurrence.

La Commission a reçu des observations sur les demandes de la part des intéressés en avril et en mai et devrait arrêter son projet de décision à la fin de 1993.

Travel Industries Automated Systems Pty Ltd

Le 10 mars 1993, la Commission a autorisé pour une période de quatre ans à compter du 1er avril l'adoption d'un code de conduite pour les systèmes de réservation automatisés des compagnies aériennes exploités par Travel Industries Automate Systems Pty Ltd (TIAS). Les systèmes de réservation automatisés donnent des informations sur les plannings des vols, les tarifs et les sièges disponibles des compagnies aérienne et sont indispensables pour les activités des agences de voyages en matière de réservation et de délivrance de billets. En raison du caractère irrégulier des systèmes de réservation par ordinateur et des activités des agences de voyage, la Commission a estimé que le code de conduite ne devait pas être autorisé pour une période non déterminée. Elle réexaminera le code après quatre ans.

TIAS Est une co-entreprise dans laquelle Qantas Airways Limited, Ansett Transport Industries (Operations) Pty Limited and Australian Airlines Ltd possèdent des participations égales. Il est à prévoir qu'Air New Zealand deviendra bientôt un associé titulaire d'une participation égale. TIAS détient 95 pour cent du marché australien des systèmes de réservation automatisés. TIAS est titulaire des droits d'accès aux systèmes de réservation automatisés de Sabre et Galileo en Australie, après avoir été autorisée par la Commission en janvier 1992 d'acquérir les deux systèmes et de les fusionner au sein d'une seule entreprise d'exploitation. Dans le cadre de cette autorisation préalable, TIAS et les compagnies aériennes qui en sont propriétaires se sont engagées à mettre au point et à adopter un code de conduite pour les systèmes de réservation automatisés.

Australian Payments Clearing Association Ltd

Le 28 avril 1993, l'Australian Payments Clearing Association (Association australienne de compensation des paiements, ci-après dénommée APCA) a déposé des demandes d'approbation de son acte constitutif et de ses statuts et de ses projets de règlements et procédures pour le système australien de compensation des titres de paiement.

L'APCA, qui a été créée en février 1992, est chargée de surveiller et de réformer les méthodes de compensation des paiements en Australie. Cette société est propriété de banques australiennes (dont la Reserve Bank), de sociétés du secteur de la construction et d'unions de crédit. Le système des paiements de l'Australie doit être organisé sous la forme de quatre systèmes de compensation distincts sous l'autorité de l'APCA : le système australien de compensation des titres de paiement, le système de compensation électronique traitant de grandes quantités (pour les instructions de paiements directs à l'entrée), le système de compensation électronique pour la consommation (pour ATM, EFTPOS et les instructions relatives aux paiements par carte), et le système de compensation pour les montants très élevés.

Pour chaque système, des règlements à établir doivent régir les conditions d'accès et les conditions d'exploitation pour les organismes tenant à participer à un ou plusieurs de ces systèmes. A ce jour, l'APCA s'est employée essentiellement à établir ces règlements et à prendre en charge les activités en matière de paiement antérieurement gérées par l'association australienne des banquiers, la chambre de compensation australienne, diverses entreprises du secteur et certaines banques en particulier.

GIO General Limited, FAI General Insurance Company Limited & CE Heath Casualty et General Insurance Limited

Le 28 septembre 1992, GIO General Limited, CE Heath Casualty and General Insurance Limited et FAI General Insurance Company Limited ont demandé une autorisation en faveur d'un projet d'entreprise commune visant à fournir une assurance de responsabilité publique et d'indemnité professionnelle aux collectivités locales. Des demandes ont également été déposés en vue de l'obtention d'autorisation d'accords autorisant GIO à sous-traiter auprès de Suncorp dans le Queensland et de l'administration gouvernementale en matière d'assurance de la Tasmanie. Aux termes des principales dispositions de l'accord, les demandeurs adoptent une formulation générale commune en matière de police d'assurance ; adoptent un barème tarifaire commun ; ne vendent pas de nouvelle police à des administrations titulaires d'une police délivrée par un des participants à l'entreprise commune pour son propre compte ; et ne vendent pas d'assurance de responsabilité à une administration autre que celles qu'elles avaient déjà assurées ou au titre de l'entreprise commune.

GIO aurait le droit de sous-traiter ses droits et obligations au titre de l'accord auprès de l'administration gouvernementale de la Tasmanie, dans la mesure où ils concernent la Tasmanie et auprès de Suncorp, dans la mesure où ils concernent le Queensland. Dans ces États, GIO serait autorisée par la co-entreprise à affronter la concurrence pour son propre compte.

La Commission a estimé que le préjudice à la concurrence découlant du projet d'entreprise commune dépassait l'intérêt général. Elle a établi un projet de décision le 27 janvier 1993 visant à refuser l'autorisation. Toutes les demandes ont par la suite été retirées.

Commercialisation d'aliments pour enfants en bas-âge

Le 5 juin 1992, Abbott Australasia Pty Limited a déposé une demande d'autorisation d'un accord sectoriel concernant la commercialisation d'aliments pour enfants en bas-âge en Australie par six firmes. Nestle Australia Limited a déposé ultérieurement une demande distincte d'autorisation pour le même accord. La Commission a autorisé l'accord entre ces firmes avec effet à compter du 15 octobre 1992.

Les objectifs avoués de l'accord australien, qui était destiné à appliquer à certains égards le code de commercialisation des produits de substitution du lait maternel établi par l'Organisation mondiale de la Santé et qui était sanctionné et approuvé par les ministres du Commonwealth de l'époque pour la santé, le logement et les services collectifs ainsi que par les ministres de la Justice et des affaires intéressant les consommateurs, sont les suivants :

-- veiller à ce que des informations précises figurent dans les directives concernant l'alimentation des enfants en bas-âge fournies par les fabricants et les importateurs à l'intention des femmes enceintes ou des parents de jeunes enfants ;

-- interdire la publicité et la promotion d'aliments pour enfants en bas-âge par les fabricants et les importateurs parmi le grand public ;

-- limiter l'information fournie aux professionnels de soins de santé par les fabricants et les importateurs en ce qui concerne les aliments pour enfants en bas-âge aux questions scientifiques et factuelles, et

-- interdire aux professionnels des soins de santé et aux personnes employées par les fabricants et les importateurs d'accepter ou de proposer des avantages afin de promouvoir ou de vendre des aliments pour enfants en bas âge.

Bourse australienne - règles régissant les opérations

Les règles du marché de l'Australian Stock Exchange Automated Trading System (système d'opérations automatisé de la bourse australienne) (SEATS) ont été agréées par la Commission le 27 novembre 1992.

Australian Stock Exchange Limited (ASX), qui est l'exploitant exclusif d'une bourse en Australie, a demandé l'approbation de ces règles le 28 août 1991. SEATS est le système des marchés des valeurs mobilières automatisé par ordinateur sur réseau, qui a remplacé les salles de marché à la fin de septembre 1990. C'est la seule source de données au sujet de l'enregistrement et de l'inscription des transactions sur les valeurs mobilières dans le système SEATS pour les vendeurs d'informations fournissant une gamme d'informations sur le marché aux milieux financiers et aux milieux des affaires.

La Commission a constaté qu'il était conforme à un grand intérêt général de mettre en place un système des marchés boursiers présentant des améliorations en matière d'efficacité, de classement des offres, d'accessibilité, de sécurité et de capacité d'affronter la concurrence découlant de l'internationalisation du marché mondial des valeurs mobilières. La Commission a autorisé l'adoption des règles susvisées à condition que les deux règles suivantes soient modifiées. Une règle devait prévoir la fourniture d'informations (sauf en ce qui concerne les numéros d'identification des courtiers ou là où l'information pourrait être utilisée illégalement au regard de la loi sur les sociétés) à des personnes autres que les courtiers, à des conditions commerciales raisonnables. L'autre un autre règlement devait prévoir que les restrictions relatives aux courtiers, en ce qui concerne les droits de propriété intellectuelle, ne s'appliquent que là où ces droits existent conformément à la loi et où les restrictions ne sont celles qui sont nécessaires pour la protection de ces droits.

Bourse australienne - système de règlement T+5

ASX a également demandé l'autorisation de modifier ses règles commerciales afin d'apporter un soutien opérationnel au système de règlement T+5[1]. Il s'agit d'un système de chevauchement de périodes fixes au titre duquel le règlement de la plupart des opérations boursières viendrait à échéance le cinquième jour ouvrable à compter de la date de la vente. Il remplace le règlement à la demande là où la date de règlement est fixée à la discrétion des vendeurs, soit un système imprévisible pour les acheteurs.

Les modifications au système de compensation et de règlement visant à faciliter l'exploitation du système T+5 comportent cinq aspects fondamentaux : un service rapide "FAST" de livraison intercourtiers ; un service de prêt de valeurs mobilières ; un service de compensation intercourtiers pour les transactions ; un délai *"ex"* de sept jours[2] et un système de règlement.

Le 24 juin 1993, la Commission a arrêté un projet de décision en proposant d'accorder l'autorisation. Elle a constaté l'existence d'un intérêt général au fonctionnement d'une bourse dont le calendrier est prévisible pour le règlement des transactions sur les valeurs mobilières. Un préjudice à la concurrence a été constaté, dans la mesure où les courtiers n'étaient guère en mesure de proposer un calendrier variable pour les règlements.

Code de franchisage

Le code de la pratique du franchisage est un code déontologique d'auto-discipline pour le secteur du franchisage établi conformément à une des recommandations formulées dans le rapport final du groupe de travail sur le franchisage (décembre 1991).

Robert Fitzgerald & Associated, Kwik-Kopy Australia Pty Ltd et Mozprop Pty Ltd ont demandé l'approbation du code le 15 décembre 1992. La Commission a refusé son approbation provisoire le 17 février 1993.

Dans un projet de décision du 2 juin 1993, la Commission a reconnu que le projet de code était probablement conforme à l'intérêt général, compte tenu essentiellement de l'obligation de divulgation qu'il prévoyait, de mécanisme des règlements des différends et de l'obligation pour les franchisés de certifier que les accords de franchisage leur avaient été expliqués par un solicitor. La Commission a constaté que le code n'était guère préjudiciable à la concurrence, exception faite éventuellement des dispositions relatives aux banques et aux institutions financières, ainsi qu'aux éditeurs et aux médias publicitaires. Elle a estimé que la disposition restreignant la publicité n'était guère conforme à l'intérêt général et que cette question devrait être examinée lors de toute réunion préalable à une décision. Elle n'a pas jugé anticoncurrentielle la disposition relative aux banques et aux institutions financières. Sous réserve de l'issue d'une réunion prévue pour le 6 juillet 1993 avant la prise de décision, et à condition que les questions relatives à la restriction à la publicité soient abordées dans le code, la Commission a proposé d'accorder son approbation.

Association australienne des fabricants d'articles piqués

La Commission s'emploie de longue date à encourager les tentatives visant à adopter un système d'auto-discipline afin de réduire l'incidence des allégations fallacieuses au sujet du contenu en duvet des édredons piqués. Le 13 juillet 1992, elle a arrêté un projet de décision en proposant de refuser l'approbation d'un système de contrôle de la qualité proposé par l'association australienne des fabricants d'articles capitonnés, mais a indiqué qu'elle serait disposée à revoir sa position si plusieurs modifications étaient apportées au règlement. L'association a apporté certaines modifications à ce règlement et, compte tenu de ces modifications et d'autres mesures adoptées, la Commission a retiré son projet de décision et a accordé son autorisation pour une période de cinq années.

Réexamen des autorisations

La Commission est habilitée à révoquer une autorisation :

-- si elle constate qu'elle a été à l'origine accordée sur la base d'informations fausses ou fallacieuses ;

-- si une condition à laquelle elle était subordonnée n'a pas été respectée ; ou

-- si les circonstances à considérer se sont sensiblement modifiées.

Le troisième de ces facteurs entraînant le réexamen a pris de plus en plus d'importance dans le contexte actuel d'une évolution économique rapide. La Commission a pour politique de réexaminer progressivement les autorisations compte tenu de cette évolution, en particulier afin de vérifier si l'équilibre initial entre l'intérêt général et le préjudice à la concurrence a été rompu.

La plupart des autorisations accordées au cours des dernières années soit ont été limitées dans le temps soit comportaient des procédures de réexamen automatique.

Accord de distribution des agences de presse

A la suite d'une résolution de 1988 établissant de nouveaux critères visant les accords de distribution des journaux et des revues en Australie-Méridionale, la Commission a entrepris un examen des systèmes en vigueur dans d'autres parties de l'Australie. La plupart de ces systèmes étaient protégés par des autorisations accordées depuis plusieurs années, à compter des décisions visant les accords de la Nouvelle-Galles du Sud et du Territoire de la capitale fédérale en 1980.

En 1990, dans le cadre de son travail de réexamen, la Commission a publié un document de travail dans lequel elle précisait les points soulevés dans les observations émanant du secteur en cause et posait les questions dont elle croyait qu'elles devaient être abordées par les agents actifs dans ce secteur. Au cours de débats ultérieurs, les parties relevant du système de l'État de Victoria se sont montrées disposées à apporter des modifications qui rendraient les systèmes de distribution plus compétitifs et se sont entendues pour demander l'autorisation d'un système modifié. Une décision définitive d'accorder l'autorisation a été rendue en juillet 1993, mais un recours est formé contre cette décision devant le Tribunal des pratiques commerciales.

La Commission se propose d'examiner les implications du système de l'État de Victoria avec les acteurs économiques de ce secteur appartenant aux autres États et Territoires.

Associations des éleveurs et des fermiers

Le 23 décembre 1992, la Commission a révoqué des autorisations accordées initialement en 1984 pour le système de l'association des éleveurs et des fermiers de la Nouvelle-Galles du Sud, obligeant les acheteurs de bétail destiné à l'abattage en Nouvelle-Galles du Sud à obtenir l'agrément de l'association pour qu'ils puissent bénéficier de conditions commerciales préférentielles. Elle a estimé que la situation avait sensiblement évolué compte tenu d'une tendance nette à délaisser les criées dans les halles surveillées par les courtiers, ce qui nuisait sensiblement à l'intérêt général du système et aggravait le préjudice porté à la concurrence. Elle a révoqué l'autorisation concernant les règles de constitution et d'accréditation de l'association des éleveurs de l'État de Victoria pour des raisons similaires.

Les deux associations ont formé un recours devant le Tribunal des pratiques commerciales. Aucune date d'audience n'a encore été fixée.

III. Affaires importantes

Contrats, arrangements ou accords limitant les opérations ou affectant la concurrence (article 45)

Entreprises de transport accéléré de marchandises

A la suite de l'enquête la plus importante et de la plus approfondie de celles auxquelles elle a procédé pendant de nombreuses années, la Commission a engagé en novembre 1992 une action contre les trois principales entreprises de transport accéléré de marchandises : TNT Australia Pty Ltd, Ansett Transport Industries (Operations) Pty Ltd et Mayne Nickless Ltd. La Commission a fait valoir que les trois sociétés avaient exercé leurs activités depuis plusieurs années dans le cadre d'une entente visant à fixer les prix et à réglementer les parts de marché en violation de l'article 45 de la TPA. 19 cadres supérieurs de ces sociétés, y compris des directeurs généraux et d'anciens directeurs généraux, ont été désignés nommément dans le cadre de l'action de la Commission.

Par son action, la Commission cherche à faire condamner à des amendes les trois sociétés et les 19 particuliers et à obtenir des injonctions destinées à faire obstacle à la reprise des activités incriminées. Elle a fait valoir que des représentants de haut niveau des sociétés avaient participé en 1987 à une réunion au cours de laquelle ils avaient examiné et confirmé un accord de cartel prétendument en vigueur depuis de nombreuses années.

Plusieurs des pratiques illégales alléguées étaient les suivantes :

-- un engagement de ne pas se faire concurrence en matière de prix et de tarifs ;

-- un engagement suivant lequel là où une société avait un client effectif, les autres sociétés parties à l'entente ne lui proposeraient pas de prix ;

s'ils soumettaient un prix, les sociétés s'entendaient prétendument pour proposer un prix à un tarif notoirement supérieur à celui qui avait déjà été demandé ;

-- une aide à toute société partie à l'entente qui tenait à augmenter ses prix à un client en refusant de proposer un prix concurrentiel à ce client ou bien en lui proposant un prix plus élevé ;

-- en cas de commande à une société par un client traitant antérieurement avec une autre société, mesures consécutives visant à amener ce client à revenir vers la première société, par des augmentations des prix ou des tarifs ou par d'autres moyens ; et

-- là où le client ne revenait pas à la première société, la nouvelle société dédommageait la première société.

Entreprises de recyclage des déchets métalliques

Le 2 novembre 1992, la Commission a engagé une action contre deux des principales entreprises australiennes de recyclage des déchets métalliques au motif qu'elles s'étaient concertées afin de réduire les prix payés aux conseils et aux divers marchands d'épaves de voiture. Les sociétés en cause sont Simsmetal Ltd et Normet Industries Nominees Pty Ltd (exerçant leurs activités sous la dénomination Norstar Steel Recyclers). Ce sont les seuls exploitants dans l'État de Victoria d'installations tant de compression que de fragmentation des voitures en déchets métalliques, qui sont nécessaires pour la production de l'acier fragmenté, soit une matière première importante pour les aciéries et les fonderies. Quatre représentants de haut niveau des deux sociétés ont également été désignés nommément lors de la procédure. La Commission cherche à faire condamner à des amendes les deux sociétés et les quatre particuliers et à obtenir à leur encontre des ordonnances de ne pas faire.

Il est reproché aux représentants des deux sociétés d'avoir eu un comportement illégal en se réunissant et en s'entendant sur la réduction des prix proposés aux tiers pour les déchets métalliques jusqu'au niveau le plus bas tolérable sur le marché ; il leur est également reproché d'avoir conclu un accord de partage du marché de manière à ne pas se faire concurrence dans la recherche de contrats.

New South Wales Building Royal Commission (Commission royale du bâtiment de la Nouvelle-Galles du Sud)

La Commission royale de la productivité dans le secteur du bâtiment de la Nouvelle-Galles du Sud a révélé l'existence de nombreux cas de soumissions concertées et de diverses pratiques anticoncurrentielles qui concernaient des violations généralisées éventuelles de la TPA.

En conséquence, la Commission a enquêté au sujet d'allégations relatives à un grand nombre de projets de construction, en particulier à des accords sur le paiement de commissions spéciales à associations industrielles et de montants compensatoires aux soumissionnaires dont l'offre n'avait pas été retenue. Dans le cadre de ses enquêtes, elle a eu largement recours aux pouvoirs qui lui sont conférés au titre de l'article 155 (pouvoir de recueillir des informations, des documents et des éléments de preuve).

Caisses de prévoyance pour soins de santé de Tasmanie

En 1989 et en 1990, le Département du Commonwealth pour les affaires des anciens combattants a pris contact avec plusieurs hôpitaux privés de la Tasmanie afin de les inviter à soumissionner pour la fourniture de services hospitaliers aux malades à rapatrier.

Dans le cadre d'une action engagée le 13 octobre 1992, la Commission a fait valoir que cinq sur les six caisses de prévoyance pour soins de santé de Tasmanie avaient conclu un arrangement et une entente visant à s'efforcer de faire obstacle à ce que les hôpitaux fassent payer au Commonwealth un montant inférieur aux honoraires uniformes. La Commission a également allégué que les caisses avaient décidé que les entreprises qui avaient obtenu un contrat du Département acceptent de ne pas proposer des niveaux d'honoraires inférieurs lorsque les contrats étaient en instance de reconduction. Selon une troisième allégation, les assureurs étaient convenus de ne pas augmenter le niveau de remboursement versé à l'avenir aux malades assurés à titre privé de tout hôpital privé qui refusait de souscrire aux assurances demandées.

L'audience est fixée à septembre 1993.

Concessionnaires Toyota

Le 17 février 1993, la Commission a engagé une action contre onze concessionnaires Toyota de Perth en faisant valoir qu'en 1989 les entreprises concessionnaires avaient signé un "engagement de fidélité" en acceptant :

-- de limiter des remises sur les prix recommandés ;

-- de faire payer des commissions uniformes préalablement à la livraison ;

-- de ne pas accorder de remises pour les accessoires et la climatisation ; et

-- de verser à un fonds un montant de 5 000 A$ qui serait perdu par tout concessionnaire ne respectant pas son engagement de fidélité.

La Commission a fait valoir que les concessionnaires avaient appliqué les clauses de leur engagement pendant douze mois à compter du 1er novembre 1989 et que l'accord n'avait expiré qu'au début de ses enquêtes. D'autres accusations relatives à de prétendues restrictions en matière de publicité des prix en violation des dispositions de la TPA relatives aux prix imposés ont été lancées contre le distributeur de Toyota de l'État de l'Australie Occidentale.

Association des stations-service

Le 8 août 1992, la Commission a formé un recours devant le Collège des magistrats, siégeant en séance plénière, de la Cour fédérale contre la décision de la Cour fédérale dans son action dirigée contre Service Station Association Limited de NSW, son président et son directeur général. Le Collège des magistrats n'a pas encore statué.

En octobre 1991, la Commission avait engagé une procédure en faisant valoir que les parties défenderesses cherchaient à amener les exploitants de stations-service à conclure un accord ou d'arriver à une entente leur permettant d'accroître leurs marges sur la vente d'essence au détail à Sydney à compter de juillet 1990. La Cour fédérale a constaté que, alors que les prix recommandés établis par l'association avaient peut-être contribué à une hausse des prix de détail de l'essence en 1990, une "absence remarquable d'uniformité" constituait un argument contre la thèse de l'existence d'un arrangement ou d'une entente quelconque pour la fixation ou le contrôle des prix.

Procédures privées : Gallagher c. Pioneer Concrete

Cette affaire a pour origine une action engagée par 13 propriétaires conducteurs de camions transporteurs de béton prémélangé, qui faisaient valoir une violation de l'article 52 de la TPA (comportement fallacieux et mensonger). Les parties requérantes font valoir que Pioneer avait manqué à son obligation de respecter les engagements auxquels elle avait souscrit au sujet de paiements en contrepartie de la clientèle si elle résiliait les contrats qu'elle avait conclus avec elles. Pioneer a engagé une action reconventionnelle contre les propriétaires conducteurs pour violation de l'article 45 et obtenu gain de cause dans une large mesure. La juridiction a estimé que les accords conclus entre les conducteurs propriétaires en vue de l'égalisation des revenus, un système de roulement particulier et des accords visant à restreindre l'importance du parc de camions étaient anticoncurrentiels.

Abus de puissance sur le marché (article 46)

Pioneer Concrete (Qld) Pty Limited et autres

Une action visant à obtenir une injonction et la condamnation à une amende a été engagée le 9 septembre 1992 contre Pioneer Concrete (Qld) Pty Limited et trois de ses directeurs au motif qu'ils avaient conclu des accords prétendument anticoncurrentiels et exploité abusivement une position de force sur le marché en violation des articles 45 et 46 de la TPA, après une enquête sur plainte d'un concurrent au sujet d'un comportement sur le marché du béton prémélangé au sud-est de l'état de Queensland. Une accusation précise de pratiques de bradage de prix a été la première action de cette nature engagée par la Commission depuis la modification de 1986 à l'article 46.

Le comportement illégal prétendu est le suivant :

-- Pioneer a cherché à dissuader une autre firme (WRC) de mettre en place une usine concurrente ;

-- elle a refusé d'autoriser WRC à lui faire concurrence dans le cadre d'un système de prêt de camions ;

-- elle a proposé un accord suivant lequel elle conclurait un accord de fourniture de sable si WRC acceptait de ne pas mettre en place une usine concurrente ;

-- elle a cherché à dissuader WRC d'exercer une concurrence sur ce marché particulier du béton ; et

-- elle s'est engagée dans une politique de prix de bradage pour la fourniture de béton prémélangé.

Procédures privées : General Newspapers c. Australia and Overseas Telecommunications Corporation

Les parties requérantes étaient trois firmes associées dirigeant une imprimerie capable de s'équiper pour la réalisation d'annuaires téléphoniques. Elles faisaient grief de la manière dont la partie défenderesse, Australian and Overseas Telecommunications Corporation (AOTC), accordait des contrats de réalisation de ces annuaires téléphoniques.

Les parties requérantes ont fait valoir une violation de l'article 46 pour deux motifs :

-- la décision d'AOTC de ne traiter qu'avec deux firmes (McPhersons et News) était dictée par son impression que, de cette manière, elle dissuaderait un concurrent de pénétrer dans le marché des annuaires téléphoniques ou ferait obstacle à son accès à ce marché ; et

-- AOTC avait exploité sa position de force sur le marché afin d'amener McPhersons et News à accepter que les presses nécessaires pour l'impression des annuaires à AOTC ne seraient pas mises au service d'autres clients, sauf avec l'accord d'AOTC.

La juridiction a reconnu le bien-fondé du deuxième, mais non du premier argument et a jugé que AOTC avait violé l'article 46 de la TPA.

Prix de vente imposés (article 48)

ICI Australia Operations Pty Ltd

En septembre 1992, la Cour fédérale, siégeant en séance plénière, a rejeté un recours d'ICI Australia Operations Pty Ltd, dirigé contre des ordonnances judiciaires lui interdisant de pratiquer des prix de vente imposés de produits chimiques agricoles et d'amener autrui à agir en ce sens. Elle a jugé que les ordonnances devaient rester en vigueur, sous réserve de quelques modifications accessoires.

La firme en cause avait formé un recours contre deux ordonnances judiciaires arrêtées en 1991 et la Commission avait engagé une action reconventionnelle afin de faire confirmer les ordonnances dans des termes non équivoques destinés aux milieux d'affaires en général. Il n'a pas été fait appel de la condamnation à des amendes s'élevant au total à 250 000 A$ pour quatre violations de l'article 48.

St George Appliances Pty Ltd

L'action engagée par la Commission le 25 juin 1993 contre St George Appliances Pty Ltd au motif qu'elle avait prétendument pratiqué des prix de revente imposés a abouti à un règlement judiciaire immédiat et de large portée, présentant certains traits inédits.

La firme, qui est un fabricant d'équipements de cuisine, a reconnu devant la Cour fédérale qu'elle s'était efforcée d'imposer les prix auxquels ses distributeurs vendaient ces équipements au public. La Commission a fait valoir que la firme s'était efforcée de persuader cinq distributeurs de ne pas accorder des remises supérieures à cinq pour cent sur son prix de vente recommandé.

Les aveux de St George ont été incorporés dans le règlement, dont d'autres éléments étaient les suivants :

-- des injonctions faisant obstacle à ce que la firme et un directeur pratiquent des prix de vente imposés pendant une période de quatre ans ;

-- un engagement de notifier à tous les revendeurs actuels et aux nouveaux revendeurs au cours des quatre années suivantes, leur droit de proposer des remises ;

-- la réalisation par St George d'une publication traitant des droits et des devoirs essentiels des revendeurs au titre de la TPA, à mettre à la disposition des détaillants écoulant des appareils ménagers dans toute l'Australie ;

-- la communication par St George à ses concurrents des copies de son manuel sur le respect des pratiques commerciales (en encourageant les concurrents à réaliser leur propre programme sur le respect des pratiques commerciales) ; et

-- la participation à une réunion de médiation dans le cadre d'une campagne visant à aplanir tout différend entre St George et les revendeurs qui avaient témoigné auprès de la Commission.

Fusions et acquisitions

En novembre 1992, la Commission a publié et a largement diffusé en vue d'un débat et de la présentation d'informations un projet de directives sur la manière dont elle se proposait d'aborder la question de l'application des dispositions amendées en matière de fusion. Les tableaux 1 et 2 constituent une présentation synoptique des enquêtes menées au sujet des fusions par la Commission entre le 1er juillet 1992 et le 30 juin 1993.

Tableau 1

Enquêtes au sujet des fusions menées par la Commission en 1992-1993

Fusions nécessitant une enquête et un examen approfondis	21
Fusions faisant l'objet d'une enquête restreinte	65
Total des fusions examinées	**86**
Fusions examinées par la Commission et le Conseil d'examen des investissements étrangers	16
Fusions examinées tant par la Commission que par la Commission des assurances et des retraites	3
Fusions auxquelles il a été renoncé ou modifiées à la suite des préoccupations exprimées par la Commission	5
Actions judiciaires	3
Demandes d'autorisation	1

Tableau 2

Types de fusions examinées par la Commission en 1992-1993

Horizontales	73
Verticales	4
Modifications de la participation	7
Nouveaux accés au marché	2

Santos/SAGASCO

Le 3 septembre 1992, la Commission a fait connaître sa position au sujet de l'offre éventuelle de Santos Limited en vue de l'acquisition de SAGASCO Holdings Limited. Elle a répondu à titre provisoire qu'elle ne voyait dans le projet de Santos que peu d'éléments donnant à croire que les pressions concurrentielles seraient renforcées si l'offre de Santos en vue de l'acquisition de SAGASCO recevait un accueil favorable. Néanmoins, à ce stade, elle estimait inopportun d'intervenir en ce qui concerne toute offre que Santos pourrait présenter en vue de l'acquisition de SAGASCO.

Peu après le 3 septembre, SAGASCO a annoncé son intention d'acquérir une participation dans une autre firme (Magellan). En conséquence, la Commission a engagé de nouveaux pourparlers avec Santos afin d'examiner plusieurs points préoccupants. Selon un communiqué de presse, la Commission a décidé qu'à ce stade une intervention serait contre-indiquée en ce qui concerne l'offre d'acquisition de SAGASCO par Santos.

Le 1er octobre, après le refus de Santos de s'engager à ne pas aller de l'avant en ce qui concerne l'offre, la Commission a ouvert une procédure devant la Cour fédérale afin de s'y opposer. A la suite de ses enquêtes, elle a estimé que l'acquisition de SAGASCO entraînerait probablement la création ou le renforcement d'une position dominante de Santos dans le domaine de la production et/ou de distribution par réseau de gaz naturel en Australie-Méridionale, en Nouvelle-Galles du Sud, dans le Territoire de la capitale fédérale, dans le Queensland et dans le Territoire du Nord. Des questions spécialement préoccupantes étaient les suivantes :

-- le renforcement de la domination de Santos sur le bassin du cuivre de l'Australie-Méridionale et du sud-ouest du Queensland, en termes de droits de péages, d'approbation des budgets, de planning du développement, de traitement et de production et de recherche de nouveaux gisements ;

-- le risque d'une acquisition d'une participation majoritaire de Santos dans d'autres grandes entreprises potentielles de fourniture de gaz, le gisement de Katnook en Australie-Méridionale et le gisement de Yolla dans le détroit de Bass ;

-- l'acquisition éventuelle par Santos d'une participation majoritaire dans l'exploitation du gisement Amadeus en Australie centrale ;

-- l'acquisition éventuelle par Santos du contrôle de la vente directe à l'usager de gaz naturel en Australie-Méridionale, où une filiale de SAGASCO est à l'heure actuelle le distributeur ;

-- l'effet probable de l'acquisition sous forme de l'établissement de nouveaux obstacles aux possibilités d'initiatives individuelles de commercialisation de gaz naturel du bassin de Cooper, en particulier l'expulsion d'un important acteur économique des gisements du bassin de Cooper de l'Australie-Méridionale et du sud-ouest du Queensland ;

-- le renforcement éventuel par Santos de sa prépondérance sur le marché de l'offre au détail de gaz de pétrole liquéfié, dont SAGASCO détenait alors une part importante.

Le 16 octobre 1992, la Cour a rejeté la demande que la Commission avait introduite en vue d'obtenir une injonction provisoire visant à empêcher l'acquisition, en raison de l'engagement aux termes duquel Santos prétendait dissocier l'exploitation de Santos et celle de SAGASCO. La Commission a formé un recours devant le Collège des Magistrats, siégeant en séance plénière, de la Cour fédérale, qui a jugé qu'il n'était pas établi que le juge du fond avait commis une erreur pouvant donner lieu à un recours. Elle a demandé l'autorisation de saisir la Haute Cour d'Australie. Sa demande a été rejetée. L'audience au cours de laquelle il sera statué sur une demande d'injonction permanente devrait avoir lieu au cours du deuxième trimestre de 1993.

Davids Holdings Pty Limited/Queensland Independent Wholesale Retailers Ltd

Au titre de la TPA, seuls la Commission et les ministres responsables sont habilités à demander à la Cour une injonction visant à éviter une violation éventuelle de la disposition de la TPA relative aux fusions.

En août 1992, le procureur général de l'époque pour le Commonwealth a obtenu au titre de l'article 80 de la TPA une injonction provisoire visant à empêcher Davids Holdings Pty Ltd de prendre de nouvelles mesures en vue de la prise de contrôle de Queensland Independent Wholesale Retailers Ltd (QIW), un grossiste en produits d'épicerie. A la suite d'une audience sur le fond, la Cour a accordé une injonction permanente. Davids Holdings a formé un recours.

The Gillette Company et Wilkinson Sword

Le 27 août 1992, la Commission a engagé une procédure contre The Gillette Company, Wilkinson Sword Ltd, SWGAL (dénommée anciennement Wilkinson Sword Group Australia Limited) et le dépositaire des marques. Elle a fait valoir que The Gillette Company, régie par le droit de l'État du Delaware (États-Unis d'Amérique) avait violé l'article 50 de la TPA en absorbant l'entreprise d'articles de rasage Wilkinson Sword en Australie, en application d'une série d'accords et de cessions entre The Gillette Company et certaines sociétés appartenant au groupe de sociétés Swedish Match Group, dont Wilkinson Sword Limited. Les accords et cessions ont été conclus en Europe du Nord. A la suite de l'acquisition en question, la Commission fait valoir que Gillette Company occupait ou occuperait probablement une position dominante sur le marché des articles de rasage en Australie.

La Commission a demandé et obtenu une injonction provisoire *ex parte* faisant obstacle à ce que Gillette Company ne négocie des marques avec Wilkinson Sword avant qu'elle ne statue définitivement sur sa demande. Elle a également été autorisée à signifier aux États-Unis à Gillette Company l'ouverture de la procédure.

La Commission demande des injonctions au titre de l'article 81(A) de la TPA pour la cession des marques de Wilkinson Sword par Gillette Company. Subsidiairement, elle cherche à obtenir une déclaration au titre de l'article 81(1a) de la TPA, aux termes de laquelle l'acquisition alléguée par Gillette Company de l'entreprise d'articles de rasage Wilkinson Sword en Australie était nulle dès sa conclusion. Plusieurs audiences interlocutoires ont eu lieu devant la Cour fédérale.

Arnotts Limited et Campbell Soups Co

A la fin de 1992, la société américaine Campbell Soups a lancé une offre publique d'achat du fabricant australien de biscuits Arnotts Limited. Avant l'offre, Campbell avait une participation de 33 pour cent dans le capital d'Arnotts à la suite de transactions conclues en 1985. Bien que Campbell était extrêmement active dans le secteur de la biscuiterie en dehors de l'Australie, elle n'avait pas de participation dans ce secteur en Australie, hormis sa participation dans le capital d'Arnotts.

A la suite de l'arrêt de la Cour fédérale en 1990 au sujet du projet de prise de contrôle de Nabisco par Arnotts, dans lequel il a été jugé qu'Arnotts occupait une position dominante sur le marché du biscuit en Australie, l'offre de Campbell tombait sous le coup d'un examen au titre de l'article 50(2C) de la TPA. Au titre de cet article, une société était autorisée à acquérir une autre société en position dominante, dans la mesure où elle ne renforçait pas sa propre position afin de dominer le marché en cause.

La Commission a estimé que la position dominante d'Arnotts ne serait pas renforcée par l'acquisition par Campbell. Elle a statué en ce sens, au motif qu'il n'était pas évident que Campbell pouvait apporter en Australie des connaissances spécialisées en termes de technologie et de connaissance de l'industrie ou de la gestion australienne qui placeraient Arnotts sur le marché australien dans une position meilleure que celle qu'elle détenait déjà.

L'article 50(2C) et d'autres dispositions de cet article ont été abrogés lorsque le nouveau critère de la réduction sensible de la concurrence en cas de fusion est entré en vigueur en janvier 1993.

Carlton & United Breweries et Cascade Group Ltd

La Commission a décidé de ne pas intervenir dans le projet d'acquisition de la brasserie Cascade et des marques connexes par une co-entreprise constituée par Carlton & United Breweries (CUB) et Cascade Group Ltd. CUB détiendra une participation majoritaire dans la co-entreprise Cascade Brewery. La Commission a conclu qu'il n'existait aucun motif de faire valoir de manière plausible qu'il était probable que CUB serait en position dominante ou renforcerait cette position dominante.

A l'époque des enquêtes de la Commission, deux firmes fournissaient la plus grande partie de la bière vendue en Tasmanie : CUB avec environ 30 pour cent du marché et Cascade avec environ 65 pour cent, en écoulant ses deux marques principales, Cascade et Boags. Après la mise en oeuvre des accords sur la co-entreprise, Cascade Group Ltd continuerait à commercialiser les deux marques en Tasmanie en concurrence avec les marques CUB, bien que toutes les marques de Cascade, y compris la bière de première qualité, seraient fabriquées par la co-entreprise. Cascade Group Ltd continuerait à fabriquer et à commercialiser séparément les marques Boags. CUB et Cascade ont souscrit envers la Commission à des engagements selon lesquels il n'existait aucun autre arrangement ou accord caché en ce qui concerne l'opération.

Les accords de co-entreprise ont été examinés au titre des dispositions relatives aux fusions en vigueur avant le 21 janvier 1993.

Austereo et FM Australia - Application de la partie IV à l'acquisition de licences délivrées au titre de la Broadcasting Services Act (loi sur les services de radiotélédiffusion)

Austereo Limited, titulaire de plusieurs licences d'exploitation de radios commerciales en modulation de fréquence dans les grandes villes australiennes, a présenté une offre d'acquisition de FM Australia Limited au début de 1993. La question était de savoir si l'article 50 s'appliquait à l'acquisition de licences d'exploitation de services de radiodiffusion. Il a été soutenu que la Broadcasting Services Act, qui régit l'attribution et l'acquisition de licences de radiodiffusion, avait pour effet de soustraire l'acquisition de licences d'émissions commerciales radiophoniques à la compétence de la Commission des pratiques commerciales. La Commission a estimé en fin de compte que l'article 50 s'appliquait en fait au projet d'acquisition, et a informé Austereo de son intention d'enquêter sur le marché en cause.

Le 22 avril 1993, Austereo a saisi la Cour fédérale au titre de l'article 163A (1)(a) de la TPA, afin de faire déclarer que, pour l'essentiel, la partie IV de la TPA ne s'appliquait pas à l'acquisition de licences délivrées au titre de la loi sur les services de radiodiffusion. Le 14 mai 1993, la Cour a jugé que la TAP s'appliquait effectivement à l'acquisition de licences d'exploitation d'émission radiophoniques commerciales. Son arrêt a été ensuite confirmé par la Cour fédérale siégeant en séance plénière. Par la suite, l'administrateur judiciaire de FM Australia a annoncé que FM Australia avait été vendue à une autre firme.

IV. Mesures réglementaires, commerciales et industrielles

Le gouvernement poursuit ses réformes micro-économiques dans le cadre du programme de déréglementation et d'ajustements structurels. L'évolution dans certains secteurs est exposée ci-après.

Le marché de l'emploi

Le gouvernement a encouragé une approche des relations du travail davantage axée sur la coopération dans le cadre de l'accord. Il a contribué ainsi à l'assouplissement du système des relations de travail. Depuis 1987, l'évolution du marché tendant à rendre la population active plus qualifiée et plus flexible a constitué un facteur essentiel du vaste processus de la réforme structurelle. A cet égard, la nouvelle Industrial Relations Act (loi sur les relations de travail) adoptée en 1988 constitue un cadre effectif pour la décentralisation des régimes salariaux et pour la restructuration des salaires et la réforme de l'entreprise.

Les négociations au sein de l'entreprise

Le travail de mise en place d'un régime salarial plus décentralisé s'est poursuivi en 1992-1993, par l'adoption de plusieurs réformes encourageant les négociations au sein de l'entreprise, fondées sur la productivité.

En juillet 1992, le gouvernement du Commonwealth a amendé la loi sur les relations de travail, en y ajoutant une nouvelle division 3A, afin de faciliter la réalisation d'accords au sein de l'entreprise et d'encourager les organisations patronales et les syndicats à assumer de plus grandes responsabilités en ce qui concerne ces accords.

Des mesures précises prévues par la division 3A concernent notamment ce qui suit :

-- Le critère de l'intérêt général pour les accords certifiés, appliqué par la Commission australienne des relations du travail (AIRC), a été supprimé en ce qui concerne les accords conclus au sein d'une entreprise unique, mais subsiste en ce qui concerne les accords qui dépassent l'entreprise unique.

-- L'AIRC est tenue de certifier un accord si elle a la certitude qu'il ne rend pas moins avantageuses les conditions d'emploi des salariés considérées dans leur ensemble ; qu'il comporte des procédures de règlement des différends ; que les salariés parties à un accord au sein d'une entreprise unique sont représentés par une instance de négociations unique ; qu'avant la demande de certification, chaque organisation salariale partie à l'accord a pris des mesures raisonnables afin de se concerter avec les affiliés visés par l'accord et de les informer de son intention de demander la certification.

En septembre 1993, environ 1 135 accord fédéraux, qui avaient été ratifiés, visaient un nombre estimé de 763 000 salariés, soit 36 pour cent de tous les salariés visés par les normes salariales fédérales (et près de 12 pour cent de la masse des salariés). Les avancées des négociations en bonne et due forme au sein de l'entreprise ont été laborieuses jusqu'ici, bien que cette situation puisse tenir notamment à la timidité de la relance économique, à la nature des points soulevés dans les accords, à la complexité des méthodes pédagogiques en cause et à la possibilité de négocier en dehors du cadre officiel.

Bien que 12 pour cent seulement du total des actifs soient visés par des accords d'entreprise ratifiés au niveau fédéral, c'est là un chiffre qui minimise les progrès des négociations au sein de l'entreprise. D'après les estimations, 35 pour cent des salariés dans des entreprises occupant plus de 20 salariés sont visés par un accord négocié au sein de l'entreprise ; sur ces 35 pour cent, 14 pour cent sont visés par des accords ratifiés, 14 pour cent par des accords écrits et sept pour cent par des accords verbaux.

Tous les États ont désormais mis en place un cadre législatif pour les négociations au sein d'une entreprise. En 1992-1993, l'État de Victoria, le Queensland, l'Australie-Méridionale et la Tasmanie ont adopté des dispositions relatives à ce type de négociations. En Australie-Occidentale, le projet de loi sur les accords au sein de l'entreprise est actuellement à l'examen par le Parlement d'État. En Nouvelle-Galles du Sud, les négociations au sein de l'entreprise ont été introduites en janvier 1991. La législation sur ces négociations adoptée par le Queensland et l'Australie-Méridionale est calquée sur les dispositions de la division 3A de la loi fédérale de 1988 sur les relations de travail.

Néanmoins, le Commonwealth estime que les systèmes de négociations au sein de l'entreprise adoptés en Nouvelle-Galles du Sud, dans l'État de Victoria et en Tasmanie et ceux qui sont proposés pour l'Australie-Occidentale ne protègent pas suffisamment les salariés. Il encourage ces États à arrêter des mesures visant à veiller à ce que les salariés ne soient pas désavantagés en participant à des négociations au sein de l'entreprise, et à mettre au point des mesures similaires à celles qui sont appliquées au niveau fédéral (ainsi qu'au Queensland et en Australie-Méridionale).

Electricité

Des progrès ont été réalisés dans la voie de la mise en place d'un marché concurrentiel de l'électricité en grande quantité au sud et à l'est de l'Australie, à la suite de l'engagement ferme des chefs du gouvernement compétents d'apporter les modifications structurelles nécessaires afin de créer un marché compétitif à compter du 1er juillet 1995.

Un important élément de l'accord en cause était l'engagement de mettre en place un réseau national de transport d'électricité structurellement distinct des producteurs d'énergie électrique, ainsi que des distributeurs et des principaux utilisateurs. Le modèle faisant l'objet de l'accord prévoyait l'établissement des fonctions de transport de chaque service d'approvisionnement en électricité, verticalement intégré, à mettre en place sous la forme d'une société publique distincte sur chaque territoire, la gestion des services chargés du transport de l'électricité étant indépendante des entreprises de production et de distribution. La possibilité de création ultérieure d'une société de transport nationale unique est restée ouverte. Plusieurs États ont déjà annoncé leur intention de séparer la fonction de transport de l'électricité des fonctions de production et des autres fonctions de leurs services publics du secteur de l'énergie électrique.

Les chefs de gouvernements ont également confirmé que leur objectif était de créer un secteur de l'énergie électrique concurrentiel. A ce jour, aucun engagement n'a été pris au sujet de la structure définitive appropriée du secteur de la production de l'énergie électrique et, en particulier, en ce qui concerne le point de savoir s'il était peut-être nécessaire de dissocier horizontalement les sociétés de production existantes afin de favoriser une concurrence effective.

Télécommunications

Le gouvernement a continué à favoriser la concurrence dans le secteur des télécommunications en préparant la mise en place d'une marché libre en 1997.

A côté des licences délivrées aux deux grands transporteurs, Telstra et Optus, (qui tous deux exploitent des services mobiles et fixes), une troisième licence de transporteur pour le service des télécommunications mobiles publiques a été octroyée à Vodafone Pty Ltd, qui utilisera la technologie GSM. Aucune autre licence dans le domaine ne sera délivrée avant le 1er juillet 1997 et les services mobiles analogues (AMPS) doivent disparaître progressivement entre 1996 et 2000.

La concurrence entre Telstra et Optus a été intense. Optus a commencé à fournir des services mobiles en juin 1992 et des services sur longue distance en novembre 1992. Le 30 juin 1993, Optus détenait environ 17 pour cent du marché des téléphones mobiles analogues et ses services à longue distance pouvaient être fournis à environ 60 pour cent de la population.

Cette concurrence entre Telstra et Optus sur les principaux marchés s'est traduite par des remises sensibles sur les prix pour les appels mobiles et à longue distance, y compris par une série d'options d'appels personnalisés. De même, des accords de prix plafond révisés pour Telstra ont été mis en vigueur pour la première fois lors de l'exercice financier 1992-1993. Ces accords s'appliquent à une série de services de base de Telstra et prévoient une baisse des coûts moyens de ces services en termes réels de 5.5 pour cent au cours de chacune des trois années à venir.

Le gouvernement a pour principal objectif social dans le domaine des télécommunications de veiller à ce que le service téléphonique standard et les téléphones à pré-paiement soient normalement accessibles à toutes les personnes en Australie, conformément au principe de l'équité, que ces personnes soient des résidents ou qu'elles exercent des activités commerciales. Au titre de la législation régissant les télécommunications, Telstra est tenue de veiller à ce que cette obligation universelle de services soit remplie, les frais supportés par Telstra dans l'exécution de cette obligation étant partagés par les transporteurs en proportion de leur part du marché global.

Toute une gamme de mesures de protection de la concurrence a été adoptée, s'agissant de veiller à ce qu'un transporteur en position dominante (à l'heure actuelle Telstra) n'exploite pas abusivement sa position de force sur le marché, et de faciliter la formation rapide d'une concurrence durable. Ces mesures sont notamment les suivantes : le parachèvement d'un accord d'accès au réseau permettant le branchement par de nouveaux transporteurs sur le réseau de Telstra et leur donnant accès dans une mesure équitable aux installations connexes nécessaires ; la mise en route d'une procédure de présélection tenue pour le moyen par lequel les consommateurs accèdent sur un pied d'égalité aux services des deux grands transporteurs, et, l'établissement d'un manuel relatif à un tableau comptable et à la ventilation des coûts destiné à permettre le suivi de l'application des mesures de protection de la concurrence.

A côté de mesures de protection de la concurrence, deux nouveaux organismes ont été mis en place. Une autorité chargée de suivre l'évolution du secteur des télécommunications, qui a été mise en place en juillet 1992, est chargée d'informer le gouvernement sur le résultat des activités des transporteurs et de suivre l'activité des fournisseurs d'équipements et de services, et le système du médiateur pour le secteur des télécommunications a été mis en place en vue de l'établissement de systèmes extérieurs d'examen pour Telstra et les transporteurs du secteur privé, Optus et Vodafone.

Activités portuaires

Le programme triennal de réforme du secteur de la manutention a été achevé avec succès le 31 octobre 1992. Au cours de la mise en oeuvre du programme, le nombre de manutentionnaires a été réduit de 57 pour cent, en passant de 8 872 à 3 818 ; le taux de manutention des conteneurs par des grues dans les principaux ports a augmenté de 57 pour cent, et le taux de rotation moyen des navires s'est amélioré en passant à 45 pour cent.

Les usagers des services portuaires bénéficient du programme de réforme du fait de la fiabilité accrue des services de transport maritime, de la rotation plus rapide des navires et de la réduction des frais de manutention. L'autorité de surveillance des prix a signalé en août 1993 que les frais moyens des terminaux pour conteneurs sont de 25 pour cent inférieurs au niveau de 1990-1991.

Dans le souci de maintenir l'élan des réformes, une attention accrue est actuellement prêtée aux mesures visant à veiller à ce que la répercussion des avantages sur les importateurs et les exportateurs ne soient pas entravée par des inefficiences à d'autres stades du circuit des transports portuaires.

La prochaine phase de la réforme sera axée sur les autorités portuaires. A la suite de la diffusion du rapport de la commission de l'industrie sur les services et les activités des autorités portuaires en juin 1993, le gouvernement fédéral examinera avec les gouvernements d'État les choix possibles destinés à permettre à ces autorités de conduire leurs activités plus efficacement et de manière plus compétitive et plus commerciale.

Transports maritimes

Le gouvernement a annoncé en avril 1993 un programme triennal de réforme complémentaire des transports maritimes, lequel améliorera encore l'efficacité et la compétitivité des transports maritimes australiens.

Au titre du nouveau programme, les effectifs des équipages de la marine marchande australienne seront réduits en passant à 18.5 en moyenne, l'objectif étant de négocier de nouvelles réductions de manière à faire porter les effectifs à 16.25 en moyenne pour la fin de 1995.

L'accroissement de la productivité pendant toute la durée du programme devrait avoir des retombées favorables sur le secteur sous la forme d'économies de coûts de quelque 50 millions $A par an.

Afin de veiller à ce que les avantages des réformes continuent à être répercutés sur les usagers, l'autorité de surveillance des prix poursuivra ses activités de surveillance des taux de transport maritime côtier.

Examen du chapitre X de la loi de 1974 sur les pratiques commerciales

Le chapitre X de la TPA met en place le cadre réglementaire pour les services de transports internationaux par cargo au long cours. Au titre des dispositions actuelles, les conférences de la navigation bénéficient de certaines dérogations restreintes aux dispositions de la TPA en matière de concurrence, étant entendu qu'elles doivent répondre à certaines exigences en matière de services et de conditions de transport.

Le 20 avril 1993, le gouvernement australien a entrepris un examen approfondi du chapitre X, dans le cadre duquel il étudiera la mesure dans laquelle il a atteint ses objectifs, si les dérogations limitées accordées aux membres des conférences maritimes doivent être maintenues et, dans l'affirmative, sous quelle forme. Il examinera également la mesure dans laquelle les activités des lignes intérieures de l'Australie doivent être réglementées. L'équipe chargée de l'examen devrait présenter son rapport au gouvernement pour la fin d'octobre 1993.

Aviation

A la suite de l'adoption par le gouvernement en février 1992 d'une politique de désignation multiple, l'International Air Service Commission (IASC) (la commission internationale des services aériens) a été mise en place en vue de la répartition de la capacité sur les lignes internationales pour les transporteurs australiens. Cet organisme statue sur le fond au sujet des demandes concurrentes, d'après un critère strict de l'intérêt général. Des questions telles que la politique de la concurrence, le tourisme et les échanges, les itinéraires économiques, les avantages pour le consommateur et les grands intérêts nationaux sont pris en compte dans les critères à prendre en compte.

Au cours des derniers douze mois, l'IASC a arrêté des décisions définitives de répartition de la nouvelle capacité sur les lignes vers la Chine, la France, l'Allemagne, l'Indonésie, la Malaisie, Singapour, le Japon et Hong-Kong, ce qui a effectivement mis fin au monopole de Qantas en tant que compagnie aérienne internationale désignée de l'Australie. A la suite des décisions arrêtées par l'IASC, deux autres compagnies aériennes australiennes (Ansett et Australia Air) ont reçu la possibilité d'exercer leurs activités à un niveau international.

Dans le cadre d'un programme très dense, des négociations bilatérales ont été entamées avec les gouvernements étrangers en vue de l'établissement d'une désignation multiple et d'une capacité suffisante pour satisfaire les nouveaux transporteurs, ainsi que pour atteindre les objectifs touristiques et commerciaux de l'Australie. L'Australie a désormais établi des dispositions de désignation multiple d'un commun accord avec environ les trois quarts de ses partenaires bilatéraux.

Un protocole d'accord signé avec la Nouvelle-Zélande en août 1992, constitue le cadre d'actions réglementaires en vue de la réalisation intégrale d'un marché unique de l'aviation en novembre 1994, y compris en ce qui concerne la désignation multiple pour toutes les combinaisons par couple de villes pour cette date. Les transporteurs de la Nouvelle-Zélande auront pleinement accès au marché intérieur australien pour novembre 1994 au plus tard. Le protocole d'accord prévoit également l'élargissement progressif jusqu'en novembre 1994 de l'accès réciproque aux marchés internationaux.

A la suite de la vente d'Australian Airlines à Qantas le 14 septembre 1992 et de l'annonce par le gouvernement de la cession de la totalité du capital de Qantas, le gouvernement a vendu 25 pour cent de sa participation dans Qantas à British Airways le 10 mars 1993. L'offre publique d'actions pour les 75 pour cent restants des parts de capital de Qantas a été rééchelonnée de 1993-1994 à 1994-1995.

En novembre 1992, Qantas a été autorisée à transporter des particuliers sur les secteurs intérieurs de ses liaisons internationales régulières.

Depuis la réglementation, les tarifs moyens ont chuté sensiblement et, au cours du trimestre expirant en 1992, étaient d'environ 21 pour cent inférieurs à ce qu'ils étaient avant la déréglementation. Même après les échecs de Compass Airlines et de Southern Cross Airlines (exerçant ultérieurement ses activités également sous la nomination Compass Airlines) en décembre 1991 et en mars 1993 respectivement, les compagnies aériennes nationales en place ont continué à proposer des tarifs attractifs. A la suite de l'abaissement des tarifs, le nombre de passagers prenant l'avion pour la première fois s'est accru sensiblement. Le nombre de passagers nationaux transportés au cours de l'année jusqu'en 1992 (soit la deuxième années de la déréglementation) a été de près de 18 millions, soit quatre pour cent de plus que le nombre transporté au cours de l'année précédente.

Radiotélédiffusion

La Broadcasting Services Act de 1992 (BSA) (la loi de 1992 sur les services de radiotélédiffusion), qui est entrée en vigueur le 5 octobre 1992, contient toute une série de dispositions en matière d'autorisations et de réglementations des services de radiotélédiffusion en Australie.

Tous les services de radiodiffusion et de télédiffusion autres que les services nationaux (ABC ou SBS) doivent faire l'objet d'une autorisation. L'exploitation de services de radiodiffusion commerciale, de services de radiotélédiffusion sur abonnement et de services de radiodiffusion destinée aux collectivités doit être autorisée dans chaque cas particulier par l'autorité australienne de radiotélédiffusion, alors que les services à thème (services destinés à une audience limitée) mais relevant encore de la définition de la catégorie des "services de radiotélédiffusion" sont exploités au titre "d'autorisations catégorielles" (autorisations prévues par la loi visant tous les services conformes aux définitions applicables).

Les autorisations de services de radiotélédiffusion commerciale et destinées aux collectivités doivent avoir pour titulaires des sociétés constituées en Australie ou sur les territoires qui en font partie.

Les aspects essentiels du régime de réglementation concernant les exigences en matière de propriété et de contrôle sont les suivants :

a) autorisations de services de radiotélédiffusion commerciale :

-- trois services de télédiffusion commerciale au plus seront autorisés, sous réserve d'un réexamen avant le milieu de 1997 des avantages qui pourraient en résulter au plan national si ce chiffre était supérieur à trois ;

-- aucune personne physique ne peut être en mesure d'exploiter des licences si le bassin d'audience couvert par ces licences dépasse 75 pour cent de la population australienne ;

-- aucune personne physique ne peut être en mesure d'exploiter plus d'une licence dans la même zone couverte par cette licence ;

-- toute participation majoritaire étrangère est interdite et toute participation étrangère dans le cadre d'une licence ne peut dépasser 15 pour cent, la participation globale étrangère ne pouvant dépasser 20 pour cent ;

-- aucune personne physique ne peut être en mesure d'exploiter tant une licence de télévision commerciale qu'une licence de radiodiffusion commerciale ou un organe de presse lié à la zone couverte par la licence de télédiffusion ;

b) licences de radiodiffusion commerciale :

-- il est interdit à quiconque d'être titulaire de plus de deux licences dans la zone visée par la même licence ;

-- il est interdit à quiconque d'exploiter tant une licence de radiodiffusion commerciale qu'une licence de télédiffusion commerciale ou un organe de presse lié à la zone relevant de la licence de radiodiffusion ;

c) les services de radiodiffusion destinés aux collectivités ne font l'objet d'aucune restriction spéciale quant à la propriété et au contrôle, bien que l'Autorité australienne de la radiodiffusion, en se prononçant sur le point de savoir s'il y a lieu d'accorder une licence de radiodiffusion pour une collectivité à un demandeur, doit tenir compte du point de savoir s'il n'est pas souhaitable qu'une personne physique soit en mesure d'exploiter plus d'une licence de radiodiffusion destinée aux collectivités sur le même marché relevant de cette licence ;

d) services de radiotélédiffusion sur abonnement :

-- à l'exception de trois licences (licences A, B et C), les services de diffusion par satellite ne peuvent faire l'objet d'autorisations avant le 1er juillet 1997 ;

-- les services utilisant la technologie de services de distribution multipoints (MDS) ne peuvent faire l'objet de licences avant que les services ne commencent à être fournis au titre des licences A, B ou C. La disposition en ce sens cessera de produire ses effets le 31 décembre 1994 ;

-- il est interdit à toute personne en mesure de contrôler des journaux, des chaînes de télédiffusion commerciale et des services de télécommunications, de détenir une participation dépassant deux pour cent au titre de la licence A ou d'être en mesure d'exploiter la licence B (une licence commerciale dont le titulaire fournit jusqu'à quatre services) ;

-- il est interdit à quiconque est en mesure d'exploiter une licence B avant le 1er juillet 1997 d'avoir une participation dépassant deux pour cent, dans une licence A ou d'être en mesure d'exploiter cette licence, et *e)* les services de radiotélédiffusion thématique et sur abonnement ne sont pas visés par les restrictions de la propriété et du contrôle au titre de la loi sur les services de radiodiffusion.

Une personne physique ne peut être un directeur d'une firme licenciée si cette personne est également le directeur d'une société qui pourrait entretenir une des relations susvisées (en termes de bassin d'audiences, de licences multiples sur le même marché couvert par les licences ou de participations étrangères) avec les sociétés licenciées. Les directeurs étrangers ne peuvent détenir plus de 20 pour cent des postes des directeurs dans une société bénéficiant d'une licence.

Il ressort de l'arrêt de la Cour fédérale d'Australie, siégeant en séance plénière, dans l'affaire Austerero contre Commission des pratiques commerciales (mai 1993) que la disposition antitrust normale de la TPA s'applique à toutes les entreprises de radiodiffusion en Australie.

Avant la délivrance d'une licence de radiodiffusion sur abonnement, l'Autorité australienne de la radiodiffusion doit également demander un rapport à la Commission des pratiques commerciales. Si la Commission constate, dans le délai de 45 jours de la demande de la licence A, B ou C ou de 30 jours de la demande

d'autres licences que la délivrance de la licence au demandeur constituerait une violation des dispositions de cette loi, la licence doit être refusée à ce demandeur.

Les règles applicables au titre de la loi sur les services de radiodiffusion exigent également que les programmes et services de radiodiffusion commerciale aient dans une mesure sensible un contenu de programmes australiens, alors que l'article 102 prévoit que chaque titulaire d'une licence de radiotélédiffusion sur abonnement fournit un service consacré essentiellement à des programmes dramatiques afin de veiller à ce qu'au moins dix pour cent des dépenses annuelles pour les programmes soit consacrés à de nouvelles productions dramatiques australiennes. L'alinéa 215(2) prévoit que le ministre compétent procède avant le 1er juillet 1997 à un examen portant notamment sur les possibilités de porter ce seuil à 20 pour cent.

Interventions de la Commission des pratiques commerciales en ce qui concerne divers secteurs

Télécommunications

Au cours de l'année, l'Australian Telecommunications Authority (administration australienne des télécommunications) (AUSTEL) a saisi la Commission de plusieurs plaintes relatives à un comportement prétendument anticoncurrentiel dans le secteur des télécommunications. L'article 340 de la loi de 1992 sur les télécommunications prévoit que, si elle décide d'enquêter sur les affaires dont elle est saisie, la Commission doit communiquer ses conclusions à AUSTEL.

Quatre des plaintes susvisées concernaient les activités d'Australian and Overseas Telecommunications Corporation, exerçant ses activités sous la dénomination Telecom.

Activités portuaires et transports maritimes - Plaintes déférées au ministère au titre du chapitre X

A la suite de son enquête au sujet d'une plainte déférée par le ministère des transports et des communications, la Commission a recommandé en mars l'annulation d'un accord de conférence enregistré, soit l'accord sur des pourparlers entre l'Australie et les États-Unis, autorisant quatre compagnies de navigation à examiner et à réaliser un accord sur les redevances de fret et sur des questions diverses.

La plainte avait été déposée par l'Australian Peak Shippers Association, un organisme de coordination représentant les exportateurs australiens.

Les accords de conférences enregistrés visés par la plainte étaient au nombre de quatre :

-- Accord sur des pourparlers entre l'Australie et les États-Unis ;

-- Accord sur les tarifs côtiers pour l'Australie et le Pacifique ;

-- Conférence de navigation Australie - Est des États-Unis ; et

-- Accord opérationnel des lignes NACON, enregistré sous le nom d'accord sur la location de l'espace et sur la navigation Columbus/PACE.

L'Association a fait valoir que les compagnies de navigation avaient violé les conditions de leur accord de conférence enregistré en imposant (ou en augmentant) une redevance de manutention au terminal pour le déchargement des conteneurs dans les ports des États-Unis en l'absence de négociations ou de notifications satisfaisantes.

La Commission a conclu que les compagnies de navigation ne s'étaient pas conformées aux conditions générales auxquelles les accords enregistrés étaient subordonnés. Elle a constaté que ces compagnies n'avaient pas notifié de manière satisfaisante et en temps voulu une modification des accords de navigation négociables et n'avaient pas tenu dûment compte du fait que leurs services devaient être efficaces et économiques. Elle a recommandé qu'un des quatre accords, soit l'accord de négociation entre l'Australie et les États-Unis, soit radié du registre.

Le chapitre X de la TPA donne aux compagnies de navigation les moyens d'obtenir une dérogation aux dispositions de la TPA dirigée contre les collusions, à condition qu'elles fassent enregistrer leurs accords et satisfassent à certaines conditions générales.

La Commission n'a pas le pouvoir d'examiner les accords de conférence, mais elle a effectivement celui d'enquêter en cas de plainte découlant de leur application.

Transport aérien national et international

La Commission continue à suivre avec vigilance l'évolution du secteur du transport aérien national et international. Au cours des derniers 12 mois, ce secteur a été marqué par de grandes évolutions causées par les décisions des pouvoirs publics et par l'adaptation permanente aux effets de la déréglementation des activités des compagnies aériennes nationales. Les principaux faits nouveaux ont été les suivants :

-- la fusion d'Australian Airlines et de Qantas Airways ;

-- l'acquisition par British Airways de 25 pour cent du capital de la nouvelle compagnie Qantas ;

-- l'octroi à Ansett Airlines de droits de trafic international ; et

-- la faillite de Southern Cross Airlines (Compass).

En 1992-93, la Commission a procédé à des enquêtes ou à des recherches et s'est concertée avec les pouvoirs publics et les organismes des secteurs en cause au sujet de plusieurs questions relatives à l'aviation.

Radiodiffusion - Télévision payante

Le 16 juin 1993, la Commission a transmis à l'Australian Broadcasting Authority (ABA) son rapport sur l'attribution des licences de télédiffusion (télévision payante) sur abonnement par satellite A et B à UCOM Pty Limited et à Hi Vision Limited respectivement. UCOM et Hi Vision étaient les soumissionnaires les plus offrants pour chaque licence.

Au titre de l'article 97 sur les services de radiotélédiffusion, l'ABA est tenue de demander à la Commission un rapport sur l'attribution des licences de radiotélédiffusion payante. Dans ce rapport, la Commission est tenue de formuler un avis sur le point de savoir si l'attribution de la licence en question :

-- constituerait une violation de l'article 50 de la TPA (disposition relative aux fusions) ; ou

-- ne serait pas autorisée au titre de l'article 83 de la TPA.

La Commission a estimé dans son rapport au sujet de UCOM et de Hi Vision qu'aucun des deux demandeurs ne violerait vraisemblablement l'article 50, compte tenu des informations à sa disposition. Eu égard à toutes les définitions du marché susceptibles d'être prises en considération, l'octroi de la licence n'était pas de nature à avoir pour effet de réduire sensiblement la concurrence sur un marché important. Eu égard à ses constatations sur la première disposition légale, la Commission a estimé inutile d'aborder la deuxième question.

V. Etudes intéressant la concurrence

Professions juridiques

L'étude globale de la Commission des pratiques de la concurrence au sujet de la concurrence sur les marchés des services des professions libérales a été axée sur son aspect essentiel, soit la profession juridique, au cours de l'année examinée.

Deux documents visant à stimuler le débat et à examiner les aspects essentiels ont été publiés : le premier consistant dans un document général exposant la conception de l'étude dans son ensemble et l'autre consistant dans un examen du marché des services de passation des actes translatifs de propriété.

La Commission a organisé des échanges de vues initiaux avec un groupe consultatif des représentants de la profession avant de publier le document traitant des points généraux qui soulevait diverses questions, notamment les suivantes :

-- règles restreignant ou interdisant la publicité ;

-- les modalités de fixation des barèmes d'honoraires et leurs implications pour la concurrence ;

-- les restrictions à la liberté des avocats et des solicitors d'organiser leurs activités de manière à répondre au mieux de ce qui est faisable aux besoins de leur clientèle ;

-- la définition et la réglementation de l'"activité juridique", y compris en ce qui concerne les restrictions de la concurrence de la part de des non-professionnels dans certains domaines ;

-- la mesure dans laquelle la profession est soumise aux dispositions de la TPA ;

-- l'effet sur la concurrence du partage de la profession juridique entre les barristers et les solicitors ;

-- les incidences éventuelles des règles déontologiques et des procédures disciplinaires sur la concurrence, et

-- le privilège de la profession juridique et ses incidences sur la concurrence de la part des non-juristes.

Une large diffusion de ce texte a entraîné la présentation d'un grand nombre d'observations de la part des représentants de la profession, des milieux d'affaires, des pouvoirs publics, des organisations de consommateurs et des particuliers. Ces observations ont constitué une base utile pour des enquêtes complémentaires ultérieures par le groupe d'étude et pour de nombreuses réunions avec la participation de divers groupes intéressés.

Le projet de rapport de la Commission au sujet de la profession juridique a été publié le 6 octobre 1993.

Passation d'actes translatifs de propriété

Dans son document de travail sur la passation des actes translatifs de propriété, publié en novembre 1992, la Commission des pratiques commerciales a conclu que la réglementation étatique régissant les actes de passation d'actes translatifs de propriété faisait.obstacle à la concurrence et imposait des coûts excessifs et inutiles aux acquéreurs et aux vendeurs de biens. Elle a fait valoir que même des réductions modestes des coûts de passation des actes de transferts de propriété présenteraient de l'importance, une réduction de 100 $A sur les niveaux des entraînant une économie pour les consommateurs d'environ 80 $A de dollars par an. En raison des divergences de la réglementation entre les États, la Commission a déclaré dans son rapport que les usagers, dans certaines régions de l'Australie, payaient plus du double du prix payé dans d'autres régions.

Dans son étude, la Commission a fait observer que les barèmes d'honoraires et les restrictions à la publicité des honoraires limitaient inutilement la concurrence sur le marché de la passation des actes translatifs de propriété. Elle a déclaré que dans les deux cas, la publicité pourrait servir l'intérêt général si elle améliorait l'information à la disposition des usagers et réduisait le risque qu'ils ne prennent pas leur décision en connaissance de cause. Néanmoins, en pratique, les restrictions semblaient essentiellement restreindre la circulation de l'information sur le marché et risquaient de réduire gravement les possibilités de choix quant au prix et à la qualité.

Dans son étude, la Commission cherchait à obtenir des commentaires, y compris de la part des gouvernements, des États et des territoires, au sujet des propositions de réforme de la réglementation en faveur de la concurrence dans les matières suivantes :

-- l'autorisation aux non-juristes de fournir des services rémunérés de passation des actes translatifs de propriété (ce qui n'est pas le cas à l'heure actuelle dans l'État de Victoria, dans le Queensland, en Tasmanie et sur le territoire de la capitale fédérale) ;

-- l'adoption de dispositions moins restrictives en matière d'octroi de licences, le remplacement de la licence par la certification étant envisagé ;

-- l'abrogation des règlements restreignant ou empêchant la publicité rémunérée (applicables au Queensland et au Territoire du Nord) ; et

-- l'examen des barèmes d'honoraires pour la passation des actes translatifs de propriété par tous les gouvernements d'État et des territoires (à l'exception du Territoire de la capitale fédérale) afin de déterminer s'ils doivent être abolis ou modifiés sensiblement.

Architecture

Dans son rapport définitif sur la profession d'architecte, la Commission des pratiques commerciales a conclu que les architectes et les ingénieurs ne devaient plus échapper à l'application des dispositions de la TPA sur le caractère approprié et la qualité des services fournis aux consommateurs.

Les architectes et les ingénieurs sont les deux seules professions qui échappent à l'application de l'article 74(2), qui prévoit que les services et les matériaux doivent être normalement adaptés à un objectif particulier notifié à l'avance par un client, ou être d'une qualité à laquelle un client est normalement en droit de s'attendre.

Dans leur rapport publié en 1992, la Commission a conclu que le marché des services de conception de la construction était généralement concurrentiel et que la part détenue par les architectes semblait avoir été entamée au cours des dernières années du fait de la concurrence d'autres fournisseurs de services.

Le rapport était axé essentiellement sur la législation des États et des territoires, dont l'application est gérée par des conseils d'enregistrement des architectes indépendants, qui régissent l'exercice de la profession. La Commission a expressément recommandé la modification ou la refonte de plusieurs règlements étatiques particuliers, par exemple :

-- la clause du Queensland concernant la "conception responsable", qui, de manière générale, réserve exclusivement aux architectes ou ingénieurs agréés la conception de bâtiments de plus de 400 m2 de superficie et de plus de deux étages ;

-- les règlements de l'État de Victoria concernant le vol de la clientèle et les concours d'architecture (qui interdisent aux architectes ou aux ingénieurs de participer à des concours d'établissement de plans, à moins qu'ils n'y soient autorisés par le conseil des architectes) ;

-- la réglementation de l'Australie-Occidentale qui prévoit l'autorisation par le conseil des architectes de toute publicité par les architectes et,

-- la présentation non rémunérée de projets de plans.

Dans son rapport, la Commission a reconnu et accueilli favorablement plusieurs modifications des dispositions réglementaires proposées par les conseils des architectes des États et des territoires et par l'Institut australien royal des architectes compte tenu de l'étude de la Commission.

Activités portuaires et transports maritimes - Étude de la location d'installations portuaires

Dans son projet de rapport sur les mesures de location des installations portuaires par les autorités portuaires australiennes, diffusé en décembre 1992, la Commission des pratiques commerciales a conclu que ces mesures avaient favorisé les inefficiences, fait obstacle à une concurrence effective et entraîné une hausse des prix des importations et des exportations.

L'étude a été entreprise dans le cadre de la vaste mission de la Commission en vue de l'encouragement d'une réforme sous l'angle de la concurrence au sujet des activités portuaires, la Commission inter-étatique ayant auparavant considéré que les mesures de location des installations portuaires constituaient un secteur très préoccupant.

Dans son rapport intitulé "Port Leasing policies : a way to competition and efficiency on the waterfront" (mesures de location d'installations portuaires : une voie ouverte à la concurrence et à l'efficience en matière d'activités portuaires), la Commission a précisé qu'une concurrence plus effective entre les ports favoriserait l'efficacité des activités portuaires et créerait des possibilités de répercussion en chaîne des avantages jusqu'à la base. Elle a examiné spécialement les pratiques actuelles des autorités portuaires pour la location de terrains destinés aux installations de manutention de petites quantités de marchandises, et a étudié les méthodes permettant d'encourager la concurrence et de renforcer l'efficacité.

De l'avis de la Commission, les autorités portuaires doivent avoir pour objectif fondamental de faciliter les échanges nationaux et internationaux en exerçant leurs activités de manière rentable. 32 autorités portuaires d'Australie, qui, à elles toutes, contrôlent 70 ports dans tout le pays, ont un rôle capital à jouer pour déterminer le niveau de concurrence et d'efficacité des activités de manutention, ainsi que les coûts généraux des activités portuaires. Tout en fixant les redevances pour l'utilisation des installations du port, les autorités contrôlent l'accès aux quais, la fourniture de l'infrastructure portuaire et les conditions de son utilisation.

Aux termes du rapport, il résultait des longues distances entre les ports australiens et de l'importance des transports par terre que les autorités portuaires étaient "caractérisées" par l'existence d'un monopole naturel, la concurrence entre eux étant faible. Dans son rapport, la Commission a observé que cette situation ne devait pas les amener à chercher soit à maximiser les profits en faisant payer des prix de monopole, soit à fournir des services à des prix ne couvrant pas les coûts.

Les gouvernements des États avaient mis en route une série de mesures de réforme de la gestion des ports au cours des dernières années, ce qui avait amené les autorités portuaires à s'orienter vers des activités plus rentables. Néanmoins, le travail de réforme des ports était inachevé et l'application de cette réforme était restée fragmentaire.

Les gains de productivité résultant de l'amélioration des mesures de location et de gestion des installations portuaires avantageraient les armateurs à de nombreux égards et, compte tenu de la capacité excédentaire actuelle de l'armement, étaient de nature à se répercuter sur les importateurs et les exportateurs. Les implications pour l'ensemble de l'économie seraient importantes ainsi que pour les coûts qui se répercutent sur les entreprises et les consommateurs particuliers.

Sur le long terme, l'importance de l'avantage économique pour la collectivité serait largement tributaire des coûts et de la compétitivité des services de transports maritimes.

Notes

1. Système de règlement T+5 : il s'agit du délai de cinq jours existant entre le moment de la livraison des titres et celui du paiement des sommes dues.

2. Un délai "ex" de sept jours est le délai de sept jours dans lequel l'entreprise émettrice des titres enregistre le changement de propriété des titres.

Annexe

Publications et Articles

Liste des communications et des articles privés publiés au cours de la période
examinée

Publications de la Commission

Publications régulières telles que le Bulletin and Fair Trading, destinées à
informer la collectivité au sujet des activités de la Commission et de l'évolution
des pratiques commerciales en général.

Guides spéciaux sous diverses présentations (y compris des brochures
destinées à une large diffusion) traitant de la TPA ou de certains aspects
particuliers de cette loi.

Rapports et documents de travail importants

Les rapports et les documents de travail sont publiés sous une forme se
prêtant à la diffusion dans le public. La Commission annonce leur diffusion sous
diverses formes et déploie tous les efforts compatibles avec des coûts de
publication élevés afin d'arriver à les diffuser largement.

Principales publications de la Commission

"Submission to the National Competition Policy Review" (Exposé en vue de
l'examen de la politique nationale de la concurrence).

"Life insurance and superannuation" (assurances-vie et pensions de retraite).
Rapport de la Commission sur une étude de huit mois des expériences des
consommateurs sur le marché des produits de placement dans les assurances.

"Merger guidelines : draft for comment" (directives en matière de fusions : projet
pour observation).

"Home building industry review : draft report of Commission study" (examen du
secteur des habitations : projet de rapport de l'étude de la Commission).

"Port leasing policies: *draft report of study*" (mesures de crédit-bail dans les ports: projet de rapport de l'étude).

"Study of the professions - Legal professions (Issues paper)" : Etude des professions libérales - la profession juridique (document de travail).

"The legal profession, conveyancing and the Trade Practices Act"

(la profession juridique et la passation d'actes translatifs de propriété et la loi sur les pratiques commerciales).

"Study of the professions - Architecture" (Etudes des professions libérales d'architecture).

"Fuel consumption claims in the marketing of new motor vehicles" (Demande en ce qui concerne la consommation de carburant dans le domaine de la commercialisation des nouvelles voitures).

"When goods are defective : guide to the product liability provisions of the Trade Practices Act" (supported by separate leaflets for business and consumers). Lorsque les articles sont défectueux : guide des dispositions sur la responsabilité des produits de la loi sur les pratiques commerciales (complété par les brochures distinctes pour les entreprises et les usagers).

"TPC guide to codes of conduct" (A draft for comment) : Manuel sur le code des pratiques commerciales en ce qui concerne les codes de conduite (projet pour observation).

"Promotion and advertising of therapeutic goods" (Promotion et publicité de produits thérapeutiques).

"Checkout the price : review of supermarket scanning code" (vérification du prix : examen du code d'étude des supermarchés).

Département des publications du ministère des finances

Présentation par le ministère des finances en vue de l'examen des politiques nationales en matière de concurrence (Treasury Economic Paper Number 16).

Articles privés

FORSYTH, P.(1992), "Regulation after deregulation : regulation and competition policy in a privatised, corporatised or deregulated environment : a survey", *Conference of Industry Economics 1992, Australian National University.*

GREEN, P. (1992), "Competition and micro reform : upgrading Australia's competitive advantage", *Economics in Business and Government Conference of Industry Economics 1992, Brisbane.*

JOHNS, B. (1992), "Regulatory reform and competition policy in Australia", *Conference of Industry Economics 1992, Australian National University.*

PENGILLEY, W. (1992), "Merger policy : why did the Cooney Committee answer the Trade Practices Commission's prayers ?", *University of Western Australia Law Review 22 (2) décembre, 300-321.*

PENGILLEY, W. (1993) *"What's Wrong with Australia's Competition Law", Policy 9 (1)*, automne 11-18.

ROLFE, J. (1992) "Merger policy in Australia : an analysis of change", *Economics in Business and Government Conference of Industry Economics 1992, Brisbane.*

SHEARD, P. (1992) "Competition policy and microeconomic reform in Australia", *Microeconomic Reform in Australia.*

AUTRICHE

(1993)

I. Loi sur les cartels

La loi de 1988 sur les cartels (Gazette du droit fédéral n° 600/88), modifiée par la loi fédérale n° 693/93/Loi de 1993 portant modification de la loi sur les cartels, contient des dispositions visant :

-- les cartels, y compris les pratiques concertées

-- les entreprises occupant une position dominante sur le marché

-- les fusions

Les grands principes

La loi autrichienne sur les cartels s'appuie sur la notion d'abus. En général, un cartel ne peut être constitué que s'il a fait l'objet d'une notification et d'une autorisation. Les pratiques concertées et les accords qui, même involontairement, limitent la concurrence ("Wirkungskartelle" -- cartels de fait) doivent faire l'objet d'une autorisation *a posteriori*.

L'autorisation de créer un cartel est accordée, sur demande, par une juridiction d'exception, le Tribunal des cartels ("Kartellgericht"), à la condition que :

-- le cartel n'aille pas à l'encontre d'une interdiction légale ou de l'ordre public (Code civil autrichien article 879)

-- l'accord de cartel ne lie pas les membres par des clauses dites d'exclusivité (par exemple : discrimination des tierces parties) et

-- le cartel se justifie au regard de l'économie nationale.

Ceci exclut en tout état de cause les accords non conformes à l'un des traités mentionnés à l'article 7 de la loi sur les cartels (notamment l'accord de libre-échange conclu entre la CEE et l'Autriche, le traité de l'AELE, le traité sur l'Éspace Économique Européan ou Traité EEE).

La décision d'autorisation rendue par le Tribunal des cartels n'est valable que pour cinq ans au plus. Une fois que le cartel est autorisé, il doit être inscrit au registre géré par le Tribunal des cartels.

Réglementation des dérogations

En accord avec le ministre fédéral des Affaires Économiques, le ministre fédéral de la Justice peut déterminer par voie de règlement quel type de coopération n'est pas soumis à la loi sur les cartels et il peut exempter certaines formes de coopération pour autant qu'elles lui paraissent importantes et nécessaires pour l'économie nationale.

Entreprises dominant le marché

A la demande d'une entreprise lésée par cette limitation de la concurrence le Tribunal des cartels doit interdire les abus de position dominante sur le marché. Une fixation directe ou indirecte de prix de vente ou d'achat ou autres conditions commerciales déloyales constituent un tel abus. La liste d'exemples reproduit celle qui figure à l'article 86 du traité de la CEE).

Fusions

Si le chiffre d'affaires global des entreprises en cause est supérieur à 150 millions de shillings (environ 10 millions d'Écus), la fusion devra être notifiée dans un délai d'un mois afin d'en informer le Tribunal des cartels.

Si le chiffre d'affaires global des entreprises en cause dépasse 3 500 millions de shillings (environ 230 millions d'Écus) et que le chiffre d'affaires de deux au moins des entreprises en cause dépasse pour chacune d'elles cinq millions de shillings (environ 330 000 Écus), la fusion doit faire l'objet d'une notification préalable.

A la demande d'une personne morale, d'une association ou d'une entreprise lésée, le Tribunal des cartels doit interdire la fusion dès lors qu'elle crée ou renforce une position dominante sur le marché, sauf si :

-- l'on peut en attendre une amélioration des conditions de la concurrence compensant la position dominante sur le marché ou

-- la fusion est nécessaire pour préserver ou accroître la compétitivité internationale des entreprises en cause et se justifie sous l'angle de l'économie nationale.

La procédure et les parties

Le Tribunal des cartels est la juridiction de première instance. Les décisions sont rendues par un conseil au sein duquel les partenaires sociaux, qui sont les entreprises concernées, sont représentés chacun par un assesseur.

La Haute Cour des Cartels ("Kartellobergericht") est la juridiction d'appel.

Le Comité paritaire ("Paritätischer Ausschus") qui se compose de représentants des partenaires sociaux a compétence pour donner un avis d'expert, surtout lorsqu'il s'agit de justifier une opération au regard des divers secteurs de l'économie nationale. Les membres du Comité exercent leurs fonctions en toute indépendance.

Durant la procédure, la République d'Autriche et les partenaires sociaux ont le statut de partie même s'ils ne sont pas requérants. Plus précisément, ils sont appelés les parties juridiques.

Les demandes peuvent être également introduites par des entreprises lésées par une limitation de la concurrence.

Sanctions

Le fait de créer un cartel non justifié par la loi est sanctionné par :

-- la suppression de l'enrichissement injustifié

-- l'invalidité de l'accord de cartel

-- la responsabilité pénale du contrevenant

-- à la demande du Ministère public, l'imposition d'amendes à concurrence de dix millions de shillings (environ 660 000 Écus) à l'encontre de l'entreprise bénéficiaire de l'infraction.

L'abus d'une position dominante dans un marché, interdite par le Tribunal des cartels, constitue un délit pénal, tout comme l'exercice illégal d'une restriction verticale ou d'une fusion. Des amendes seront infligées en cas d'infractions mineures aux dispositions de la loi sur les cartels.

II. Droit de la concurrence EEE

Avec l'entrée en vigueur du traité EEE au début de 1994, l'Autriche devra mettre en oeuvre les règles EEE de concurrence, qui sont sur le fond totalement identiques à celles de la CEE.

L'article 53 interdit les accords entre entreprises, les décisions d'associations d'entreprises et les pratiques concertées qui peuvent affecter la concurrence sur le territoire couvert par l'accord sur l'EEE. L'article 54 interdit le fait pour des entreprises d'abuser d'une position dominante sur le territoire couvert par l'accord sur l'EEE ou dans une partie substantielle de celui-ci. Ces dispositions sont conformes aux articles 85 et 86 du traité de la CEE.

L'article 57 vise le contrôle des opérations de concentration qui créent ou renforcent une position dominante et qui entravent de manière significative la concurrence sur le territoire auquel s'applique l'accord sur l'EEE ou dans une partie substantielle de celui-ci. Cette disposition est analogue à l'article 2(3) du Règlement de la CEE sur les fusions.

Les instances

Chaque État de l'AELE a dû mettre en place deux instances parallèles pour traiter des questions de droit et de politique de la concurrence afin d'assurer pleinement la mise en oeuvre des règles EEE de la concurrence. L'une s'occupe des questions internationales et l'autre des questions nationales.

Pour remplir leurs obligations internationales, les pays de l'AELE ont dû créer d'une part l'ESA ou l'Autorité AELE chargée des enquêtes et de la surveillance et d'autre part le Tribunal de l'AELE, qui a un pouvoir décisionnel. De plus, chaque pays a été tenu de créer une instance nationale.

En Autriche, les règles EEE de la concurrence sont mises en oeuvre par le "Bundesgesetz über die Durchführung der Wettbewerbsregeln im Europäischen Wirtschaftsraum -- EWR-Wettbewerbsgesetz -- BGBl. 125/93". Cette loi fédérale a mis en oeuvre le droit et la poltique EEE de concurrence sur le territoire autrichien. Le Ministère fédéral de l'économie par l'intermédiaire de l'unité de la concurrence EEE est l'instance nationale compétente chargée d'assurer l'application des règles EEE de concurrence. En outre, l'unité de la concurrence EEE sert de lien entre la Commission de la CE, l'ESA et les entreprises autrichiennes.

Compétences

Conformément à la loi autrichienne sur la concurrence EEE, le Ministre fédéral de l'économie, par intermédiaire de l'unité de la concurrence EEE a compétence dans les domaines suivants :

-- assistance administrative à la Commission et à l'ESA;

-- coopération avec l'ESA et la Commission;

-- participation aux auditions des parties et des tierces personnes;

-- mise en conformité des droits et obligations de l'Autriche à l'égard de la Commission et de l'ESA;

-- participation à l'examen effectué par les tribunaux;

-- représentation de l'Autriche au sein des Comités consultatifs.

Dans les secteurs des transports, des postes et télécommunications, le Ministre fédéral de l'économie ne peut agir qu'avec l'accord du Ministre fédéral des entreprises publiques et des transports. Dans certains cas, il doit y avoir accord du Chancelier fédéral.

Effets

En prévision de l'entrée en vigueur de l'EEE, les producteurs autrichiens ont commencé à s'adapter aux nouvelles règles de concurrence. On citera à titre d'exemple le secteur de fabrication de skis. A la fin de 1992, le secteur comptait en Autriche cinq gros fabricants, à savoir Atomic, Blizzard, Fischer, Head et Kästler.

Le tableau suivant présente leur part de marché respective (y compris skis alpins et de randonnée) :

Atomic	27, 3%
Blizzard	14, 7%
Fischer	32, 6%
Head	14, 3%
Kästler	10, 9%

Autriche

Auparavant, ces différentes sociétés s'étaient organisées en cartel et avaient conclu, entre autres, des accords de distribution verticale pour leurs produits. Compte tenu de l'évolution internationale, les entreprises ont décidé de mettre fin à l'entente de carte à la fin de 1993 et de ne maintenir que les accords de distribution verticale, conformément aux règles de concurrence de l'EEE.

CANADA

(avril 1992 - mars 1993)

I. Modifications adoptées ou envisagées des lois et politiques en matière de concurrence

Modifications législatives

Résumé des nouvelles dispositions de la loi sur la concurrence

Un projet de loi modifiant les dispositions sur la vente pyramidale de la loi sur la concurrence a été adopté par le Parlement et a reçu la sanction royale le 4 juin 1992. Les nouvelles dispositions, qui sont entrées en vigueur le 1er janvier 1993, établissent dorénavant des infractions eu égard aux pratiques commerciales trompeuses suivantes qui sont associées aux systèmes de vente pyramidale :

-- le droit à une rétribution pour avoir recruté un autre participant [autrefois interdit par l'alinéa 55(1)*a*) de la loi];

-- la consignation abusive de marchandises (la vente de marchandises aux recrues en quantité injustifiable) ;

-- l'achat obligatoire de marchandises comme condition d'adhésion ;

-- l'absence pour les participants d'un droit de retour des marchandises ; et

-- l'utilisation d'exemples non représentatifs pour exagérer les possibilités de gains.

L'article 55 révisé rendra plus efficaces et plus efficients le droit et la politique de la concurrence au Canada. En outre, il sera plus facile de déceler les cas d'infraction à la loi.

Afin de favoriser la conformité aux nouvelles dispositions, le Directeur du Bureau de la politique de la concurrence a émis un Bulletin d'information, le 27 juillet 1992, dans lequel il exposait sa politique relative à l'application des nouvelles dispositions. Dans le cadre du Programme d'avis consultatifs du Directeur, le personnel de la Direction a examiné 85 plans avant le

1ᵉʳ janvier 1993, ce qui a contribué à mieux faire connaître les nouvelles dispositions au public et à favoriser la conformité. Entre cette date et la fin du présent exercice, 70 autres plans ont été examinés.

Lois ou propositions connexes

Élaboration de politique

Les politiques du gouvernement, qu'elles portent sur certaines activités commerciales ou sur l'ensemble de l'économie, influent souvent sur la concurrence dans les secteurs de l'industrie concernés. Cela explique pourquoi le Directeur et d'autres représentants du Bureau participent activement aux activités d'élaboration de politiques menées par le ministère et par des groupes interministériels qui influent sur le système de marché. Cette participation a, dans bien des cas, pris la forme d'une aide fournie au cours des premières étapes de l'élaboration de propositions concernant des politiques et des lois. De plus, le Directeur a été appelé à témoigner devant des comités parlementaires sur les répercussions de projets de loi sur la concurrence. En outre, on confie parfois au personnel du Bureau la tâche de réaliser des études ou d'autres documents destinés à un usage interministériel et international sur différentes questions relatives à la politique de la concurrence.

Activités connexes

Concurrence et marché canadien

Au cours de l'exercice, les activités d'établissement de politiques menées par le Bureau ont été axées dans une grande mesure sur l'état de la concurrence au sein du marché canadien et sur la mesure dans laquelle les lois-cadres et les politiques globales favorisent un ajustement structurel et un environnement plus concurrentiel. Assurant le suivi de son importante contribution à l'étude qu'a achevée en 1991 le professeur Michael Porter et intitulée «Le Canada à un carrefour», ainsi que du rôle de premier plan qu'il a joué au cours de 1991-1992 dans le cadre d'un projet ministériel prioritaire, «Marché canadien et orientation internationale», le Bureau a contribué aux travaux du Secrétariat de la prospérité et du Groupe directeur de la prospérité du secteur privé, qui ont publié en octobre 1992 le rapport intitulé "Innover pour l'avenir : un plan d'action pour la prospérité du Canada".

Le Bureau a également travaillé en collaboration avec Industrie, Sciences et Technologie Canada (ISTC) en vue de déterminer dans quelle mesure la politique de la concurrence facilite l'ajustement structurel, et a fait diffuser un rapport sommaire sur cette question à la fin de 1992. Les résultats de cette analyse, ainsi que la recherche complémentaire menée avec l'université de Toronto sur la question des alliances stratégiques, ont par la suite été utilisés dans le cadre de travaux menés conjointement avec ISTC et Agriculture Canada qui ont permis de préparer un exposé que le Bureau a présenté, en mars 1993, au Conseil de la compétitivité agro-alimentaire. Cet exposé a porté essentiellement sur les dispositions relatives aux fusions, aux alliances stratégiques et aux pratiques de fixation des prix visées par la loi sur la concurrence, et sur la façon dont la politique de la concurrence du Canada facilite l'ajustement structurel et la compétitivité internationale des entreprises agro-alimentaires canadiennes.

Le personnel du Bureau collabore aussi actuellement avec Investissement Canada et d'autres bureaux de CACC à l'étude de l'émergence de vastes sociétés «apatrides» à l'échelle internationale et de leur incidence sur la politique de la concurrence et d'autres lois-cadres. Aussi, le Bureau a uni ses efforts à ceux d'Affaires extérieures et Commerce extérieur Canada (AECEC), d'ISTC et d'autres organismes fédéraux en vue d'élaborer une politique canadienne en matière de sciences et de technologie, ainsi qu'à ceux d'Investissement Canada, d'ISTC et d'AECEC en vue d'étudier les obstacles interprovinciaux au flux du commerce et au mouvement des investissements.

Concernant les questions de transport routier, le personnel du Bureau a continué à suivre de près les activités du Conseil canadien des administrateurs en transport motorisé. Des membres du Bureau ont aussi participé à un Forum interministériel et industriel au sujet du transport routier. L'objectif est de faire ressortir les initiatives du gouvernement fédéral qui ont un impact dans les domaines du camionnage et du transport par autobus et par le fait même de donner l'occasion à l'industrie et aux travailleurs de faire part de leurs principales inquiétudes.

Concernant l'industrie aérienne, le personnel du Bureau a continué à s'impliquer lors de consultations interministérielles concernant l'approche des négociations d'un nouvel accord avec les États-Unis sur les services aériens. Le Bureau a aussi continué à participer aux discussions concernant la loi sur les conférences maritimes de 1987 qui permet la tenue de conférences maritimes (cartels) sur le marché maritime international.

Les travaux interministériels menés en collaboration s'appuient également sur des analyses de politiques et des travaux de recherche effectués indépendamment par le Bureau sur des sujets tels que les liens nationaux entre la politique de la concurrence et la politique industrielle ; le rôle que pourrait jouer la politique de la concurrence du Canada en vue de mieux contrôler les programmes de subventions des diverses administrations canadiennes ; une analyse comparative entre les institutions chargées d'appliquer la politique de la concurrence canadienne et les institutions d'autres secteurs de compétence ; et les dispositions pouvant se rapporter aux alliances stratégiques de la loi sur la concurrence et d'autres lois antitrust.

Au cours de l'exercice 1993-1994, les résultats de cette analyse des politiques et d'autres travaux de recherche seront diffusés à une plus grande échelle, grâce à la série de documents de travail du Bureau qui a été lancée au cours de 1992-1993. Le premier document, diffusé au printemps de 1992, traitait de l'application de la politique de la concurrence aux secteurs réglementés de la Communauté européenne (CE). Parmi les prochains sujets à venir, mentionnons les liens entre la concurrence et la politique commerciale ; les rapports entre la politique de la concurrence et la politique industrielle ; la politique de la concurrence et les programmes de subventions canadiens ; les institutions responsables de l'application de la politique de la concurrence au Canada ; les marchandises vendues sur le marché gris ; et la rationalisation des fusions. Ces documents de travail sont complétés par la série de colloques sur l'organisation industrielle, dans le cadre de laquelle des spécialistes de renom présentent le fruit de leurs recherches aux économistes du Bureau.

Politiques de la concurrence et des échanges

Ces politiques prioritaires ont amené le Bureau à prendre part à diverses tribunes au cours de l'exercice précédent. Par exemple, le Bureau a participé activement à l'élaboration du chapitre 15 sur la politique de la concurrence et le commerce de l'Accord de libre-échange nord-américain (ALÉNA) conclu avec les États-Unis et le Mexique. Ce chapitre prévoit la création d'un comité de la concurrence et du commerce chargé d'étudier le rôle du droit et de la politique de la concurrence en vue de poursuivre l'intégration des trois économies nationales conformément à l'ALÉNA.

Le Bureau a également continué de participer aux travaux interministériels ainsi qu'aux consultations tenues avec des représentants du secteur privé en vue d'établir les positions du Canada dans le cadre des négociations découlant de l'article 1907 de l'Accord de libre-échange (ALE), qui traite des droits antidumping, des subventions et des droits compensateurs. Les travaux effectués au cours des années précédentes ont démontré qu'il n'y aurait pas d'obstacles techniques au remplacement du régime antidumping actuel par la législation sur la concurrence, et qu'un tel changement offrirait des avantages certains, notamment une efficience et une compétitivité accrues pour les deux pays. Au cours de 1992-1993, le Bureau s'est employé à obtenir le soutien d'autres ministères et de diverses entreprises en ce qui concerne l'option de remplacement, compte tenu, en particulier, d'affaires antidumping survenues dans le secteur de l'acier des deux côtés de la frontière. À cet égard, le rapport sur la prospérité "Innover pour l'avenir", proposait que la législation commerciale antidumping soit remplacée d'ici 18 mois par la loi sur la concurrence conformément à l'ALE.

Enfin, le Bureau travaille en étroite collaboration avec AECEC en vue d'élaborer les positions du Canada pour ce qui est de l'inclusion de la politique de la concurrence dans la Charte européenne de l'énergie. Outre le Canada, participent aux négociations la Russie, d'autres pays de l'ex-Pacte de Varsovie de l'Europe centrale et de l'Europe de l'Est, la CE, le Japon et d'autres pays de la région du Pacifique. Ces négociations pourraient permettre que, pour la première fois, une section sur la politique de la concurrence soit incluse dans un arrangement commercial multilatéral.

Les analyses relatives aux politiques et les travaux de recherche menés en permanence concernant l'interaction complexe entre la politique de la concurrence et la politique commerciale permettent au Bureau de contribuer à l'élaboration des positions du Canada dans le cadre de négociations commerciales internationales. Au cours de l'exercice, le personnel du Bureau a préparé un important document de travail sur l'interaction entre ces deux politiques et sur le rôle possible de la politique de la concurrence dans de futures négociations commerciales régionales et multilatérales. En outre, des travaux effectués par Nancy Gallini, professeur à l'université de Toronto, ont été menés sur la politique de la concurrence et le recours aux marques de commerce pour restreindre l'importation des marchandises du marché gris. Ces questions complexes ont pu être mieux comprises grâce aux exposés du Bureau à des groupes de l'extérieur tels que l'exposé du Directeur au Comité consultatif sur le commerce extérieur du ministre Wilson (en janvier 1993) et grâce à la participation du Bureau à des projets de recherche de l'extérieur tels que «La politique de la concurrence dans une économie mondiale», dont l'Université de Toronto a assuré la coordination. Ce projet sera présenté au cours d'une conférence sur les politiques en matière de commerce, d'investissement et de concurrence, organisée par le Bureau et par le Centre de droit et politique commerciale, qui aura lieu à Ottawa, en mai 1993.

Bulletins d'information

L'expansion du programme d'information auprès du public en ce qui a trait à la loi et à son application a été identifiée comme hautement prioritaire. Au cours du dernier exercice, deux bulletins d'information ont été publiés. Les "Lignes directrices sur les prix d'éviction" ont été émises le 21 mai 1992 et les "Lignes directrices sur la discrimination par les prix" ont été émises au mois de septembre 1992. Deux bulletins d'information révisés ont également été émis en 1992-93.

Le premier bulletin, "Aperçu général de la loi sur la concurrence du Canada", une version révisée, donne un aperçu général des principales dispositions de la loi sur la concurrence. Originairement émis au mois de novembre 1990, il a été émis de nouveau au mois de mars 1993. Le deuxième bulletin, "Programme de conformité", donne de l'information sur l'approche utilisée par le Directeur pour promouvoir et assurer la conformité de la loi. Originairement émis au mois de juin 1989, il a également été émis de nouveau au mois de mars 1993.

Communications avec les médias

Les représentants du Bureau informent régulièrement le public, par l'entremise des médias, au sujet des questions relatives à la concurrence. Le Bureau reconnaît le rôle important que jouent les communications fréquentes et efficaces avec les médias dans le cadre de son programme d'information et d'éducation du public. Pendant l'année, le Bureau a publié régulièrement des communiqués et des documents d'information indiquant le détail des affaires importantes et justifiant sa position. De plus, il a tenu des conférences de presse afin d'aider les médias à comprendre l'application des dispositions de la loi dans différentes circonstances.

II. Application des lois et des politiques en matière de concurrence

Mesures de répression des pratiques anticoncurrentielles (sauf les fusions)

Statistiques sur les activités des autorités et des tribunaux en matière de concurrence

Au cours de l'exercice, des poursuites ont été instituées dans 17 nouvelles affaires et 29 poursuites se sont terminées par des condamnations, notamment plusieurs amendes considérables. Par exemple, le 29 mars 1993, Popsicle Industries Ltd. s'est vu imposer une amende de 200 000 $Can après avoir été reconnue coupable d'avoir donné des indications trompeuses au sujet d'un concours publicitaire. Dans le cadre du règlement aux termes duquel la société a déposé un plaidoyer de culpabilité, l'accusée s'est engagée à remettre un jeu vidéo gratuit à 4 500 ménages au maximum qui avaient participé au concours en question. Le 22 juin 1992, la société F.W. Woolworth Co. Ltd./F.W. Woolworth Cie Limitée, faisant affaires sous la raison sociale de Woolco Department Stores, a été condamnée à une amende de 135 000 $Can pour avoir donné des indications trompeuses en ce qui concerne le prix courant de pneus.

Le nombre des activités d'application menées en vertu des dispositions sur la publicité trompeuse et les pratiques commerciales déloyales de la loi a diminué quelque peu au cours de l'exercice comparativement aux exercices précédents. Le personnel de la Direction a répondu à 34 141 demandes de renseignements, parmi lesquelles un grand nombre outrepassaient le mandat de la Direction. En conséquence, la Direction s'est trouvée face à un dilemme, car les efforts qu'elle a dû déployer pour fournir les renseignements requis au public canadien l'ont obligée à limiter ses activités d'application. On étudie actuellement de nouvelles initiatives en vue de déterminer si un meilleur équilibre pourrait être atteint.

Cette année, outre ses activités d'application, la Direction a amorcé un certain nombre de nouvelles initiatives, ce qui a influé sur le nombre d'affaires portées devant les tribunaux. Parmi ces initiatives, mentionnons :

-- des efforts considérables déployés en vue de faire connaître aux vendeurs à paliers multiples les nouvelles dispositions sur la vente pyramidale et la commercialisation à paliers multiples, entrées en vigueur le 1er janvier 1993 ;

-- la mise en place d'autres instruments de règlement, ce qui a donné lieu au renvoi des affaires les plus graves seulement au Procureur général du Canada pour qu'il se prononce sur la possibilité d'intenter des poursuites ;

-- l'élaboration d'un plan d'affaires exhaustif (voir ci-dessous) ; et

-- la formation de nouveaux employés, l'introduction de l'informatique dans les bureaux régionaux et une réorientation de ces bureaux afin qu'ils puissent prêter davantage main-forte aux autres directions du Bureau.

Le montant total des amendes imposées en vertu de ces dispositions a également accusé un net recul par rapport aux niveaux quasi records du dernier exercice. Cette diminution s'explique peut-être en partie par le nombre moins élevé d'affaires renvoyées au Procureur général du Canada pour fin de poursuites possibles en raison de la réorientation continue des activités du Bureau vers les pratiques publicitaires ou commerciales ayant des répercussions importantes ou à l'échelle nationale. La transition a aussi été responsable d'un trop long délai entre les enquêtes et les mesures coercitives qui en résultent. Par exemple, certaines enquêtes ayant nécessité des ressources humaines et financières considérables ont débordé sur l'exercice 1993-1994 et n'ont donc pas été prises en compte dans les statistiques du présent exercice. Finalement, quatre importantes poursuites en Nouvelle-Écosse se sont terminées par des acquittements et sont actuellement en appel.

Description des principales affaires

La présente section résume un certain nombre d'affaires importantes afin d'illustrer la nature et la portée des activités d'application de la loi entreprises durant l'année. La partie *(i)* décrit des affaires d'intérêt national ayant fait l'objet de poursuites en vertu des dispositions pénales de la loi, la partie *(ii)*, des affaires de nature non pénale.

i) Affaires d'intérêt national (Affaires pénales)

Les affaires pénales sont déférées au Procureur général du Canada. Celui-ci détermine s'il y a lieu de porter des accusations, et c'est lui qui mène les poursuites en application de la loi. Outre la peine imposée à une personne déclarée coupable d'une infraction, l'article 34(1) de la loi prévoit qu'un Tribunal peut rendre une ordonnance interdisant à cette personne ou à toute autre personne de continuer ou de répéter l'infraction ou de faire toute chose qui permette de continuer ou de répéter l'infraction. De plus, une ordonnance d'interdiction peut être obtenue sans condamnation lorsque les procédures sont engagées au moyen d'une plainte du Procureur général du Canada ou du Procureur général d'une province en vertu de l'article 34(2).

a) Principales poursuites judiciaires

Au cours de l'exercice qui a pris fin le 31 mars 1993, le Bureau a continué d'axer ses efforts en matière pénale sur les infractions liées aux ententes anticoncurrentielles entre concurrents, c'est-à-dire les complots, le truquage des offres et certaines formes de maintien des prix. Le fait le plus marquant de l'année est le prononcé de l'arrêt RC. Nova Scotia Pharmaceutical Society et autres (PANS), rendu le 9 juillet 1992, dans lequel la Cour suprême du Canada a reconnu la validité constitutionnelle de la disposition législative sur les complots. L'arrêt fournit notamment un cadre analytique clair pour l'examen des poursuites engagées en vertu de la disposition sur les complots. La Cour a retenu deux importants éléments dans l'évaluation du caractère indu d'une restriction à la concurrence : la structure du marché et le comportement des parties à l'entente. La Cour a aussi décrit le procédé d'évaluation approprié et en a développé chacun des éléments.

Dans l'affaire PANS, la Cour était appelée à déterminer si la disposition sur les complots est inconstitutionnelle parce que le terme "indûment" serait trop vague et imprécis, et parce que la disposition permettrait la condamnation d'un accusé sans que le ministère public ne soit tenu d'établir de façon absolu l'intention subjective quant à la volonté de l'accusé de réduire indûment la concurrence. La Cour a conclu que la disposition sur les complots ne viole pas la Charte, rejetant ainsi l'argument selon lequel le terme "indûment" serait trop vague. En ce qui a trait à la question de l'intention, la Cour a conclu que le ministère public doit prouver que l'accusé avait l'intention de conclure l'accord et en connaissait les modalités. Il doit en outre prouver qu'un homme ou une femme d'affaires raisonnable aurait su que l'effet de l'accord serait de diminuer indûment la concurrence. Le ministère public n'est toutefois pas tenu de prouver que l'accusé voulait que l'entente diminue indûment la concurrence.

Au cours de l'exercice, le Bureau a continué à obtenir le règlement d'affaires et d'importantes amendes (dépassant un million de \$Can) dans des affaires de complot. Le 5 novembre 1992, Davis Wire Industries Ltd., Gerrard Ovalstrapping (EII Limited), Titan Steel & Wire Co. Ltd., et Tree Island Industries Ltd., ont plaidé coupables à une accusation de conspiration, portée en vertu de l'article 45(1)*c*), pour avoir fixé le prix du fil servant au ficelage de balles de pâtes dans l'Ouest canadien pendant une période de treize mois au cours des années 1988 et 1989. Les parties ont été condamnées à une amende totalisant 1.6 million de \$Can. Le 2 juillet 1992, deux anciens cadres d'Air Liquide Canada Limitée ont été accusés en vertu de l'article 45(1)*c*) de la loi d'avoir participé à un complot relatif à la fourniture de gaz comprimé au Canada. Ils ont tous deux plaidé coupables ; l'un a été condamné à une amende de 75 000 \$Can, l'autre à une amende de 50 000 \$ can. Au 31 mars 1993, les amendes imposées par la Cour dans cette affaire s'élevaient à la somme de 6 275 millions de \$Can.

b) Poursuites judiciaires : degrés d'activité

Comme cela a déjà été mentionné, la décision par laquelle la Cour suprême a confirmé la constitutionnalité de la dispositions de la loi visant les complots a eu un effet positif sur le degré d'activité relatif aux enquêtes du Bureau en matière criminelle. Soixante-deux affaires nouvelles ont été ouvertes au cours de l'année et sept affaires judiciaires se sont terminées. Des déclarations de culpabilité et des ordonnances d'interdiction ont été obtenues dans quatre affaires, tandis qu'une affaire a donné lieu à un acquittement, une autre au retrait des poursuites et une dernière à la suspension des procédures. Des amendes s'élevant à 2 035 000 \$Can ont été imposées dans les quatre affaires qui se sont soldées par des condamnations.

c) Autres affaires

Comme cela a été mentionné l'an dernier, le Directeur a entrepris, de concert avec le Procureur général, l'établissement d'un programme d'immunité destiné à encourager les entreprises et les personnes physiques à indiquer volontairement leur participation à des complots et à des activités de truquage des offres avant qu'elles ne soient signalées au Directeur. En vertu de ce programme, on a rendu public, le 3 novembre 1992, un règlement conclu avec Abbott Laboratories et Abbott Laboratories, Limited/Laboratoires Abbott, Limitée («Abbott») dans le cadre d'une enquête portant sur un complot et un truquage des offres dans la vente et la fourniture de l'insecticide biologique Bacillus thuringiensis. Le Directeur a recommandé au Procureur général d'accorder à Abbott l'immunité contre des poursuites puisque le complot n'avait pas été découvert et que la société satisfaisait à plusieurs critères supplémentaires du programme d'immunité[1].

Abbott est la première société à obtenir l'immunité contre une poursuite dont elle pourrait faire l'objet pour avoir enfreint la loi. Aux termes de ce règlement, Abbott a remboursé la somme totale de 2.122 millions de $Can à la Société de protection des forêts contre les insectes et maladies, dans la province de Québec, et à la province de l'Ontario. Abbott a en outre donné son consentement à la délivrance, par la Cour fédérale le 3 novembre 1992, d'une ordonnance d'interdiction en vertu de l'article 34(2) de la loi. Des accusations ont été portées contre Chemagro Limited, autre société visée par l'enquête portant sur Abbott, le 3 novembre 1992, devant la Cour du Québec, en vertu des dispositions de la loi qui visent les complots et le truquage des offres.

Afin d'accroître la détection et la prévention du truquage des offres au sein des organismes d'approvisionnement tant dans le secteur public que dans le secteur privé, le Bureau a lancé une campagne spéciale de sensibilisation au cours de l'année. Il a publié un dépliant qui décrit les termes de base, la disposition législative portant sur le truquage des offres et les mesures simples que les organismes peuvent prendre pour assurer la compétitivité de leurs activités d'approvisionnement. En outre, le personnel du Bureau a donné au-delà de 20 conférences à plus de 700 acheteurs professionnels à l'échelle du Canada au cours du dernier exercice.

En guise de reconnaissance de la dimension internationale des questions de droit de la concurrence, le Bureau a entrepris de concert avec la Division antitrust du Département de la Justice des États-Unis des activités communes dans trois enquêtes distinctes, dans le cadre du Traité d'entraide juridique. La gamme d'activités comprenait l'assistance dans l'exécution de mandats de perquisition dans les locaux canadiens d'une entreprise qui aurait participé à des violations graves des lois antitrust américaines, l'examen et la production d'éléments de preuve documentaire et autre permettant la tenue d'enquêtes de jurys d'accusation aux États-Unis et la présentation à la Division antitrust d'une demande visant à obtenir par des procédures obligatoires des éléments de preuve documentaire d'entreprises ayant des établissements d'affaires aux États-Unis.

-- Degrés d'activité relative aux enquêtes

Pendant l'exercice, le Directeur a engagé 12 nouvelles enquêtes officielles en vertu des articles 45, 47 et 61 de la loi. Ces nouvelles enquêtes s'ajoutent aux 43 enquêtes qui étaient déjà en cours au début de l'année. Des mandats de perquisition ont été délivrés en vertu de l'article 15 dans le cadre de cinq enquêtes afin d'obtenir de nouveaux éléments de preuve. Quatre affaires ont été déférées au Procureur général au cours de l'exercice 1992-1993.

ii) Affaires d'intérêt national (examinables)

La Partie VIII de la loi décrit un certain nombres de situations ou pratiques pouvant être anticoncurrentielles, selon les particularités d'une affaire donnée. Lorsque le Directeur conclut qu'une affaire répond aux critères prévus par la loi, il peut demander au Tribunal de la concurrence une ordonnance corrective.

Voici les affaires qui peuvent être examinées en vertu de la loi :

-- Refus de vente : il y a refus de vente lorsqu'une personne est sensiblement gênée dans son entreprise ou ne peut exploiter une entreprise à cause d'un refus, lorsqu'elle est en mesure de respecter les conditions de commerce normales imposées par le fournisseur et que le produit est disponible en quantité amplement suffisante, mais que la personne est incapable de se procurer le produit de façon suffisante en raison de l'insuffisance de la concurrence entre les fournisseurs de ce marché (article 75).

-- Exclusivité : il y a exclusivité lorsqu'un acheteur est obligé de faire le commerce de certains produits particuliers seulement, ou à titre principal, comme condition d'approvisionnement, ou lorsqu'il doit s'abstenir de faire le commerce de certains produits précis, lorsque la pratique est le fait d'un important fournisseur ou est très répandue, et lorsque la concurrence est ou sera vraisemblablement réduite sensiblement (article 77).

-- Ventes liées : il y a vente liée lorsqu'un fournisseur exige, comme condition à ce qu'il fournisse un produit A, qu'un client achète un produit B ou s'abstienne d'utiliser un produit d'une marque particulière avec le produit A, lorsque la pratique est le fait d'un important fournisseur ou est très répandue, et lorsque la concurrence est ou sera vraisemblablement réduite sensiblement (article 77).

-- Limitation du marché : il y a limitation du marché lorsqu'un fournisseur impose, comme condition de vente, des limites quant au marché sur lequel son client peut faire le commerce, lorsque la pratique est le fait d'un important fournisseur ou est très répandue, et lorsque la concurrence est ou sera vraisemblablement réduite sensiblement (article 77).

-- Abus de position dominante : il y a abus de position dominante lorsqu'une ou plusieurs personnes contrôlent sensiblement ou complètement une catégorie ou une espèce d'entreprises, et lorsqu'elles se livrent ou se sont livrées à des agissements anticoncurrentiels ayant pour effet d'empêcher ou de réduire sensiblement la concurrence. La loi fournit une liste non exhaustive des types de conduite qui pourraient constituer un agissement anticoncurrentiel (articles 78 et 79).

-- Prix rendu à la livraison : il y a prix à la livraison lorsqu'un fournisseur a pour pratique de refuser la livraison d'un article à n'importe quel endroit où des livraisons sont faites à d'autres clients, lorsque le fournisseur est important ou que la pratique est répandue, et lorsque la pratique a pour effet de refuser à un client ou à un client éventuel un avantage qui lui serait autrement accessible sur le marché (articles 80 et 81).

-- Accord de spécialisation : le Tribunal peut, à la présentation d'une demande par une partie, enregistrer un accord s'il conclut que la mise en oeuvre de l'accord entraînera vraisemblablement des gains en efficience et pourvu que le Directeur ait eu une chance raisonnable de se faire entend re ; l'enregistrement permet d'exempter l'accord de l'application des dispositions de la loi qui ont trait aux complots et à l'exclusivité (articles 86 à 90).

La loi stipule les genres d'ordonnances qui peuvent être rendues à l'égard de chacune des affaires qu'elle décrit. Dans la plupart des cas, la mesure corrective prend la forme d'une ordonnance de cessation de la conduite en question. Toutefois, uniquement dans les cas d'abus de position dominante, le Tribunal peut ordonner à l'entreprise de prendre des mesures pour enrayer les effets de la pratique sur le marché, notamment lui ordonner de se dessaisir de certains éléments d'actif. Quant aux refus de vente, le Tribunal peut ordonner à un ou plusieurs fournisseurs d'accepter une personne en tant que client aux conditions de commerce normales.

D'autres dispositions de la Partie VIII touchent la vente par consignation, l'application de lois et de directives étrangères et le refus de vente par un fournisseur étranger. Plusieurs limites et exceptions s'appliquent aux différentes dispositions sur les affaires qui peuvent être examinées. Pour plus de certitude, les personnes intéressées sont priées de consulter la loi.

a) Demandes présentées au Tribunal de la concurrence

Tel que mentionné dans le Rapport annuel de l'an dernier, le Tribunal de la concurrence a émis, le 11 février 1992, une ordonnance interdisant à Laidlaw Waste Systems Ltd. (Laidlaw) d'acquérir d'autres concurrents sur les trois marchés géographiques pertinents de l'île de Vancouver pendant une période de trois ans. De plus, le Tribunal a ordonné à Laidlaw de réduire la durée de ses contrats de service, lui a interdit d'exiger de ses clients qu'ils obtiennent le service d'enlèvement des ordures exclusivement de Laidlaw et lui a ordonné de cesser de faire valoir ou d'intégrer certaines clauses inacceptables à ses contrats présents et futurs. Au cours de l'exercice en cours, Laidlaw s'est efforcée de se conformer à l'ordonnance du Tribunal en modifiant son mode d'exploitation partout en Amérique du Nord. Selon les informations dont nous disposons, tout semble indiquer que l'ordonnance obtient les effets escomptés sur les marchés visés de l'île de Vancouver.

Des appels ont été logés dans deux affaires concernant The NutraSweet Company (NutraSweet) et Xerox Canada Inc. (Xerox) peu après que le Tribunal ait rendu sa décision dans ces affaires à l'automne 1990. Aucun motif d'appel n'avait encore été précisé par Xerox en fin d'exercice. L'appel de NutraSweet a été abandonné en mai 1992.

Au cours de l'exercice, un certain nombres de décisions importantes ont été prises dans les affaires concernant Chrysler Canada Limitée (Chrysler) qui est sous le coup d'une ordonnance d'approvisionnement émise par le Tribunal de la concurrence en 1989. En vertu de cette ordonnance, Chrysler doit approvisionner R. Brunet de Montréal en pièces d'automobile Chrysler à des fins d'exportation. Le 9 avril 1992, la Cour suprême du Canada a refusé à Chrysler l'autorisation d'interjeter appel de l'ordonnance d'approvisionnement émise par le Tribunal en 1989. Le refus de la Cour suprême d'autoriser l'appel a confirmé la décision rendue précédemment en 1991 par la Cour fédérale d'appel dans cette affaire. En ce qui a trait au procès distinct pour outrage au Tribunal, la Cour suprême du

Canada a renversé, le 25 juin 1992, la décision de la Cour fédérale d'appel et en est venue à la conclusion que le Tribunal de la concurrence avait bien le pouvoir de décider qu'une partie avait méprisé ses ordonnances. Cette décision fait suite aux accusations d'outrage au Tribunal formulées par le Directeur contre Chrysler et sa société parente, Chrysler Motors Corporation (Chrysler U.S.), à la suite des présumées violations de l'ordonnance du Tribunal de la concurrence. Le 22 septembre 1992, le Tribunal a rejeté la requête du Directeur en vue d'obtenir une ordonnance de divulgation exigeant de Chrysler et de Chrysler U.S., qu'elles justifient pourquoi elles ne devraient pas être reconnues coupables de mépris de l'ordonnance d'approvisionnement émise en 1989.

b) Autres affaires

Le 30 octobre 1992, des engagements écrits et signés ont été reçus de Digital Equipment du Canada Limitée (Digital) en vertu desquels l'entreprise s'engageait à s'abstenir de poursuivre certaines politiques de service. Le Directeur alléguait qu'elles constituaient une forme de ventes liées, en violation de l'article 77(1)b) de la loi. Ces engagements ont été pris à la suite d'une enquête sur la «politique de services intégrés» de Digital. En vertu de cette politique, la vente des services d'assistance-matériel (le «produit lié») était liée à la vente des services d'assistance-logiciel (le «produit liant»), dont certains éléments étaient exclusifs et offerts uniquement par Digital. Digital avait incité ses clients à signer avec elle des contrats de services d'assistance-matériel en leur offrant de leur fournir les services d'assistance-logiciel à des conditions plus avantageuses.

Le Directeur a conclu que cette politique de Digital empêchait la percée sur le marché et l'expansion d'entreprises de maintenance tierces qui lui livrent une concurrence directe en offrant des services d'assistance-matériel sur l'équipement Digital. Les utilisateurs des systèmes informatiques Digital ne pouvaient donc bénéficier des prix inférieurs généralement consentis par les entreprises de maintenance tierces. Par conséquent, le Directeur en a conclu qu'il y avait une diminution sensible de la concurrence dans le marché des services d'assistance-matériel pour les systèmes vendus par Digital.

Après que ces préoccupations d'ordre concurrentiel aient été portées à l'attention de Digital, cette dernière a entrepris la révision de ses pratiques. En vertu des conditions énoncées dans ses engagements, Digital reviendra à son ancienne politique qui consistait à offrir séparément ses services d'assistance-matériel et ses services d'assistance-logiciel. Digital a également accepté de tarifer ses services d'une manière qui n'incitera pas les clients à acheter le forfait intégré. Par conséquent, les entreprises de maintenance tierces sont en mesure de livrer une concurrence plus efficace dans le domaine des services d'assistance-matériel pour les ordinateurs Digital, et les utilisateurs de ces systèmes bénéficieront de la concurrence ainsi créée. La nouvelle politique sera communiquée à tous les clients de Digital par l'entremise de déclarations convenues qui seront incluses dans toutes les estimations de prix et tous les contrats. Si le Directeur devait établir que les conditions énoncées dans les engagements de Digital ne sont pas respectées, Digital a également convenu que lesdites conditions seraient, si le Directeur en décide ainsi, intégrées à une ordonnance par consentement du Tribunal de la concurrence.

Les conditions énoncées dans les engagements de Digital ont fait l'objet de discussions avec un certain nombre de parties intéressées, dont des entreprises de maintenance tierces assurant la maintenance des ordinateurs Digital et des utilisateurs de ces systèmes afin de s'assurer que les questions pertinentes relatives à la concurrence avaient été entièrement prises en compte. Finalement, ces engagements, qui sont publics et dont on peut se procurer un exemplaire sur demande, constituent une solution rapide et efficace aux problèmes soulevés.

Digital a déjà amorcé la mise en oeuvre des conditions énoncées dans ses engagements et le personnel du Bureau continue à surveiller ce marché afin de s'assurer que tous les problèmes de concurrence ont été prises en compte.

c) Poursuites terminées

-- Article 45 - complot

Le 2 juillet 1992, deux anciens responsable de la société Canadian Liquid Air Ltd, Alfred Dyke et René Mandeville ont été inculpés au titre de l'alinéa 45(1)c de la loi pour avoir participé à un complot relatif à la fourniture de gaz comprimé au Canada. Les deux accusés ont plaidé coupable. Alfred Dyke, ancien vice-président, a été condamné à une amende de 75 000 $Can le 2 juillet, et René Mandeville, ancien directeur de Bulk Gases, à une amende de 50 000 $Can le 3 juillet.

Le 3 novembre 1992, une ordonnance d'interdiction en vertu du paragraphe 34(2) a été rendue contre Abbott Laboratories et Abbott Laboratories, Limited/Laboratoires Abbott, Limitée par le Tribunal fédéral du Canada. L'affaire concerne une enquête sur un complot et un truquage des offres dans la vente et la fourniture d'insecticide biologique.

Le 3 novembre 1992, Davis Wire Industries Ltd., Gerrard Ovalstrapping (EII Limited), Titan Steel & Wire Co. Ltd, et Tree Island Industries Ltd. ont fait l'objet d'un chef d'inculpation en vertu de l'alinéa 45(1)(c). Tenant Wire Limited a aussi été cité en tant que co-comploteur non inculpé. Le 5 novembre 1992,

Davis Wire Industries Ltd., Gerrard Ovalstrapping (EII Limited), Titan Steel & Wire Co. Ltd. et Tree Island Industries Ltd. ont plaidé coupable sur l'accusation de complot dans la fixation du prix du fil servant au ficelage de balles de pâte de bois et ont été condamnés à des amendes de 200 000, 350 000, 325 000 et 725 000 $Can respectivement. Les sociétés inculpées ont également fait l'objet d'une ordonnance d'interdiction conformément à l'alinéa (34)(1)(a) de la loi. En outre, cinq ex-dirigeants ou dirigeants actuels, Jack Keeler, Elmer Mori, Macey Morris, Abraham Sacks et Jack White ont été soumis aux conditions d'une ordonnance par consentement.

Le 10 décembre 1992, devant le Tribunal de Queen's Bench du New Brunswick, Kenny Ready Mix Ltd. et Blanchard Ready Mix Ltée ont plaidé coupable pour un chef d'accusation en vertu de l'alinéa 45(1)(a) de la loi, au sujet de la fourniture de béton prêt à l'emploi à la ville de Bathurst, Nouveau Brunswick. Chaque société a été condamnée à une amende de 50 000 $Can et a fait l'objet d'une ordonnance d'interdiction.

Comme cela avait été mentionné l'an dernier, l'instruction sur deux chefs d'accusation en vertu de l'alinéa 32(1)(c) de la Combines Investigation Act [devenu l'alinéa 45(1)(c) de la loi sur la concurrence], contre Nova Scotia Pharmaceutical Society, Pharmacy Association of Nova Scotia, Lawton's Drug Stores Limited, William H. Richardson, J. Keith Lawton, Empire Drug Stores Limited, Woodlawn Pharmacy Limited, Nolan Pharmacy Limited et Frank Forbes avait été suspendue en attendant l'examen de la constitutionnalité de cette disposition législative. Après la décision de la Cour suprême du Canada, le 9 juillet 1992, le procès a repris le 2 novembre 1992 à la Cour suprême de Nouvelle-Ecosse contre la Nova Scotia Pharmaceutical Society et la Pharmacy Association of Nova Scotia seulement. Les accusés ont été acquittés le 26 février 1993, et le 30 mars 1993 les poursuites à l'encontre des autres accusés ont été suspendues.

    --   Article 47 - truquage des offres

En conclusion de l'affaire de truquage des offres concernant des sociétés de revêtement bitumineux en Ontario, évoquée dans le rapport précédent, le Procureur général du Canada a retiré les accusations contre les sociétés George Wimpey Canada Limited, Dibblee Construction Limited, Interprovincial Paving Company Limited et les personnes physiques Dale Stewart et Sergio DiGioacchino le 4 décembre 1992.

-- Article 61 - maintien des prix

Comme indiqué l'année dernière, le 11 octobre 1991 sept inculpations ont été prononcées en application de l'alinéa 61(1)(a) contre Beamscope Canada Inc. (Beamscope) et ses deux représentants, Larry Wasser et Morey Chaplick, en ce qui concerne la vente et la livraison de produits Nintendo. Le 25 juin 1992, Beamscope a plaidé coupable pour les sept chefs d'accusation et a été condamné à une amende de 210 000 $Can au total (sept fois 30 000 $Can). Les plaintes contre les deux représentants ont été retirées. En outre, Beamscope et ses deux représentants ont accepté une ordonnance d'interdiction.

d) Poursuites en instance

-- Article 45 - complot

Comme indiqué dans le précédent rapport, l'affaire des transitaires a été renvoyée en attendant le résultat de l'examen de la constitutionnalité de la disposition relative aux complots. Les sociétés concernées, Clark Transport Canada Inc., Consolidated Fastfrate Transport Inc., Cottrell Transport Inc., Northern Pool Express Ltd. (agissant sous la raison sociale TNT Railfast) avaient initialement fait l'objet, le 24 septembre 1990, d'un chef d'accusation au titre de l'alinéa 45(1)(c) de la loi. Le 16 juillet 1992, des chefs d'accusation supplémentaires au titre de la même disposition ont visé les personnes suivants: Larry Willson, David Trudeau, Donald Freeman, Albert Lajoie, Edward Pequeneza et Graham Muirhead. L'audience préliminaire pour les cinq sociétés et les six personnes devait commencer le 31 mai 1993 au Tribunal de l'Ontario (Division provinciale).

Ainsi que mentionné dans le rapport de l'année derniére, l'audience préliminaire dans la poursuite contre Royal Lepage Real Estate Services Ltd., Roberts Real Estate Ltd. et les personnes Gerald Roberts, Ted Zaharko ont fait l'objet d'un chef d'accusation chacun en vertu de l'alinéa 61(1)(a) et de deux chefs d'accusation en vertu de l'alinéa 61(1)(b). Tous les accusés ont subi un procès selon les accusations formulées en décembre 1993.

Le 3 novembre 1992, Chemagro Limited a fait l'objet d'un chef d'accusation selon l'article 45 et d'un autre selon l'article 47 au Tribunal de Québec. L'audience préliminaire est prévue pour juin 1993. C'est la poursuite de l'enquête sur l'insecticide biologique qui s'est traduite par l'octroi d'une exemption et par une restitution de la part d'Abbott Laboratories, comme indiqué précédemment à la section "Poursuites terminées".

Le 20 novembre 1992, l'Alberta Ambulance Operator's Association et sept personnes, William J. Coghill, Andrew C. Moffat, Roy Onslow, Daniel J. Osborne, Lyle McKellar, Mary-Ann tishauser et Carol Stewart, ont fait l'objet d'un chef d'accusation en application de l'alinéa 45(1)(c) de la loi. L'accusation se réfère à la fourniture de services d'ambulance dans la Province d'Alberta. Une audience préliminaire est prévue pour juillet 1993.

Comme indiqué dans le précédent rapport l'affaire impliquant plusieurs auto-écoles situées à Sherbrooke, Québec, avait été renvoyée en attendant la décision sur la constitutionnalité de la disposition relative aux complots. Dans cette affaire, plusieurs parties ont été accusées selon le code pénal de non-respect d'une ordonnance d'interdiction. L'audience préliminaire en cette matière, qui inclut aussi des accusations en vertu de l'alinéa 50(1)(c) de la loi, doit commencer le 5 avril 1993 au Tribunal de Québec (District de Sherbrooke).

Comme indiqué dans le rapport de l'an dernier, l'affaire impliquant des pharmaciens au Québec a été renvoyée en attendant la décision sur la constitutionnalité de la disposition relative aux complots. Les sociétés concernées ont fait l'objet le 19 avril 1990 d'un chef d'accusation d'après l'alinéa 45(1)(c) pour complot en matière de fixation des prix et des frais de préparation de pillules contraceptives et de drogues délivrées sur ordonnance, vendues sur le marché au comptant dans la Province de Québec. Il est prévu que l'audience préliminaire commence le 4 octobre 1993 au Tribunal supérieur de Québec (Division criminelle).

-- Article 47 - truquage des offres

Le 31 août 1992, JO-AD Industries Ltd et Western Air Conditioning Ltd ont fait l'objet chacun d'un chef d'accusation au titre de l'article 47(2) de la loi. Les accusations se réfèrent à un appel d'offres concernant une unité d'approvisionnement ininterrompu en électricité par Supply and Services Canada. Une audience préliminaire devrait débuter le 9 août 1993 à la Cour provinciale l'Ontario (Division criminelle).

-- Article 61 - maintien de prix

Le 28 mai 1992, cinq chefs d'accusation ont été retenus au total en vertu de l'article 61 devant le Tribunal de Québec contre un fabricant et fournisseur de pièces détachées de la Province du Québec. Le fabriquant et fournisseur (Tenneco Canada Inc.) et Michel Pichette, le directeur des ventes de la société, ont fait l'objet de deux chefs d'accusation en vertu de l'alinéa 61(1)(a) et d'un chef d'accusation en vertu de l'alinéa 61(1)(b). Les deux distributeurs (Autostock Inc. et Autopoint Inc.) ont fait l'objet d'un chef d'accusation chacun en vertu de l'alinéa 61(1)(a) et d'un autre en vertu de l'alinéa 61(1)(b). L'audience préliminaire a été repoussée jusqu'à la conclusion d'une action privée civile en dommages-intérêts contre les accusés.

Le 1er juin 1992, Ultramar Canada Inc. (Ultramar) et l'un de ses représentants de commerce ont fait l'objet de deux chefs d'accusation au titre de l'alinéa 61(1)(a) de la loi, en liaison avec la vente d'essence dans une station service Ultramar à Chipman, Nouveau-Brunswick. L'accusation contre le représentant de commerce a été retirée par la suite. Le jugement d'Ultramar est prévu pour le 26 avril 1993 au Tribunal du Banc de la reine (Province du Nouveau-Brunswick).

Le 25 août 1988, E.E. Lemieux Inc. et Simon Carmichael ont fait l'objet de quatorze chefs d'accusation selon l'article 61(b) de la loi, au sujet de la vente de vêtements féminins. E.E. Lemieux Inc. a été acquitté le 23 septembre 1991, et simon Carmichael a été disculpé sans condition le 24 octobre 1991 pour tous le chefs d'accusation par le Tribunal de Québec (Division criminelle et pénale). Le 12 août 1992, la Couronne a interjeté appel, aussi bien sur l'acquittement que sur la disculpation, auprès de la Cour d'Appel de Québec. L'appel devrait être jugé à l'automne de 1993.

e) Autres affaires

En conclusion de l'affaire impliquant le Winnipeg Real Estate Board (WREB), le 25 mars 1992 la Cour d'appel fédérale a débouté le Procureur général de son recours visant à obtenir du WREB et de la Canadian Real Estate Association (CREA) qu'ils se soumettent à certaines dispositions de l'ordonnance d'interdiction de décembre 1988 émise contre CREA et plusieurs conseils immobiliers mis en cause. Le Tribunal a jugé à l'unanimité que, le WREB n'étant pas mis en cause dans l'ordonnance, le Procureur général n'était pas fondé à agir contre lui. Dans une double décision, le Tribunal a jugé également que l'ordonnance ne demande pas à la CREA de s'assurer que le WREB se conforme à l'ordonnance, ni de prendre des mesures disciplinaires contre lui. Le Procureur général a choisi de ne pas faire appel de la décision du Tribunal.

La liste est établie d'après les comptes rendus des acquisitions publiés dans la presse financière et quotidienne ainsi que dans les publications industrielles et commerciales. Il indique, par année civile, les fusions qui ont eu lieu dans les industries assujetties à la loi.

Fusions et concentration d'entreprises

Statistiques sur les fusions et concentrations

Les fusions survenues au Canada ont continué de diminuer, le nombre de cas recensés passant de 1 091 en 1989 à 627 en 1992, selon les fusions annoncées publiquement (tableau 1). Cependant, le nombre des fusions exigeant un examen approfondi de la part de la Direction des fusions a augmenté, comme en font foi les chiffres présentés sous la rubrique "Examen entrepris" pour l'exercice 1992-1993 ; ce nombre est passé à 204 alors qu'il était de 195 l'année précédente (tableau 2). Jusqu'à maintenant, des examens entrepris, environ 80 pour cent concernaient tantôt des transactions devant faire l'objet d'un avis, tantôt des demandes de certificat de décision préalable. Parallèlement à la baisse du nombre des fusions survenues, une diminution de 18 pour cent du volume des transactions devant faire l'objet d'un avis a été constatée par rapport à l'exercice précédent. Néanmoins, le nombre des demandes de certificat de décision préalable a augmenté de 28 pour cent par rapport à l'exercice 1991-1992.

Tableau 1 : Fusions annoncées publiquement[1]

Année	Étranger[2]	Canadiens[3]	Total
1988	593	460	1 053
1989	691	400	1 091
1990	676	268	944
1991	544	195	739
1992	474	153	627

1. Bien qu'il semble que le nombre de fusions annoncées publiquement ait considérablement diminué depuis 1989, il importe de se rappeler que le nombre des fusions exigeant un examen approfondi n'a pas diminué dans la même proportion, comme l'indique le Tableau 2 sous la rubrique des examens entrepris.

2. Fusions visant une société acquisitrice d'appartenance ou sous contrôle étranger (la nationalité de la participation majoritaire dans la société acquise avant la fusion a pu être étrangère ou canadienne).

3. Fusions visant une société acquisitrice dont on ignore si elle est d'appartenance ou sous contrôle étranger (la nationalité de la participation majoritaire dans la société acquise avant la fusion a pu être étrangère ou canadienne).

Tableau 2 : Examen des fusions[1]

	1988-89	1989-90	1990-91	1991-92	1992-93
Examens entrepris[2]	191	219	193	195	204
Transaction devant faire l'objet d'une notification	92	109	75	76	62
Demandes de certificat de décision préalable	70	87	87	98	125
Dossiers classés					
Parce que la fusion ne pose pas de problème selon la loi	166	204	170	196	198
Avec surveillance seulement	10	13	10	5	4
À la suite d'une restructuration préalable à la réalisation	1	-	-	-	-
À la suite d'une restructuration ultérieur à la réalisation ou d'engagements	3	1	2	-	-
Moyennant une ordonnance par consentement	-	3	-	-	-
Suite à un litige	-	-	-	1	2
Abandon de la fusion projetée en tout ou en partie, en raison des objections du Directeur	2	2	1	1	3
Total des dossiers classés[3]	182	223	183	203	207
Certificats de décision préalable délivrés[4]	59	72	70	72	101
Avis consultatifs donnés[4]	20	17	17	9	27
Examens en cours à la fin de l'année	36	32	42	34	31
Total des dossiers examinés pendant l'année	218	255	225	237	238
Demandes et avis de demande au Tribunal					
Classés ou retirés	2	3	-	1	2
En instance	2	1	3	2	1

Notes du Tableau 2

1.   Certains des chiffres cités dans les rapports annuels des années antérieures ont été modifiés dans le présent tableau.

2.   Comprend les transactions devant faire l'objet d'un avis, les demandes de certificat de décision préalable et les examens entrepris pour d'autres raisons. Certains des examens entrepris peuvent concerner des avis et des demandes de certificat de décision préalable relatifs aux mêmes transactions.

3.   Comprend les certificats de décision préalable et les avis consultatifs ainsi que les affaires qui ont été classées ou retirées au Tribunal de la concurrence.

4.   Sont également comptés au "Total des dossiers classés".

Une partie importante des ressources de la Direction des fusions a été consacrée à l'examen des fusions projetées dans l'industrie aérienne canadienne et au travail de politique interministérielle qui en découle.

Comme le tableau 2 en fait état, le Directeur a entrepris l'examen de 204 transactions de fusion au cours de l'exercice (seuls les dossiers ayant nécessités au moins deux jours d'examen y figurent) incluant, 62 avis préalables et 125 demandes de certificats de décision préalable. En outre, il a poursuivi l'examen de 34 dossiers ouverts pendant l'exercice précédent. Parmi les fusions examinées au cours de l'exercice, trois fusions ont été abandonnées et une a donné lieu à une demande auprès du Tribunal de la concurrence.

Description d'affaires importantes

Cette liste exclut toute fusion qui n'a pas été annoncée publiquement par les parties.

i)   Canron Inc./Scepter Manufacturing Company Limited

Il s'agissait d'un projet consistant à combiner les opérations de fabrication de tuyaux en plastique de Canron Inc. et de Scepter Manufacturing Company Limited. Les deux compagnies étaient d'importants fournisseurs de tuyaux en plastique utilisés dans des produits de construction résidentielle et commerciale, et de construction d'ouvrages publics.

L'examen des preuves présentées a révélé que le marché de produits approprié dans ce cas était le tuyau de plastique pour chacune des grandes applications, à savoir la conduite sous pression, la canalisation d'égout et le drain, la conduite de vidange, d'évacuation et de ventilation, et le tuyau pour câbles électriques. D'après les preuves fournies, le marché géographique approprié était le Canada. L'examen a révélé que les parties possédaient chacune une part combinée du marché très élevée pour chacun des marchés de produits.

L'analyse des facteurs en vertu de l'article 93 de la loi sur la concurrence a permis de conclure que, dans bien des usages, d'autres types de tuyaux (en métal ou en béton) constituaient des produits de remplacement efficaces. En outre, les clients ont indiqué que, pour de nombreux produits, il était possible d'importer des tuyaux de plastique de sources américaines. Les clients ont aussi fait savoir qu'ils pouvaient utiliser les prix donnés par les compagnies américaines pour mettre au pas les fournisseurs canadiens. Les preuves présentées ont aussi permis d'établir que les entraves à l'accès à l'industrie de la fabrication du tuyau de plastique étaient relativement faibles.

Par conséquent, les preuves présentées n'ont fourni au Directeur aucun motif de saisir le Tribunal de la concurrence d'une demande relative à la fusion projetée.

ii) Tetra Laval Inc./Produits forestiers Canadien Pacifique Limitée

En août 1992, Tetra Pak Alfa-Laval Inc. (dont la raison sociale a depuis été changée pour Tetra Laval Inc.) annonçait son intention d'acquérir la « division des cartonnages uniservice » de Produits forestiers Canadien Pacifique. Cette division comportait deux usines qui transformaient le carton en boîtes de type carton à lait ordinaire. Ces boîtes, qui se trouvent former un bec verseur lorsqu'elles sont ouvertes, sont achetées par des compagnies laitières comme contenant de lait et de jus.

En Europe, le Tetra Pak Group of Companies occupe une position dominante sur le marché de la fabrication des boîtes de type carton à lait ordinaire. Au Canada, par contre, Tetra Pak n'a pénétré le marché qu'en 1991 et ne détient qu'une part très petite de ce marché. Produits forestiers Canadien Pacifique détenait, pour sa part, une large part du marché.

Après un examen approfondi, il a été conclu que la transaction ne donnerait vraisemblablement pas lieu à une réduction sensible ou à un empêchement de la concurrence. Au cours de cet examen, de nombreux facteurs ont été considérés, notamment la concurrence de produits de remplacement comme les sachets en plastique et les bouteilles en plastique réutilisables, l'intensité de l'activité novatrice sur le marché de l'emballage où des nouveaux produits sont lancés régulièrement, la possibilité d'une concurrence de l'importation américaine, les difficultés qu'un nouveau venu éprouverait pour acquérir la technologie la plus récente et la part du marché limitée de Tetra Pak.

   iii) Smith Paper Limited/Abitibi-Price Inc. et Crown Forest Industries Limited

   Le projet visait l'acquisition, par Alco Standard Corporation, par l'intermédiaire de sa filiale canadienne Smith Paper Limited (Smith), de Price Daxion (PD), de Barber-Ellis Fine Papers et de Inter City Papers, divisions d'Abitibi-Price Inc., et de Crown Paper Division (Crown) de Crown Forest Industries Limited, et ce en deux transactions distinctes. La transaction supposait le chevauchement horizontal des opérations de Smith, de Crown et de PD à l'égard de la distribution des produits de papier industriel d'une part et des opérations de Crown et des opérations fusionnées de Inter City et de Barber-Ellis dans le marché de la distribution des papiers fins d'autre part. Les deux transactions visaient de nombreux marchés géographiques régionaux.

   L'examen des répercussions de la transaction sur le plan de la concurrence dans les marchés de la distribution des produits industriels a révélé que même si Smith, Crown et PD étaient d'importants participants de l'industrie, plus particulièrement à titre de distributeurs de toute la gamme de ces produits, une concurrence importante demeurait de la part d'autres distributeurs de toute la gamme des produits et d'un certain nombre de distributeurs plus petits qui se spécialisent dans des lignes de produits plus particulières.

   Dans un certain nombre de marchés de la distribution des papiers fins, la part combinée du marché de Crown et des opérations fusionnées de Inter-City et de Barber-Ellis était très élevée. Néanmoins, les témoignages reçus des participants au marché ont indiqué que les clients pouvaient se servir des prix obtenus de fournisseurs situés à l'extérieur du marché géographique immédiat comme outil de négociation des prix avec les fournisseurs. De façon générale, les clients n'ont pas estimé que le fusion changerait considérablement cette situation. En outre, il semble que les entraves à l'accès à l'un quelconque des marchés géographiques par des distributeurs dont les opérations sont bien établies dans d'autres secteurs étaient faibles. Dans tous les marchés géographiques, sauf un, l'entité fusionnée aurait à faire face à la concurrence d'au moins un autre distributeur important.

   Par conséquent, il a été conclu qu'il n'existait aucun motif pour que le Directeur saisisse le Tribunal de la concurrence d'une demande d'ordonnance corrective relativement aux deux transactions. Les transactions ont été réalisées le 2 septembre 1992.

iv) Miller Brewing Company/Les Compagnies Molson et Foster's Brewing Group

Le 14 janvier 1993, Les Compagnies Molson Limitée (Molson) et Foster's Brewing Group Limited (Foster's), associées à part égale de Les Brasseries Molson, et Miller Brewing Company (Miller) annonçaient que Molson et Miller avaient conclu des ententes qui auraient des répercussions sur les opérations respectives de chaque compagnie aux États-Unis et au Canada.

Selon les ententes passées entre Les Brasseries Molson et Miller, Miller ferait l'acquisition des droits de commercialisation et de distribution aux États-Unis des marques Molson ainsi que des opérations de distribution actuelles de Molson aux États-Unis. En outre, Miller ferait l'acquisition de 20 pour cent des intérêts de la société Les Brasseries Molson. Foster et Molson conserveraient chacune 40 pour cent de Les Brasseries Molson.

Après l'examen de cette transaction, le Directeur a conclu que, vraisemblablement, elle n'empêcherait ni ne réduirait sensiblement la concurrence. Cette décision tenait compte du degré de maturité de l'industrie de la bière canadienne, du fait que l'industrie canadienne est réglementée et de la nature des rapports actuels entre Miller et Molson, dont le fait que Les Brasseries Molson brassent et commercialisent actuellement certaines marques Miller sous licence au Canada. La transaction projetée a été réalisée le 2 avril 1993.

v) Kraft General Foods Canada Inc./Nabisco Brands Canada Limitée

Le 16 novembre 1992, Kraft General Foods Canada Inc. (Kraft) annonçait son intention d'acquérir le marché de la céréale de petit-déjeuner sans cuisson prête-à-manger (PAM) de Nabisco Brands Canada Limitée (Nabisco). L'acquisition au Canada s'inscrivait dans le cadre d'une transaction plus importante à laquelle participaient les sociétés mères des deux parties aux États-Unis en vue de l'acquisition par Kraft General Foods Inc. du marché des céréales de petit-déjeuner sans cuisson PAM de R.J.R. Nabisco Inc.

Pour les fins de l'examen, il a été déterminé que le marché visé était la vente et la distribution des céréales de petit-déjeuner sans cuisson PAM au Canada. Les deux compagnies sont d'importants fabricants de céréales PAM au Canada.

Après un examen minutieux, le Directeur a conclu que, vraisemblablement, la transaction n'empêcherait ni ne réduirait sensiblement la concurrence sur le marché des céréales PAM au Canada. Dans sa décision, le Directeur a tenu compte d'un certain nombre de facteurs précis, dont la forte et efficace concurrence qui demeure de la part des fabricants et des distributeurs de céréales PAM vendues sous les grandes marques commerciales et sous les marques de détaillants. La transaction a été réalisée le 4 janvier 1993.

vi) Citibank Canada/Air Canada

En avril 1992, Air Canada annonçait son intention de vendre les opérations canadiennes de la carte de crédit enRoute à Citibanque Canada et les opérations américaines de la carte de crédit enRoute à Citibank (South Dakota) N.A. Les éléments d'actif vendus comprenaient les comptes débiteurs et le nom enRoute. La valeur des transactions combinées était évaluée à 300 millions de $Can. Citibank (South Dakota) N.A. et sa filiale canadienne, Citibank Canada, avaient l'intention de joindre la marque nominale enRoute à leur carte de paiement Diner's Club.

Citibank Canada est une filiale bancaire étrangère propriété de Citicorp. En plus de ses opérations bancaires ordinaires, Citibanque offre une carte de crédit VISA Citibanque et la carte de paiement Diner's Club. Air Canada est un transporteur aérien international canadien. De plus, Air Canada émettait et exploitait la carte de crédit enRoute. Après un examen approfondi, le Directeur a conclu que la transaction ne donnerait vraisemblablement pas lieu à une réduction sensible ni à un empêchement de la concurrence sur les marchés visés, définis comme la prestation de cartes de crédit et de paiement pour voyages et divertissements au Canada. La décision a été fondée sur le fait que Diner's Club ne possède pas une clientèle canadienne importante, que la carte enRoute est généralement peu reconnue par les commerçants aussi bien au Canada qu'à l'étranger, que la concurrence efficace des autres cartes de crédit et de paiement largement reconnues, telles American Express, VISA et Mastercard, est forte, et sur l'opinion que la nouvelle carte comportant les deux marques, enRoute-Diner's Club, serait un concurrent plus efficace par suite du fusion. Par conséquent, le Directeur a délivré un certificat de décision préalable relativement à la transaction le 27 avril 1992. Le 9 juillet 1992, les parties annonçaient que la transaction avait été réalisée.

Examens en cours

-- Paxport Inc. et T3LPCO Investment Inc./Ministère des Transports du Canada

En mars 1992, le ministère des Transports du Canada lançait un appel d'offres pour la rénovation des aérogares 1 et 2 à l'Aéroport international Lester

B. Pearson. La demande de propositions, publiée par le ministère des Transports du Canada, précisait que les ententes éventuelles entre le gouvernement fédéral et le soumissionnaire retenu seraient assujetties à un examen en vertu de la loi sur la concurrence. En décembre 1992, le ministre fédéral des Transports annonçait que Paxport Inc. était le soumissionnaire gagnant. Par la suite, Paxport a annoncé la création d'une co-entreprise avec T3LPCO Investment Inc. (qui contrôle l'aérogare 3) en vue des travaux de rénovation des aérogares 1 et 2 et de l'exploitation des trois aérogares.

Le Directeur est en train d'examiner cette transaction pour déterminer si elle peut vraisemblablement empêcher ou réduire sensiblement la concurrence sur le marché visé. Dans le cadre de cet examen, l'opinion des lignes aériennes qui utilisent l'Aéroport international Lester B. Pearson sera sollicitée.

-- Zeller's Inc./Woodward's Limited

Woodward's Limited est propriétaire de grands magasins et possède son siège social à Vancouver en Colombie-Britannique. Les magasins sont exploités sous les noms «Woodward's», «Woodwynn» et «Abercrombie & Fitch» et se retrouvent principalement en Colombie-Britannique et en Alberta. En décembre 1992, Woodward's Limited a demandé la protection de la loi contre ses créanciers à la Cour suprême de la Colombie-Britannique. Zeller's Inc. est une société affiliée de la Compagnie de la Baie d'Hudson. Les Compagnies de la Baie d'Hudson exploite des grands magasins sous les noms «La Baie», «Zeller's» et «Fields» partout au Canada.

Une lettre d'intention a été signée en mars 1993 entre Zeller's et Woodward's pour l'acquisition par Zeller's de la majorité des actions de Woodward's. La transaction projetée a été rendue publique le 23 mars 1993 et doit être approuvée par la Cour suprême de la Colombie-Britannique. Le Directeur a demandé des renseignements des deux parties et un examen est en cours pour déterminer les répercussions de cette transaction sur la concurrence.

-- Provigo Inc. (maintenant Univa Inc.) /Métro-Richelieu Inc./Hudon et Deaudelin Ltée / Steinberg Inc.

Le 19 mai 1992, Métro-Richelieu Inc. (Métro) et Provigo Inc. (Provigo), maintenant Univa Inc., ont présenté une offre conjointe d'achat visant essentiellement l'acquisition de la majorité des entrepôts de Steinberg Inc. (Steinberg) et 102 magasins d'alimentation situés au Québec. Il était prévu que 46 magasins seraient acquis par Métro, et 56 autres par Provigo dont 24 seraient cédés à Hudon et Deaudelin Ltée (Hudon), filiale de Le Groupe Oshawa Limitée. Suite aux conditions et aux garanties exigées entre autres par la Caisse de dépôt et placement du Québec et par la Société de développement industriel du Québec, les parties ont augmenté à 107, le nombre de magasins à acquérir, dont deux de plus seraient acquis par Métro, deux autres par Provigo, et un de plus par Hudon.

Le 23 juillet 1992, Provigo a annoncé qu'elle abandonnait ses négociations avec Steinberg pour l'achat de la division Aligro, incluant 11 magasins, sept entrepôts et 11 libre-service. Toutefois, suite à une offre d'achat présentée le 28 août 1992, Hudon faisait l'acquisition de trois magasins relevant de la division Aligro. Finalement, suite à une offre d'achat présentée par Hudon le 15 septembre 1992, cette dernière faisait l'acquisition d'une partie importante de la division Aligro incluant quatre entrepôts et sept libre-service.

Compte tenu des offres décrites ci-haut et d'autres modifications apportées par les parties, l'examen du Directeur a porté essentiellement sur l'acquisition de 99 magasins dont 48 ont été acquis par Métro, 25 par Provigo, et 26 par Hudon. De plus, l'examen a porté sur l'acquisition par Hudon de quatre entrepôts et de sept libre-service. À la fin de l'exercice, l'examen de ces transactions se poursuivait toujours.

Suivi de dossiers antérieurs

Voici les faits nouveaux survenus pendant l'exercice relativement à deux des fusions importants examinés par le Directeur au cours des années antérieures :

-- Laidlaw Inc./Tricil Limited

Le 4 décembre 1992, les services d'enlèvement de déchets commerciaux de Tricil Limited à Edmonton en Alberta étaient vendus par LaidLaw Inc. à Newalta Corporation of Calgary, compagnie albertaine qui s'occupe principalement du traitement des déchets du pétrole. Cette transaction réalisait l'engagement pris par Laidlaw de se dessaisir des activités d'enlèvement des ordures commerciales de Tricil dans la région d'Ottawa-Carleton et à Edmonton, comme l'indiquait le Rapport annuel du Directeur pour l'année se terminant le 31 mars 1991.

-- Merlin Gerin (Canada) Inc./Square D Canada Electrical Equipment Inc.

Comme en faisait état le précédent Rapport annuel, le Directeur a conclu qu'il n'avait pas de motif de saisir le Tribunal de la concurrence du dossier de l'acquisition par Merlin Gerin (Canada) Inc. de Square D Canada Electrical

Equipment Inc., mais qu'il surveillerait les effets de la fusion sur le marché pendant la période de trois ans que prévoit l'article 97 de la loi. Le Directeur n'a reçu jusqu'à maintenant aucun renseignement l'amenant à modifier les conclusions sur les répercussions de la fusion sur la concurrence.

Demandes présentées au Tribunal de la concurrence

-- The Gemini Automated Distribution Systems Inc.

Le 5 novembre 1992, le Directeur a saisi le Tribunal de la concurrence d'une demande en vertu de l'article 106 de la loi pour faire modifier une ordonnance par consentement émise par le Tribunal en juillet 1989. L'ordonnance par consentement permettait à Air Canada et à Lignes aériennes Canadien International Limitée (Canadien) de fusionner leurs systèmes de réservation informatisés, auparavant indépendants et ce, à certaines conditions, en un seul système exploité par The Gemini Automated Distribution Systems Inc. (Gemini).

Le Directeur a demandé au Tribunal de permettre la résiliation, avant l'échéance, d'un contrat qui oblige Canadien à conserver son système de réservation interne dans Gemini jusqu'à 1999 au moins. Le Directeur a soutenu que la situation avait changé depuis 1989, à savoir que la position financière de Canadien s'était détériorée à un point tel que la société ne pourrait pas survivre toute seule, et que, par conséquent, le seul choix qui lui était offert et qui ne réduirait pas sensiblement la concurrence était une transaction projetée avec AMR Corporation. Une partie importante de la proposition d'AMR vise le transfert du système de réservation interne de Canadien à Sabre, le système de réservation informatisée exploité par American Airlines Inc., filiale en propriété exclusive d'AMR.

Air Canada et Covia, associés dans Gemini, se sont opposés à la demande du Directeur, comme d'ailleurs Gemini. PWA Corporation, société mère de Canadien et troisième associé de Gemini, a appuyé la demande. Figuraient parmi les intervenants : l'Alliance canadienne des associations touristiques, American Airlines Inc., IBM Canada Ltée., l'Association des consommateurs du Canada, Unisys Canada Inc. et le Procureur général de l'Alberta.

Après cinq semaines d'audience, au cours des mois de février et de mars 1993, le Tribunal a rendu sa décision le 22 avril 1993. La majorité des membres du Tribunal a jugé que ce dernier n'avait pas la compétence nécessaire pour accorder l'exonération demandée. Cependant, le Tribunal a indiqué, et ce à l'unanimité, que s'il avait possédé la compétence voulue, il aurait accordé l'ordonnance demandée. Le Tribunal a jugé que si la proposition d'AMR n'était pas réalisée, il est probable que Canadien ferait faillite. Si Canadien faisait faillite, ou si l'entreprise était fusionnée avec Air Canada, le Tribunal a conclu que la plupart des villes qui sont actuellement desservies par Canadien et ses affiliés seraient soumises au monopole d'Air Canada et que la concurrence sur les marchés aériens intérieurs serait sans l'ombre d'un doute réduite sensiblement. En plus, le Tribunal n'a pas été convaincu par les preuves selon lesquelles la proposition d'AMR entraînerait la faillite de Gemini ou une réduction sensible de la concurrence dans les marchés de systèmes de réservation informatisée.

PWA Corporation et le Directeur en ont appelé de la décision. Air Canada, Gemini et Covia ont déposé un appel incident. L'affaire sera entendue par la Cour d'appel fédérale le 12 juillet 1993.

-- Southam Inc./Lower Mainland Publishing Ltd.

Le Tribunal de la concurrence a rendu sa décision dans l'affaire Southam le 2 juin 1992. Bien que le Tribunal ait tranché en faveur du Directeur concernant le marché de la vente de services de publicité immobilière écrite de North Shore, il a rejeté la demande du Directeur pour ce qui est des marchés de la vente de services de publicité de détail écrite desservis par North Shore News et The Vancouver Courier. Le Tribunal a aussi rejeté la demande du Directeur relative au marché de la vente de services de publicité immobilière écrite dans la région du Lower Mainland de la Colombie-Britannique. Le 31 août 1992, le Directeur déposait un avis portant appel de cette décision à la Cour d'appel fédérale.

Une audience a eu lieu le 11 septembre 1992 devant le Tribunal relativement à son ordonnance provisoire tenue pour distincte ; une décision a été rendue le 22 septembre 1992, qui confirmait l'ordonnance provisoire du Tribunal d'ici à ce qu'une décision finale soit prise quant aux recours à appliquer dans le cas du marché de la vente de services de publicité immobilière écrite de North Shore.

Une autre audience devant le Tribunal a eu lieu du 9 au 11 novembre 1992 relativement aux recours appropriés à appliquer dans le cas du marché de la vente de services de publicité immobilière écrite de North Shore. Le 10 décembre 1992, le Tribunal confirmait la position du Directeur et concluait que Southam devrait se dessaisir soit de North Shore News ou de Real Estate Weekly pour rétablir la concurrence dans le marché de North Shore. Southam en a appelé de la décision. Une audience subséquente a eu lieu le 29 janvier 1993 relativement à l'application de la décision définitive du 10 décembre quant aux recours dans l'affaire North Shore. Le 9 mars 1993 le Tribunal de la concurrence rendait sa décision, qui reprenait essentiellement les recommandations du Directeur sur la façon dont le dessaisissement de North Shore News ou de Real Estate Weekly aurait lieu dans le cas où l'appel de Southam serait rejeté.

Une ordonnance a aussi été émise par le Tribunal de la concurrence le 9 mars qui sursoit à l'exécution de son ordonnance de dessaisissement jusqu'au règlement de l'appel relatif à son ordonnance du 10 décembre. Les parties ont convenu que l'ordonnance provisoire tenue pour distincte restera en vigueur jusqu'à ce que la décision relative à l'appel de la décision du Tribunal du 2 juin 1992 soit rendue.

-- Alex Couture Inc. (Sanimal Industries Inc.)/Lomex Inc., Paul & Eddy Inc.

L'objet de cette affaire était l'acquisition par Alex Couture Inc. (appartenant à Sanimal Industries Inc.) des fondoirs Lomex Inc. et Paul & Eddy Inc. de Montréal. Dans le précédent rapport annuel, il est fait mention qu'en septembre 1991, une décision de la Cour d'appel du Québec avait conclu à la constitutionnalité de certaines dispositions relatives à la loi sur la concurrence ainsi qu'au Tribunal de la concurrence, en plus de confirmer que la présente industrie ne pouvait se prévaloir de la défense de la conduite réglementée. Suite à cette décision, les appelants déposèrent une demande d'autorisation d'interjeter appel devant la Cour suprême du Canada qui rejeta cette demande le 2 juillet 1992. La Cour suprême a ainsi confirmé de façon non équivoque la constitutionnalité de la loi, et en particulier des dispositions relatives aux fusions ainsi qu'au Tribunal de la concurrence. Elle a ainsi confirmé que les activités exercées par les intimés ne donnaient pas lieu à l'application de la défense de la conduite réglementée.

Au printemps 1992, le Directeur a effectué une mise à jour des faits permettant d'évaluer l'impact de la fusion sur la concurrence dans le marché. Cet examen a démontré qu'une nouvelle entreprise a pénétré le marché du Québec au courant de l'année 1991. Cette entreprise, un fondoir américain, récupérait sur une base régulière des rebuts d'animaux dans la province de Québec et transformait ces rebuts à son usine établie dans l'État du Massachusetts. L'examen a également permis d'apprendre que le fondoir Laurenco [appartenant à Hillsdown Holdings (Canada) Limited] de la région de Montréal démontrait un nouveau dynamisme depuis l'automne 1991 en sollicitant plusieurs fournisseurs faisant affaires avec Sanimal. Ces deux entreprises, quoique de taille sensiblement inférieure à celle de Sanimal, se sont imposées dans le marché en tant qu'alternatives à Sanimal.

Étant donné les changements survenus dans le marché de la province de Québec et à la lumière de la décision du Tribunal de la concurrence dans l'affaire le Directeur des enquêtes et recherches c. Hillsdown Holdings (Canada) Limited, le Directeur a conclu que les circonstances ne justifiaient plus les procédures entreprises devant le Tribunal et la demande fut retirée le 21 août 1992.

Non-présentation de l'avis exigé par la Partie IX de la loi

Au cours de l'exercice, deux transactions étaient visées par les seuils établis aux articles 109 et 110 de la loi, pour lesquelles le Directeur n'a pas reçu avis avant leur réalisation, comme l'exige la Partie IX de la loi. Dans les deux cas, le Directeur, comme l'exige le sous-alinéa 10(1)b)(iii), a fait faire une enquête.

La première affaire portait sur une transaction qui a eu lieu à l'étranger et qui a été portée à l'attention du Directeur par un avocat canadien en mai 1992. Même si l'acquéreur ne possédait pas de filiale canadienne, la société acquise contrôlait de fait indirectement une filiale canadienne. La société acquéreur et la société acquise avaient passé une entente pour effectuer une réorganisation, en plusieurs étapes, de l'actionnariat de la société acquise, si bien que la société acquéreur détenait désormais des intérêts minoritaires importants dans la société acquise. Cette première étape se trouvait déjà visée par les seuils établis pour les transactions devant faire l'objet d'un avis. Les parties à la transaction n'ont été mises au courant des dispositions concernant les transactions devant faire l'objet d'un avis qu'après avoir retenu les services d'un avocat canadien. L'avocat a saisi le Directeur de l'affaire et a fourni tous les renseignements nécessaires. À partir de ces renseignements, le Directeur a conclu que la transaction ne posait pas de problème sur le plan de la concurrence puisque l'une des deux parties ne possède aucune opération au Canada. Conformément au paragraphe 23(1) de la loi, le Directeur a transmis le dossier au Procureur général du Canada afin qu'il détermine si des poursuites en vertu du paragraphe 65(2) de la loi sont appropriées. Après étude du dossier et compte tenu des circonstances, le Procureur général a conclu à l'inopportunité des poursuites.

Le deuxième cas portait sur l'acquisition, par une fiduciaire créée précisément pour la transaction, d'une usine en construction. Le premier avocat qui représentait la société acquéreur était d'avis que les dispositions contenues dans la loi et concernant les transactions devant faire l'objet d'un avis ne s'appliqueraient pas parce que les éléments d'actif acquis ne constituaient pas des éléments d'actif d'une "entreprise en exploitation" suivant la définition qu'en donne la loi. Par la suite, un deuxième avocat représentant la société acquéreur a conclu que l'avis aurait dû être donné. En juillet 1992, le deuxième avocat a informé le Directeur de la non-présentation de l'avis exigé et a fourni une explication ainsi que les renseignements utiles aux parties. Le Directeur a conclu qu'il n'y avait aucun problème du point de vue de la concurrence puisque les parties ne sont pas en concurrence l'une avec l'autre et a exercé son pouvoir discrétionnaire en décidant de ne pas saisir le Procureur général du Canada de l'affaire. L'avocat de la société acquéreur a été informé de la décision du Directeur.

III. Le rôle des autorités en matière de concurrence dans l'élaboration et l'application des autres politiques ou lois

Représentations aux Offices, Commissions et autres Tribunaux

Selon les articles 125 et 126 de la loi, le Directeur est autorisé à présenter des observations et à appeler des éléments de preuve devant les Offices, Commissions ou autres Tribunaux fédéraux et provinciaux. En outre, le Ministre peut ordonner qu'une observation soit présentée par le Directeur à un Office de réglementation fédéral. Par ailleurs, le Directeur ne peut présenter des observations aux Offices de réglementation provinciaux que s'ils y consentent ou le demandent. En sa qualité de défenseur de la concurrence, le Directeur peut présenter des observations non mandatées à des organismes tels que des comités ou des groupes de travail gouvernementaux dans les cas où ses connaissances particulières peuvent éclairer l'examen de certaines questions. Au cours de l'exercice 1992-1993, le Directeur a présenté des observations à neuf occasions.

i) *Transports*

Au cours de l'été 1992, le Directeur a présenté des observations devant la Commission d'examen de la loi sur les transports nationaux créée pour faire un examen détaillé des lois fédérales régissant l'aspect économique des transports. Dans les observations qu'il a communiquées de vive voix et par écrit, le Directeur a traité des changements structurels et des questions de politique relatifs à cinq grands secteurs des transports, soit les transports aérien, ferroviaire, routier, interurbain par autobus et maritime (transport de marchandises par navire de ligne). Il a examiné l'incidence, sur la concurrence, des réformes apportées à la réglementation en 1987 et a indiqué qu'il faut compter constamment sur la concurrence et sur les forces du marché libre dans le secteur des transports au Canada.

La Commission d'examen de la loi sur les transports nationaux a déposé son rapport à la Chambre des communes le 9 mars 1993. Dans ce document, elle reconnaissait d'emblée le rôle de la politique de la concurrence et l'efficacité de la loi actuelle dans ce domaine. Selon la Commission, les dispositions de la loi sur la concurrence relatives aux fusions, au prix d'éviction et à l'abus de position dominante sont plus efficaces pour maintenir la concurrence dans le secteur des transports que ne le serait un règlement spécifique. Elle a, de plus, fait un certain nombre de recommandations qui favorisent la poursuite de la déréglementation et de l'assouplissement des contrôles réglementaires dans ce secteur d'activité au Canada.

Par ailleurs, la Commission royale sur le transport des voyageurs au Canada a publié son rapport final en novembre 1992 : le Directeur y avait présenté des observations de vive voix et par écrit devant cette commission à l'automne de 1990. La Commission a proposé des changements majeurs à la politique dans le but d'obliger les usagers à assumer le coût de l'infrastructure ; elle a aussi indiqué que la concurrence et les forces du marché sont les principaux facteurs à considérer dans les services de transport.

Le 22 mars 1993, l'Office National des Transports (ONT) a entrepris l'examen du projet d'investissement d'AMR Corporation dans les Lignes aériennes Canadien International. L'ONT visait ainsi à déterminer si la transaction servait l'intérêt des Canadiens et si Canadien International serait encore contrôlé de fait par des Canadiens. Le Directeur a présenté des observations devant l'ONT au sujet des répercussions de cette transaction sur la concurrence.

ii) Télécommunications

Les observations présentées dans le domaine des télécommunications ont encore visé à accroître la concurrence dans ce secteur et à restreindre la capacité des entreprises en place d'élargir leur marché pour englober des services potentiellement concurrentiels.

En juin 1992, le Conseil de la Radiodiffusion et des Télécommunications Canadiennes (CRTC) a fait connaître sa décision concernant les requêtes déposées par Unitel Communications Inc. et le consortium B.C. Rail Telecommunications/Lightel en vue d'interconnecter leurs réseaux et ceux de plusieurs compagnies de téléphone canadiennes. Le Directeur a participé à l'audience en témoignant lui-même et en interrogeant les autres parties en contradictoire, puis en présentant, en juillet 1991, sa plaidoirie finale.

Dans la décision 92-12 publiée en juin 1992, le CRTC a autorisé Unitel à connecter ses installations et ses services avec les réseaux téléphoniques des entreprises en place parce qu'à son avis cette mesure servait l'intérêt public. En outre, le CRTC a indiqué qu'il permettrait probablement à d'autres demandeurs de faire de même si ceux-ci étaient disposés à satisfaire aux conditions établies dans la décision. Les transporteurs en place en ont appelé de cette décision au motif que les nouveaux arrivants auraient la possibilité de payer des frais de contribution réduits alors qu'ils seraient obligés, quant à eux, d'assumer une partie des coûts de démarrage de ces nouveaux venus. La Cour d'appel fédérale a entendu cet appel en octobre 1992. Le Directeur est intervenu au cours de l'audience et a soutenu que la décision 92-12 du CRTC devrait être maintenue telle quelle. Le 23 décembre 1992, la Cour d'appel fédérale a confirmé la décision en question.

En mai 1992, le Directeur a comparu devant le Comité permanent des transports et des communications du Sénat lors des audiences publiques sur le projet de loi C-62, loi concernant les télécommunications. À cette occasion, il a abordé la question de l'application de la loi sur la concurrence et indiqué son point de vue quant à la possibilité d'invoquer l'argument relatif à la défense de la conduite réglementée dans le cas des activités de l'industrie des télécommunications. Comme on ne sait pas si la défense en question pourrait être utilisée pour les dispositions de droit civil de la loi, comme elle l'est pour les dispositions de droit criminel, le Directeur a fait savoir qu'il serait prêt à soumettre un cas pertinent aux tribunaux afin que la question soit réglée. Le projet de loi a été déposé à la Chambre des communes en février 1992 pour remplacer la loi sur les chemins de fer qui régit actuellement l'industrie canadienne des télécommunications.

En décembre 1992, le Directeur est intervenu dans les audiences publiques du CRTC (Avis public 92-55) relatives à la requête d'ITN Corporation (entreprise de revente de services interurbains) visant à obtenir un accès côté réseau au réseau téléphonique public commuté. Ce genre d'accès a été accordé aux demanderesses dans la décision du CRTC 92-12 déjà mentionnée, mais non aux revendeurs. Dans son mémoire, le Directeur a appuyé la requête d'ITN qui demandait un droit d'accès égal pour tous les concurrents, qu'il s'agisse de revendeurs ou de concurrents "dotés d'installations". À la fin de l'exercice, le CRTC n'avait pas encore pris de décision à ce sujet.

Le Directeur a aussi pris part aux audiences publiques du CRTC sur l'Entente d'interconnexion et d'exploitation entre Téléglobe Canada Inc. et Stentor déposée (Avis public 92-36) en novembre 1992. Il a demandé que les parties à l'entente soient interrogées. À la fin de l'exercice, l'affaire n'était pas encore réglée. En mars 1993, le Directeur est intervenu dans l'Examen du cadre de réglementation effectué par le CRTC (Avis public Télécom CRTC 92-78). Les premiers mémoires dans cette procédure devaient être déposés à la mi-avril 1993 alors que l'audience publique était fixée au 1er novembre 1993.

iii) Agriculture

Un représentant du Directeur a participé aux travaux du Comité des mesures spéciales pour la betterave sucrière, premier comité du genre créé par le ministre de l'Agriculture en vertu de l'article 12 de la loi sur la protection du revenu agricole. Le Comité a été mis sur pied pour résoudre les problèmes des cultivateurs de betterave sucrière, tels que les prix instables du sucre. Il se composait de représentants d'Agriculture Canada, Affaires extérieures et Commerce extérieur Canada, Finances Canada, Industrie, Sciences et Technologie Canada, Consommation et Affaires commerciales Canada, des provinces de l'Alberta, du Manitoba et de la Colombie-Britannique ainsi que de membres de l'industrie en question, y compris les cultivateurs.

L'objectif premier du Comité était d'examiner la compétitivité de l'industrie de la betterave sucrière au cours des années à venir, d'évaluer l'efficacité du Plan national tripartite de stabilisation actuellement en vigueur (qui aide les cultivateurs lorsque les prix du sucre baissent) et d'évaluer le genre de mesures que le gouvernement doit prendre pour accroître l'efficacité de la production et améliorer les techniques d'entreposage. Le Comité a aussi examiné les orientations possibles, par exemple la politique adoptée dans d'autres pays producteurs de sucre. Il s'est réuni à plusieurs reprises au cours de la dernière année et a présenté son rapport final au ministre de l'Agriculture en décembre 1992.

iv) *Énergie*

Le Directeur a déposé un mémoire devant l'Office national de l'énergie, dans le cadre de l'examen continu des transfers entre des services publics d'électricité. L'examen vise à déterminer l'ampleur des échanges d'énergie et autres formes de collaboration possibles entre ces services. Le mémoire présenté par le Bureau en mars 1993 soulignait qu'il est important que les services de transmission d'électricité soient concurrentiels et facilement accessibles pour favoriser des échanges efficaces, et faisait ressortir les avantages des appels d'offres concurrentiels lorsqu'on veut accroître la capacité de production d'énergie. Le mémoire soulignait aussi que la politique de la concurrence peut favoriser une coopération et des échanges entre services publics dans le secteur de l'électricité qui tiennent compte du marché.

Activités reliées au commerce international

Relations bilatérales

Le Bureau entretient des relations bilatérales avec des organismes antitrust de différents pays. En général, ces relations se déroulent dans le cadre de la Recommandation adoptée en 1986 par le Conseil de l'Organisation de Coopération et de Développement Économiques (OCDE) au sujet de la coopération entre les pays Membres en matière de pratiques commerciales restrictives. Selon cette recommandation, les pays en question doivent se donner un avis et se consulter lorsque l'un des membres se livre à une pratique commerciale restrictive susceptible d'influer sur d'importants intérêts nationaux d'autres membres. La notification, la consultation et la coopération antitrust entre le Canada et les États-Unis sont régies par un protocole d'entente (Memorandum of Understanding - MOU) distinct qui a été ratifié en 1984. Conformément au protocole d'entente, deux réunions bilatérales sont habituellement tenues chaque année avec des organismes antitrust américains. Ces réunions ont pour but, entre autres, de discuter de nouvelles améliorations à apporter à nos relations et à nos instruments bilatéraux, y compris au protocole. Le Canada et les États-Unis sont également parties à un traité d'entraide juridique (communément appelé TEJ), qui prévoit un mécanisme de collaboration dans le cadre d'enquêtes sur des actes criminels.

En outre, étant donné que la Direction générale IV (DG IV) de la Commission des Communautés européennes, qui est responsable de la politique de la concurrence, a élargi son champ d'activités, la fréquence des rapports avec la CE s'est accrue en conséquence. Au cours de 1992-1993, le Bureau et la DG IV ont amorcé des discussions devant permettre de conclure un accord bilatéral sur le droit de la concurrence entre le Canada et la CE.

Pendant l'exercice, le Canada a présenté 11 avis aux États-Unis, et trois à d'autres juridictions -- la Communauté économique européenne (CEE), l'Allemagne et le Japon. Le Canada a reçu 20 avis, tous émis par des organismes antitrust américains. Des fonctionnaires du Bureau ont rencontré des représentants d'organismes qui assurent l'application de la politique de la concurrence de la CE, de la Russie, du Mexique, de l'Australie, de la Nouvelle-Zélande, du Japon, de l'Algérie, de la Jamaïque, de Trinidad, de la Lithuanie et de la République populaire de Chine. Ces réunions avaient pour but d'étudier plus à fond des mécanismes devant permettre d'améliorer la collaboration antitrust bilatérale et internationale et d'aider certains pays à élaborer et à mettre en application une législation sur la concurrence. À cet égard, trois membres d'un comité antimonopole de la Russie ont suivi un programme de formation ; on a aussi commencé à préparer un cours de formation semblable à l'intention de deux stagiaires du Mexique, cours qui sera donné pendant le premier trimestre de 1993-1994. Enfin, le Bureau a accueilli des agents de la New Zealand Commerce Commission et de l'Australian Trade Practices Commission.

Négociations multilatérales

Le Bureau participe depuis longtemps aux travaux de groupes multilatéraux qui s'intéressent au droit et à la politique de la concurrence, dont le plus connu est le Comité de l'OCDE du Droit et de la Politique de la Concurrence. Celui-ci constitue une tribune où peut être échangée de l'information sur des sujets d'intérêt commun et, s'il y a lieu, contribue à uniformiser les politiques antitrust internationales des pays qui en font partie.

L'an dernier, le Bureau a accéléré les travaux qu'il a entrepris avec le Secrétariat de l'OCDE et d'autres grandes délégations dans le cadre d'un programme de travail à moyen terme sur les répercussions de la mondialisation, sur les liens entre les politiques et sur la convergence des mécanismes de mise en application des lois antitrust sur le plan international et à l'intérieur des pays membres. Le Bureau, en collaboration avec d'autres ministères fédéraux, a contribué dans une importante mesure aux travaux conjoints du Comité des Échanges et du Comité du Droit et de la Politique de la Concurrence au sujet de l'interaction entre le droit de la concurrence et la politique des échanges. Dans le cadre de ces travaux, le Bureau a préparé, avec AECEC et le ministère des Finances, un document connexe qui a été présenté à l'OCDE, à l'automne 1992.

En décembre 1992, le Comité du Droit et de la Politique de la Concurrence a établi un Groupe directeur de la convergence chargé de faire rapport aux ministres de l'OCDE en juin 1994. Ce Comité directeur, présidé par le Directeur du Bureau, a tenu sa première réunion en février 1993, et a arrêté le programme de ses travaux pour l'année prochaine. Le rapport, qui sera présenté en juin 1994 aux ministres de l'OCDE, résumera les travaux antérieurs et en cours de l'OCDE ainsi que les recherches effectuées par des sources externes et traitera de nouvelles questions en ce qui concerne l'examen des fusions, la confidentialité, les monopoles appartenant à l'État et sanctionnés par l'État, le rôle de la politique de la concurrence dans des arrangements multilatéraux et l'interaction avec la politique sur le commerce, les sciences et la technologie et la politique sur les investissements.

Le Bureau prend aussi régulièrement part aux travaux du groupe intergouvernemental d'experts de la Conférence des Nations Unies sur le Commerce et le Développement (CNUCED) qui s'occupe des pratiques commerciales restrictives. Avec les économies de marché que l'on voit naître actuellement dans les pays de l'ex-Pacte de Varsovie et dans bon nombre de pays en voie de développement, les activités de ce groupe se sont accrues, et le Canada est appelé à partager sa récente expérience relative à l'application de la loi sur la concurrence. À cet égard, le personnel du Bureau a fait une présentation aux pays de la Communauté des Caraïbes au cours d'un colloque organisé par la CNUCED, à la fin mars 1993.

Note

1. Ce programme est décrit dans un discours prononcé par le Directeur des enquêtes et recherches devant l'Association canadienne des conseillers juridiques d'entreprises, le 19 août 1991 (S-10492/91-15).

DANEMARK

(1992-1993)

I. Législation

Nouvelles dispositions légales

A partir du 1er mai 1993, l'application des directives communautaires sur les marchés publics et les tâches administratives du Conseil d'Appel pour les marchés publics ont été confiées au Conseil de la concurrence.

Les règles communautaires sur la libre circulation des biens et des services s'appliquent également aux marchés publics, et il appartient au Conseil d'Appel de veiller à ce que les entreprises, indépendamment de leur nationalité, aient un droit égal à soumissionner pour les travaux publics qui sont visés par les directives des Communautés européennes.

Par ailleurs, le fondement juridique n'a pas été modifié au cours de la période en cause.

Modifications futures éventuelles

Un rapport de l'OCDE sur l'économie danoise, qui a été diffusé au cours du printemps de 1993, contient une critique de la loi danoise sur la concurrence au motif qu'elle ne constitue pas un moyen suffisamment efficace de lutte contre les pratiques concurrentielles. Le rapport a été à l'origine d'un nouveau débat sur la mise en conformité de la loi régissant la concurrence avec le principe de l'interdiction énoncé dans les règlements communautaires.

Le ministre de l'Industrie a désigné un comité chargé de clarifier les avantages et les inconvénients d'une mise en conformité de la loi danoise régissant la concurrence avec les règlements communautaires en matière de concurrence.

II. Application de la législation et des politiques de la concurrence

Lutte contre les pratiques anticoncurrentielles

a) Statistiques relatives aux activités des autorités étrangères de la concurrence

Le Conseil de la concurrence

Au cours de la période considérée, le Conseil de la concurrence a tenu dix réunions et statué sur 46 affaires.

Le Conseil de la concurrence statue sur des questions de principe ou d'une vaste portée, ainsi que dans les cas où la décision implique une évaluation du champ d'application de la loi. Un grand nombre d'autres affaires sont couramment réglées par le secrétariat.

Le Tribunal d'Appel de la concurrence

Au cours de la période du 1er janvier 1990 au 31 juillet 1993, le Tribunal d'Appel de la concurrence a été saisi de 108 affaires (31 affaires en 1990, 28 en 1991, 28 en 1992 et 21 au cours des 7 premiers mois de 1993).

	1er janvier 1990-31 juillet 1993	1er août 1992-31 juillet 1993
Appels interjetés	108	(31)
Recours rejetés	40	(14)
Désistements	29	(9)
Annulation de décisions du Conseil de la concurrence	11	(3)

Au 1er août 1993, 28 affaires restaient en instance.

b) Affaires importantes

Comparée avec la loi régissant la concurrence dans d'autres pays, la loi danoise sur la concurrence accorde un rang de priorité très élevé à la transparence, tenue pour un moyen de favoriser la concurrence et l'efficacité.

Il est difficile de juger si la transparence constituera effectivement un moyen efficace d'encourager la concurrence et de mettre fin aux pratiques anticoncurrentielles, comme les législateurs l'ont présumé. Les mesures établissant la transparence constitueront toujours un moyen d'action à long terme, et l'expérience fait apparaître effectivement que le Conseil de la concurrence a accordé priorité aux efforts déployés pour amener les entreprises et les autorités à modifier les accords, les conditions commerciales, les règles, etc.

Le Conseil de la concurrence a jugé qu'il importait de mettre fin à la pratique des prix imposés horizontaux. La législation danoise est basée sur un principe de vérification, qui ne permet qu'une intervention après coup dirigée contre les abus. En principe, la charge de la preuve repose sur le Conseil mais, à partir d'une évaluation globale de ce type de pratiques restrictives, le Conseil a constaté que, comme tels, les prix imposés doivent être tenus pour préjudiciables à la concurrence, et c'est ce point de vue qui a motivé les décisions de mettre fin à la pratique des prix imposés dans plusieurs affaires.

Le principe du libre accès au marché -- qui est au coeur de la politique de la concurrence -- a fondé également l'action du Conseil de la concurrence dans plusieurs affaires, notamment des affaires concernant les professions libérales, pour lesquelles diverses règles restreignant l'accès au marché ainsi que des règlements régissant les activités commerciales, ont été établies.

Les pratiques anticoncurrentielles verticales peuvent également entraver le libre accès au marché. Un exemple en est le traitement actuel de plusieurs affaires concernant le refus d'approvisionnement et, dans le présent rapport, il est fait état plus loin d'une affaire dans laquelle un fournisseur avait imposé des engagements restrictifs concernant de grandes parties d'un marché régional au moyen d'accords à long terme.

Enfin, il est permis de mentionner que des initiatives, qu'elles soient publiques ou privées, concernant les facteurs écologiques dépassent quelquefois ce qui est justifié par des considérations écologiques, et ces initiatives laissent fréquemment trop peu de place à de nouvelles technologies de rechange plus efficaces. Un projet écologique, fondé sur une approche concurrentielle, peut dès lors contribuer à une meilleure solution des problèmes écologiques, en particulier dans une perspective dynamique.

Une part considérable des efforts déployés par le Conseil de la concurrence au cours des dernières années a porté sur le secteur public -- considéré comme un secteur monopolistique, délivrant des concessions, concurrent, acquéreur ou/et, en particulier, comme une instance de réglementation. Les règles légales restrictives ne peuvent excéder ce qui est nécessaire pour atteindre l'objectif de la réglementation.

Transparence

1) Equipement électroménager

Le Conseil de la concurrence a, à nouveau, examiné cette année les remises accordées par les fournisseurs d'équipements électroménagers. Le résultat de son enquête a été publié sous la forme d'un tableau indiquant les remises et les primes que les fournisseurs accordent à des chaînes de distributeurs d'appareils électroménagers (réfrigérateurs, lave-linge, lave-vaisselle automatiques, etc.), et a été également transmis directement aux fournisseurs et aux distributeurs présents sur le marché.

Les initiatives susvisées sont motivées par l'absence marquée de transparence dans l'utilisation de remises et des prix, caractérisant le secteur en cause et restreignant une compétition effective au niveau des prix tout en exposant les distributeurs à des conditions concurrentielles inégales.

2) Bilan des activités annexes des producteurs et distributeurs d'électricité

Le Comité des prix de l'énergie électrique a publié un rapport fondé sur une enquête portant sur les activités annexes exercées par les firmes du secteur de l'énergie électrique, c'est-à-dire les activités qui n'ont pas de lien direct avec la production ou la distribution d'électricité. Des exemples de ces activités sont les activités d'horticulture maraîchère, de construction de moulin à vent, de pisciculture, d'éclairage urbain, de certaines activités de câblage et des activités concernant les réseaux de surface. Selon les dispositions légales, les firmes en cause doivent sous-traiter les activités de cette nature car il ne faut pas que celles-ci pèsent sur le prix de l'électricité. Plusieurs activités sont exercées en concurrence directe avec d'autres fournisseurs sur le marché en cause, et certains des organismes en cause ont exprimé l'avis que c'était là une pratique qui exposait leurs membres à des conditions de concurrence inégales.

Les auteurs du rapport soutiennent que, conformément à la loi sur la fourniture d'énergie électrique, il est interdit de faire payer la clientèle pour les coûts qui découlent des activités susvisées.

Ajoutons que le Parlement danois a adopté un amendement à la loi sur la fourniture d'énergie électrique, dont il résulte notamment que les sociétés concessionnaires sont autorisées à procéder à des investissements à l'étranger, à fournir des services consultatifs en ce qui concerne les questions relatives à l'énergie et à exercer des activités annexes. Des activités de cette nature ne sont légitimes cependant que dans la mesure où le Comité des prix de l'électricité ne constate pas qu'elles faussent la concurrence ou entraînent un risque excessif pour les usagers d'énergie électrique.

La mise en oeuvre de l'amendement est suspendue tant que la Commission des Communautés européennes ne l'aura pas approuvé en constatant que les dispositions en cause ne constituent pas une infraction aux règlements communautaires.

3)   Taxes sur l'énergie

Le Conseil de la concurrence a examiné l'influence des taxes énergétiques sur la concurrence. Le secteur danois de l'énergie constitue un système qui élimine le jeu des forces du marché et le remplace par la planification, le branchement obligatoire sur les réseaux thermiques de la collectivité et l'usage obligatoire de certains carburants, en combinaison avec des taxes de montants variés.

Ce système est fondé sur des considérations relatives à la sécurité de l'approvisionnement et aux potentialités de sources d'approvisionnement multiples, des considérations socio-économiques et écologiques et la prise en compte de la rentabilité de projets d'exploitation du gaz de la mer du Nord. L'accent placé sur tel ou tel de ces éléments a varié au cours de la période depuis la mise en place du système à la suite de la première crise pétrolière de 1973-74.

Le système est donc le produit d'un enchaînement historique. A côté de la mise au point de divers objectifs de la politique énergétique et de l'importance accrue attachée aux considérations écologiques, des mesures de contrôle et des mesures fiscales ont été dans plusieurs cas prorogées et complétées, ce qui a abouti à la mise en place d'un système très complexe dans lequel les liaisons entre les fins et les moyens sont difficiles à déceler et même, dans certains cas, incertaines.

Même si la combinaison actuelle des préoccupations en matière de politique énergétique et de protection de l'environnement ne peut guère se concrétiser par un système entièrement fondé sur les principes régissant le marché, les objectifs politiques pourraient vraisemblablement être atteints au sein d'un système plus simple et plus cohérent, qui tienne compte dans une plus large mesure des incitations en faveur de la concurrence et d'une efficacité accrue.

Pratiques anticoncurrentielles

1)   Prix imposés et accords horizontaux

Il est d'une grande importance que le Conseil de la concurrence ouvre la perspective d'une concurrence au niveau des prix aux secteurs dans lesquels les prix ont été bloqués par la pratique des prix imposés horizontaux. Ainsi que nous l'avons indiqué dans notre rapport annuel pour la période 1991-1992, les efforts déployés à cet égard ont été fructueux dans plusieurs cas et se sont poursuivis en 1993.

Suite à des négociations menées entre le Conseil de la concurrence et les fabricants d'équipement électrique, des listes de prix recommandés en commun ne sont plus envoyées aux grossistes. Le Conseil voulait faire cesser cette pratique, car elle éliminait la concurrence au niveau des prix. Même si les prix n'étaient que recommandés, ils étaient adoptés par l'ensemble des grossistes.

Des négociations menées entre l'association danoise des agents immobiliers et le Conseil de la concurrence ont eu pour résultat que l'association a cessé immédiatement de diffuser des barèmes de prix recommandés. Le système de tarifs recommandés pour les agents immobiliers orientait la formation des prix dans ce domaine et éliminait la concurrence au niveau des prix car presque tous les agents immobiliers fondaient l'établissement de leurs prix sur le régime tarifaire recommandé.

Le Conseil de la concurrence a décidé d'engager des négociations avec l'association danoise des avocats en vue de faire cesser la pratique de l'association en matière de diffusion d'honoraires recommandés. L'adhésion à cette association est obligatoire pour tous les avocats et, par conséquent, tous les avocats sont tenus de respecter les règles collectives qu'elle fixe, notamment en ce qui concerne le taux des honoraires. Les honoraires sont recommandés et les avocats sont autorisés à demander des honoraires plus bas ou plus élevés, mais uniquement si des circonstances spéciales le justifient et en engageant leurs responsabilités devant l'association professionnelle des avocats. En d'autres termes, les avocats s'engagent en fait à respecter les recommandations relatives aux honoraires. L'association professionnelle des avocats a formé un recours contre la décision devant le Tribunal d'Appel de la concurrence.

Le Conseil de la concurrence a également pris des mesures contre un accord de coopération conclu entre six fabricants de béton léger. Ces fabricants détenaient une part globale correspondant aux deux tiers du marché et avaient conclu cet accord afin de profiter de la commercialisation commune de leurs produits. Néanmoins, de l'avis du Conseil, cet accord dépassait ce qui était nécessaire à cette fin. L'accord prévoyait certaines dispositions extrêmement anticoncurrentielles au sujet de la répartition des ventes par quota, de la représentation exclusive en faveur d'un des fabricants dans une région géographique déterminée et de l'établissement d'une liste de prix commune. Ces dispositions, si elles avaient été appliquées, auraient débouché sur l'élimination à peu près complète de la concurrence sur le marché danois du béton léger.

En août 1992, les deux principales laiteries ont conclu un accord dont l'objectif était la domination commune de l'approvisionnement en lait et de la préparation de produits laitiers. Cet accord porte sur la quasi-totalité de la production de lait au Danemark. Les entreprises laitières ont soutenu que la coopération leur permettrait de réduire leurs frais et de faire face à la concurrence internationale qui serait renforcée dans le cadre de l'évolution du marché communautaire intérieur.

Le Conseil de la concurrence a attaché de l'importance au fait que l'accord comprenait des dispositions qui, à long terme, nuiraient à l'efficacité. L'accord éliminait les incitations favorisant la concurrence et une disposition relative au droit de veto risquait de faire obstacle à la prise de décisions destinées à renforcer l'efficacité. Dans ces conditions, le Conseil a engagé des négociations avec les deux sociétés afin de les amener à modifier l'accord. Un recours a été formé à ce sujet et il n'a pas encore été statué.

2)   Professions libérales

Ainsi que mentionné dans le rapport annuel pour 1991-1992, le Conseil de la concurrence a procédé à une analyse par recoupement des conditions de la concurrence au sein des professions libérales. En pratique, ces professions sont dans une très large mesure protégées contre la concurrence de l'étranger. En outre, il existe : a) des dispositions légales qui restreignent l'accès à la profession et régissent les activités professionnelles et b) des dispositions collectives établies par les associations professionnelles compétentes, qui complètent les dispositions légales ou en étendent l'application au point de restreindre davantage la concurrence.

Par conséquent, le Conseil de la concurrence a décidé de négocier avec les associations professionnelles compétentes afin de les amener à abroger ou à assouplir les dispositions anticoncurrentielles, et de prendre des contacts avec les autorités publiques compétentes afin de les amener à tenir compte dûment des considérations en matière de concurrence.

Dans la mesure où il s'agit de dispositions arrêtées par les associations professionnelles, ce sont en particulier les dispositions restrictives touchant la publicité et la commercialisation qui ont été au centre des préoccupations.

Les négociations menées avec l'association professionnelle des avocats ont eu pour résultat que les avocats sont désormais libres de faire la publicité de leur domaine particulier de compétence et qu'une interdiction générale de la publicité par envoi de courrier personnalisé a été aménagée de telle sorte que les avocats sont désormais autorisés à envoyer un courrier personnel à leur clientèle commerciale mais non à des personnes privées.

Le Conseil de la concurrence a ordonné à l'association danoise des chirurgiens vétérinaires d'abroger plusieurs dispositions arrêtées par cette association. Ces dispositions faisaient notamment obstacle à ce que les affiliés puissent faire connaître leurs honoraires par voie publicitaire et interdisaient la publicité par envoi direct de courrier à une clientèle potentielle. Par conséquent, il n'existait aucune incitation favorisant la concurrence au niveau des prix. En outre, ces dispositions avaient pour effet que les nouveaux vétérinaires avaient des difficultés à s'installer.

Le Tribunal d'Appel de la concurrence a confirmé l'ordonnance par laquelle le Conseil de la concurrence a sommé l'institut des experts comptables agréés de mettre fin à une pratique anticoncurrentielle prévue par les règles de cet institut en matière de déontologie commerciale. En vertu de ces règles, les membres n'étaient pas autorisés à payer en contrepartie d'une acquisition d'un client et, par conséquent, une coopération entre les comptables et les courtiers était impossible.

3)   Environnement et concurrence

En 1992, le Conseil de la concurrence a statué à deux reprises au sujet d'accords commerciaux qui visaient expressément à résoudre les problèmes écologiques posés par ce secteur.   Néanmoins, dans les deux affaires sur lesquelles il a été statué, les accords prévoyaient également des dispositions qui, de l'avis du Conseil de la concurrence, dépassaient ce qui était justifiable par des considérations écologiques et qui risquaient d'entraîner des effets préjudiciables à la concurrence et à l'efficience. Le Conseil a donc décidé d'engager des pourparlers avec les parties en cause afin de les amener à abroger les règles litigieuses.

En 1992, toutes les sociétés pétrolières danoises -- avec l'appui des autorités compétentes en matière d'environnement -- ont conclu un accord sur la constitution d'un fonds commun destiné à des fins écologiques, qui était sensé financer l'assainissement des terrains pollués, là où des stations d'essence sont ou avaient été implantées. Le capital destiné au fonds commun devait être fourni grâce à une hausse des prix du carburant.

Le Conseil de la concurrence a jugé les objectifs écologiques de l'accord importants et tout à fait respectables, mais il a également estimé que certaines règles encadreraient et assureraient une certaine évolution de la structure du marché et que les considérations écologiques prévues par l'accord ne pouvaient justifier. Après des pourparlers avec le secteur, l'accord a été modifié en profondeur et le Conseil de la concurrence a pris note de la refonte de l'accord.

L'industrie du froid avait établi un accord concernant un projet écologique ayant pour objet d'assurer l'enlèvement et le recyclage, souhaitable du point de vue écologique, des frigorigènes toxiques dérivés des hydrocarbures chlorofluorés, lesquels s'ils s'échappent exercent un effet destructeur de l'atmosphère. Un installateur d'équipements de réfrigération a porté plainte devant le Conseil de la concurrence, au motif que l'accord susvisé nuisait à ses activités commerciales. Le plaignant met au point son propre système d'enlèvement et de recyclage, en poursuivant le même objectif souhaitable du point de vue écologique et, à son avis, en utilisant une technologie améliorée. Or, en vertu de l'accord, son système ou d'autres systèmes ne sont pas placés dans des conditions d'égalité sur le plan de la concurrence.

Dans ces conditions, le Conseil de la concurrence a jugé que l'accord devait être rectifié afin que le projet ne dépasse pas ce qui est justifiable par des considérations écologiques et qu'il soit plus novateur et plus ouvert à la technologie concurrente.

4)   Remises discriminatoires/anticoncurrentielles

Un grossiste a déposé une plainte, au motif qu'un fournisseur de tubes en plastique avait refusé de lui accorder les mêmes remises et primes que celles qui étaient accordées à des distributeurs similaires. La réduction des remises tenait au fait que le plaignant importait et écoulait des tubes provenant de fournisseurs concurrents. Le Conseil de la concurrence a estimé que deux fournisseurs, soit individuellement soit ensemble, détenaient une position dominante sur le marché des tubes en plastique et que ces deux fournisseurs se livraient à une pratique concertée.

Les conditions commerciales des entreprises en position dominante doivent être fondées sur des critères objectifs, raisonnables et cohérents.

Le Conseil de la concurrence a estimé qu'il n'était pas possible de tenir pour raisonnable la condition suivant laquelle, en contrepartie des remises et des primes, l'acquéreur a l'obligation de ne pas commercialiser ou stocker des tubes concurrents, une condition de cette nature entraînant des effets préjudiciables à la concurrence et des restrictions à la liberté des échanges. La pratique concertée ressortait notamment du fait qu'aucun des deux fournisseurs n'imposait d'obligations similaires aux clients qui achetaient également mais exclusivement les produits de l'autre fournisseur.

Dans une affaire similaire concernant les sièges de toilettes, le Conseil de la concurrence a estimé qu'il était déraisonnable de soumettre l'acquéreur à l'obligation de ne pas commercialiser et de ne pas stocker des marques concurrentes en contrepartie de remises et de primes. L'accord entraînait des restrictions à la liberté des échanges pour l'acheteur en cause et à la possibilité d'autres fournisseurs de commercialiser leurs produits. La condition a été supprimée par le fournisseur à l'issue de négociations.

Le rapport du Conseil de la concurrence au sujet des conditions concurrentielles dans l'industrie de l'asphalte (publié en 1991) a fait apparaître que cette industrie avait conclu une entente tacite afin de faire payer des prix presque égaux, ce qui éliminait la concurrence au niveau des prix sur le marché de l'asphalte. L'industrie était caractérisée par une importante capacité excédentaire, ce qui cependant n'avait pas entraîné d'ajustements structurels. Par conséquent, le Conseil a décidé d'engager des pourparlers avec le secteur en cause afin de mettre en place un système de remises satisfaisant et fondé sur les coûts.

Après avoir négocié avec le Conseil de la concurrence, une entreprise en position dominante a mis au point un nouveau barème des remises pour la vente de l'asphalte départ usine. Ce nouveau barème rend un peu plus onéreux l'achat d'asphalte en très petites quantités, mais bien meilleur marché l'achat de grandes quantités. Par conséquent, les entrepreneurs qui n'ont pas de production propre se voient accorder de meilleures possibilités de faire concurrence aux sociétés de production.

5)   Financement d'installations municipales par la publicité

Le Conseil de la concurrence est parvenu à une décision au sujet des conditions commerciales établies par AFA JCDecaux Ltd. Cette firme fournit, met en place et entretient des abribus, des panneaux publicitaires, des colonnes d'affichage publicitaire et des toilettes automatiques dans le cadre d'un programme global dans les principales agglomérations. En contrepartie, AFA JCDecaux revendique un droit exclusif à la fourniture de services publicitaires utilisant ces installations. Jusqu'à présent, les pouvoirs locaux de trois municipalités ont conclu des accords avec AFA JCDecaux au sujet de la fourniture d'abribus, financée par la publicité. Il en résulte que des concurrents potentiels se voient interdire l'accès au marché en cause dans ces municipalités.

AFA JCDecaux est sur le marché danois la seule firme qui ait conclu jusqu'à présent des accords prévoyant des solutions globales de cette nature et cette firme négocie avec plusieurs autres pouvoirs locaux en vue de la conclusion d'accords similaires. En outre, la société française JCDecaux apparentée à cette firme détient une position importante sur le marché de l'Europe occidentale, où une formule commerciale identique est exploitée dans plus de 700 villes. Autrement dit, la concurrence potentielle d'autres firmes étrangeres sur le marché danois est limitée.

Au cours de pourparlers avec le Conseil de la concurrence, la firme susvisée a accepté de modifier les accords existants de telle sorte que le droit d'exclusivité sur les services publicitaires qui était demandé pour 20 ans au moins ne l'est plus que pour 15 ans. En outre, elle a accepté de subordonner la reconduction des accords au lancement préalable d'un appel d'offres à la concurrence. Enfin, la firme a accepté de renoncer à sa revendication préalable de fourniture d'autres installations que celles qui sont expressément prévues par l'accord, et une clause interdisant aux tiers de se livrer à la publicité dans un rayon de 50 mètres à partir des installations fournies par cette firme serait modifiée en ce sens qu'il appartiendrait au pouvoir local de se prononcer sur le maintien de cette clause.

6) Interdiction des prix imposés

Conformément à l'article 14 de la loi sur la concurrence, les entreprises ne sont pas autorisées à imposer une condition en vertu de laquelle les revendeurs successifs doivent respecter des prix minimums ou s'engager à réaliser des bénéfices minimaux. Le Conseil de la concurrence est régulièrement saisi de plaintes émanant de distributeurs, au motif que les fournisseurs pratiquent des prix imposés déterminés, en annonçant les prix sous diverses formes ou par des refus d'approvisionnement. Lorsque le Conseil de la concurrence confronte le fournisseur aux faits, les annonces de prix sont habituellement retirées et les approvisionnements reprennent.

Fusions et concentration

Le rapport du Conseil de la concurrence sur les fusions et les prises de contrôle en 1992 fait apparaître qu'en comparaison avec 1991, le nombre d'entreprises absorbées a diminué de 27 pour cent. Néanmoins, le nombre d'acquisitions par des entreprises étrangères d'entreprises au Danemark est resté presque inchangé par rapport à 1991 : il en ressort que les prises de contrôle étrangères constituent une part accrue du nombre global des prises de contrôle.

312 entreprises comptant 20 000 salariés et dont le chiffre d'affaires global atteignait 18 milliards de couronnes danoises ont été acquises en 1992. Environ 80 pour cent des prises de contrôle se sont réalisées sur le plan horizontal, ce qui se soldera par un accroissement des parts de marché des entreprises qui subsisteront.

Les entreprises étrangères ont acquis 62 entreprises danoises comptant plus de 7 000 salariés et d'un chiffre d'affaires d'environ 5,7 milliards de couronnes danoises. Les entreprises de la Communauté européenne ont été prédominantes, représentant 28 acquisitions étrangères, 13 sur les 28 entreprises concernées étant absorbées par des firmes du Royaume-Uni. Pendant de nombreuses années, la Suède a été le pays dont les acquisitions d'entreprises danoises étaient les plus nombreuses, mais, en 1992, seules neuf entreprises ont été acquises par des firmes suédoises contre dix-huit en 1991.

III. Influence sur d'autres politiques ou législations

Le Conseil de la concurrence n'est pas habilité à prendre des mesures en ce qui concerne les questions relevant de la compétence d'autres organismes publics. Néanmoins, en application de l'article 15 de la loi sur la concurrence, il peut saisir les pouvoirs publics compétents et leur signaler les effets potentiels préjudiciables à la concurrence. Des communications à ce sujet seront publiées.

Le Conseil de la concurrence reconnaît la nécessité de dispositions légales destinées à veiller à un exercice correct des professions, par exemple, en vue de l'établissement de conditions relatives à la protection et à la santé du consommateur, mais, de l'avis du Conseil, de nombreuses dispositions excèdent ce qui peut être tenu pour nécessaire afin de répondre à de telles préoccupations.

Professions libérales

Les dispositions légales contribuent tout autant que les règles établies par les associations professionnelles à la restriction de la concurrence au sein des professions libérales.

Experts comptables agréés

Le Conseil de la concurrence a fait une démarche auprès du ministère de l'Industrie au sujet de l'assouplissement des règles légales régissant la profession d'expert comptable. Il a recommandé que les conseils économiques et juridiques ayant une formation étroitement apparentée soient autorisés à exercer leur profession conjointement et à mettre au point de nouvelles associations multidisciplinaires répondant dans une plus large mesure aux besoins de la clientèle.

Géomètres experts agréés

Le Conseil de la concurrence a recommandé au ministre du Logement et de la Construction d'abroger les dispositions relatives au droit d'exclusivité, qui, dans certains domaines, interdisent aux géomètres experts agréés de faire concurrence sur un pied d'égalité avec les administrations cadastrales publiques. A cet égard, il a également recommandé l'abrogation de certaines dispositions légales qui font obstacle à ce que les géomètres experts agréés mettent en place des filiales et établissent des associations multidisciplinaires volontaires avec d'autres professions.

Agents immobiliers

Le Conseil de la concurrence a recommandé au ministre de l'Industrie d'abroger une disposition en vigueur faisant obstacle à ce que les agents immobiliers passent des actes, dans le cadre d'un projet de loi sur le transfert de biens immobiliers. Si les agents immobiliers sont autorisés à passer des actes, la concurrence en sera stimulée dans des domaines dans lesquels les avocats détenaient auparavant un quasi-monopole. Une modification en ce sens ne fera pas obstacle à ce que les avocats puissent proposer leur assistance juridique dans le cadre d'opérations de transfert de biens immobiliers. Le Conseil a également recommandé qu'au cas où l'interdiction susvisée serait abrogée, les agents immobiliers notamment soient également autorisés à faire la publicité de leurs services dans ce domaine.

Ports

Gedser

A la suite d'une plainte déposée par GT LINK au sujet des tarifs portuaires exigés par les chemins de fer d'État danois en ce qui concerne l'accès aux installations portuaires de Gedser, le Conseil de la concurrence a pris contact avec le ministre des Transports ainsi qu'avec les chemins de fer d'État danois. GT LINK exploite un service de ferry entre Gedser et Rostock en concurrence avec les services de ferry des chemins de fer d'État danois de Gedser à Warnemünde.

GT LINK a également saisi de cette affaire la Commission des Communautés européennes en application des règlements communautaires régissant la concurrence.

Le Conseil de la concurrence a constaté que la situation des chemins de fer de l'État danois, en leur qualité de propriétaires exclusifs du port, faisait naître un risque évident de distorsion de la concurrence. Les chemins de fer d'État danois fixent les montants à payer conformément à des directives arrêtées par le ministère des Transports, mais, comme les comptes des chemins de fer d'État danois sont indissociables des états relatifs à d'autres activités, puisqu'ils constituent un poste global des activités d'État, le Conseil de la concurrence n'a pas la possibilité d'apprécier le point de savoir si les prix faussent effectivement la concurrence au détriment de GT LINK. Il a recommandé de faire du port une entité distincte, financièrement indépendante, par exemple, sous la forme d'une société à responsabilité limitée. Les comptes devront être établis conformément aux principes fixés dans la loi sur la présentation des comptes annuels et ils devraient être publiés.

Le ministère des Transports a ensuite déclaré qu'en septembre 1992, les chemins de fer d'État danois avaient entrepris une analyse structurelle afin d'élaborer et d'améliorer l'organisation de leurs activités. L'initiative en ce sens est destinée à frayer la voie à une dissociation plus nette entre les postes de bénéfices et les postes de pertes, et à la mise en place de sociétés à responsabilité limitée destinées à prendre en charge certaines des activités, y compris les activités de navigation. Les chemins de fer d'État danois ont pris note de la manière dont le Conseil de la concurrence avait abordé le problème et il sera tenu compte de la recommandation du Conseil dans la réforme envisagée de l'organisation et dans la présentation des comptes pour les services de transbordement et les services portuaires.

Elseneur

Le ministère des Transports a rejeté une demande que l'association des transporteurs et les Mercandia Lines avaient introduite en vue d'avoir accès aux installations portuaires du port d'État d'Elseneur en vue de la mise en place de services de ferry entre Elseneur et Helsingborg. Par conséquent, les deux firmes ont déposé une plainte auprès du Conseil de la concurrence.

En principe, l'exploitation de services de ferry à partir de ports publics au Danemark est libre. Néanmoins, cette liberté est accordée à condition que les services soient exploités à partir de ports existants et que les services portuaires soient disponibles pour de nouveaux services de ferry. Selon le ministère des

Transports, ces conditions ne sont pas remplies en ce qui concerne le port étatique d'Elseneur. Par conséquent, il n'existe pas de concurrence en ce qui concerne le transport de véhicules d'Elseneur à Helsingborg, où les chemins de fer d'État danois sont propriétaires et exploitants de toutes les installations portuaires.

Afin d'améliorer la concurrence et l'efficacité, en ce qui concerne le transport de voitures de tourisme, de camions et d'autocars, et de veiller à un accès libre et égal à la branche d'activité en cause, le Conseil de la concurrence a recommandé que les chemins de fer d'État danois et le ministre des Transports autorisent, au moins dans une certaine mesure, d'autres transporteurs à utiliser les installations portuaires d'Elseneur. Au cas où les capacités du terminal portuaire seraient déjà pleinement exploitées, le Conseil de la concurrence a recommandé que les chemins de fer d'État danois accordent une liberté d'accès partielle à d'autres transporteurs.

En outre, le Conseil de la concurrence a signalé la pratique mise au point d'après une série de décisions arrêtées par la Commission des Communautés européennes au sujet du secteur des télécommunications et de celui des transports. Ces décisions impliquaient un assouplissement généralisé des conditions d'accès au marché ou une ouverture du marché aux tiers.

Dans un communiqué de presse, le ministère des Transports a annoncé que la solution préconisée par le Conseil de la concurrence -- à savoir que les chemins de fer d'État danois devraient réduire leurs activités de manière à permettre à des tiers d'accéder au marché -- était sans précédent et le ministre estime qu'il est difficile d'imaginer qu'un tel système puisse être mis en pratique entre des compagnies de transport concurrentes. Le ministre de la Justice a été prié de se prononcer sur les questions de droit communautaire soulevées à cet égard par cette affaire.

En outre, le ministre des Transports estime que la méthode la plus commode pratiquement pour intensifier la concurrence passerait par une demande de construction de nouveaux ports émanant des sociétés de navigation s'intéressant à la mise en place à cet endroit d'un service de ferry, étant entendu que le projet ne devrait poser aucun problème de trafic ni n'entraîner aucune difficulté d'ordre écologique.

Évacuation des déchets

Le Conseil de la concurrence a pris contact avec le ministère de l'Environnement et a recommandé l'élaboration de règles qui veillent à ce que les entreprises d'évacuation des déchets ne soient pas exclues à l'avance de l'accès au marché dans ce secteur. De l'avis du Conseil, la mise en place d'un système d'évacuation des déchets cohérent et favorisant les mécanismes du marché n'entraîne pas automatiquement des effets préjudiciables à l'environnement.

Le secteur de l'énergie

Le Conseil de la concurrence ayant procédé à une enquête au sujet du secteur de l'énergie, a pris contact avec le ministre de l'Énergie et le ministre des Finances et recommandé la prise en compte des avis et des considérations touchant la concurrence pour la préparation future des mesures de politique énergétique et des régimes fiscaux. De l'avis du Conseil, les mesures de politique énergétique ne doivent pas dépasser ce qui est justifiable pour des raisons écologiques essentielles et les régimes fiscaux doivent permettre une plus grande concordance entre les signaux du marché relatifs aux prix et les rapports entre les coûts, en vue de la diminution de la discrimination et de l'accroissement de l'efficience.

IV. Publications

A côté des rapports sur le marché et des publications courantes, le Conseil de la concurrence a diffusé "Le Conseil de la concurrence -- un manuel succinct" contenant des informations générales au sujet de la législation, de l'organisation, etc. -- disponible tant en anglais qu'en danois.

FINLANDE

(1992)

I. Lois et politiques de la concurrence -- modifications adoptées ou envisagées

Résumé des dispositions juridiques nouvelles en matière de droit de la concurrence

La législation sur la réforme de la concurrence en Finlande, y compris la loi sur les restrictions à la concurrence (480/92), la loi (481/92) et le statut (485/92) relatifs au Conseil de la concurrence, ainsi que les amendements à la loi sur l'Office de la libre concurrence et la législation relative aux compagnies d'assurance et aux banques de dépôt (482-484/92), sont entrées en vigueur le 1er septembre 1992. L'interdiction des ententes prévue par la loi sur les restrictions à la concurrence n'a été appliquée qu'après une période de transition de six mois, à partir du 1er mars 1993. En outre, un nouveau statut de l'Office de la libre concurrence (66/93) est entré en vigueur le 1er février 1993.

La nouvelle législation sur la concurrence fixe des limites plus strictes aux types d'accords restrictifs de la concurrence que les entreprises peuvent conclure. Les règles régissant la concurrence économique en Finlande peuvent être désormais assimilées pour l'essentiel aux règles de la Communauté européenne et du futur Espace économique européen en matière de concurrence.

Les autorités chargées d'appliquer la législation sur la concurrence sont l'Office de la libre concurrence et le Conseil de la concurrence, qui est un organe juridictionnel. Il peut être interjeté appel des décisions du Conseil devant la Cour administrative suprême. Les conseils provinciaux font fonction d'autorités régionales placées sous l'autorité de l'Office.

L'Office de la libre concurrence a publié des directives pour les entreprises au sujet de l'application de la nouvelle législation.

a) Le champ d'application de la législation finlandaise en matière de concurrence

La loi sur les restrictions à la concurrence a un champ d'application général. Seuls le marché du travail et la production de produits primaires visés dans les règlements en ce qui concerne le revenu agricole ne tombent pas dans le champ d'application de cette loi. Celle-ci ne sera appliquée qu'aux restrictions à la concurrence exerçant un effet en Finlande ou aux accords extérieurs au pays qui visent la clientèle finlandaise. Néanmoins, le Conseil d'État peut faire le nécessaire pour que la loi soit appliquée aux restrictions à la concurrence en ce qui concerne les pays étrangers.

b) Nouvelles interdictions

A côté des interdictions frappant les prix imposés et les offres concertées, qui étaient prévues par la loi précédente, la nouvelle législation interdit également les ententes en matière de prix et les ententes préjudiciables visant au partage des marchés et à la limitation de la production ainsi que l'exploitation abusive d'une position dominante sur le marché.

L'interdiction frappant les prix imposés (article 4) a été explicitée par une disposition prévoyant que, dans les activités commerciales, un échelon du circuit de commercialisation ne peut exiger de l'échelon suivant qu'il impose un certain prix minimum ou maximum. L'interdiction des offres concertées (article 5) frappe les accords ou les dispositions correspondantes au titre desquels les parties en cause dans un appel à la concurrence pour la vente ou pour l'achat de biens ou l'exécution d'un service agissent de manière concertée. Néanmoins, l'interdiction ne s'applique pas aux offres communes pour des travaux communs.

i) L'interdiction des ententes horizontales

L'article 6, paragraphe 1 de la loi sur les restrictions à la concurrence interdit les accords horizontaux, et les recommandations et divers accords de cette nature concernant les prix ou les commissions. L'interdiction de la coopération en matière de prix s'applique non seulement aux prix exigés pour les biens et les services mais également aux remises ou aux différentes commissions en matière de livraison et aux conditions de livraison similaires. Elle frappe les recommandations en matière d'établissement des prix adressées par les groupes à leurs filiales notamment. La coopération statistique entre entreprises, si elle prévoit l'échange d'informations précises sur les prix et sur les coûts parmi les concurrents, peut être également tenue pour une restriction à la concurrence interdite par la loi.

L'article 6, paragraphe 2 interdit en principe les accords horizontaux entre entreprises, s'ils visent à limiter la production et à partager les marchés ou les sources d'approvisionnement. Néanmoins, l'interdiction ne vise pas les restrictions nécessaires pour la conclusion d'accords contribuant à l'efficacité de la production ou de la distribution ou encourageant le progrès technique et économique et bénéficiant essentiellement à la clientèle ou aux consommateurs. Par exemple, les accords de spécialisation, les accords de coopération en matière de recherche, les clauses de non-concurrence, les entreprises communes et les organismes pour la vente et l'achat en commun peuvent rester en dehors du champ d'application de l'interdiction. Néanmoins les entreprises en cause doivent être en mesure d'apporter la preuve de l'existence des retombées positives de ces accords aux autorités compétentes en matière de concurrence. Les restrictions ne peuvent être excessives, en d'autres termes elles ne peuvent limiter la concurrence plus qu'il n'est absolument nécessaire pour atteindre les objectifs susvisés. Si les accords en cause prévoient une coopération au niveau des prix, ils sont interdits.

La restriction pure et simple de la production ou le partage des marchés ou des sources d'approvisionnement, dont l'effet est de limiter la concurrence et de ne bénéficier qu'aux entreprises concernées reste interdite. Les boycottages dits indirects, dans le cadre desquels les entreprises exerçant leurs activités au même niveau de production ou de distribution se concertent réciproquement afin de faire obstacle à ce qu'un concurrent extérieur ait accès au secteur ou d'empêcher les activités d'un concurrent déjà en place, sont de même interdites quand elles prennent la forme d'un partage des marchés ou des sources d'approvisionnement. Le boycottage peut prendre la forme du refus de vendre ou d'acheter.

ii) Interdiction de l'exploitation abusive d'une position dominante sur le marché

La nouvelle loi sur les restrictions à la concurrence interdit l'exploitation abusive d'une position dominante sur le marché par des entreprises ou groupements d'entreprises (article 7). Aux termes de l'article 3, paragraphe 2, une entreprise ou un groupement d'entreprises est censé détenir une position dominante sur le marché, s'il est titulaire de droits d'exclusivité ou d'une position dominante similaire sur le marché national de la marchandise ou dans une certaine région, de sorte qu'il maîtrise sensiblement le niveau des prix ou les conditions de livraison des marchandises ou influe dans un sens similaire sur les conditions de la concurrence à un certain niveau de la production ou de la distribution. Une entreprise ou une association d'entreprises passe pour détenir une position dominante sur le marché si elle détient un avantage en matière de concurrence, lequel lui permet d'agir sur le marché indépendamment de sa clientèle et de ses concurrents.

L'exploitation abusive d'une position dominante comprend la mise à l'écart artificielle des concurrents, la discrimination arbitraire dirigée contre des partenaires commerciaux ou l'exploitation indirecte et déloyale d'une position sur le marché, comportant l'établissement de conditions commerciales en matière d'établissement des prix ou de conditions déloyales, par exemple. L'exploitation abusive peut prendre la forme de mesures unilatérales ou d'un accord qui sert spécialement la stratégie commerciale de l'entreprise dominante, d'autres entreprises devant en pratique approuver les conditions imposée par cette entreprise dominante.

Les cas d'exploitation abusive énumérés à l'article 7 peuvent être tenus pour identiques à ceux qui étaient prévus par la loi précédente : 1) le refus de nouer des relations commerciales sans juste motif, 2) l'utilisation de conditions commerciales incompatibles avec des pratiques commerciales loyales et restreignant la liberté de la clientèle, 3) le recours à une pratique d'établissement des prix anormale ou visant à l'évidence à restreindre la concurrence ou 4) l'exploitation d'une position dominante sur le marché en vue d'une restriction à la concurrence dans la production et la commercialisation de diverses marchandises. Une nouvelle forme d'exploitation abusive mentionnée dans la loi est 5) le recours à des accords d'exclusivité en matière de distribution et d'achat sans raison spéciale. Lorsqu'ils sont utilisés par une entreprise en position dominante sur le marché, ces derniers accords peuvent ne pas être toujours préjudiciables et, c'est pourquoi la loi utilise le terme "sans raison spéciale". Cette raison peut tenir à la nature d'une marchandise, auquel cas les coûts d'établissement d'un réseau de distribution, par exemple, peuvent être élevés au point que l'arrivée de distributeurs concurrents sur le marché n'est pas justifiée.

c) *Dérogations*

A l'exception de l'interdiction frappant l'exploitation abusive d'une position dominante sur le marché, il est possible d'obtenir des dérogations particulières aux interdictions prévues à la loi si une restriction à la concurrence sert à améliorer l'efficacité de la production et de la distribution ou à stimuler le progrès technique ou économique et si la plus grande partie des avantages qui en résultent vont à la clientèle ou aux consommateurs. Les demandes de dérogation sont présentées à l'Office qui statue en première instance sur le point de savoir si la dérogation peut être accordée. Si l'Office de la libre concurrence refuse la dérogation, l'Office doit saisir le Conseil de la concurrence de l'affaire si le demandeur présente une demande à cet effet.

Les restrictions horizontales à la concurrence interdites par l'article 6 de la loi sur les restrictions à la concurrence devaient cesser d'exister pour le 1er mars 1993. Auparavant les entreprises avaient reçu un délai de six mois pour présenter une demande de dérogation.

d) Sanctions

Le Conseil de la concurrence peut, sur la recommandation de l'Office de la libre concurrence, imposer des sanctions à une entreprise ou une association d'entreprises, qui viole les interdictions prévues à la loi sur les restrictions à la concurrence. Le montant de l'amende varie de 5 000 à 4 millions de marks finlandais (MkF), mais, dans des cas particuliers, l'amende peut atteindre dix pour cent du chiffre d'affaires de l'exercice précédent de chaque entreprise ou association d'entreprises participant à la restriction à la concurrence.

L'amende susvisée doit être infligée, à moins que l'infraction ne soit tenue pour négligeable ou que la condamnation à une amende ne soit estimée inutile pour la protection de la concurrence. L'infraction est tenue pour mineure si elle est limitée en termes de région ou de durée ou si ses effets économiques sont négligeables. En outre, une sanction ne peut plus être imposée si l'Office de la libre concurrence n'a pas présenté de recommandation au sujet de l'affaire devant le Conseil de la concurrence dans les cinq ans écoulés depuis que la restriction à la concurrence a pris fin ou que l'Office a été informé de cette restriction.

Le Conseil de la concurrence peut également ordonner à une entreprise ou une association d'entreprises de mettre fin à toute opération enfreignant les interdictions. S'il est nécessaire de faire obstacle d'urgence à l'application ou à la mise en oeuvre d'une restriction à la concurrence, l'Office de la libre concurrence délivre une injonction provisoire à cette fin. Il doit notifier cette injonction provisoire au Conseil dans un délai d'une semaine.

Conformément à l'article 18 de la nouvelle loi, les clauses ou dispositions contractuelles qui sont incompatibles avec les interdictions sont nulles et non avenues.

e) Restrictions à la concurrence visées par le principe de l'exploitation abusive

Le principe de l'exploitation abusive appliqué par la loi précédente sur la concurrence s'applique désormais en pratique essentiellement aux restrictions verticales à la concurrence, à l'exception de l'interdiction des prix imposés. Les autorités compétentes en matière de concurrence peuvent exiger la résiliation d'un accord visé par ce principe s'il est tenu pour préjudiciable en l'espèce. La question se pose de savoir si les effets restrictifs sur la concurrence exercés par l'accord ont plus de poids que l'amélioration éventuelle de l'efficacité qui peut en résulter.

L'Office de la libre concurrence et, en dernier ressort, le Conseil de la concurrence ont désormais une autorité renforcée pour mettre fin aux restrictions à la concurrence visées par le principe de l'exploitation abusive. L'Office peut interdire provisoirement l'application et la mise en oeuvre des restrictions à la concurrence. Le Conseil peut, sur recommandation de l'Office, interdire l'application de restrictions à la concurrence ou obliger une entreprise à exécuter des livraisons sous menace d'une amende.

f) Notification des fusions

L'Office de la libre concurrence peut obliger une entreprise en position dominante sur le marché à lui notifier ses acquisitions. Une obligation similaire peut également être imposée aux entreprises qui exercent leurs activités sur des marchés sur lesquels la concurrence est entravée ou sensiblement restreinte ou faussée par les pouvoirs publics.

La loi sur les restrictions à la concurrence ne prévoit pas le contrôle effectif des fusions. Conformément à la loi, l'Office de la libre concurrence peut en tout état de cause prendre des mesures en matière de restrictions à la concurrence résultant d'une fusion en mettant fin à l'exploitation abusive d'une position dominante sur le marché ou en prenant des initiatives visant à abroger un règlement limitant la concurrence, par exemple.

g) Obligation des entreprises de fournir des informations

Les entreprises ne sont plus obligées de notifier les restrictions à la concurrence et les restrictions ne sont plus enregistrées. D'autre part, l'Office de la libre concurrence et les conseils provinciaux qui font fonction d'autorités régionales pour les questions de concurrence ont désormais des droits renforcés pour la collecte d'informations et la conduite d'enquêtes sur les entreprises.

Les fonctionnaires sont en droit d'enquêter afin de vérifier si la loi sur les restrictions à la concurrence et les règles et règlements arrêtés conformément à la loi sont respectés. Les entreprises ou associations d'entreprises doivent permettre aux fonctionnaires l'accès à leurs locaux commerciaux et entrepôts, leurs véhicules, etc. et, sur demande, présenter leur correspondance, leurs documents comptables, leurs archives, etc. aux fins d'inspection. Les fonctionnaires sont en droit de prendre des copies des pièces en cause.

h)   L'abrogation de la réglementation publique restreignant la concurrence

Aux termes de la loi de réforme de l'Office de la libre concurrence (711/88, amendement 482/92), l'Office est chargé de prendre des initiatives afin de stimuler la concurrence et d'abroger la réglementation restreignant la concurrence. Il était possible de tenir auparavant cette action pour une des missions de l'Office, mais c'est là désormais une obligation officielle. Les initiatives en cause peuvent également concerner les procédures administratives.

Projet de modifications de la législation sur la concurrence

Le 5 octobre 1992, le ministère du commerce et de l'industrie a constitué un groupe de travail chargé de définir les modalités de transformation du Conseil de la concurrence, qui est un organe juridictionnel pour les affaires de concurrence, en une juridiction indépendante. Le Parlement l'avait exigé lors de l'adoption de la nouvelle législation sur la concurrence. Le groupe de travail doit formuler ses propositions pour le 31 mars 1993.

II.   Application des lois et des politiques de la concurrence

Action dirigée contre les pratiques anticoncurrentielles

En 1992, l'Office de la libre concurrence a été saisi de 324 affaires concernant des restrictions à la concurrence. Il a arrêté 68 décisions ; la plupart des affaires ont été réglées par correspondance ou n'ont pas débouché sur des mesures. Il a réglé au total 332 affaires concernant des restrictions à la concurrence. Il a saisi de quatre affaires le Conseil de la concurrence, qui a arrêté une décision en 1992.

63 pour cent des affaires dont l'Office de la libre concurrence a été saisi en 1992 résultaient de demandes émanant d'entreprises et 13 pour cent d'initiatives

de l'Office lui-même. Les 24 pour cent d'affaires restantes concernaient des notifications, des demandes d'information et des demandes de dérogation. 23 pour cent des décisions arrêtées par l'Office concernaient des restrictions horizontales de la concurrence, 23 pour cent des restrictions verticales, 14 pour cent des cas d'exploitation abusive d'une position dominante, 16 pour cent des restrictions créées par les pouvoirs publics et 24 pour cent diverses restrictions à la concurrence (par exemple des clauses de non-concurrence).

L'Office de la libre concurrence a été réorganisé le 1er août 1992. Il est désormais divisé en cinq services distincts chargés respectivement des restrictions horizontales à la concurrence, des restrictions verticales à la concurrence, des positions dominantes sur le marché, des restrictions à la concurrence par les pouvoir publics et des services de soutien. Le personnel du directeur général est responsable des relations publiques et de la coordination des activités internationales.

Description d'affaires importantes

a) Restrictions horizontales à la concurrence

En 1992 la surveillance des restrictions horizontales à la concurrence était fondée sur l'ancienne législation et donc sur le principe de l'exploitation abusive. L'Office de la libre concurrence a enquêté sur la coopération entre entreprises restreignant la concurrence et pris des mesures en cas de restrictions préjudiciables en négociant avec les entreprises. Une affaire (recommandations en matière d'honoraires diffusées par l'Association médicale finlandaise) a été portée devant le Conseil de la concurrence avant la cessation de la pratique en cause.

L'interdiction des ententes visée par l'article 6 de la nouvelle loi sur les restrictions de la concurrence est appliquée depuis mars 1993.

i) Recommandations en matière d'honoraires arrêtées par l'Association médicale finlandaise

L'Association médicale finlandaise a communiqué à ses membres des recommandations en matière d'honoraires pour les services fournis par les généralistes et les spécialistes et recommandé des taux pour les services radiographiques et pour les honoraires des médecins. L'Office de la libre concurrence a jugé préjudiciable la restriction à la concurrence, résultant de ces recommandations. Comme il n'était pas en mesure de mettre fin à leurs effets préjudiciables par la négociation, il a proposé le 26 mars 1992 de saisir de cette affaire le Conseil de la concurrence.

Dans sa proposition, l'Office de la libre concurrence a déclaré que les recommandations émises par l'Association médicale finlandaise infléchissaient et harmonisaient la pratique des médecins en matière d'établissement des prix et réduisaient la concurrence au niveau des prix, dont auraient bénéficié la clientèle. Ces recommandations ne faisaient partie d'aucun accord répondant à un intérêt général de nature à renforcer l'efficacité dans ce domaine, mais, de l'avis de l'Office, la restriction à la concurrence obtenue par l'Association pouvait être tenue pour une restriction pure et simple à la concurrence dont l'objectif était de réduire la concurrence dans ce domaine et d'accroître les profits des médecins concernés.

L'Office de la libre concurrence a également estimé que la concurrence dans ce domaine ne pouvait être tenue pour une menace à la qualité, ce qui était l'avis de l'Association médicale finlandaise, mais que la concurrence en elle-même était la meilleure garantie du maintien et de l'amélioration de la qualité. L'Association a soutenu que les recommandations en matière d'établissement des prix bénéficiaient aux consommateurs en empêchant des honoraires excessifs et souligné que les taux recommandés devaient être tenus pour des plafonds. Selon une enquête conduite par l'Office, ces honoraires maximaux s'avéraient cependant en pratique être les honoraires minimums exigés. Les recommandations en matière d'honoraires émises par l'Association n'étaient pas non plus nécessaires pour que l'Institut d'assurance sociale, qui est responsable du remboursement au titre de l'assurance maladie, se prononce sur ce remboursement, puisqu'il reçoit de ses bureaux locaux des informations suffisantes sur les taux des honoraires médicaux.

En statuant le 24 août 1992, le Conseil de la concurrence a estimé que les recommandations en cause sur les honoraires avaient exercé une influence négative sur la formation des prix sous l'angle d'une concurrence saine et effective, telle qu'elle est visée à l'article 7 paragraphe 1 de la loi sur les restrictions à la concurrence. Pour ce motif, il a décidé d'engager des négociations avec l'Association médicale finlandaise afin de mettre fin aux effets préjudiciables des restrictions. L'Association a ultérieurement déclaré qu'elle ne diffuserait plus de recommandations en matière d'honoraires.

ii) Dérogations en faveur des campagnes d'offres spéciales

Le 14 décembre 1992, l'Office de la libre concurrence a accordé une dérogation demandée par la Fédération finlandaise du commerce et des échanges et par l'Association des détaillants finlandais afin d'autoriser la commercialisation aux chaînes de magasins sous la forme d'une campagne. Sa décision est destinée à servir de directive pour des activités du même ordre, ce qui évite la nécessité de demander des dérogations pour chaque campagne.

La Fédération et l'Association avaient demandé l'autorisation de coopérer au niveau des prix pour des campagnes d'offres spéciales organisées par des associations affiliées, des associations momentanées et des groupements ayant conclu des accords de franchisage. L'Office de la libre concurrence a accordé la dérogation pour une année aux conditions suivantes :

-- Les accords sur les prix pour les campagnes ne s'appliquent qu'aux biens ou services fournis en commun ;

-- Les accords sur les prix pour les campagnes sont conclus en vue de l'exécution d'une campagne d'offres spéciale, qui comprend une remise ou une réduction de prix pour le produit vendu ;

-- Les prix prévus pour les campagnes peuvent être convenus pour un mois maximum dans le cas des biens de consommation courante et pour deux mois au maximum pour des articles spéciaux ;

-- Les entreprises travaillant en coopération peuvent vendre les produits pour un prix inférieur au prix convenu et faire la publicité des produits faisant l'objet de la campagne de manière indépendante ;

-- Les entreprises appartiennent à la même chaîne et les acheteurs peuvent distinguer entre les entreprises appartenant à la chaîne et les entreprises concurrentes ;

-- La part de marché consolidée des entreprises s'étant entendues sur les prix de la campagne ne dépasse pas 20 pour cent sur ces marchés sur lesquels s'exerce la coopération au niveau des prix.

Il faut entendre par chaîne une association fondée sur un accord volontaire et regroupant des entreprises et une unité centrale exerçant conjointement leurs activités. Ses activités doivent comprendre au moins des achats en commun, une commercialisation commune, une gamme de produits similaires chez les firmes participant à la campagne et un symbole commercial commun.

La part de marché est fixée en termes de région et pour chaque produit. Le premier critère concerne la zone géographique dans laquelle les acheteurs achètent des produits homologues à un prix raisonnable. Le deuxième critère s'apprécie compte tenu des produits qui sont substituables du point de vue de l'acheteur en termes de prix, de qualité, de disponibilité et d'utilisation finale. En termes de temps, la part du marché s'apprécie compte tenu de la situation telle qu'elle se présentait avant le lancement de la campagne.

La dérogation ne s'applique pas à des accords sur les prix annoncés pour des services qui peuvent être tenus pour des prestations et n'ont pas été achetés en commun. Les coûts des prestations des entreprises individuelles varient et ne sont pas aussi uniformes que ceux des biens achetés en commun. La dérogation ne s'applique pas non plus à la coopération au niveau des prix plus largement que dans le cas des articles faisant l'objet de la campagne ou des produits par ailleurs particulièrement bon marché. La dérogation ne concerne que la coopération entre entreprises au même niveau de production ou de distribution et n'est donc pas applicable à des situations dans lesquelles un fournisseur ou une firme située à un niveau commercial plus élevé adresse des directives relatives à l'établissement des prix à ses distributeurs.

b) *Restrictions verticales à la concurrence*

A l'exception des prix imposés et des accords de distribution et d'achat en exclusivité liés à une position dominante sur le marché, le principe de l'exploitation abusive est appliqué aux restrictions verticales à la concurrence.

i) Refus de fournir des pièces de rechange

Pour le traitement des refus de vendre, l'Office de la libre concurrence a pour principe essentiel d'appliquer le principe de la liberté contractuelle, en vertu duquel les entreprises doivent être en mesure de choisir librement leur clientèle et leurs fournisseurs. Si les effets du refus de nouer des relations commerciales s'étendent également à d'autres partenaires sur le marché, les autorités compétentes en matière de concurrence ont cependant pour obligation de prendre des mesures. Afin de veiller à ce qu'une concurrence saine et effective s'exerce conformément à la loi sur les restrictions à la concurrence, l'Office doit prendre des mesures si le refus de nouer des relations commerciales élimine sur le marché un créneau de rechange au niveau de la demande ou de l'offre qui est au moins aussi favorable ou plus favorable que les autres créneaux. Par exemple, des importateurs et des fabricants d'équipement technique refusent fréquemment d'autoriser des entrepreneurs qualifiés de s'acquitter de tâches d'entretien et de fournir des pièces aux entreprises d'entretien qu'ils n'ont pas agréées. Il s'ensuit que, dans un domaine précis, il n'existe en général que peu ou pas de possibilités de choix en ce qui concerne les entreprises d'entretien et l'absence de concurrence tend à relever le prix des travaux d'entretien et de réparation.

Inter Marketing Oy avait refusé de fournir des pièces de rechange pour le matériel de manipulation de l'argent qu'elle représentait à Turun Konttoritekniikka Ky et n'avait pas autorisé cette firme à procéder à des travaux d'entretien au motif qu'elle vendait également un matériel concurrent. Selon Inter Marketing Oy, la participation d'un vendeur d'équipement concurrent dans le réseau de services d'entretien déboucherait sur la divulgation de secrets commerciaux au concurrent. En outre, les travaux d'entretien pouvaient servir à stimuler la vente d'équipements concurrents. Par contre, Turun Konttoritekniikka Ky estimait que le refus de vendre était préjudiciable, parce que la firme aurait pu sinon proposer à sa clientèle des services d'entretien pour les machines de bureau les plus courantes au cours de la même visite, ce qui aurait réduit les frais de la clientèle.

En statuant le 24 juin 1992, l'Office de la libre concurrence a estimé que le refus de vendre n'était pas condamnable, puisque Turun Konttoritekniikka Ky était un distributeur d'équipement concurrent. Si la firme n'avait exercé ses activités que sur le marché des services d'entretien, la solution aurait probablement été autre. Pour l'évaluation du préjudice dans cette hypothèse, une attention spéciale aurait été prêtée à des facteurs encourageant la concurrence entre les entreprises appartenant au réseau des services d'entretien et aux économies de coût éventuelles qu'une firme d'entretien disposant d'une large gamme de marques aurait été en mesure de proposer à sa clientèle.

ii) Limitation des importations parallèles

Les refus de vendre dont l'Office de la libre concurrence a eu connaissance sont très fréquemment liés aux efforts déployés par les importateurs afin de limiter les possibilités des importateurs parallèles. Les motifs invoqués à l'appui de l'opposition aux importations parallèles concernent la responsabilité des produits et l'assimilation des importateurs parallèles à des francs-tireurs concurrençant les firmes agréées. Compte tenu des affaires dont l'Office de la libre concurrence a eu à connaître, il est cependant évident que les difficultés de cette nature sont généralement soit artificielles soit liées à des facteurs d'incertitude propres à l'économie de marché. Souvent les affaires concernant des importations parallèles sont liées à la découverte par un importateur parallèle d'un marché sur lequel un distributeur protégé par des droits d'exclusivité a obtenu des bénéfices excessifs.

Une décision rendue par l'Office de la libre concurrence le 24 août 1992 concernait un magazine spécialisé dans les activités de plein air (Erä), qui avait refusé de publier des annonces pour un importateur parallèle d'armes à feu. Aux termes d'une déclaration publiée dans le magazine, le rédacteur en chef, en vertu de la liberté de la presse, avait le droit de se prononcer sur le contenu du magazine et donc de refuser de publier des annonces. Les rédacteurs du magazine ont également souligné que les réparations et l'entretien sous garantie d'armes à feu faisant l'objet d'importations parallèles étaient souvent mal exécutés. De l'avis de l'importateur parallèle, le refus du magazine était dû à une pression exercée sur lui par des importateurs agréés du secteur en cause. Les activités et la publicité de l'importateur parallèle n'étaient pas incompatibles avec la loi ou les usages normaux.

L'Office de la libre concurrence a déclaré que la publication d'annonces pouvait être assimilée a un produit visé par la loi sur la restriction à la concurrence, produit que le magazine était obligé de fournir, et que la liberté de la presse ne faisait pas obstacle à l'établissement de cette obligation. Il n'a pas estimé convaincants les arguments liés à la garantie et à l'entretien, puisque la fonction d'un support publicitaire n'est pas de déterminer si des services d'entretien sont adéquats, ce qui est l'affaire des acheteurs et des vendeurs des produits. Il a été d'avis que l'importateur parallèle n'avait pas à sa disposition d'autres supports publicitaires comparables au magazine en cause, de sorte que le refus de publier des annonces pesait sensiblement sur les possibilités commerciales de l'importateur parallèle. Après des négociations menées avec les parties en cause, le magazine a accepté de publier les annonces de l'importateur parallèle.

iii) Taux maximum pour les numéros de services téléphoniques

L'administration des postes et des télécommunications de Finlande et la compagnie du téléphone d'Helsinki étaient convenues que les producteurs des services téléphoniques ne seraient autorisés à utiliser un numéro de service que s'ils faisaient payer à la clientèle des taux ne dépassant pas les taux maximaux convenus par les compagnies de téléphone. Celles-ci ont demandé une dérogation à l'interdiction des prix imposés prévue à l'article 4 de la loi sur les restrictions à la concurrence en raison de la nécessité de protéger la clientèle contre les exploitations abusives concernant des redevances anormalement élevées. Les compagnies ont déclaré que des taux maximum seraient manifestement conformes à l'intérêt des consommateurs.

L'Office de la libre concurrence n'a pas accordé de dérogation mais, en statuant le 19 novembre 1992, il a déclaré que la fixation de taux maximaux faisait obstacle à la création et à l'amélioration qualitative des services et entraînait donc l'uniformisation des options possibles et une réduction du nombre des services. Il a ensuite relevé que le rapport qualité-prix des produits devait être déterminé sur le marché, les acheteurs faisant les choix qu'ils estimaient les meilleurs. De l'avis de l'Office, dans cette affaire la volonté d'éviter des exploitations abusives ne jouait aucun rôle, puisqu'il était possible de préserver la sécurité juridique des consommateurs par d'autres moyens. Il est probable que la fixation de taux maximaux aurait été jugée différemment si les pourvoyeurs de services avaient détenu une position monopolistique grâce à laquelle ils auraient pu obtenir des acheteurs des bénéfices excessifs et réduire la quantité totale des services fournis.

c) Exploitation abusive d'une position dominante

Les demandes de mesures concernant l'exploitation abusive d'une position dominante sur le marché, dont l'Office de la libre concurrence a été saisi en 1992, concernaient fréquemment des entreprises publiques et le secteur de l'énergie. Afin de supprimer les restrictions à la concurrence créées par ces entreprises, l'Office s'est efforcé en particulier d'encourager la transparence dans l'établissement des prix, de réduire la discrimination par les prix et de veiller à ce que le niveau des prix reste raisonnable. Il a également été saisi d'un nombre considérable de demandes de mesures concernant l'industrie de base et de transformation fournissant des produits destinés à l'industrie manufacturière. Dans ces secteurs, il a pour mission de veiller à ce que les fournisseurs internationaux puissent accéder aux marchés, en levant les obstacles aux importations et en faisant en sorte que les distributeurs ne soient pas liés à un seul fournisseur en position dominante.

i) Livraisons de gaz naturel

L'Office de la libre concurrence a arrêté le 10 novembre 1992 une décision concernant l'exploitation abusive par Neste Oy de sa position dominante sur le marché en ce qui concerne les livraisons de gaz naturel. Neste détient un monopole sur l'importation et le commerce de gros de gaz naturel en Finlande. L'Office a constaté que les restrictions et les interdictions à la distribution imposées par Neste à sa clientèle constituaient une exploitation abusive d'une position dominante sur le marché, dans la même mesure que les droits de distribution en exclusivité conférés par Neste à des firmes régionales du secteur de l'énergie. Ces dispositions faisaient obstacle à la concurrence dans le secteur de l'approvisionnement en gaz naturel et permettaient à Neste de traiter ses clients en manquant à l'équité.

L'Office de la libre concurrence a constaté qu'il était à prévoir que Neste établirait ses prix de manière équitable et raisonnable. Les conditions de livraison ne devaient établir entre les clients aucune distinction non fondée sur les coûts, pas plus qu'elles ne devaient permettre à Neste de recueillir des bénéfices excessifs sur les livraisons de gaz naturel. L'Office de la libre concurrence a déclaré que le moyen le plus efficace de parvenir à obtenir des conditions de livraisons loyales pour le gaz naturel était la transparence du marché, ce qui est possible si les règles d'établissement des prix et les prix eux même sont publiés.

Au cours des négociations menées au titre de l'ancienne loi sur les restrictions à la concurrence, Neste a accepté de renoncer aux conditions de livraison discriminatoires et de modifier son système d'établissement des prix du gaz naturel conformément aux principes énoncés par l'Office de la libre concurrence. Une période de transition était autorisée et les accords de livraison devraient être conformes au nouveau système d'établissement public des prix au début de 1995.

ii) Administration du port d'Helsinki

Le 16 décembre 1992, l'Office de la libre concurrence a décidé provisoirement d'interdire une augmentation de la redevance sur le transport de passagers prélevée par l'administration du port d'Helsinki. La ville d'Helsinki avait décidé d'augmenter cette redevance en la faisant passer de 5 à 20 marks (finlandais). L'Office a estimé que l'administration portuaire détenait une position dominante sur le marché en sa qualité de pourvoyeur de services portuaires et que la hausse de la redevance était déraisonnable et constituait une menace sensible aux activités des lignes de transport de passagers. Il a saisi de cette affaire le Conseil de la concurrence conformément à la loi. Il a également recommandé la condamnation à une amende si la ville d'Helsinki ne renonçait pas à relever la redevance portuaire dans une mesure déraisonnable.

Le Conseil de la concurrence a statué dans cette affaire le 8 mars 1993. Il a décidé (par 4 voix contre 3) que la hausse de la redevance sur le transports de passagers n'était pas déraisonnable et que la ville d'Helsinki n'avait donc pas exploité abusivement sa position dominante sur le marché en sa qualité de pourvoyeur de services portuaires. Il a rejeté la proposition de l'Office d'interdire une hausse de cette redevance et d'infliger une amende et a annulé l'injonction provisoire arrêtée par l'Office. Celui-ci a formé un recours contre la décision du Conseil devant la Cour administrative suprême.

iii) Distribution de gaz et ventes de cuisinières à gaz à Helsinki

Une décision arrêtée par l'Office de la libre concurrence le 21 mai 1992 concernait Helsinkikaasu Oy, un membre du groupe Neste qui détenait un monopole sur la distribution et la vente de gaz de ville à Helsinki. Helsinkikaasu Oy est propriétaire du réseau de gazoducs et est le seul fournisseur de gaz urbain dans la région. Selon l'Office, la firme détenait également une position dominante sur le marché de la vente de cuisinières à gaz pouvant être reliées au réseau du gaz urbain. L'exploitation abusive présumée d'une position dominante concernait en particulier l'établissement de prix déraisonnables des cuisinières à gaz, mais les enquêtes menées par l'Office n'en ont pas apporté la preuve. Néanmoins la pratique par la firme des remises étaient partiellement indépendante des coûts, ce qui entraînait une inégalité entre les clients. Helsinkikaasu a déclaré qu'elle modifierait sa pratique des remises afin de l'aligner sur les coûts. Elle a également déclaré qu'elle ne combinerait plus les produits et les services mais y renoncerait en faveur de l'offre de cuisinières avec une ventilation des prix de la cuisinière, de l'installation et des fournitures accessoires de l'installation.

L'Office de la libre concurrence n'a pas estimé que Helsinkikaasu avait favorisé la vente et la commercialisation de cuisinières à gaz au moyen des fonds dégagés de la vente de gaz. En sa qualité de fournisseur de gaz, la firme est cependant mieux informée de l'existence d'acheteurs potentiels de cuisinières à gaz que les fournisseurs concurrents. Sur la demande de l'Office, Helsinkikaasu a déclaré qu'elle donnerait à ses concurrents exerçant leurs activités sur le marché des cuisinières à gaz, des informations sur les progrès de l'exploitation du réseau de gaz naturel dans différentes régions.

iv) Digital Equipment Corporation (DEC)

L'Office de la libre concurrence a constaté que Digital Equipment Corporation détenait une position dominante sur le marché en ce qui concerne le système d'exploitation des systèmes à mémoire virtuelle (VMS) et le logiciel du réseau DEC, fondée sur des droits de propriété intellectuelle et des considérations techniques. Selon l'Office, Digital exploitait abusivement sa position dominante en combinant le droit de mettre à hauteur ce logiciel et l'entretien du matériel et du logiciel dans un même ensemble de services et en établissant le prix des éléments de cet ensemble de manière à empêcher la clientèle d'utiliser les services concurrents d'entretien du matériel et du logiciel. Digital avait pour objectif de dominer le marché de l'entretien des ordinateurs vendus par la firme après l'expiration des périodes de garantie et de maintenir un niveau des prix élevé.

L'Office de la libre concurrence a saisi de cette affaire le Conseil de la concurrence le 21 décembre 1992 et proposé que le Conseil mette fin à l'exploitation abusive et contraigne Digital à commercialiser les droits de mise à hauteur sous la forme de produits distincts sans les lier à l'entretien du matériel et du logiciel et à établir les prix de ces droits équitablement pour tous les clients. La pratique de restriction de la concurrence de Digital étant, de l'avis de l'Office, consciente et délibérée et l'exploitation abusive s'étant poursuivie pendant une longue période, l'Office a également proposé de sanctionner Digital.

III. Le rôle des autorités chargées de la concurrence dans la formulation d'autres politiques : déréglementation

En 1992, les activités de l'office en matière de déréglementation ont été axées sur des domaines qui font l'objet de la réglementation structurelle la plus poussée (obstacles à l'entrée et fermeture des marchés). Les domaines comprennent l'économie alimentaire, le secteur de l'énergie, la construction, l'aménagement du territoire et les services de transport. Au cours de la dernière partie de l'année, la priorité a également été accordée à la limitation des distorsions de la concurrence entraînée par les subventions publiques, en particulier dans le secteur bancaire.

Initiatives

Au cours de la période de 1988 à 1992, l'Office de la libre concurrence a pris au total 89 initiatives en matière de déréglementation et de renforcement de la concurrence. La plupart de ces initiatives visaient le ministère du Commerce et de l'Industrie, le ministère des Finances, le ministère des Transports et des Communications et le ministère de l'Agriculture et de l'Industrie. Le plus grand nombre d'initiatives a été arrêté en ce qui concerne les licences d'exploitation, les licences d'importation, les normes techniques et les règles de la concurrence pour les marchés publics. En 1992, l'Office a pris 15 mesures visant à éliminer les restrictions publiques à la concurrence. Les plus importantes d'entre elles sont examinées ci-après.

a) *Mise au point du sytème de garantie commerciale*

En Finlande, le commerce des biens de consommation courante est tout à fait centralisé par comparaison avec les autres pays industrialisés. Les commerçants n'appartenant pas aux quatre catégories qui dominent le secteur ont du mal à lancer une entreprise. Dans une mesure qu'il a arrêtée le 23 octobre 1992, l'Office de la libre concurrence a émis l'idée qu'un système de garantie efficace aurait pour effet d'abaisser sensiblement le seuil à l'entrée et renforcerait directement la concurrence potentielle sur le marché des biens de consommation courante. L'ouverture de réseaux de distribution de rechange renforcerait à son tour les activités des petites et moyennes entreprises du secteur de l'alimentation. Selon l'Office, l'aide aux investissements de commerçants indépendants dans des installations commerciales au moyen d'un système de garantie serait la seule manière de renforcer la concurrence en Finlande dans le domaine des biens de consommation courante. Selon les estimations, l'amélioration du bien-être du consommateur dépasserait très largement le montant investi dans le système de garantie.

b) Renforcement de la concurrence sur les marchés de l'électricité et du gaz naturel

Dans le cadre d'une initiative arrêtée le 18 juin 1992, l'Office de la libre concurrence a recommandé que Imatran Voimansiirto Oy, une filiale gérant le réseau de distribution pour Imatran Voima Oy, qui détient une position dominante sur le marché de l'électricité, soit transformée en une firme distincte ne dépendant pas d'un seul fournisseur, de la même manière qu'en Suède, en Norvège et en Grande-Bretagne. L'initiative en la matière vise à garantir l'efficacité sur le marché de gros de distribution de l'électricité. La création d'un réseau distinct de l'électricité améliorerait également l'efficacité du marché.

Selon la même initiative, il serait également possible de renforcer la concurrence sur le marché du gaz naturel en soustrayant les activités relatives au gaz naturel à Neste Oy. Si les opérations de vente et de transfert du gaz naturel étaient traitées par une unité distincte, la transparence du marché et, probablement, l'efficacité des opérations dans le domaine du gaz naturel en seraient renforcées. D'autres mesures de promotion de la concurrence consisteraient, selon l'Office de la libre concurrence, à mettre fin au droit exclusif effectif de Neste sur l'importation et le commerce de gros du gaz naturel et à autoriser l'exploitation commune des gazoducs pour le transport de gaz naturel.

c) Efficacité de la concurrence sur le marché du sucre

A la suite d'accords conclus dans le secteur du sucre, un monopole a été créé sur le marché finlandais du sucre en 1990. En 1991, un groupe de travail coopérant avec l'Office de la libre concurrence a élaboré des propositions de restauration de la concurrence dans ce secteur. Il a proposé d'autoriser l'importation de sucre blanc dans le cadre d'un système de licence et élaboré une proposition visant à déterminer une redevance à l'importation, compte tenu de la nécessité pour l'industrie de traitement de bénéficier d'une protection industrielle. Une chute des coûts industriels de la matière première résultant des subventions publiques n'ayant pas été répercutée sur les prix de vente, l'Office a recommandé à nouveau en février 1992 de modifier la taxe sur les importations de manière à permettre la concurrence des importations. Dès le début de 1992, la taxe sur les importations a été abaissée, ce qui rend possible les importations de sucre blanc. La taxe sur les importations a été réduite à nouveau en octobre 1992.

d) Versement de subventions publiques

Conformément à une décision arrêtée par le Conseil d'État en 1965, les subventions publiques doivent être versées par le service des virements postaux. En pratique, il en est résulté que les bénéficiaires de subventions publiques, essentiellement les municipalités, sont liés à une banque unique, Postipankki, qui, conformément à la législation, se charge des virements nationaux et internationaux de l'État. Dans une décision arrêtée le 9 septembre 1992, l'Office de la libre concurrence a demandé la refonte de réglementations relatives au paiement des subventions publiques, de manière à permettre aux municipalités de choisir leur propre système d'acheminement des subventions. De l'avis de l'Office, cette modification est justifiée par le fait que la législation entrant en vigueur au début de 1993, met fin à la nécessité antérieure de vérifier l'utilisation des subventions publiques.

Communications

Au cours de la période de 1988 à 1992, l'Office de la libre concurrence a diffusé au total 202 communications à diverses autorités afin de faire obstacle à ce que des dispositions restreignant la concurrence soient insérées dans les règlements. La majorité de ces communications a été émise sur la demande du Ministère du commerce et de l'industrie et du Ministère des transports et des communications. Les communications ont, dans la majorité des cas, traité des licences d'exploitation, des licences d'importation, des normes, des règles d'établissement des prix et de l'aide publique. En 1992, l'Office a émis 53 communications touchant la réglementation publique. Les plus importantes de celles-ci sont examinées ci-après.

a) Subventions aux banques

L'Office de la libre concurrence a relevé dans une communication qu'il a adressée le 30 novembre 1992 au Fonds de garantie public chargé de gérer les subventions bancaires, que l'aide de la Finlande au système bancaire dans une situation dans laquelle la solidité des banques est gravement menacée, semble justifiée. Du point de vue de l'efficacité de la concurrence, les subventions aux banques posent néanmoins des difficultés, puisque l'aide publique fausse toujours la concurrence. Pour ce motif, il faut réduire au maximum la distorsion de la concurrence résultant de l'aide. Cette aide doit être refusée aux banques ou à la clientèle bancaire qui ne réunissent pas les conditions préalables de survie. L'aide doit constituer une mesure de crise exceptionnelle et être transparente. En outre, de l'avis de l'Office, la meilleure solution pour l'élimination de la surcapacité bancaire ne réside pas dans les fusions, car le système financier finlandais est déjà fortement concentré.

b) Classement des taxes sur les combustibles d'après des critères écologiques

Dans une communication notifiée au Ministère de l'environnement le 14 août 1992, l'Office de la libre concurrence a examiné le classement des taxes sur les combustibles pour des raisons écologiques selon trois critères: les exigences qualitatives des taxes modulées ont-elles été objectivement déterminées? leur classement est-il fondé sur le coût? et sera-t-il fait obstacle en conséquence aux importations de produits pétroliers concurrents. Il n'a pas trouvé l'existence d'obstacles à la mise en oeuvre de la réforme fiscale dans le cas de l'essence compatible avec l'environnement, puisqu'il est possible de se procurer des produits concurrents importés à côté de la production nationale. D'autre part, il a estimé que la possibilité de se procurer du diesel à faible teneur en azote auprès d'autres sources d'approvisonnement était problématique. Le Parlement a décidé de prévoir une période de transition d'un semestre pour les taxes sur le diesel modulées d'après des critères écologiques.

c) Aide publique aux transports publics

Une étude du Ministère des transports et des communications intitulée "Création de systèmes d'octroi de licences et de financement public pour les transports publics" consacre l'objectif essentiel de la libre concurrence mais laisse toujours la place à une intervention de l'administration publique. Dans une communication qu'il a présentée au sujet de cette étude le 25 novembre 1992, l'Office de la libre concurrence a estimé que cette manière d'aborder le problème était justifiée, puisque le modèle utilisé comprend une pratique de l'octroi de licences fondée sur l'appréciation de l'adaptation et de la mise en service et hors service dans des conditions de souplesse des lignes et des services dans le cadre d'une procédure de notification; les pouvoirs publics fourniraient des services de transport supplémentaires dans le cadre d'achats et d'organisation d'appels d'offres à la concurrence. En outre, l'Office estime que les effets de l'aide publique doivent être neutres tant dans le cadre des modes de transport concurrents qu'entre ces modes de transport.

d)   Principes généraux régissant les redevances des télécommunications

Dans une communication au Ministère des transports et des communications en date du 14 août 1992, l'Office de la libre concurrence a constaté qu'une nouvelle décision du Ministère en ce qui concerne les redevances aurait pour objet de remédier partiellement aux lacunes en matière de concurrence et de clarifier la procédure autorisée dans ce domaine. La suppression de la possibilité des subventions croisées entre les opérations réglementées et concurrentielles et l'établissement des prix en fonction des coûts sont des éléments particulièrement positifs du point de vue de la concurrence. De l'avis de l'Office, les redevances de télécommunications perçues auprès de la clientèle et les redevances réciproques des services de télécommunications entre eux doivent être équitables et établies en fonction des coûts supportés.

IV. Nouvelles études ayant trait à la politique de la concurrence

En 1992, l'Office de la libre concurrence a publié les études suivantes :

JUUSELA, Johanna, *Traktori- ja leikkuupuimurimarkkinoiden kilpailuolosuhteet* (Conditions de concurrence sur les marchés des tracteurs et des moissonneuses-batteuses), 1/92.

WILANDER-PRAJOGO, Paula, *Suomen kasvismarkkinoiden rakenne ja jakelutiet* (La structure et les réseaux de distribution des marchés finlandais des légumes), 2/92.

HYVÖNEN, Saara, *Strategiat, neuvotteluvoima ja toiminnan tuloksellisuus: elintarviketeollisuustutkimus* (Stratégies, capacité de négociation et efficacité des activités : une étude de l'industrie alimentaire), 3/92.

LINNOSMAA, Ismo, *Suomalaisten talletuspankkien kilpailuolosuhteet 1980-luvulla* (Conditions de concurrence des banques de dépôt finlandaises au cours des années 1980), 4/92.

MANNOLA, Mikko, *Kilpailutilanne ja hinnoitteluperiaatteet silmälasimarkkinoilla* (L'état de la concurrence et les règles d'établissement des prix sur le marché des verres de lunettes), 5/92.

TOIVANEN, Otto, *Säntely, kilpailutekijät, ja kilpailu Suomen vakuutusmarkkinoilla* (Réglementation, facteurs de concurrence et concurrence sur le marché finlandais de l'assurance), 6/92.

LAVASTE, Kari, *Sairaankuljetusalan kilpailutilanne* (L'état de la concurrence dans le secteur des ambulances), 7/92.

LAVASTE, Kari, *Taksipalvelujen kilpailuttaminen kunnissa* (L'aménagement de la concurrence entre les services de taxi dans les municipalités), 8/92.

ISOKORPI, Nina, *Omatoimisen rakentamisen julkinen sääntely ja kilpailun esteet* (Réglementation publique du secteur indépendant du bâtiment et obstacles à la concurrence), 9/92.

SIHVONEN-PUNKKA, Asta, *Inverkan av storkraftnätets organisation och överföringsvillkor på möjligheterna till konkurrens på elmarknaden* (L'influence de l'organisation du réseau énergétique et des conditions de transport sur les possibilités de la concurrence sur le marché de l'électricité), 10/92.

LINDBERG, Rainer, *Ulkomaisten pankkien kilpailusta ja alalletulon esteistä Suomessa* (Sur la concurrence entre les banques étrangères et les obstacles à l'entrée en Finlande), 11/92.

FRANCE

(1992)

I. Modifications des lois et de la politique de la concurrence

L'année 1992 a été marquée par une importante activité législative, dans la perspective de l'ouverture du marché unique européen.

Des lois ont été adoptées pour transposer des directives communautaires, notamment dans les secteurs de l'eau, de l'énergie, des transports, des télécommunications, et dans le domaine des achats publics.

Plusieurs lois d'ouverture des marchés à la concurrence ont enfin été votées, notamment dans les secteurs des transports fluviaux et des pompes funèbres, et une importante loi de moralisation du marché de la publicité a été adoptée.

Enfin l'Ordonnance du 1er décembre 1986 a été modifiée pour permettre aux autorités nationales de concurrence, dans le cadre du principe de subsidiarité posé par le traité de Maastricht, d'appliquer directement le droit communautaire, pour le contrôle des ententes et des abus de position dominante.

La transposition des directives communautaires en droit national

La loi du 11 décembre 1992 relative aux procédures de passation de certains contrats dans les secteurs de l'eau, de l'énergie, des transports et des télécommunications soumet, en application d'une directive européenne, la passation des contrats de fournitures et de travaux supérieurs à un certain seuil, à des mesures de publicité et de mise en concurrence.

De même la loi du 4 janvier 1992, transposant la directive du 21 décembre 1989, et le décret du 7 septembre 1992 donnent aux entreprises lésées les moyens d'agir efficacement contre les décisions d'acheteurs publics qui seraient contraires au droit communautaire des marchés publics ou aux règles nationales transposant ce droit.

Par ailleurs, l'entrée en vigueur du marché unique a nécessité un aménagement du régime pétrolier français ; l'importation de produits pétroliers n'est plus soumise à autorisation préalable des pouvoirs publics depuis la loi n° 92-1443 du 31 décembre 1992 qui a également aménagé les règles relatives à l'obligation de participer à la constitution d'un stock de sécurité.

Autres mesures législatives

En 1992, de nouvelles législations ont été introduites pour modifier certaines règles d'organisation des activités.

Un texte a permis d'ouvrir à la concurrence le secteur réglementé du transport fluvial, en prévoyant une ouverture du secteur dans un délai de six ans avec un dispositif d'assouplissement transitoire. L'exploitation commerciale des voies navigables est organisée avec un partage du marché sur le principe des tours de rôles et des prix réglementés. Le texte permet une ouverture raisonnable à la concurrence susceptible de redynamiser un secteur en relatif déclin.

De même, une loi est intervenue visant à supprimer dans un délai maximum de six ans le monopole du service des pompes funèbres octroyé aux communes par une loi de 1904. La loi du 8 janvier 1993 redéfinit le champ du service public funéraire mais prévoit expressément qu'à terme les communes ou leurs délégataires ne bénéficieront d'aucun droit d'exclusivité pour l'exercice de cette mission.

Ensuite, la loi du 29 janvier 1993 relative à la prévention de la corruption et à la transparence de la vie économique et des procédures publiques a étendu aux organismes investis d'une mission de service public comme les SEM, l'obligation de se référer au code des marchés publics pour leurs marchés d'études et de maîtrise d'oeuvre, et notamment de respecter des obligations de publicité et de mise en concurrence.

Dans le domaine des délégations de services publics, cette loi a apporté des aménagements importants en vue de rééquilibrer les relations contractuelles entre entreprises concessionnaires et collectivités.

Enfin, si un décret de simplification du Code des marchés du 15 décembre 1992 a prévu un relèvement substantiel du seuil des marchés négociés y compris pour les marchés de l'État, les modalités de contrôle ont été par ailleurs renforcées.

Ainsi la loi du 29 janvier 1993, étend le champ de compétence de la Mission Interministérielle d'enquêtes sur les marchés, créée par la loi du 31 janvier 1991, aux conventions de délégation de services publics.

La loi du 29 janvier modifie également les règles de l'urbanisme commercial. Le nouveau texte vise à améliorer la transparence des procédures dans les décisions d'autorisation d'implantation des grandes surfaces, notamment en modifiant la composition des commissions départementales et en donnant à la nouvelle Commission nationale d'équipement commercial le pouvoir de décider, sur recours, pouvoir qui appartenait auparavant au ministre du Commerce. Par ailleurs, les projets de création d'établissements d'une surface supérieure à 1200 m2 devront obligatoirement préciser l'enseigne du futur exploitant. Enfin, la nécessité d'instaurer une concurrence suffisante pour chaque forme de commerce devient un des motifs fondant la décision d'autorisation.

Cette dernière loi, dans son chapitre concernant le secteur de la publicité a pour objectif de mettre un terme à une situation d'opacité tarifaire, génératrice de disfonctionnement d'autant plus graves que la publicité est aujourd'hui un moyen important d'accès au marché, et de favoriser le désintéressement des intermédiaires quant aux choix des supports.

Application décentralisée des règles de concurrence du traité CEE

Un nouvel article 56 bis, introduit dans l'Ordonnance de 1986 par la loi du 31 décembre 1992 donne directement compétence à la Direction générale de la concurrence, de la consommation et de la répression des fraudes (DGCCRF) et au Conseil de la Concurrence pour appliquer les articles 85 et 86 du traité. Les pouvoirs, leur répartition entre les deux autorités et les règles de procédure et de fond applicables, sont calqués sur ceux prévus en droit national. D'ores et déjà plusieurs affaires ont été examinées au regard des articles 85 et 86 du traité.

II.   Application des lois et des politiques de la concurrence

Actions contre les pratiques anticoncurrentielles

Activité du Conseil de la concurrence

L'année 1992 est la sixième année de fonctionnement du Conseil de la concurrence depuis sa création par l'Ordonnance du 1er décembre 1986 relative à la liberté des prix et de la concurrence. Son activité est comparable à celle de l'année précédente, montrant une stabilité dans le nombre des saisines, en particulier de nature contentieuse ainsi que des décisions prises.

a) Bilan général de l'activité du Conseil

Le Conseil a été saisi à 122 reprises pendant l'exercice 1992, à comparer avec les 129 saisines de 1991: soit 103 saisines contentieuses (101 en 1991 et 83 en 1990), 11 demandes de mesures conservatoires (16 en 1991) et 12 demandes d'avis (comme en 1991).

L'Ordonnance du 1er décembre 1986 qui institue le Conseil de la concurrence, prévoit qu'il peut être saisi en matière contentieuse soit par le ministre chargé de l'économie, soit directement par les entreprises, les organisations professionnelles, les chambres de commerce, les chambres de métiers, les associations de consommateurs, les collectivités territoriales, soit d'office, par lui-même.

Le tableau ci-après, qui récapitule les 103 saisines contentieuses montre, comme l'année précédente, un équilibre entre les saisines ministérielles et les saisines directes (émanant essentiellement des entreprises, mais aussi, cette année, d'organisations professionnelles).

Tableau 1

	1992	1991
Ministre chargé de l'économie	51	49
Saisine directes	52	50
dont :		
Entreprises	46	48
Organisations professionnelles	5	
Chambre de commerce	0	0
Chambre de métiers	0	0
Associations de consommateurs	1	1
Collectivités territoriales	0	1
Saisines d'office	0	2

Sur les 11 demandes de mesures conservatoires, dix émanaient d'entreprises et une d'une organisation professionnelle.

Enfin, 12 demandes d'avis ont été adressées au Conseil, dont deux sur des questions générales de concurrence, deux par des juridictions, une sur un projet réglementaire ayant des incidences sur les conditions de concurrence et sept en matière de contrôle d'opérations de concentration. Aucun projet de décret réglementant les prix et nécessitant l'avis préalable du Conseil n'a été soumis à son appréciation. Il est donc surtout notable que sept demandes d'avis sur des projets de concentration ont été soumises au Conseil, alors qu'une seule l'avait été en 1991.

Pendant cette période, le Conseil a pris 69 décisions (contre 66 en 1991), parmi lesquelles 38 concernaient des affaires ayant fait l'objet de griefs notifiés ; pour les autres décisions, le Conseil a prononcé soit des "non lieu" à poursuivre la procédure, soit des "irrecevabilités" (lorsqu'il estime que les faits n'entrent pas dans la compétence du Conseil ou ne sont pas étayés par des éléments probants), soit des "classements" (en cas de désistement), soit des sursis à statuer.

Par ailleurs, le Conseil a pris 11 décisions statuant sur des demandes de mesures conservatoires, dont huit pour lesquelles les demandes ont été rejetées et deux donnant partiellement gain de cause à la société requérante, une autre classant la demande.

Dans 21 affaires, le Conseil a prononcé des sanctions pécuniaires d'un montant total de 87 542 500 FF, à l'encontre de 213 entreprises ou groupements d'entreprises et 17 organisations professionnelles qui avaient pris une part active à la mise en oeuvre des pratiques anticoncurrentielles. Les sanctions fixées par le Conseil sont proportionnées à la gravité des manquements constatés, à leur incidence sur le marché et au rôle des opérateurs poursuivis.

Ces sanctions ne sont pas exclusives d'autres actions: des mesures correctives consistant en des injonctions adressées aux entreprises pour qu'elles modifient leurs comportements, ou des actions pédagogiques, notamment par l'ordre de publication des décisions du Conseil dans la presse.

Les décisions du Conseil peuvent faire l'objet d'un recours devant la Cour d'Appel de Paris. Pendant l'année de référence, des recours ont été formés contre 31 décisions, dont 21 dans lesquelles des griefs ont été retenus; la Cour a confirmé dans la plupart des cas la décision du Conseil.

Il est précisé que depuis la création du Conseil, sur 404 décisions contentieuses, 143 ont donné lieu à recours; sur les 130 arrêts qu'elle a rendus, la Cour a confirmé en totalité 80 décisions et elle a confirmé au fond des décisions tout en réformant les sanctions ou les injonctions à 21 reprises; en fin de compte, elle n'a annulé ou réformé sur le fond que 25 décisions.

Le Conseil a par ailleurs émis 11 avis (dix en 1991) :

-- cinq sur des questions générales de concurrence,

-- deux sur demande d'une juridiction,

-- un sur un projet d'arrêté ministériel (en matière d'aliments lactés et de régime pour enfants, destinés à la vente exclusive en pharmacie),

-- trois sur des opérations de concentration (secteur du cidre, secteur des stylos, et à l'occasion d'un projet de prise de participation de Havas dans le capital de R.M.C. Radio).

b) Les décisions du Conseil

Les 69 décisions de l'année 1992 du Conseil ont eu trait pour 15 d'entre elles à des pratiques relatives aux secteurs de la distribution, 33 à celui des services, 12 à celui de la production et 9 à des pratiques alléguées ou constatées en matière de marchés publics.

Ces décisions ont encore permis au Conseil de préciser le champ de sa compétence tant pour l'application du droit national que communautaire. Il a eu aussi l'occasion d'approfondir son analyse s'agissant des ententes et des abus de domination.

i) Le champ de compétence

Le Conseil ne peut être appelé à intervenir que pour redresser, en sa qualité d'autorité indépendante, le mécanisme économique d'un marché déterminé, lorsque le jeu de ce mécanisme est faussé.

Son action se limite donc aux pratiques visées par les articles 7 et 8 de l'Ordonnance du 1er décembre 1986 qui sanctionnent les ententes et les abus de domination portant atteinte au fonctionnement normal du marché. Il a été amené à déterminer sa compétence dans des situations diverses : de façon soit négative *i)* soit positive *ii)*, par rapport à des clauses de contrats *iii)*, et à des pratiques d'entreprises entre elles *iv)* qui sont soumises à son examen, ou encore, compte tenu de textes en vigueur *v)* ou de pouvoirs d'organismes publics *vi)*. Quelques exemples ci-après illustrent ces différentes situations :

-- Le Conseil a rejeté la saisine d'une entreprise de réparation de conteneurs (décision n° 92-D-17) qui s'était vu refuser une surface suffisante d'installation dans un port, par un (Groupement d'intérêt économique (GIE) autorisé à occuper le domaine public par le Port autonome de Paris, établissement public de l'État ; une distinction a été faite entre l'exploitation des installations (entrant dans le champ de l'Ordonnance) et la désignation des prestataires de services (relevant de la liberté de choix du GIE dès lors que le marché n'en était pas affecté). Dans une affaire analogue, le Conseil, dont la décision a été confirmée par la Cour d'Appel, avait rejeté la demande de l'exploitante d'un commerce dans l'enceinte d'une gare SNCF, dont le contrat d'occupation du domaine public n'avait pas été renouvelé.

-- Le Conseil a affirmé que le refus d'insertion par un organisme de presse (décision Pluri Publi n° 92-D-43), malgré le principe de la liberté de la presse, pouvait relever des dispositions interdisant les ententes et les abus de positions dominantes.

-- Le Conseil a estimé qu'il n'était pas compétent pour sanctionner une clause de non concurrence imposée à un agent commercial ou stipulée dans un acte de cession d'une clientèle, lorsqu'elle ne résultait pas d'une entente et qu'elle ne traduisait pas un abus de situation de domination. Mais il en serait autrement si une telle clause était détournée de son objet et portait atteinte au jeu de la concurrence (décisions n° 92-D-04 et n° 92-D-20).

-- Des pratiques de primes et de cadeaux (accordés par des entreprises de déménagement à des clients), échappent à la compétence du Conseil si elles ne sont pas la manifestation d'une entente ou d'un abus de position dominante (décision n° 92-D-36).

-- Le Conseil a repoussé une saisine d'un pharmacien qui soulevait la question de l'interdiction pour les pharmaciens de solliciter des commandes auprès du public et celle du libre choix du pharmacien par les malades, au motif qu'il n'était pas compétent pour connaître de l'application des dispositions du code de la santé qui réglementent la profession (décision n° 92-D-27).

-- Le Conseil a décliné sa compétence pour examiner la demande de communes qui contestaient le renouvellement par le Conseil supérieur de l'audiovisuel, de l'autorisation d'émission dans la région Provence - Côte d'Azur au profit du groupe Hachette ; ces décisions du CSA, autorité indépendante, sont en effet des décisions administratives (décision n° 92-D-54).

ii) L'application du droit communautaire par le Conseil de la concurrence

Les autorités nationales ont vocation à appliquer les articles 85(1) et 86 tant que la Commission n'a elle-même engagé aucune procédure à ce titre.

De nouvelles perspectives sont ouvertes au Conseil, en raison d'une disposition additionnelle introduite par une loi du 11 décembre 1992 dans l'Ordonnance du 1er décembre 1986, aux termes de laquelle:

"Pour l'application des articles 85 à 87 du traité de Rome, le ministre chargé de l'Économie et les fonctionnaires qu'il a désignés ou habilités conformément aux dispositions de la présente Ordonnance, d'une part, le Conseil de la concurrence, d'autre part, disposent des pouvoirs qui leur sont reconnus par les titres III, VI, VII de la présente Ordonnance, pour ce qui concerne le ministre et les fonctionnaires sus-visés, et par son titre III pour ce qui concerne le Conseil de la concurrence. Les règles de procédure prévues par ces textes leur sont applicables."

Ainsi, cet amendement permettra au Conseil de procéder ou de faire procéder à des enquêtes pour vérifier le respect des articles 85 et 86 du traité et de prononcer des sanctions en cas d'infractions constatées.

Ceci explique que depuis 1987, dans une trentaine de décisions ou avis, en raison principalement de l'impossibilité de prononcer des sanctions au titre de l'application des articles 85 et 86, le Conseil de la concurrence a fait en premier lieu application du droit national et seulement en seconde préoccupation s'est réservé d'appliquer de surcroît les articles 85 et 86, de s'y référer ou de vérifier le respect des règlements d'exemption pris en vertu de l'article 85(3).

Plusieurs situations peuvent être recensées: les cas d'interdiction, les cas dans lesquels le Conseil a constaté l'applicabilité tout en décidant soit de ne pas interdire les pratiques, soit de renvoyer l'affaire à un examen ultérieur, enfin des cas dans lesquels le Conseil s'est référé au droit communautaire pour asseoir sa décision sur le droit national.

Pour l'année 1992, deux décisions sont signalées :

-- Dans sa décision relative à des pratiques du comité interprofessionnel des fromages produits dans le département du Cantal (décision n° 92-D-30 du 28 avril 1992), le Conseil a estimé que l'adoption et la mise en oeuvre du plan de campagne pour 1987 ont faussé le jeu de la concurrence sur le marché du fromage de Cantal et affecté le commerce entre les États membres, notamment sur des produits connexes, par le jeu des dispositions complémentaires qui ont été adoptées au titre d'une convention de régulation; cette convention adoptée par le comité interprofessionnel des fromages visait à figer la répartition des productions entre agriculteurs.

-- Dans une autre affaire, le Conseil a considéré que les pratiques dont il était saisi tombaient sous le coup de l'article 86, en plus des dispositions de l'article 8 de l'Ordonnance du 1er décembre 1986. Il s'agit de la décision relative à la situation de la concurrence sur le marché du calcium-métal (décision n° 92-D-26 du 31 mars 1992). Le Conseil a considéré en l'espèce comme particulièrement grave, pour une entreprise en position dominante sur un marché de matière première, de tenter de faire obstacle à l'implantation, sur un marché aval, de son seul concurrent.

Mais le droit communautaire a également été évoqué dans d'autres affaires:

-- Dans sa décision relative à une demande de mesures conservatoires, (n° 92 MC-01, société d'entreprises de parfumerie Liza), le Conseil relevait en outre que la Commission des communautés européennes avait été saisie, mais n'avait pas ouvert de procédure, et que dès lors, il pouvait statuer. La demande a été rejetée, mais la procédure au fond s'est poursuivie.

-- Dans l'affaire de l'huile d'olive (décision n° 92-D-53 du 30 septembre 1992), le Conseil a renvoyé l'affaire pour complément d'investigations, compte tenu de l'application éventuelle de dispositions de droit communautaire.

-- Dans l'affaire relative à la distribution de matériel dentaire et médical (décision n° 92-D-68), le Conseil, constatant que des pratiques d'éviction pouvaient constituer une infraction à l'article 86 du traité, a décidé de surseoir à statuer et de notifier un grief complémentaire.

-- Dans l'affaire n° 92-D-56, relative aux conditions de commercialisation du super carburant sans plomb (SP 98 octane), le Conseil a visé l'article 85, mais ne l'a pas appliqué, puisqu'aucun grief n'avait finalement été retenu.

-- Par ailleurs, dans six avis relatifs à des consultations de juridictions au sujet de litiges opposant des discothèques à la société des Auteurs, Compositeurs et Editeurs de Musique (SACEM), le Conseil a fait référence à des procédures communautaires en cours.

iii) Les ententes illicites

En application de l'article 7 de l'Ordonnance qui prohibe les ententes et les actions concertées, le Conseil a pris 34 décisions au fond, sanctionnant des auteurs de nombreuses pratiques, constatées soit dans le cadre de relations horizontales, soit verticales.

-- S'agissant des auteurs des pratiques, le Conseil a eu à connaître de pratiques d'entreprises de forme coopérative, précisant que quel que soit le statut légal d'une entreprise ou d'un organisme, et quelles que soient ses autorités de tutelle, il restait compétent dès lors que les pratiques entraient dans le champ de l'Ordonnance. Une coopérative n'est donc pas forcément une entreprise "unique" au sens de l'arrêt "Hydrotherm" de la Cour de justice des Communautés européennes, c'est-à-dire constituée par des sociétés ayant un intérêt identique, contrôlée par une même personne physique. Au demeurant, le Conseil a relevé que le dispositif réglementaire relatif aux coopératives n'impliquait pas que les adhérents renoncent à leur indépendance (décision n° 92-D-38, Gitem).

Des entreprises d'un même groupe, détenant une autonomie commerciale, peuvent être considérées comme parties à une entente, par exemple dans le cas d'une soumission à un appel d'offres, lorsqu'elles choisissent de présenter des offres séparées et que par des concertations, elles ont faussé le jeu de la concurrence.

De même, dans 14 affaires, le Conseil a de nouveau dû sanctionner des organisations professionnelles; il considère comme préoccupant que des organisations professionnelles utilisent leur autorité et leur capacité de rassemblement des membres d'une même profession pour violer les règles de la concurrence en enregistrant par exemple des augmentations de prix souhaitées par les adhérents, en diffusant des barèmes de prix conseillés, voire comme l'a fait un syndicat de boulangers, en répartissant les parts de marché entre des entreprises adhérentes, ou en passant en leur nom un marché de fourniture (décision n° 92-D-61, relative à des pratiques constatées dans le secteur de la fourniture de pain aux établissements scolaires de la ville de Nice).

-- S'agissant de la preuve des ententes, en l'absence de preuves formelles, le Conseil utilise la méthode du faisceau d'indices, en particulier dans des affaires concernant les marchés publics; mais il lui arrive de suivre cette technique dans d'autres cas, comme dans l'affaire de la commercialisation du super carburant sans plomb SP 98 par les compagnies pétrolières (décision n° 92-D-56). Cependant, en l'espèce, le Conseil a estimé qu'il ne disposait pas d'un faisceau d'indices suffisant pour établir, comme cela était allégué par les parties saisissantes, que les compagnies pétrolières s'étaient entendues explicitement ou tacitement pour mettre sur le marché à partir de 1989 ce carburant sous leur marque, alors que les autres types de carburants étaient commercialisés sous forme banalisée. Selon le Conseil, il n'était en effet pas établi que le parallélisme de comportement observé résultait d'autres considérations que la poursuite de l'intérêt individuel de chacun des pétroliers: chaque entreprise pouvant trouver son intérêt, compte tenu des circonstances du marché, à lancer un nouveau produit et à mettre en oeuvre une stratégie de différenciation susceptible de fidéliser sa clientèle et d'augmenter sa part de marché. La Cour d'Appel saisie d'un recours, a sur ce point confirmé l'analyse du Conseil, repoussant de surcroît un moyen fondé sur la constitution d'un oligopole qui aurait abusé de sa domination sur le marché.

iv) Des ententes horizontales

En 1992, le Conseil a examiné plusieurs pratiques de ce type : ententes de prix, mise au point et diffusion de barèmes ou recommandations par des organismes professionnels, échanges d'informations, répartition de marchés, boycott; de même, des décisions ont relevé des ententes en matière de marchés publics.

En matière de prix, en dehors des affaires impliquant des organisations professionnelles, peuvent être signalées deux affaires importantes.

Dans la décision GITEM précitée, le Conseil a considéré que les propositions des directions des coopératives, tendant à établir des prix de vente au détail des produits offerts à la vente par l'ensemble des adhérents, prix de vente figurant sur des prospectus mis à la disposition des commerçants adhérents, constituaient une pratique concertée; le Conseil a précisé que la stratégie globale commune des coopératives ne saurait aller jusqu'à limiter la liberté commerciale des commerçants alors que plusieurs d'entre eux se trouvaient sur les mêmes marchés géographiques.

Dans une autre affaire relative au secteur des produits phytosanitaires (décision n° 92-D-29), le Conseil a considéré, à l'inverse, que des concertations avérées en matière de prix, n'étaient pas anticoncurrentielles pour plusieurs raisons : le secteur est caractérisé par un grand nombre d'offreurs et de produits, des brevets protègent les nouveaux produits pendant de nombreuses années, il est fréquent qu'une société titulaire du brevet en confie l'exploitation ou le partage avec une ou plusieurs entreprises par la conclusion d'accords de codistribution;

dans ces conditions, les concertations sur les prix à consentir aux distributeurs sont apparues inhérentes aux accords de codistribution souscrits par les entreprises, car les partenaires devaient être en effet assurés de ne pas être concurrencés par les prix, pour avoir intérêt ensemble à unir leurs efforts afin de développer les débouchés de ce produit et ainsi intensifier la concurrence entre ce produit et les produits substituables d'autres producteurs.

Dans six décisions autres que celles concernant les marchés publics, le Conseil a relevé des ententes de répartition de marché. Dans l'une de ces affaires, relative à la distribution des boissons aux secteurs alimentaires et aux cafés hôtels restaurants, des groupes d'entreprises qui avaient procédé à des cessions d'actifs ou de participations, avaient stipulé des clauses de non concurrence préservant à l'un ou à l'autre des groupes un secteur géographique de distribution. Le Conseil a effectué un examen de chacun de ces contrats de cession pour vérifier si ces clauses, licites dans leur principe, n'allaient pas au delà de la préservation des droits des acquéreurs et ne pouvaient pas être considérées comme contraires aux règles du droit de la concurrence; de fait, dans un cas, les clauses conclues entre deux des groupes (SPAD et SOGEBRA), ont été considérées comme anticoncurrentielles en raison de la durée pendant laquelle la répartition de la clientèle était constatée.

Par ailleurs, le Conseil a relevé dans plusieurs affaires des pratiques collectives horizontales ayant pour objet ou pouvant avoir pour effet d'entraver l'accès d'opérateurs économiques à des marchés. Ainsi, le Conseil a dénoncé la pratique par laquelle une entreprise commercialisant des machines agricoles avait été exclue d'une foire exposition organisée tous les deux ans, à la suite de l'intervention de ses concurrents qui n'appréciaient pas sa politique commerciale de faible marge.

Au demeurant, le Conseil a souligné qu'au plan des principes, l'éviction d'une entreprise d'une manifestation commerciale ne présentait un caractère infractionnel qu'en cas de restriction du jeu de la concurrence sur un marché, condition réunie en l'espèce (décision n° 92-D-44, relative à des pratiques relevées lors de la vingtième foire exposition Velay-Auvergne).

Dans une autre affaire, un ancien producteur de films publicitaires, installé comme conseiller audiovisuel, proposait aux annonceurs de faire un audit des coûts qui leur étaient soumis par les sociétés de production; le syndicat des producteurs de films publicitaires avait lancé un mot d'ordre de boycott des films pour lesquels ce prestataire aurait été mandaté. Le Conseil a considéré cette pratique comme anticoncurrentielle (décision n° 92-D-32 relative à des pratiques mises en oeuvre par le syndicat des producteurs de films publicitaires).

v) Des restrictions verticales

Dans le domaine des relations entre fournisseurs et distributeurs, l'une des affaires importantes examinées par le Conseil a concerné les clauses des contrats de commercialisation du super carburant sans plomb SP 98 proposés par des compagnies pétrolières aux distributeurs n'appartenant à leurs réseaux intégrés (décision n° 92-D-56). Le Conseil a estimé qu'un producteur ayant fait le choix d'une stratégie de différenciation ne pouvait imposer par contrat des conditions générales de commercialisation de ses produits de marque que, si ces conditions étaient objectives, n'excluaient pas par nature un type de distributeur, n'étaient pas appliquées de façon discriminatoire et ne restreignaient pas la concurrence entre les distributeurs admis à commercialiser les produits. Ainsi, ont été notamment sanctionnées les clauses des contrats Shell imposant aux distributeurs admis à commercialiser leur SP 98 une exclusivité portant soit sur ce produit, soit sur l'ensemble de la gamme du carburant: de telles clauses étant de nature à restreindre la concurrence entre les raffineurs en interdisant à ces derniers d'étendre leur réseau commercial aux stations services indépendantes vendant du SP 98 d'une autre marque.

vi) Des ententes à l'occasion d'appels d'offres dans les marchés publics

Le Conseil s'est prononcé comme les années précédentes dans plusieurs affaires de marchés passés par appels d'offres (six décisions). Il a été confronté à la validité au regard des règles de la concurrence de la constitution d'un groupement par des entreprises indépendantes et concurrentes, en vue de répondre à un appel d'offres.

A l'occasion de l'affaire concernant les appels d'offres de transport sanitaire passés par l'établissement hospitalier "hospices civils de Lyon" (décision n° 92-D-08), le Conseil a considéré que le recours à un groupement d'intérêt économique (GIE) pour répondre à un appel d'offres ne constituait pas en soi une pratique prohibée, mais pouvait être sanctionné si le groupement était utilisé pour mettre en oeuvre des pratiques concertées anticoncurrentielles, en répartissant artificiellement les marchés, en empêchant des entreprises nouvelles venues sur le marché de participer à de tels groupements ou en empêchant les membres du groupement de déposer des offres individuelles concurremment avec celles du groupement; il a été considéré dans le cas d'un marché que les entreprises nouvelles n'avaient pas été admises dans le groupement constitué, dont les membres de plus avaient souscrit un engagement écrit de ne pas présenter d'offre individuelle concurrente. Enfin par ailleurs, sur deux des marchés concernés, il avait été relevé des indices précis et concordants d'échanges d'informations entre groupements d'intérêt économique.

Dans une autre affaire, le Conseil a eu l'occasion de rappeler que le croisement de l'appel d'offres d'une collectivité publique, en vue de l'obtention d'une prestation particulière (qualifiée de lot), avec les réponses des candidats, constituait bien un marché, c'est à dire la rencontre entre une demande et des offres substituables entre elles (décision n° 92-D-22 concernant l'appel d'offres du Centre de secours et de lutte contre l'incendie de Tourcoing).

vii) Les positions de domination

En 1992, six décisions ont porté sur l'application de l'article 8(1) prohibant les abus de positions dominantes, mais aucune sur l'application de l'article 8(2) prohibant les abus de situation de dépendance économique. Pour l'application des dispositions de l'article 8(1), le Conseil doit au préalable définir le marché pertinent et constater l'existence ou non d'une position dominante sur ce marché.

viii) la définition du marché pertinent

La définition du marché pertinent résulte d'un faisceau d'indices convergents. L'analyse des caractéristiques techniques des produits (forme, fonction, composition, prix, etc.) ne suffit pas pour définir quels sont les produits qui entrent en concurrence. L'analyse de la substituabilité de deux biens passe aussi par des enquêtes auprès des agents économiques qui permettent d'étudier les comportements d'achat pour un des biens en fonction de la variation des prix de l'autre (élasticité croisée de substitution). La méthode économétrique qui consiste à étudier la corrélation entre les variations de prix d'un bien et la variation des ventes d'un autre, tout en tenant compte des facteurs extérieurs éventuels, est un bon moyen pour confirmer ou infirmer les résultats des enquêtes d'opinions. Elle a été utilisée dans une affaire en 1992 (décision n° 92-D-62 Pont-à-Mousson), comme elle l'avait été dans une année antérieure, dans le secteur des livres (affaire France-Loisirs).

Ces méthodes utilisées en combinaison permettent d'étudier le degré de substituabilité de différents biens mais elles ne dispensent pas les autorités compétentes de dire en dernière analyse si cette substituabilité est suffisante ou non pour inclure ces biens dans un même marché.

Dans son analyse du marché opérée dans l'affaire Pont-à-Mousson, le Conseil a pris en compte les caractéristiques techniques du produit, les conditions posées par les acheteurs lors de leurs appels d'offres (exigence d'un matériau spécifique), les différences de prix et les études économétriques, pour conclure que les "tuyaux en fonte ductile" n'étaient pas concurrencés par les "tuyaux en PVC" et constituaient donc un marché en soi.

ix) Sur la définition de la position dominante

Le Conseil recherche si l'entreprise détient sur le marché en cause une position telle qu'elle lui permette de s'abstraire de l'influence des autres entreprises sur le marché. L'analyse d'une telle position résulte également d'un faisceau d'indices convergents, dont la part de marché de l'entreprise en cause comparée à celle de ses concurrents les plus proches sur le marché. La part de marché étant souvent un indice insuffisant, le Conseil étudie d'autres facteurs comme le statut de l'entreprise, son appartenance à un groupe, l'accès préférentiel à des sources de financement et l'existence de barrières à l'entrée, ainsi que tout indice permettant de juger du pouvoir de l'entreprise sur le marché et de sa liberté d'action.

Dans sa décision n° 92-D-26 relative à la situation de la concurrence sur le marché du calcium métal, le Conseil s'est basé sur la part de marché de la Société électrométallurgique du Planet (S.E.M.P.) sur le marché du calcium standard ainsi que son appartenance à un grand groupe, pour conclure qu'elle avait la possibilité d'être indifférente à la stratégie des concurrents et qu'elle détenait une position dominante.

Dans sa décision n° 92-D-29 relative à des pratiques relevées dans le secteur des produits phytosanitaires, le Conseil a comparé la part de marché de l'entreprise en cause (32 pour cent) à celle de son concurrent direct (16 pour cent) et a constaté qu'elle approvisionnait près des cinq-septième des coopératives clientes, pour établir sa position dominante sur le marché.

Le Conseil peut également tenir compte de la notoriété de l'entreprise auprès du public, en l'occurrence associée à l'image du service public dans l'affaire de la direction de la météorologie nationale (décision n° 92-D-35), ainsi que des avantages issus de droits de propriété intellectuelle (décision n° 92-D-57, société Prisca).

x) Sur l'abus de position dominante anticoncurrentiel

Le Conseil a examiné trois cas d'abus de position dominante en 1992 consistant à éliminer un concurrent sur le marché ou à empêcher son entrée sur celui-ci.

Dans l'affaire précitée du marché du calcium métal, le Conseil a considéré que les manoeuvres dilatoires pratiquées par l'entreprise S.E.M.P. pour ne pas livrer la société Extramet, qui avait mis au point un procédé de transformation du calcium métal, étaient assimilables en fait à des refus de vente, ces manoeuvres permettant à la S.E.M.P. de combler dans un premier temps son retard technologique en vue d'éliminer ensuite son concurrent du marché du produit transformé. La recherche légitime de pénétrer un marché et donc de contribuer à augmenter le nombre d'offreurs présents sur le marché, ne justifiait pas ce comportement tendant à évincer la société Extramet. La Cour d'Appel a ultérieurement confirmé l'appréciation du Conseil, considérant que ce comportement de la société S.E.M.P. ne constituait pas une réaction normale et proportionnée de protection de ses intérêts dans un rapport de concurrence avec l'un de ses propres clients.

Dans l'affaire Pont-à-Mousson, le Conseil a considéré que la diffusion par cette entreprise d'informations portant atteinte à l'image des produits de la société Biwater, ainsi que la politique de prix systématiquement plus bas que ceux de la société Biwater, étaient uniquement destinées à évincer ce concurrent du marché.

En revanche, dans l'affaire de la Direction de la météorologie nationale (D.M.N.), le refus de livrer certaines informations à la Société du Journal téléphoné, sous prétexte, d'une part, qu'elles n'étaient pas utilisées par elle-même et d'autre part, que la diffusion de ces informations simplifiées et retraitées par la Société du Journal téléphoné pouvait poser des risques pour la sécurité aérienne, n'a pas été considéré comme restrictif de concurrence dans la mesure où la D.M.N. se proposait de lui fournir un autre type d'informations. Mais il est noté que la Cour d'Appel de Paris, saisie d'un recours contre la décision, n'a pas été du même avis que le Conseil. Elle a considéré que les raisons invoquées par la D.M.N. n'étaient pas légitimes pour refuser la communication d'informations qu'elle seule détenait et qu'en l'espèce, la protection des aéronefs n'était pas en péril dans la mesure où les pilotes étaient dans l'obligation de ne s'informer qu'auprès de la D.M.N. et qu'au surplus, celle-ci pouvait toujours fixer des règles de qualité et de sérieux pour autoriser la diffusion des informations. La Cour d'Appel a donc considéré que la D.M.N. avait violé les dispositions de l'article 8 de l'Ordonnance et l'a condamnée en conséquence.

Dans la décision n° 92-D-63, société Applicam, concernant les contrats de licences de brevets portant sur les cartes à mémoire inventées par M. Roland Moreno, le Conseil a estimé que le dépôt d'un versement initial ainsi que l'augmentation du coût des licences étaient justifiés et n'avaient pas en soi un caractère discriminatoire.

xi) Les demandes de mesures conservatoires

L'Ordonnance du 1er décembre 1986 autorise le Conseil de la concurrence à prendre des mesures conservatoires pour interrompre des pratiques manifestement illicites portant une atteinte immédiate mais difficilement réversible au jeu de la concurrence en causant un danger grave et immédiat à l'économie générale, à celle du secteur intéressé, à l'intérêt des consommateurs ou à l'entreprise plaignante.

En 1992, le Conseil de la concurrence a pris 11 décisions concernant des demandes de mesures conservatoires: huit sont des rejets, une a été classée et deux ont été accordées.

En ce qui concerne les huit demandes de mesures conservatoires rejetées, le Conseil s'est appliqué à démontrer que les éléments apportés par les demandeurs étaient insuffisants pour établir la preuve d'une atteinte grave et immédiate aux intérêts en présence et nécessitant l'adoption de mesures d'urgence.

S'agissant des deux demandes acceptées par le Conseil :

Dans l'affaire Biwater-Pont-à-Mousson (décision n° 92-MC-08), le Conseil a considéré que la diffusion par la société Pont-à-Mousson d'indications sur le respect par ses produits de spécifications techniques visées par les normes françaises, était de nature à entraver l'entrée sur le marché de l'entreprise Biwater, compte tenu du fait que la société Pont-à-Mousson détenait une position privilégiée sur le marché et que la société Biwater se trouvait dans une situation financière difficile au moment des faits. Dans l'attente de la décision au fond, le Conseil a donc décidé d'interdire la diffusion de telles informations afin que l'économie du secteur intéressé ne soit pas mise en péril.

Dans l'affaire Vidal (décision n° 92-MC-10), le Conseil a estimé que la Fédération Française des Sociétés d'Assurances (F.F.S.A.), regroupant les compagnies d'assurance les plus importantes, exposait la société Vidal, organisatrice du salon "Assure-Expo", à un danger grave et immédiat en envoyant une lettre à chacun de ses adhérents leur exprimant son opinion au sujet du salon en question. Le Conseil a ordonné l'envoi à chacun des adhérents d'une lettre recommandée annulant les termes de la précédente dans les huit jours, de sorte que la société Vidal, qui tire la majorité de son chiffre d'affaires du salon "Assure-Expo", ne soit pas mise en péril.

c) Les avis du Conseil

i) Les avis sur les opérations de concentration

En 1992, le Conseil a rendu trois avis en matière de concentration, dont deux ont donné lieu à une décision ministérielle: l'acquisition des sociétés Mignard et Cidreries et vergers du Duché de Longueville par la société Cidreries et Sopagly Réunies (avis n° 92-A-08) et l'achat de la société Parker Pen Holdings Limited par la société The Gillette Company (avis n° 92-A-11).

Le troisième avis n'a pas eu de suite car le projet de prise de participation majoritaire de la société Havas dans le capital de la société R.M.C. Radio a été abandonné.

Lorsqu'il est saisi pour une affaire de concentration, le Conseil examine en premier lieu si l'opération en question répond à la définition d'une concentration au sens de l'article 39 de l'Ordonnance. Dans les deux affaires précitées, l'opération de concentration était évidente car dans chaque cas, une société se proposait de racheter la totalité du capital d'une autre société.

En second lieu, le Conseil apprécie si les seuils de contrôle fixés à l'article 38 de l'Ordonnance sont dépassés ou non. Le seuil en valeur absolue (7 milliards de francs de chiffre d'affaires hors taxes) n'étant pas atteint pour les deux opérations, le Conseil a dû déterminer le marché pertinent sur lequel chacune des opérations avait lieu pour apprécier si le seuil de contrôle en valeur relative était atteint (25 pour cent de parts de marché).

En ce qui concerne l'acquisition des sociétés de cidreries, le Conseil a considéré que le marché pertinent à prendre en compte était celui du cidre et non, comme le proposaient les parties, celui des boissons rafraîchissantes peu alcoolisées. Le Conseil s'est appuyé sur les caractéristiques de fabrication du produit, sur son caractère traditionnel et sur l'absence de substituabilité avec les boissons rafraîchissantes dans l'esprit du consommateur (par un calcul de l'élasticité croisée de substitution), pour conclure qu'il existait un marché autonome du cidre.

Dans la seconde affaire, le Conseil n'a pas retenu l'idée avancée par la société Gillette que les instruments à écrire, commercialisés par les entreprises concernées par la concentration, avaient une fonction de cadeau et que pour cette raison, ils étaient substituables à d'autres produits. Le Conseil a estimé que les instruments à écrire n'étaient appréciés principalement qu'en considération de leur fonction d'écriture, mais que l'on ne pouvait intégrer dans le même marché les instruments rechargeables et les instruments jetables. En conséquence, le Conseil a défini le marché pertinent comme celui des instruments à écrire rechargeables.

Le Conseil a ensuite pu constater que les opérations de concentrations entraînaient un dépassement du seuil en valeur relative sur les marchés considérés. Dans la première affaire, les sociétés de cidreries réunies détenaient 50.1 pour cent des parts de marché du cidre et dans la seconde affaire, le Conseil a estimé que les entreprises détiendraient ensemble après concentration 42.5 pour cent des parts du marché pertinent. Les deux opérations étaient donc contrôlables.

En troisième lieu, le Conseil apprécie, en application des dispositions de l'article 41 de l'Ordonnance, si la contribution au progrès technique est suffisante pour compenser les atteintes à la concurrence. Pour cela, il tient compte de la compétitivité des entreprises en cause au regard de la concurrence internationale.

Dans l'affaire concernant le marché du cidre, le Conseil a pu constater la faiblesse des parts de marché des concurrents les plus proches de la société Cidreries et Sopagly Réunies (CSR), filiale de Pernod-Ricard, que l'absence d'importation de cidre sur le marché français, était propice à une politique de prix extrêmement bas de la part de CSR dans le but d'éliminer ses concurrents. Cependant, le Conseil a estimé, compte-tenu du pouvoir de négociation des grands distributeurs, de la faiblesse des barrières à l'entrée et du caractère fort compétitif du marché français du cidre, qu'une politique de prédation de la part de CSR n'était pas envisageable. Face à des risques limités pour la concurrence, le Conseil a estimé que la présence du groupe Pernod-Ricard sur le marché du cidre ne pouvait qu'être bénéfique au secteur tout entier, compte tenu de l'expérience du groupe en matière de boissons sur les marchés étrangers. Pour cette raison, le Conseil a émis l'avis qu'il n'y avait pas lieu de s'opposer à cette concentration et le ministre a suivi son avis.

Dans la seconde affaire, le Conseil, en tenant compte de la puissance financière de Gillette, s'est interrogé sur les possibilités pour cette firme de pratiquer également une politique de prédation sur le marché des instruments à écrire moyenne gamme sur lequel Parker détenait près de 65 pour cent des parts de marché, le reste de l'offre étant très atomisé. La vraisemblance d'une telle stratégie dépendait comme dans la première affaire de l'importance des barrières à l'entrée sur le marché. Or le Conseil, constatant que seules des firmes possédant une marque à très forte notoriété (Creeks, Daniel Hechter) avaient réussi à pénétrer sur le marché, a considéré que des barrières à l'entrée en matière de publicité et de promotion existaient. Le Conseil s'est ensuite interrogé sur les éventuelles contributions au progrès technique qu'apportait cette concentration pour compenser les effets anticoncurrentiels démontrés. Il a admis que la concentration était nécessaire pour permettre des transferts de technologie entre les deux marques, Waterman et Parker, et que le réseau commercial de Parker était nécessaire à Waterman pour développer ses ventes à l'étranger. La concentration était donc de nature à améliorer la compétitivité des entreprises.

Toutefois, le Conseil a souligné que si l'une des deux marques venait à disparaître, ces progrès économiques pour la collectivité ne pourraient par définition pas avoir lieu. Il a donc émis un avis favorable à la condition que l'activité de Waterman S.A. soit maintenue en France et que Gillette rende compte au ministre de l'Économie au terme d'un délai de trois ans de l'état des progrès économiques réalisés. Le ministre a autorisé la concentration aux conditions fixées par le Conseil.

ii) Les autres avis du Conseil

En application de l'article 5 de l'Ordonnance, qui prévoit la consultation du Conseil sur toute question concernant la concurrence, cinq avis ont été rendus en 1992 dont quatre à la demande d'organisations professionnelles et un à la demande du ministère de l'Économie et des Finances.

En outre, le Conseil peut également, en application de l'article 26 de l'Ordonnance, être saisi pour avis par les juridictions au sujet de pratiques pouvant tomber sous le coup des articles 7 et 8 relevées à l'occasion de procédures juridictionnelles. Il n'a été fait usage que deux fois de cette faculté en 1992. L'un des avis portait sur des pratiques sur le marché de l'entretien automobile, l'autre sur des pratiques dans le secteur du déménagement de fonctionnaires.

Enfin, le Conseil a été saisi pour avis, en application de l'article 6 de l'Ordonnance, sur un projet d'arrêté portant sur les caractéristiques d'aliments distribués en pharmacie.

L'activité de la Cour d'Appel de Paris

La Cour d'Appel de Paris est l'instance juridictionnelle compétente pour connaître des recours contre les décisions du Conseil de la concurrence en matière d'ententes, d'abus de position dominante et d'état de dépendance économique, tant sur la forme (procédure) que sur le fond. Le ministre de l'Économie, représenté par le Directeur Général de la Concurrence, de la Consommation et de la Répression des Fraudes, a compétence pour saisir la Cour d'Appel de Paris en recours des décisions du Conseil, concurremment avec les entreprises parties à l'instance devant le Conseil.

En 1992, la Cour d'Appel de Paris a rendu 41 arrêts (contre 34 en 1991), concernant des jugements au fond ou des demandes de mesures conservatoires au titre de la compétence qui lui a été attribuée par la loi du 6 juillet 1987 (recours contre les décisions du Conseil de la Concurrence).

La proportion des décisions du Conseil frappées de recours en 1992 s'infléchit sensiblement par rapport à l'année précédente, puisqu'elle s'établit à près de 39 pour cent contre 45.5 pour cent en 1991.

L'année 1992 a aussi été une année importante pour la jurisprudence. Ainsi, s'agissant des achats publics (marchés publics dans le Puy-de-Dôme), la Cour d'Appel de Paris, confirmant l'analyse et les sanctions du Conseil, a rédigé un considérant particulièrement intéressant en soulignant "que la tromperie de l'acheteur public érigée en système perturbe le secteur où elle est pratiquée et porte une atteinte grave à l'ordre public économique".

La Cour d'Appel de Paris s'est aussi prononcée sur les pratiques de répartition de marché mises en oeuvre par le Comité Interprofessionnel du Cantal (CIC), dans un arrêt du 16 décembre 1992. La Cour a confirmé la sanction de un million de francs infligée à cet organisme, pour avoir mis en place un plan de limitation de la production qui figeait les productions de chaque entreprise et avait pour conséquence une raréfaction artificielle de l'offre. Dans cette espèce, la Cour a notamment fait application de l'article 85(1) du traité de Rome.

La Cour a par ailleurs précisé sa jurisprudence en matière de groupements :

-- Dans un arrêt du 17 septembre 1992, la Cour a confirmé la décision du Conseil, estimant que le GIE Geosavoie, constitué entre des géomètres-experts pour les travaux des jeux olympiques d'Alberville, avait pour seul objet de réaliser un partage des travaux entre ses membres, en réservant à chaque membre un quota de travaux selon des critères pré-établis excluant toute concurrence, et que "par son existence même", le groupement portait atteinte à la concurrence. La Cour a donc confirmé les sanctions et injonctions décidées par le Conseil, mais elle a estimé qu'il n'entrait pas dans la compétence du Conseil ou de la sienne, de prononcer la dissolution du G.I.E., la nullité d'une convention ne pouvant être prononcée que par une juridiction de fond.

-- Dans l'espèce du GIE UGC Diffusion et GIE Pathe Edeline et Indépendants, la Cour a jugé dans un arrêt du 22 avril 1992, que le droit de la concurrence était applicable aux groupements qui ont reçu l'agrément prévu par la loi du 29 juillet 1982, et a condamné les pratiques visant à limiter l'accès des exploitants indépendants au marché de la diffusion des oeuvres cinématographiques. La constitution de groupements ou d'ententes entre entreprises cinématographiques n'est possible qu'à la condition qu'ils ne fassent pas obstacle au libre jeu de la concurrence.

-- Dans le secteur de l'audiovisuel, la Cour a rendu deux arrêts très intéressants, l'un au regard de la définition du marché, l'autre pour l'appréciation du préjudice susceptible de justifier l'octroi de mesures conservatoires.

-- Dans un arrêt du 17 juin 1992 relatif aux recours formés par la Cie Générale de Vidéocommunication et autres, la Cour a estimé que les chaînes de télévision offertes par les éditeurs aux diffuseurs sur des réseaux câblés constituaient un marché distinct de celui de l'exploitation des réseaux, s'agissant de produits et de services non substituables entre eux intéressant l'offre et la demande d'opérateurs différents.

-- Statuant par un arrêt du 10 février 1992 sur un recours formé par la chaîne de télévision La Cinq, la Cour a considéré que les mesures conservatoires pouvaient être accordées en raison d'un dommage futur, en l'espèce le préjudice futur lié au refus de retransmission opposé à La Cinq par la Fédération française de football.

Les pourvois en cassation

En 1992, la Cour de cassation a rendu des arrêts importants pour sept affaires. La jurisprudence de la Cour, sous la réserve des modalités de motivation du niveau des sanctions, confirme, pour l'essentiel, les analyses économiques des décisions.

Dans un arrêt du 14 janvier 1992 rendu sur un pourvoi formé par la société Bureau Véritas, la Cour a apporté une précision importante à l'application de l'article 7 de l'Ordonnance aux groupements d'entreprises dans le cas de soumission à des marchés publics. Ces formules de groupements, autorisées par le Code des marchés publics, n'échappent pourtant pas à l'application du droit des ententes lorsque le groupement devient systématique entre certains entreprises ayant le même objet et aboutit à une répartition des marchés à parts égales entre elles.

Dans un arrêt du 14 janvier 1992 relatif aux pourvois formés par les sociétés Lesaffre et autres (affaire des levures fraîches de panification), la Cour a précisé sa jurisprudence s'agissant de parallélisme de comportements susceptibles d'établir une entente. La Cour a jugé que l'entente était établie si le parallélisme de comportements ne pouvait trouver d'autre explication que l'entente tacite. En l'espèce, l'arrêt relève une quasi-identité des prix au départ de l'usine, des augmentations simultanées et la présomption de l'existence de réunions de concertation tenues au sein de la Chambre syndicale. La Cour a par ailleurs rejeté un argument tiré de la transparence du secteur, l'existence d'importations compétitives montrant la possibilité de stratégies différentes.

Politique de la concurrence mise en oeuvre par la Direction Générale de la Concurrence, de la Consommation et de la Répression des Fraudes (DGCCRF) en 1992

Pour préparer l'ouverture du marché unique européen au 1er janvier 1993, la DGCCRF a orienté ses actions autour de deux axes complémentaires, de sorte que l'interpénétration croissante et inéluctable des marchés européens préserve l'intérêt légitime des consommateurs et des entreprises.

Le premier, en faveur d'une concurrence ouverte, tant par le maintien de structures concurrentielles, avec un développement sensible du contrôle des concentrations, que par l'abaissement raisonné, dans les secteurs encore indûment protégés, des barrières à l'accès au marché.

Le second, en faveur d'une concurrence loyale afin que, sur ces marchés ouverts, et où le risque de déloyauté devient plus important, nos entreprises puissent, en bénéficiant de conditions de fonctionnement équitables et transparentes, tirer le juste parti de l'accroissement reconnu de leur compétitivité.

a) Le contrôle des concentrations

La constitution du marché unique a parfois été ressentie comme allant de pair avec une exacerbation de la concurrence, avec les risques que cela comporte en termes industriels. Un débat s'est donc noué sur le rôle de la politique de concurrence.

L'année 1992 a été marquée par l'approfondissement de ce débat qui avait pris une acuité particulière en 1991 après l'affaire De Haviland. La DGCCRF a continué à faire prévaloir une conception dynamique de l'analyse concurrentielle des structures, montrant ainsi, par l'explication et par la pratique, qu'il n'y avait pas d'antagonisme naturel entre l'impératif industriel et la politique de la concurrence.

Ceci s'est traduit par trois types d'actions complémentaires :

En premier lieu, mieux communiquer vers les milieux professionnels et juridiques, afin de faire comprendre les positions des autorités françaises de la concurrence. Ainsi, la Direction générale a activement participé, dans le cadre des travaux du XIè Plan, au groupe de travail "Politique de concurrence et politique industrielle au sein de la Communauté européenne".

En second lieu, améliorer la transparence. La mise en oeuvre de la politique nationale de contrôle des concentrations était largement méconnue en France, comme à l'étranger. Les milieux professionnels avaient le sentiment de manquer de références leur permettant une appréciation aisée des problèmes de concurrence que peuvent poser leurs opérations de croissance externe. Ils étaient également dans l'incertitude concernant la procédure. C'est pourquoi des documents ont été élaborés pour faire connaître les méthodes d'analyse du contrôle des concentrations et pour rendre public les critères de saisine du Conseil de la concurrence. Ceux-ci ont d'ailleurs été présentés à la session du CCP du printemps 1992.

En troisième lieu, intensifier le recours à l'expertise du Conseil de la concurrence. La Direction générale a recensé 911 opérations en 1992 dont 360 investissements étrangers. Parmi ces opérations, 60 ont fait l'objet d'une analyse approfondie dont 31 avaient fait l'objet d'une notification par les entreprises contre 25 en 1991.

Le ministre a décidé dans sept cas de demander l'avis du Conseil (deux en 1991). Dans trois cas, il s'agissait d'opérations notifiées.

Tableau 2

	1991	1992
Opérations recensées	605	911 (+50.5%)
Notifications	25	31

Répartition sectorielle	1991	1992	
		Nombre d'opérations	Part dans le total des opérations recensées (%)
Produits de l'agriculture	14	13	1.4
Energie	6	3	0.3
Biens intermédiaires	96	143	15.7
Biens d'équipement	130	171	18.8
Biens de consommation	103	178	19.5
Industries alimentaires	70	87	9.5
Bâtiment, génie civil et agricole	13	24	2.6
Commerces	75	113	12.4
Services	98	179	19.6

Par rapport à 1991, on constate tout d'abord une très forte croissance des opérations recensées (+ 50.5 pour cent), les opérations notifiées au ministre ayant progressé de 25 pour cent (31 en 1992 contre 25 en 1991).

La répartition sectorielle des opérations fait apparaître une très nette diminution de la part des produits énergétiques (-70 pour cent) et de l'agriculture (-39 pour cent), alors que la part des biens intermédiaires, du bâtiment, du génie civil et du commerce s'établit sensiblement au même niveau, tandis que la proportion des biens de consommation (+ 14.5) et des services (+ 21 pour cent) s'est fortement accrue.

Les principales saisines ministérielles du Conseil de la Concurrence en 1992 ont porté sur les opérations de concentration suivantes :

i) L'opération Gaumont Pathé

Le ministre de l'économie a saisi le Conseil en juin 1992 des accords conclus entre les sociétés Gaumont et Pathé et portant sur la cession réciproque de salles de cinéma. Le principal élément ayant motivé la saisine tenait au renforcement de la situation oligopolistique du marché de l'exploitation cinématographique à Paris.

ii) La prise de contrôle par Cidreries et Sopagly Réunies (CSR), des cidreries Mignard et Duché de Longueville

Dans cette affaire, la société CSR détenait avant l'opération une part du marché du cidre supérieure à 30 pour cent. Cette affaire présentait un intérêt tenant principalement à la définition du marché pertinent à prendre en considération pour apprécier l'effet de la concentration.

iii) Le projet de prise de contrôle par Gillette, propriétaire des stylos Waterman, du fabricant de stylos britannique Parker

Dans cette affaire aussi, se posait un intéressant problème de définition du marché pertinent : le marché était-il celui des stylos rechargeables, celui plus global des instruments à écrire ou celui plus vaste encore des cadeaux, comme le soutenait Gillette ? Le Commissaire du gouvernement, comme le Conseil de la concurrence, ont dans cette affaire apprécié l'opération par référence au marché des stylos rechargeables.

iv) Acquisition de la société des Caves de Roquefort par le Groupe Besnier

Dans cette affaire, il s'agissait de savoir si les fromages à pâte persillée et les bleus constituaient deux marchés distincts. Le Conseil a estimé qu'il s'agissait d'un seul et même marché et a considéré qu'il n'y avait pas lieu de s'opposer à cette opération.

b)   L'action sur les barrières d'accès aux marchés

Les Pouvoirs publics français ont poursuivi en 1992 une politique active visant à ouvrir les marchés, dans la perspective du marché unique communautaire. Cette action a été engagée principalement en direction des monopoles.

La création du marché européen a reposé la question des grands services publics marchands organisés en monopoles. La réflexion sur les aménagements structurels nécessaires s'est poursuivie en 1992 et des décisions importantes ont été prises. LA DGCCRF a ainsi contribué très activement, sinon même principalement pour plusieurs d'entre-eux, aux textes nouveaux recensés au début de ce rapport.

D'autre part, une partie substantielle des activités de la Poste et de France Télécom est en concurrence avec des opérateurs privés. L'ouverture de certains services de télécommunications à la concurrence s'est poursuivie et ces services ont développé des accords de coopération et des alliances avec des opérateurs privés.

De même, la réforme progressive des transports aériens a connu en 1992 une nouvelle étape avec l'harmonisation des conditions imposées aux transporteurs aériens pour s'établir dans les pays de la CEE, la liberté pour les transporteurs communautaires d'exploiter toute liaison à l'intérieur de la communauté avec quelques aménagements, et un régime de liberté tarifaire qui devrait s'accompagner d'une plus grande flexibilité des tarifs avec un dispositif de sauvegarde en cas de hausse ou de baisse excessive des tarifs.

Cette réflexion se poursuit en tenant compte de la nécessité de trouver des solutions adaptées à chacun des services afin de renforcer leur efficacité économique et de déterminer les activités susceptibles d'être ouvertes aux tiers sans compromettre ni la rentabilité des entreprises ni les contraintes inhérentes au service public. Ainsi, le problème de l'accès des tiers au réseau suppose des solutions différenciées tant par l'ampleur des activités concernées que par les modalités d'accès des entreprises tierces : constitution de pôles concurrents ou accès au réseau existant avec la difficile détermination du coût d'accès (problème des réseaux d'infrastructures impliquant de lourds investissements n'ayant une rentabilité qu'à long terme).

i)   La répression des pratiques d'éviction

La DGCCRF a apporté une vigilance particulière à l'égard de deux types de pratiques - boycott et discriminations abusives - qui ont pour conséquence d'interdire à des opérateurs d'intervenir sur le marché.

ii)   La lutte contre les discriminations

L'accent a été mis en 1992 sur une application effective de l'article 36(1) de l'Ordonnance. L'expérience des années antérieures avait démontré que l'on ne pouvait attendre des professionnels eux-mêmes la mise en application de ce texte : les plaintes nombreuses ne débouchaient pas sur une action contentieuse en raison notamment de la crainte de représailles et de déréférencements.

C'est pourquoi, en 1992, la Direction a décidé d'initier des procédures en assignant des professionnels devant les juridictions civiles. Au total, 52 procédures civiles ont été mises en oeuvre, soit directement sur le fondement de l'article 36, soit par le biais des dispositions de l'article 56. A ce chiffre devraient être ajoutées près d'une vingtaine de procédures initiées en 1992 et qui ne trouveront d'aboutissement qu'en 1993.

Cette nouvelle orientation a conduit à assigner devant le tribunal de grande instance plusieurs grandes enseignes de la distribution. Les actions développées en 1992 se sont attaquées aux discriminations les plus flagrantes et les plus manifestement abusives.

Ainsi, la Direction a dénoncé certains accords contractuels liant un producteur à un distributeur et déterminant à l'avance le prix de cession d'un produit pour une période de temps déterminée. Ce dispositif permet la capitalisation de remises affectées à un moment donné à un produit qui peut ainsi être vendu, sans revente à perte, à un prix particulièrement bas. Elle a ainsi assigné un groupe d'hypermarchés qui, par cette technique de facturation, s'est donné les moyens de pratiquer des prix sensiblement inférieurs aux prix du marché.

Parce qu'elles sont susceptibles d'affecter la capacité concurrentielle d'un agent économique, les discriminations peuvent entraver son accès au marché. Une telle analyse a justifié la condamnation des avantages accordés par les laboratoires Sarbec à la SARL Promodès, avantages sans contreparties réelles créant un avantage injustifié dans la concurrence pour le distributeur (Référé TGI de Lille du 26 janvier 1993).

Autre exemple de discrimination flagrante, celui de l'exigence "d'un ticket d'entrée" sous forme de versements au titre de la coopération commerciale et ne correspondant à aucune contrepartie ni réelle, ni même alléguée. Ainsi, la DGCCRF a saisi le Tribunal de Grande Instance de Paris des agissements d'un groupement de distributeurs qui avait conclu des contrats de coopération commerciale avec plusieurs fournisseurs et percevait les sommes considérables prévues par ces contrats mais ne rendait pas les services correspondants.

Le jugement du Tribunal de Commerce de Périgueux du 9 novembre 1992 a confirmé le mécanisme de la présomption contenu dans l'article 36(1). En l'absence de conditions générales de vente, l'application, sans justification, de tarifs différents à des clients, laisse présumer l'existence d'une discrimination : le tribunal, en reconnaissant l'applicabilité de l'article 36(1) aux prestations de service a aussi enjoint à la société d'établir un tarif reprenant les prix unitaires de ses prestations assortis des remises applicables. De même, le TGI de Bordeaux a exigé de la Société SURCA, spécialisée dans le traitement des déchets, l'établissement, dans un délai de 30 jours, d'un tarif reprenant les prix des prestations assortis des remises quantitatives applicables aux industriels et professionnels, et l'affichage de ce tarif accessible à la clientèle. Ce jugement confirme l'applicabilité de l'article 36(1) aux prestations de services et met en exergue l'obligation de transparence.

Une politique d'enquêtes et de saisines du Conseil de la concurrence axée sur l'ouverture des marchés

Les ententes tarifaires et de répartition des marchés sont des facteurs de sclérose du tissu économique. Préparer le grand marché supposait donc de mettre en oeuvre avec vigilance les instruments de lutte contre les comportements anticoncurrentiels.

Comme les autres années, cette mission de veille attentive pour le bon fonctionnement des marchés a été principalement organisée dans le cadre d'une structure d'échanges d'informations qui associe étroitement les services déconcentrés et l'administration centrale. L'efficacité de ce réseau a permis en 1992 la détection de 330 indices de pratiques anticoncurrentielles (309 en 1991). L'exploitation de ces indices a permis l'élaboration de 230 rapports d'enquêtes.

Les saisines ministérielles du Conseil de la concurrence (51 en 1992) ont représenté près de 50 pour cent de l'activité du Conseil. La couverture des secteurs les plus variés permet d'appréhender les différentes formes de comportements anticoncurrentiels qui introduisent des rigidités dans le fonctionnement des marchés. Ainsi, de nombreuses saisines ministérielles mettent en cause des ententes tarifaires qui génèrent une protection artificielle de la concurrence, en supprimant l'élément d'incertitude dans la détermination de la politique commerciale des entreprises. Le ministre a ainsi saisi le Conseil de la concurrence des pratiques mises en oeuvre par les principaux loueurs de véhicules sans chauffeur qui, au moyen d'un GIE destiné à la clientèle des agences de voyages, d'une part alignaient leurs comportements tarifaires, mais surtout exerçaient un véritable contrôle sur l'accès des loueurs concurrents au marché des agences de voyages.

Plusieurs saisines ministérielles ont visé par ailleurs les pratiques des principaux fabricants de lessives, qui subordonnaient l'octroi d'avantages commerciaux au respect d'un prix minimum imposé. Par un tel comportement, les fabricants limitent la liberté commerciale de leurs distributeurs en les privant notamment de certains avantages qui leur permettraient de pratiquer un prix de vente au consommateur plus compétitif. Ces pratiques conduisent ainsi au maintien des prix à un niveau artificiellement élevé.

Enfin, un autre axe prioritaire a été la lutte contre les ententes de répartitions de marchés, notamment pour la construction de grands ouvrages publics (tunnels, ports de plaisance, métros) : neuf des 50 saisines ministérielles ont concerné ce type d'entente, ainsi que la lutte contre les pratiques de limitation de l'accès au marché.

Tableau 3

Statistiques des saisines du Conseil de la Concurrence

1. Saisines ministérielles contentieuses du Conseil de la Concurrence

(sur la base des rapports d'enquête de la DGCCRF)

1987	17
1988	30
1989	34
1990	43
1991	49
1992	51

2. Origine des saisines en 1992 du Conseil de la Concurrence contentieuses (art. 7 et 8 de l'Ordonnance de 1986)

ministre chargé de l'Économie	51
Entreprises	46
Organisation professionnelle	5
Associations de consommateurs	1

ALLEMAGNE

(1992-1993)

I. Modifications du droit et de la politique de la concurrence adoptées ou envisagées

Ni la loi allemande sur la lutte contre les restrictions à la concurrence ni la loi sur la concurrence déloyale n'ont été modifiées au cours de la période examinée. A l'heure actuelle, il n'existe pas de projet de révision.

II. La situation en matière de politique économique et de politique de la concurrence

Plus de trois années après l'unification allemande, il est évident que le passage des nouveaux Länder (l'ex-RDA) à une économie de marché prend beaucoup plus de temps qu'on ne l'avait prévu à l'origine. Des conditions préalables aussi essentielles que l'établissement d'un régime de la propriété privée et d'un grand nombre d'entrepreneurs ne sont toujours que partiellement remplies dans les nouveaux Länder. En outre, l'essor économique est entravé surtout par l'effondrement des échanges avec les États d'Europe centrale et orientale s'ajoutant à l'écart entre les niveaux de productivité relativement faibles et les salaires maintenant relativement élevés que doivent payer les firmes est-allemandes, ce qui constitue également un grave inconvénient en matière de concurrence avec les pays d'Europe orientale en période de transition.

De nombreuses industries au sein des nouveaux Länder, c'est-à-dire des branches des industries de la construction mécanique et des industries chimiques, électroniques, sidérurgiques et textiles voient leurs entreprises menacées de fermeture sur une grande échelle parce que les installations périmées ne sont pas immédiatement remplaçables par de nouvelles capacités. Les décideurs économiques sont par conséquent tentés de maintenir en vie artificiellement des firmes et des branches d'activités non compétitives, contrairement aux principes régissant l'économie de marché. Néanmoins, l'expérience enseigne que si des fonds sont affectés à des subventions pour le maintien en vie des entreprises, ils feront défaut là où ils seraient nécessaires pour la création de structures de marché compétitives.

Alors que le maintien des subventions à la survie d'une entreprise est compréhensible quand il s'agit d'une politique sociale, il n'amènera pas une croissance durable, pas plus qu'il ne générera des emplois stables. Au lieu de cela, les firmes des nouveaux Länder non encore privatisées, mais qui, fondamentalement, sembleraient viables devraient être mises en mesure de s'engager avec succès dans la concurrence sur le marché. L'octroi d'une aide financière sélective, temporaire, destinée à compenser les inconvénients structurels est absolument compatible avec les principes d'une économie de marché, si c'est là le seul moyen de créer un terrain propice à l'affrontement à armes égales des firmes est-allemandes et de leurs concurrents occidentaux. De nombreuses firmes privatisées, en particulier dans la construction et l'alimentation comme dans le secteur des échanges et de nombreux autres secteurs relatifs aux services apportent la preuve qu'il est possible de prendre avec succès un nouveau départ dans des conditions de liberté de marché.

En tout état de cause, il est nécessaire que la politique de la concurrence continue à aller de l'avant dans le sens de la privatisation des firmes anciennement propriété d'État au sein des nouveaux Länder, afin que les quelques 1 500 firmes restant à privatiser sur un total initial de plus de 12 000 firmes deviennent finalement propriétés privées. Il va sans dire qu'au cours de ce processus d'adaptation, une importance égale est attachée aux autres missions de la politique de la concurrence, par exemple aux mesures visant à favoriser la mise en place de structures compétitives, à celles visant à empêcher la conclusion d'accords horizontaux illégaux ainsi que la concentration anticompétitive de puissance sur le marché, et à l'amélioration des conditions d'accession au marché, du fait de l'abrogation des règlements et de la levée des autres barrières à cet accès.

Au cours de la période examinée, des facteurs structurels et cycliques ont également renforcé la nécessité d'ajustements en Allemagne occidentale visant à maintenir une compétitivité internationale. L'intégration accrue du marché unique européen, l'internationalisation de nombreux marchés de produits, la concurrence étrangère accrue pour des produits à forte composante de main-d'oeuvre et des produits à faible composante de savoir-faire, de la part des pays de l'Europe orientale en transition en particulier, ainsi que la récente récession économique ont mis en lumière l'existence de failles structurelles dans l'économie de l'Allemagne occidentale qui jusqu'ici avaient été voilées par la croissance économique soutenue des années 80. Le gouvernement a diffusé un document qui contient l'analyse de l'état actuel de l'économie des sociétés allemandes et qui met en lumière les mesures les plus urgentes à prendre afin de préserver la situation de l'Allemagne en tant que terre propice aux investissements. Selon ce document, il est d'une importance capitale de réduire le rôle de l'État à ses fonctions essentielles. Il ne faut plus attendre de l'État qu'il fournisse des prestations sociales sans sélectivité. Les dépenses publiques doivent être plutôt axées sur les objectifs les plus importants. Les subventions ne doivent plus bénéficier à des industries non compétitives mais à la recherche et au développement. Les procédures bureaucratiques interminables qui font obstacle aux investissements doivent être simplifiées.

A une époque de difficultés structurelles et de problèmes d'adaptation économique, il est capital d'améliorer l'exercice de la concurrence. Le gouvernement se propose de prendre les mesures requises à cet égard. Il favorisera la création d'un ordre international antitrust et s'opposera aux accords d'autolimitation enfreignant la législation sur la concurrence. Il envisage l'adaptation de la loi traitant sur la lutte contre les restrictions à la concurrence à la législation communautaire sur la concurrence, qui ne prévoit aucune dérogation juridique en faveur des ententes. En ce qui concerne les questions de procédure, il est favorable à une application transparente et prévisible de la législation communautaire sur la concurrence, soutenue par des mesures de sauvegarde institutionnelle appropriées, prises au niveau communautaire ainsi qu'à une décentralisation de son administration comportant un élargissement des compétences pour les autorités nationales en matière de concurrence. Dans le secteur des services financiers, l'application des directives de la CEE encouragera la création de conditions égales de compétitivité sur le marché national pour les firmes négociant les obligations et les valeurs mobilières, en particulier par l'adoption de règles rigoureuses en ce qui concerne le délit d'initié. En outre, la protection des marques de produits sera renforcée. Les décideurs en matière de concurrence doivent surveiller étroitement l'adaptation nécessaire à l'évolution des conditions de l'offre et de la demande dans toutes les branches de l'économie.

III. Application de la législation et des politiques de la concurrence

Lutte contre les pratiques anticoncurrentielles

Violation de l'interdiction des ententes

L'interdiction des ententes, qui est une règle fondamentale de la législation allemande régissant la concurrence, assure la liberté d'action des opérateurs indépendants sur un marché concurrentiel et protège ce marché contre les contrats et les accords restrictifs. Bien que l'évolution économique et technologique et la création de vastes espaces économiques aient intensifié la concurrence internationale sur de nombreux marchés et rendu la cartellisation plus difficile, il existe également de nombreux marchés qui ont dans une large mesure conservé leur caractère national. Il en est ainsi des secteurs qui, en raison des conditions économiques, technologiques ou institutionnelles, ne sont pas ou ne sont pas entièrement exposés à la concurrence des fournisseurs étrangers (par exemple le commerce de détail, la construction, de nombreux marchés de matériaux de construction, ainsi que ceux du secteur de l'énergie).

Par ailleurs, néanmoins, l'intensification de la concurrence internationale due à l'évolution économique et technologique amène les firmes à chercher à éviter la pression concurrentielle en utilisant des stratégies commerciales transfrontières fondées sur la coopération. La protection de la concurrence contre les accords horizontaux restrictifs reste donc un objectif essentiel de la législation allemande en régissant la concurrence.

Au cours de la période examinée, l'Office Fédéral des Ententes (OFE) a clôturé la procédure qui avait été engagée contre des grossistes allemands du secteur du verre, laquelle avait déjà été mentionnée dans notre rapport pour l'année dernière.

L'OFE a infligé des amendes administratives pour un total d'environ 3.3 millions de DM à 16 grossistes allemands du secteur de la verrerie et à des fabricants de verre isolant du nord de l'Allemagne, ainsi qu'à leurs directeurs responsables, au motif qu'ils avaient conclu des accords restrictifs en matière de prix et de remises. Depuis 1986 et jusqu'en 1990, les firmes en cause s'étaient entendues sur les prix, les remises et diverses conditions et, en conséquence, avaient coordonné leur comportement sur le marché. En outre, plusieurs petites et moyennes entreprises, filiales des deux principaux producteurs de verre plat en République fédérale d'Allemagne, c'est-à-dire Vegla, d'Aix-la-Chapelle (groupe St-Gobain de France) et Flachglas AG, de Gelsenkirchen (groupe Pilkington du Royaume-Uni) étaient parties aux accords. Les décisions ne sont plus susceptibles de recours.

Dans le cadre d'une autre procédure, l'Office fédéral des ententes a infligé des amendes pour un total d'environ 3.8 millions de DM à cinq principaux producteurs allemands de matériel de lutte contre l'incendie et à leur personnel directorial au motif qu'ils avaient conclu des accords anticoncurrentiels en matière de prix et de remises.

Les firmes en cause ont appliqué des accords en matière de prix de 1988 à 1992. Depuis septembre 1991, elles s'étaient également entendues sur le maximum de remise à appliquer et avaient, en conséquence, coordonné leur conduite sur le marché. Deux des firmes n'avaient été parties qu'aux accords sur les prix auxquel elles avaient adhéré ultérieurement. La plupart des véhicules utilisés pour la lutte contre l'incendie sont achetés par des autorités municipales. Les condamnations à des amendes sont encore susceptibles d'appel.

En outre, l'Office Fédéral des Ententes a condamné les fabricants de sels allemands Kali + Salz AG (K + S), de Kassel, une filiale de BASF AG, et Südwestdeutsche Salzwerke AG (SWS), de Heilbronn, ainsi que leurs agents responsables à 20.7 millions de DM d'amendes au motif qu'ils avaient appliqué des accords restrictifs.

De 1982 à 1990, les firmes susvisées ont restreint la concurrence sur le marché du sud de l'Allemagne pour le sel utilisé dans la construction routière, par le biais d'accords au titre desquels SWS, qui avait obtenu des accords de distribution exclusive de sel bon marché utilisé sur les routes et importé de l'ancienne République démocratique allemande, avait vendu ce sel importé en tant que sel industriel de moins bonne qualité et à prix plus bas de manière à éviter une pression sur les prix du sel local utilisé sur les routes. K + S, pour sa part, procédait à des versements compensatoires à SWS pour plusieurs millions de DM afin de compenser la perte de recettes. Les condamnations à des amendes sont encore susceptibles d'appel.

Peu avant l'expiration de la période examinée, l'Office Fédéral des Ententes a interdit à Duales System Deutschland GmbH (DSD), un système de collecte des déchets à l'échelon national, de prendre des dispositions directes ou indirectes pour la collecte et l'évacuation de déchets d'emballages de transport (emballages dans lesquels les marchandises sont expédiées) avec des firmes du secteur de l'industrie (y compris en ce qui concerne le secteur du commerce de détail). Il tient de tels accords pour des violations de l'interdiction des ententes. DSD est le système privé mis en place par les distributeurs, les entreprises d'emballage et les fabricants d'emballage en vue de la récupération et du recyclage des emballages de vente usagés (enveloppes ou conteneurs dans lesquels les articles sont vendus au public). L'Ordonnance de juin 1991 sur les emballages oblige les distributeurs à reprendre gratuitement tous les emballages usagés d'articles vendus aux utilisateurs finaux.

La décision de l'Office Fédéral des Ententes vise à empêcher DSD d'accéder au marché de la collecte et de l'évacuation des emballages utilisés pour le transport. En l'absence de cette interdiction, DSD étendrait son quasi monopole pour la collecte des emballages utilisés dans la vente au marché connexe des emballages utilisés pour le transport industriel, en s'emparant du dernier marché libre d'évacuation des emballages. DSD a interjeté appel contre la décision d'interdiction.

Tableau 1. **Ententes légalisées**

Catégories	Ententes 1992		Total depuis 1958	Ententes encore en vigueur en décembre 1992
	Nouvelles	Supprimées		
Ententes sur les conditions générales. Art. 2	-	-	66	41
Ententes sur les remises. Art. 3	-	-	33	5
Ententes sur les commissions générales et remises	-	-	15	3
Ententes de crise. Art. 4	3	-	2	-
Ententes de normalisation. Art. 5 (1)	3	-	14	4
Ententes de rationalisation. Art. 5 (2)	1	-	23	2
Ententes de rationalisation. Art. 5 (2) et (3)	-	-	34	4
Ententes de spécialisation. Art. 5 a (1) première phrase	-	2	65	16
Ententes de spécialisation. Art. 5 a (1) deuxième phrase	1	2	56	17
Accords de coopération. Art. 5 b	7	4	113	91
Ententes sur les exportations. Art. 6 (1)	-	3	111	40
Ententes sur les exportations. Art. 6 (2)	2	-	14	2
Ententes sur les importations. Art. 7	-	-	2	-
Ententes autorisées à titre exceptionnel. Art. 8	-	-	4	2
Total	**17**	**11**	**552**	**227**

Statistiques sur les différents types d'ententes légalisées

Le nombre et les types d'ententes légalisées par l'Office Fédéral des Ententes et par le ministère fédéral de l'économie sont indiqués dans le tableau 1.

Au cours des périodes antérieurement examinées, le nombre d'ententes légalisées par l'OFE et qui restent en exploitation est pratiquement resté inchangé en s'élevant à 227 (224 à l'expiration de 1991). Comme auparavant, le nombre des ententes sous une forme coopérative, soit 91, est remarquablement élevé et répond aux efforts déployés par l'OFE afin de permettre aux petites et moyennes entreprises de se maintenir dans la concurrence avec de grandes entreprises puissantes. Il faut également signaler que le nombre d'ententes qui ont été légalisées et qui sont uniquement pour l'exportation sans effets internes a diminué de 3 en passant à 40 à l'expiration de l'exercice 1992.

Lutte contre les pratiques abusives de firmes en position dominante

Il est heureux que la surveillance visant à détecter les pratiques abusives d'entreprises en position dominante sur le marché ne joue toujours qu'un rôle mineur dans le cadre de l'application de la législation allemande régissant la concurrence. Le nombre relativement réduit de procédures dans ce domaine concernait des marchés régionaux sur lesquels les fournisseurs sont protégés contre la concurrence nationale ou internationale, ou des secteurs dans lesquels le dynamisme du marché est au moins partiellement éliminé ou entravé par des règlements gouvernementaux ou spéciaux, par exemple dans les secteurs suivants : pharmacie, banques et assurances ainsi qu'approvisionnement en énergie.

Sous un régime de marché libre tel que celui de la République fédérale d'Allemagne, la surveillance des pratiques abusives en matière de prix, c'est-à-dire des ingérences dans la liberté des entrepreneurs de fixer les prix, doit être limitée à des cas exceptionnels. En outre, les problèmes théoriques soulevés par une surveillance de cette nature, le fait que des valeurs de référence théoriques doivent être fréquemment évoquées, et les exigences rigoureuses en matière d'administration de la preuve établies par les juridictions allemandes dans les affaires de position dominante sur le marché et d'exploitation abusive de position dominante, sont autant d'éléments qui ont contribué à ce que le bilan de l'OFE dans ce domaine soit décevant.

Nonobstant les problèmes essentiels et les difficultés pratiques de la surveillance des abus en matière de prix, l'OFE continuera à conduire des procédures même là où il s'agit d'exploitation abusive présumée. Au cours de la période examinée, par exemple, l'Office a engagé une procédure contre d'importants organismes de crédit ayant leur siège à Berlin et qui étaient soupçonnés d'exploiter leur position dominante sur le marché en payant des taux d'intérêt extrêmement faibles à certains comptes d'épargne. La procédure dirigée contre les pratiques abusives a depuis été clôturée sans qu'aucune décision n'ait été arrêtée, parce que la baisse générale des taux d'intérêt en Allemagne a entretemps entraîné la réduction considérable des taux d'intérêt pour les autres types de dépôt dans la région du grand Berlin également, alors que les taux d'intérêt des dépôts dans les comptes d'épargne en cause sont restés inchangés.

L'ouverture du marché peut contribuer très sensiblement à la protection de la concurrence sur le marché national. L'OFE a donc statué en matière de pratiques abusives dirigée contre trois importants grossistes allemands de produits pharmaceutiques au motif qu'ils avaient entravé l'activité d'un importateur allemand de médicaments. Celui-ci était le plus important fournisseur allemand de spécialités pharmaceutiques allemandes importées et il avait profité de l'écart des prix entre certains pays membres de la CEE en proposant des médicaments réimportés sur le marché allemand à des prix inférieurs de 10 à 15 pour cent environ à ceux qui étaient demandés par les fabricants nationaux. A la suite de l'attitude d'obstruction systématique des trois grands grossistes allemands de produits pharmaceutiques et de leur refus obstiné d'inclure les produits réimportés de ce fournisseur dans leur gamme de produits, ce dernier s'est vu refuser pratiquement l'accès aux pharmacies ouvertes au public en Allemagne. Simultanément, les pratiques anticoncurrentielles de ces grossistes ont fermé le marché allemand des produits pharmaceutiques aux réimportations de produits à bas prix. Il peut encore être interjeté appel de la décision.

La décision arrêtée par l'OFE contre Verbundnetz Gas AG, le seul fournisseur de gaz sur longue distance exerçant ses activités dans les nouveaux Länder et le seul exploitant de gazoduc, qui avait refusé à une autre société de fourniture et de distribution de gaz alimentée en gaz naturel qui devait être acheté à la Russie l'accès à son réseau d'approvisionnement, a été annulée par la cour d'Appel de Berlin. Ne disposant pas de la motivation de la Cour au terme de la période considérée, l'OFE n'a pu encore se prononcer sur le fait de savoir s'il y avait lieu de former un recours concernant les points de droit auprès de la Cour suprême fédérale.

Fusions et acquisitions

Statistiques et récapitulatif des fusions tombant sous le coup des dispositions en matière de contrôle

Bien que, depuis 1990, les fusions à l'échelle de la Communauté économique européenne soient en principe régies par la réglementation européenne en matière de fusion, leur contrôle par l'OFE, visant à sauvegarder les structures de marché concurrentielles, conserve une grande importance.

Le nombre total des fusions notifiées à l'OFE a baissé en passant de 2 007 en 1991 à 1 743 en 1992 (voir tableaux 2 et 3). Cette évolution est largement imputable au fait que le nombre d'acquisitions à notifier ayant pour objet des firmes est-allemandes a chuté en passant de 784 en 1991 à 521 en 1992.

Étant donné que la Treuhandanstalt aura bientôt terminé sa mission de privatisation des firmes est-allemandes (voir ci-dessus), les statistiques sur les fusions établies par l'OFE ne rendront plus compte dès 1994 des tendances particulières résultant de l'unification allemande. Les 634 fusions notifiées jusqu'à la fin juin 1993 comprennent à peine plus de 100 acquisitions de firmes est-allemandes. Dans l'ensemble, il est à prévoir que le nombre de fusions rejoindra en 1993, et certainement en 1994, le niveau des années 1988 et 1989, c'est-à-dire de 1 200 à 1 400 fusions par an, à moins que des faits nouveaux ne surviennent entretemps.

Une autre ventilation des fusions notifiées fait apparaître que la tendance des années précédentes s'est maintenue, c'est-à-dire que la part des grandes entreprises (dont le chiffre d'affaires dépasse 2 milliards de DM) dans le nombre de fusions notifiées s'accroit régulièrement. Cette part atteint un niveau de près de 80 pour cent au cours de la période examinée. La tendance des grandes entreprises d'acquérir essentiellement des petites et moyennes entreprises (dont le chiffre d'affaires est inférieur à 50 millions de DM) s'est également maintenue. Pour la période considérée, environ 55 pour cent des fusions se rangeaient dans cette catégorie.

En 1992, sur les 1 743 fusions

1180   (1 459 en 1991)   ont été notifiées, à titre obligatoire ou facultatif, avant leur réalisation;

409   (351 en 1991)   ont été notifiées après la réalisation et jugées, à cette occasion, devoir faire l'objet d'un contrôle;

154   (197 en 1991)   n'ont pas été soumises à un contrôle car leur chiffre d'affaires était en deçà du seuil prévu à l'article 24 (8) de la LRC.

Tableau 2

Fusions notifiées en application de l'article 23 de la LRC

Année	Nombre de fusions
1973	34
1974	294
1975	445
1976	453
1977	554
1978	558
1979	602
1980	635
1981	618
1982	603
1983	506
1984	575
1985	709
1986	802
1987	887
1988	1 159
1989	1 414
1990	1 548
1991	2 007
1992	1 743
1er janvier - 30 juin 1993	634

Comme au cours des périodes examinées antérieurement, près de 70 per cent des fusions se rangeaient dans la catégorie des fusions notifiées et examinées de manière approfondie avant leur réalisation, alors que le pourcentage des fusions ne devant pas faire l'objet d'un contrôle a légèrement diminué. Depuis l'instauration en 1973 du contrôle des fusions jusqu'à la fin de 1992, le nombre total de fusions notifiées et réalisées s'est élevé à 16 146 (voir le tableau 4).

Tableau 3. Fusions notifiées conformément à l'article 23 de la LRC en 1992 par:

Forme de fusion		Type de fusion [1]	
Total	1 743	**Total**	1 743
Acquisition d'actifs	320	Horizontales dont :	1 463
Acquisition d'actions	815	a) sans extension de la production	1 189
Co-entreprises (y compris création de nouvelles entités)	560	b) avec extension de la production	274
Liens contractuels	21	Verticales	70
Participations croisées au conseil d'administration Article 23 (2) n°. 4	-	Conglomérats	210
Liens divers	22		
Influence sensible sur le plan de la concurrence	5		

(1) Fusions horizontales sans extension de la production -- l'entreprise absorbée opère sur les mêmes marchés que l'acquéreur (par exemple, une brasserie acquiert une autre brasserie).

Fusions horizontales avec extension de la production -- l'entreprise absorbée et l'acquéreur exercent leurs activités sur des marchés voisins du même secteur économique (par exemple, une brasserie acquiert une entreprise produisant des jus de fruit).

Fusions verticales -- l'activité de l'entreprise absorbée correspond au stade de production situé en amont ou en aval de l'activité de l'acquéreur (par exemple, une brasserie acquiert un grossiste en boissons).

Tableau 4

Fusions notifiées conformément à l'article 23 de la LRC
de 1973 à 1992 par :

Forme de fusion		Type de fusion (1)	
Total	16 146	**Total**	16 146
Acquisition d'actifs	3 617	Horizontales	11 687
Acquisition d'actions	7 912	dont:	
Co-entreprises (y compris création de nouvelles entités)	4 076	a) sans extension de la production	9 031
		b) avec extension de la production	2 656
Liens contractuels	295		
Participations croisées au conseil d'administration Article 23 (2) n°. 4	12	Verticales	1 816
Liens divers	173	Conglomérats	2 643
Influence sensible sur le plan de la concurrence	7		

(1) Fusions horizontales sans extension de la production -- l'entreprise absorbée opère sur les mêmes marchés que l'acquéreur (par exemple, une brasserie acquiert une autre brasserie).

Fusions horizontales avec extension de la production -- l'entreprise absorbée et l'acquéreur exercent leurs activités sur des marchés voisins du même secteur économique (par exemple, une brasserie acquiert une entreprise produisant des jus de fruit).

Fusions verticales -- l'activité de l'entreprise absorbée correspond au stade de production situé en amont ou en aval de l'activité de l'acquéreur (par exemple, une brasserie acquiert un grossiste en boissons).

Depuis l'instauration en 1973 du contrôle des fusions, l'OFE a officiellement prononcé 102 interdictions de fusion, dont 56 sont devenues depuis définitives. 22 décisions ont été annulées par les juridictions. 16 décisions d'interdiction ont été retirées ou ont fait l'objet d'un autre type de règlement par l'OFE. Dans six affaires, le ministère fédéral de l'économie a accordé une autorisation totale ou partielle pour des fusions interdites par l'OFE, alors que, dans neuf affaires, les demandes d'autorisation ministérielle ont été rejetées. Les deux interdictions restantes ne sont pas encore devenues définitives.

A côté des fusions officiellement interdites, quatre projets de fusion ont été abandonnés par les firmes au cours de la période considérée, à l'issue d'entretiens officieux avec l'OFE.

Dans deux autres affaires, les entreprises concernées ont retiré leur projet de fusion notifié à l'OFE, après que celui-ci leur eut fait part de son intention de prendre une mesure d'interdiction.

Afin d'éviter une décision d'interdiction, plusieurs firmes ont donné des assurances à l'OFE en dissipant ses inquiétudes en ce qui concerne la concurrence. En donnant ces assurances, les entreprises absorbantes et/ou absorbées sont convenues de restructurer la fusion en vendant une partie de leurs activités.

L'affaire suivante constitue un exemple de ce type de procédure.

L'OFE n'a pas interdit le projet d'acquisition d'une participation majoritaire dans ASKO Deutsche Kaufhaus AG par le groupe germano-helvétique METRO, après que les firmes en cause eurent accepté au titre d'un contrat régi par le droit public la cession de plusieurs points de vente. Selon les constatations de l'OFE, la fusion aurait entraîné la formation d'une position dominante sur le marché dans plusieurs marchés régionaux dans le secteur du commerce de détail des produits alimentaires et de meubles ainsi que dans celui du bricolage.

ASKO a un chiffre d'affaires global d'environ 20 milliards de DM. A la suite de la cession de points de vente, dont le chiffre d'affaires totalise environ 1.3 milliard de DM, les parts de marché des principaux fournisseurs, y compris les firmes parties à la fusion, seront, sur tous les marchés régionaux en cause, sensiblement inférieures aux seuils légaux fixés par la législation allemande, au-delà desquels est présumée l'existence d'une position dominante sur le marché.

Dans le domaine de la vente au détail de produits alimentaires, les parties à la fusion sont convenues de céder des points de vente d'un chiffre d'affaires supérieur à 800 millions de DM dans quatre régions d'Allemagne, qui comprennent 12 marchés géographiques locaux concernés. Dans le secteur du bricolage, 20 points de vente sur 14 marchés régionaux et dont le chiffre d'affaires dépasse 400 millions de DM doivent être cédés, de même que dans le secteur de la vente de meubles au détail, trois points de vente dont le chiffre d'affaires global dépasse 60 millions de DM sur deux marchés régionaux doivent être vendus.

Interdictions de fusions

Au cours de la période considérée, l'OFE a interdit deux fusions (contre trois au cours de la période considérée précédente).

Après avoir déjà fait part de ses préoccupations du point de vue de la concurrence au sujet de la fusion Gillette/Eemland à un stade préliminaire de la procédure, l'OFE a finalement décidé à la mi-juillet 1992, après de longues négociations, d'interdire à British Gillette UK (Isleworth), qui appartient à la US Gillette Company (Boston), d'acquérir une participation dans Dutch Eemland Holding N.V. (Amsterdam). Eemland est l'unique actionnaire de Wilkinson Sword Europe.

Gillette et Wilkinson sont de loin les plus grands fabricants mondiaux de produits de rasage. En Allemagne (ainsi que dans la plupart des pays d'Europe occidentale), Gillette et Wilkinson détiennent une part de marché d'environ 90 pour cent. A la suite de la fusion Gillette/Eemland, et de son incidence indirecte sur Wilkinson, les firmes obtiendraient conjointement une position quasi monopolistique sur le marché.

Au printemps de 1990, Gillette a acquis la totalité des activités mondiales de Wilkinson Sword -- à l'exception des entreprises ayant leur siège dans la Communauté et aux États-Unis. Conformément aux dispositions actuelles en vigueur dans la Communauté économique européenne et aux États-Unis en matière de fusion, Gillette a dû se borner à acquérir 22.9 pour cent des actions de capital sans droit de vote dans Eemland mais, dans le cadre d'accords complémentaires, elle a acquis une influence sensible sur le plan de la concurrence à l'égard d'Eemland et, de ce fait, indirectement sur Wilkinson également. Les accords connexes prévoyaient des droits de préemption, la répartition des marchés territoriaux et des accords d'exclusivité, le contrôle de la production et des quantités de vente ainsi que des ressources financières et de la structure des dettes chez Wilkinson.

L'OFE a contesté cette acquisition d'actions, conformément à une nouvelle disposition adoptée dans le cadre de la cinquième révision de la LRC allemande de 1990, aux termes de laquelle les acquisitions d'actions même en deçà du seuil de 25 pour cent, peuvent être interdites si la firme absorbante est en mesure d'exercer une influence sensible sous l'angle de la concurrence sur la firme absorbée.

L'OFE a interdit à la firme allemande Zahnradfabrik Friedrichshafen (ZF) d'acquérir Allison Transmission Division, qui appartient à la firme américaine General Motors Corp.

ZF est le principal fournisseur mondial de boîtes de vitesses, d'équipement de direction et de pièces de suspension pour véhicules, et son chiffre d'affaires constaté pour le groupe atteint près de 6 milliards de DM. En faisant l'acquisition d'Allison, ZF renforcerait sa position prépondérante sur le marché en Allemagne pour les boîtes de vitesses automatiques à grand rendement des camions et des autocars de plus de six tonnes et pour les changements de vitesses des véhicules utilisés dans la construction. Avec des parts de marché dépassant 50 pour cent pour les boîtes de vitesses automatiques des véhicules utilitaires, ZF est également le leader incontesté sur le marché européen. Sur ce marché, Allison est le deuxième fournisseur en Allemagne et en Europe. A côté de ZF et d'Allison, le seul autre fournisseur de quelque importance à l'échelle mondiale est la firme allemande Voith ayant son siège à Heidenheim, qui cependant reste largement distancée par ces firmes. En ce qui concerne les changements de vitesse des véhicules utilisés dans la construction, la position de ZF sur le marché est même plus forte tant sur le marché allemand que sur les marchés européens. Dans ce secteur également, il n'existe qu'un autre fournisseur de quelque importance, soit la firme américaine Clark.

Le chiffres d'affaires d'Allison en Allemagne ne représente qu'un pour cent de son chiffre d'affaires total, qui dépasse 800 millions de $US. Eu égard à la forte position de ZF sur le marché et au haut niveau de concentration prévalant en Allemagne, tout nouveau renforcement de cette position consécutif à une fusion détériorerait considérablement les conditions de la concurrence.

Au niveau mondial également, un leader distançant largement les concurrents sur le marché serait créé à la suite de la fusion en ce qui concerne la diversité de la gamme de produits et du savoir-faire technologique ainsi qu'un réseau de services et de distribution à l'échelle mondiale. Les effets complémentaires et synergiques qui en résulteraient à l'échelle mondiale s'exerceraient sur l'état du marché allemand également, parce que l'acheteur d'un véhicule particulier le choisit partiellement en fonction de la boîte de vitesses. Puisque l'industrie allemande des véhicules utilitaires et des véhicules utilisés dans la construction est largement orientée vers l'exportation, de telles synergies à l'échelle mondiale pèseraient également sur la demande sur les marchés allemands des boîtes de vitesses.

La protection de la concurrence intérieure qu'appelle la législation allemande sur la concurrence ne pourrait dès lors être assurée que par l'interdiction du projet de fusion.

ZF a interjeté appel de la décision auprès de la Cour d'Appel de Berlin.

Nombre et portée des fusions ayant une dimension internationale

Sur les 1734 fusions notifiées en 1992, 1 542 (soit 89 pour cent) ont été réalisées sur le territoire national et 201 (11 pour cent) à l'étranger (voir tableau 5). Ainsi, il n'y a pas eu d'évolution sensible par rapport à la période antérieure examinée. La part des fusions antérieures, soit 11 pour cent, reste en deçà de la moyenne des années antérieures, ce qui tient au fait que la part des fusions d'entreprises d'Allemagne occidentale et d'Allemagne orientale découlant de l'unification allemande est restée élevée.

Au cours de la période examinée, l'OFE a continué à présenter une appréciation sous les aspects de la concurrence de tous les projets de fusion notifiés à Bruxelles en application de la réglementation communautaire en matière de fusion et concernant également la République fédérale. Il a procédé de cette.manière dans environ 40 affaires. En outre, il a présenté des observations au sujet de plusieurs procédures de contrôle de fusion en cours à Bruxelles et dépourvues d'effets en République fédérale d'Allemagne, mais qui, du point de vue de l'Allemagne, soulevaient des questions de droit ou d'interprétation.

Tableau 5. **Fusions intéressant les entreprises étrangères et notifiées en
1991 et en 1992**

	1991	1992
Fusions réalisées sur le territoire national (fusions nationales) dont :	1 804 (89.9%)	1 542 (89%)
avec la participation directe d'entreprises étrangères	142 (7.1%)	137 (8%)
avec la participation indirecte d'entreprises	384 (19.1%)	329 (19%)
sans aucune participation étrangère	1 278 (63.7%)	1 076 (62%)
Fusions rélisées à l'étranger (fusions étrangères) dont :	203 (19.1%)	201 (11%)
avec la participation directe d'entreprises nationales	77 (3.8%)	78 (4%)
avec la participation indirecte d'entreprises nationales	27 (1.4 %)	25 (1 %)
sans aucune participation nationale	99 (4.9%)	98 (6%)
Total	**2 007**	**1 743**

Définitions :

Le lieu de la fusion est celui du siège social de l'entreprise dont des actions ou des actifs sont acquis.

Il y a participation étrangère directe à une fusion nationale lorsqu'un participant au moins est une entreprise étrangère et participation indirecte lorsqu'il s'agit d'une entreprise liée à une entreprise étrangère qui la contrôle.

Ces définitions sont également applicables aux fusions réalisées à l'étranger.

IV. Privatisation et déréglementation

Au cours de la période examinée, le gouvernement a poursuivi systématiquement la mise en oeuvre de sa politique visant à lever les obstacles législatifs aux initiatives des entrepreneurs et à permettre au jeu de la concurrence de s'exercer plus librement dans l'économie dans le cadre de la privatisation (pas seulement dans les nouveaux Länder de l'Allemagne orientale) et de la déréglementation.

La majorité des projets de privatisation mentionnés dans le dernier rapport annuel ont été réalisés au cours de la période examinée, en particulier dans les secteurs des services, de la banque et des transports, ce qui a contribué à réduire encore dans une mesure considérable le nombre de holdings propriété d'État. La privatisation de la dernière grande entreprise industrielle propriété d'État, soit Industrie-Verwaltungsgesellschaft, qui est propriétaire de holdings industriels, de biens fonciers et d'entreprises de transport, est prévue pour la fin de 1993.

En 1993 et au cours des années suivantes, le gouvernement allemand se propose de réaliser d'autres projets de privatisation concernant par exemple Telekom, les chemins de fer fédéraux et les autoroutes fédérales. A cette fin, un amendement à la Constitution sera nécessaire, et une majorité en faveur de cet amendement doit être dégagée au sein tant du Bundestag que du Bundesrat. D'autres thèmes sont l'identification des possibilités de privatisation dans divers domaines concernant l'infrastructure publique, la réduction de la participation fédérale dans le capital des entreprises (par exemple la Lufthansa, les petites entreprises), la cession de biens fonciers fédéraux et l'élaboration d'une stratégie de liquidation de la Treuhandanstalt à l'expiration de sa phase d'exploitation en 1994.

Au cours de la période examinée, les Länder ont également commencé à envisager la privatisation d'une partie de leur participation. C'est ainsi que les appels répétés du gouvernement aux Länder semblent aujourd'hui sur le point de produire des effets.

Après avoir levé un grand nombre des restrictions au transport routier des marchandises au cours de la période considérée, le gouvernement fédéral a maintenant accueilli favorablement les propositions établies par la commission de déréglementation au début de 1992 et commencé notamment à libéraliser les services de contrôle technique, de surveillance et d'experts, les services de consultants juridiques et commerciaux ainsi que les conditions d'accès aux professions et aux métiers. Le gouvernement fédéral espère de cette façon encourager également la création de moyennes entreprises rentables dans les nouveaux Länder d'Allemagne orientale.

V. Le rôle des autorités compétentes en matière de concurrence dans la formulation et la mise en oeuvre d'autres politiques

Au cours des périodes antérieures examinées, l'OFE a donné suite aux demandes que le ministère de l'économie avait introduites pour qu'il présente des observations, sous l'angle de la concurrence, sur plusieurs réglementations existantes ainsi que sur des projets de lois et de règlements. En outre, il a présenté, de sa propre initiative, des avis sur des questions relatives aux échanges ainsi que sur la politique industrielle et structurelle au ministère de l'Économie.

En vue de la mise en oeuvre des directives du Conseil des Communautés européennes au sujet des marchés publics, un comité de surveillance de toutes les offres de marchés publics sera constitué au sein de l'OFE. Ce comité de surveillance étudiera les décisions des autorités compétentes en matière de contrôles des marchés publics qui se prononceront en première instance.

Dans le contexte de la privatisation des chemins de fer en Allemagne fédérale, qui prévoit notamment la dissociation de l'exploitation des chemins de fer et du réseau des chemins de fer, la mise en place d'un conseil d'arbitrage au sein de l'OFE chargé d'assurer l'accès en l'absence de toute discrimination au réseau des chemins de fer est envisagée.

VI. Nouvelles études concernant la politique de la concurrence

Wettbewerbspolitik oder Industriepolitik ? (1992), 9. Hauptgutachten der Monopolkommission, Köln (Neuvième rapport biennal de la commission des monopoles) (comme le précédent, ce rapport constitue le recueil le plus complet et le plus actuel des données relatives à la concurrence, en particulier en ce qui concerne les ratios de concentration. Un exposé succinct en langue anglaise des principales conclusions du rapport peut être demandé à l'OFE).

GERSTENBERGER, W. (1992) *Die Bedeutung einer nationalen/europäischen Halbleiterindustrie für die Wettbewerbsfähigkeit der Industrie* (L'importance d'une industrie nationale/européenne des semiconducteurs pour la compétitivité de l'industrie). IFO-Studien zur Strukturörderung, Munich 1992.

HARMS, Wolfgang (1992) Zwischen Privatisierung, Wettbewerb und Kommunalisierung. Zur Umgestaltung des Energiesektors in den neuen Bundesländern, Köln. (Entre la privatisation, la concurrence et la communalisation. A propos de la réorganisation du secteur énergétique dans les nouveaux Länder).

PIEPER, Frank (1992), *Postdienste im Wettbewerb -- ökonomische Charakteristika und Struktur der Märkte* -- Bad Honnef. (La concurrence dans les services postaux -- caractéristiques économiques et structures du marché).

SCHMOCH V./Schnöring T. *Wie Steht es um die Wettbewerbsposition der Telekommunikationsgeräteindustrie in Europa ?* -- Bad Honnef. (Quelle est la situation actuelle sous l'angle de la concurrence dans le secteur de l'équipement des télécommunications en Europe ?).

GRÈCE

(octobre 1991 - décembre 1992)

I. Modifications apportées à la législation et aux politiques de la concurrence

Au cours de la période couverte par le présent rapport, la loi grecque sur la concurrence N°703/1977 sur le "contrôle des monopoles et des oligopoles et sur la protection de la liberté de la concurrence" (révisée par la loi 1934/1991) a été modifiée et complétée par la loi 2000/1991, adoptée par le Parlement grec le 24 décembre 1991.

Les principales modifications sont les suivantes :

a)   A l'article 1(1), les dispositions suivantes interdisent dorénavant toutes les pratiques commerciales qui ont pour effet :

--   d'imposer des conditions uniformes à la vente de biens et de services. Par conditions uniformes, on entend les prix, les conditions de paiement, les rabais et, de manière générale, toutes les pratiques visant à imposer des prix de vente uniformes ;

--   d'instituer des relations de distribution et de vente mutuelles et exclusives entre les membres d'une association d'entreprises ou entre des associations ;

--   de procéder à la vente de biens dans des conditions analogues à celles appliquées à des produits homogènes sans respecter les normes requises par la loi ;

--   d'entraver la libre circulation des biens et des services ; et

--   d'utiliser des publicités mensongères pour la vente de biens et de services.

b)   L'article 2 concernant l'exploitation abusive d'une position dominante est complété par les dispositions suivantes : l'exploitation abusive faite par une

239

ou plusieurs entreprises de la dépendance financière dans laquelle se trouve un fournisseur ou un acheteur sans autre possibilité de recours est interdite. Cette exploitation abusive peut notamment revêtir la forme de l'imposition de conditions de distribution discriminatoires, ou de la rupture soudaine et injustifiée de contrats commerciaux établis de longue date.

c)   La concentration d'entreprises, *per se*, ne tombe pas sous le coup des interdictions prévues à l'article 1(1) et à l'article 2 de la loi actuelle (modification du para. 1 de l'article 4).

d)   Les dispositions du para. 2, alinéas *a)* et *b)* de l'article 4b concernant les seuils au-delà desquels les entreprises appartiennent à des secteurs soumis à un contrôle préventif sont modifiées comme suit :

--   la part de marché de toutes les entreprises parties à la fusion, sur l'ensemble du marché national ou dans une partie importante de ce marché de biens et services homogène, représente au moins 30 pour cent du chiffre d'affaires global soit du marché national des biens et services homogènes soit de la partie importante en question ;

--   le chiffre d'affaires global de toutes les entreprises en cause atteint ou dépasse l'équivalent en Dr de 65 millions d'Écus.

e)   L'organisation du Comité de la Concurrence en sections composées de quatre membres pour traiter les affaires d'importance mineure (para. 5 de l'article 8).

f)   L'augmentation des amendes auxquelles une entreprise ou une association d'entreprises s'expose en cas d'infraction aux articles 1 et 2, le montant s'établissant désormais entre 60 et 100 millions de Dr. En cas d'infraction grave, l'amende peut être supérieure au plafond susmentionné, et représenter jusqu'à dix pour cent des recettes brutes des entreprises, ou de l'association d'entreprises, ou de l'association de personnes physiques constituant une entité juridique, réalisées au cours de l'année pendant laquelle l'infraction a été commise ou au cours de l'année précédente.

En cas d'extrême urgence et pour éviter une mesure imminente qui risque de fausser la concurrence, ou lorsque l'on est en présence d'un abus manifeste de position dominante, les mesures prévues au para. 1 du présent article peuvent être adoptées par le ministre du Commerce à titre provisoire avant que l'affaire ne soit portée devant le Comité de la Concurrence.

Dans les cas de ce genre, le ministre du Commerce, dans les cinq jours qui suivent l'adoption de la mesure en cause, convoque le Comité de la Concurrence pour le charger d'examiner l'affaire en question. Le Comité de la Concurrence est alors tenu dans les 15 jours qui suivent le jour de sa convocation de certifier, conserver ou commuer la mesure imposée par le ministre du Commerce (modification du para. 2 de l'article 8).

g) L'article 11, concernant l'octroi d'attestations négatives, est supprimé.

h) Sans préjuger des dispositions du para. 2 de l'article 9 de la présente loi, les amendes prévues dans ce texte sont imposées par décision du Comité de la Concurrence (modification de l'article 12).

i) Le montant des amendes imposées en cas d'absence de notification d'accords est porté de cinq millions de Dr à 30 millions de Dr.

II. Application de la législation et des politiques de la concurrence

Autorités chargées de la concurrence

Au cours de la période couverte par le présent rapport, la Direction des enquêtes sur le marché et de la concurrence a examiné, dans le cadre de ses fonctions, 70 affaires, soit de sa propre initiative, soit à la suite de notifications ou de plaintes écrites concernant des pratiques anticoncurrentielles. En se fondant sur le résultat de ces enquêtes, elle a saisi de 11 affaires le Comité de la Concurrence. Celui-ci a soumis sur dix d'entre elles un avis dont le ministre du Commerce a tenu compte en statuant dans chaque cas, la onzième affaire étant réglée par le Comité de la Concurrence.

Décisions judiciaires

Pendant la période examinée, la Cour d'Appel Administrative n'a arrêté aucune décision.

Descriptions d'affaires importantes

Une plainte écrite avait été déposée auprès de l'autorité compétente du Ministère grec du commerce par l'entreprise Mpezas SA et un détaillant et dirigée contre l'entreprise Fashion Times SA, distributeur exclusif des montres Swatch en Grèce. La plainte concernait le refus de Fashion Time de vendre ses produits (montres). Après avoir entendu toutes les parties, le Comité de la Concurrence a estimé que Fashion TIME, du fait de son système de distribution exclusif, n'était pas en infraction avec les dispositions des articles 1(1) et 2(2) de la loi 703/77 étant donné que sa part de marché ne représentait pas plus de cinq pour cent du marché, soit concernant les montres de luxe, soit concernant les autres montres.

L'entreprise Giula Glass Industry SA avait fait une demande d'attestation négative après sa notification, conformément à l'article 21(3) de la loi 703/77, de l'acquisition de 50.5 pour cent des actions de l'entreprise Kronos SA. La ligne de produits des deux entreprises comprend de la verrerie à usage domestique et commercial. La part de marché des deux entreprises est de 48 pour cent, le reste étant détenu par des importateurs. Le Comité de la Concurrence s'est prononcé à l'unanimité en faveur d'une attestation négative dans la mesure où l'accord ne relevait pas de l'article 1 et ne constituait pas une infraction à l'article 2 de la loi 703/77 étant donné que l'acquisition ne risquait ni d'empêcher ni de restreindre la concurrence. Le bien-fondé de cet avis a été reconnu par décision ministérielle.

Les autorités grecques chargées de la concurrence ont engagé une enquête sur une liste de prix diffusée par l'Association pan-hellénique d'opticiens. Cette liste fixait les prix de vente des verres optique dans tous les magasins membres de l'Association. Le Comité de la Concurrence a rendu un avis unanime aux termes duquel l'Association concernée doit interrompre la diffusion de cette liste de prix qui, de par sa nature même, constitue une violation aux dispositions de l'article 1(1) de la loi 703/77. De plus, si l'Association concernée ne retire pas sa liste dans les deux mois, elle devra acquitter une amende égale à dix pour cent des recettes brutes des magasins membres. Le bien-fondé de cet avis a été confirmé par décision ministérielle.

Concernant l'accord de distribution exclusive de gaz conclu entre les entreprises BP Supergas Co. et Lagos Gas Station Joint Stock Company, le Comité de la Concurrence a formulé à l'unanimité un avis positif, les termes de cet accord ne constituant pas une infraction aux dispositions de la loi 703/77 et étant conformes à la réglementation communautaire 1984/83 (relative à l'application de l'article 85(3) du traité à certaines catégories d'accords d'achat exclusifs). Le bien-fondé de cet avis a été confirmé par décision ministérielle.

Au cours de la période examinée, cinq demandes d'attestations négatives à propos d'accords de distribution sélective conclus entre importateurs et revendeurs dans le secteur des produits cosmétiques ont été examinées. Le Comité de la Concurrence s'est prononcé à l'unanimité dans tous les cas pour l'octroi d'attestations négatives. Des décisions ministérielles ont été également formulées dans tous les cas.

Des amendes d'un montant de 500 000 Dr ont été imposées en conformité à l'article 25(2)(a), à quatre entreprises pour avoir refusé de fournir les informations qui leur étaient demandées.

Notification de fusions

Au cours de la période considérée, 14 fusions ont été notifiées à la Direction, concernant les secteurs suivants de l'économie :

1. Secteur alimentaire   2
2. Secteur de l'alimentation et du café   2
3. Secteur des boissons   5
4. Secteur de la pâte à papier et du carton   1
5. Textiles   1
6. Secteur manufacturier divers   2
7. Matériaux de construction   1

_____

14

Annexe

LOI N° 703 DU 26 SEPTEMBRE 1977 SUR LE CONTRÔLE DES MONOPOLES ET OLIGOPOLES ET SUR LA PROTECTION DE LA LIBRE CONCURRENCE MODIFIÉE PAR LOI N° 1934 DU 8 MARS 1991 ET PAR LOI N° 2000 DU 24 DÉCEMBRE 1991

Chapitre A
OBJET DE LA RÉGLEMENTATION

Article 1

Ententes interdites

1. Sont interdits tous accords entre entreprises, toutes décisions d'associations d'entreprises et toutes pratiques concertées qui ont pour objet ou pour effet d'empêcher, de restreindre ou de fausser le jeu de la concurrence, notamment ceux qui consistent à :

    a) fixer de façon directe ou indirecte les prix d'achat ou de vente ou d'autres conditions de transaction,

    b) limiter ou contrôler la production, la distribution, le développement technique ou les investissements,

    c) répartir les marchés ou les sources d'approvisionnement,

    d) appliquer, à l'égard de partenaires commerciaux des conditions inégales à des prestations équivalentes en leur infligeant de ce fait un désavantage dans la concurrence, notamment refuser de vendre ou d'acheter ou de conclure toute autre transaction sans motif valable,

e) subordonner la conclusion de contrats à l'acceptation, par les partenaires, de prestations supplémentaires qui, par leur nature ou selon les usages commerciaux, n'ont pas de lien avec l'objet de ces contrats.

f) imposer des conditions uniformes à la vente de biens et de services. Par conditions uniformes, on entend les prix, les conditions de paiement, les rabais et, de manière générale, toutes les pratiques visant à imposer des prix de vente uniformes,

g) instituer des relations de distribution et de vente mutuelles et exclusives entre les membres d'une association d'entreprises ou entre des associations,

h) procéder à la vente de biens dans des conditions analogues à celles appliquées à des produits homogènes sans que ces produits présentent les caractéristiques annoncées ou satisfassent aux normes requises par la loi,

i) entraver la libre circulation des biens et des services, et

j) utiliser des publicités mensongères pour la vente de biens et de services, selon la définition donnée à l'article 19 de la loi grecque N° 1961/91 concernant la protection des consommateurs.

2. Les accords ou décisions interdits en vertu du paragraphe précédent sont frappés de nullité absolue, sauf disposition contraire de la présente loi. Les interdictions énoncées au paragraphe précédent s'appliquant également aux associations de personnes physiques constituant une entité juridique pour ce qui est des accords, décisions et pratiques concertées avec des tiers.

3. Toutefois, les accords, décisions et pratiques concertées prévus au paragraphe 1 peuvent être déclarés, par décision du Comité de la Concurrence, valables, en tout ou en partie, s'ils remplissent les conditions suivantes :

a) contribuer à améliorer la production ou la distribution des produits ou à promouvoir le progrès technique ou économique, tout en réservant aux utilisateurs une partie équitable du profit qui en résulte,

b) ne pas imposer aux entreprises intéressées des restrictions qui ne sont pas indispensables pour atteindre ces objectifs,

c) ne pas donner à ces entreprises la possibilité, pour une partie substantielle des produits en cause, d'éliminer la concurrence.

Article 2

Exploitation abusive d'une position dominante

1. Est interdit le fait pour une ou plusieurs entreprises d'exploiter de façon abusive une position dominante sur l'ensemble ou sur une partie du marché du pays. Cette exploitation abusive peut notamment consister à :

    a) imposer de façon directe ou indirecte des prix d'achat ou de vente ou d'autres conditions de transaction non équitables ;

    b) limiter la production, les débouchés ou le développement technique au préjudice des consommateurs ;

    c) appliquer à l'égard de partenaires commerciaux des conditions inégales à des prestations équivalentes, en leur infligeant de ce fait un désavantage dans la concurrence, notamment refuser de vendre, ou d'acheter ou de conclure toute autre transaction sans justification valable ;

    d) subordonner la conclusion de contrats à l'acceptation par les partenaires, de prestations supplémentaires ou de contrats supplémentaires, qui, par leur nature ou selon les usages commerciaux, n'ont pas de liens avec l'objet de ces contrats.

2. Est interdit le fait pour une ou plusieurs entreprises d'exploiter de façon abusive ses liens financiers avec une entreprise fournisseur ou acheteur n'ayant pas d'autres sources ou débouchés équivalant.

    Cette exploitation abusive peut notamment revêtir la forme de l'imposition de conditions de distribution discrétionnaires, ou de la rupture soudaine et injustifiée de contrats commerciaux établis de longue date.

Article 3

Disposition générale

Sous réserve de l'article 1(3), les accords, décisions et pratiques concertées prévus à l'article 1(1) ainsi que l'exploitation abusive de position dominante prévue à l'article 2, sont interdits sans qu'une décision préalable d'une autorité quelconque soit nécessaire à cet effet.

Article 4

Concentration d'entreprises

1. La concentration d'entreprises, *per se*, ne tombe pas sous l'interdiction de l'article 1(1), ni de l'article 2.

2. Il y a présomption de concentration lorsque :

   a) deux ou plusieurs entreprises fusionnent,

   b) une ou plusieurs personnes contrôlant déjà au moins une entreprise, ou une ou plusieurs entreprises prennent le contrôle direct ou indirect de la totalité ou d'une partie d'une ou plusieurs autres entreprises.

   Aux termes de la loi, on entend par contrôle, la possibilité d'exercer une influence décisive sur une entreprise, grâce à l'acquisition d'actifs ou de titres de ladite entreprise.

3. Il n'y a pas présomption de concentration lorsque :

   a) des banques, établissements de crédit ou autres institutions fiancières ou compagnies d'assurances parmi les activités normales desquelles figurent des transactions et autres opérations sur titres, achètent les actions d'une entreprise en vue de les revendre, sous réserve que cette cession intervienne dans l'année qui suit la date de l'acquisition et sous réserve que pendant cette période, ils n'exercent pas des droits de vote liés à ces titres pour agir sur le comportement de l'entreprise en question sur le marché,

   b) l'acquisition de titres est effectuée par des sociétés financières ou holding, et les droits liés à ces titres ne sont exercés que pour préserver l'intégralité de la valeur de cet investissement et non pour agir sur le comportement de l'entreprise sur le marché.

Article 4a

Notification des concentrations d'entreprises

1. Chaque concentration d'entreprises doit être notifiée au Service de la concurrence du ministère du Commerce dans le mois qui suit sa réalisation.

2. A titre exceptionnel, la notification n'est pas nécessaire lorsque :

   a) la part de marché des entreprises en cause représente dix pour cent du chiffre d'affaires global du marché national des biens et services concernés ou d'une partie importante de ce marché,

b) le chiffre d'affaires global de toutes les entreprises en cause, aux termes des dispositions de l'article 4e, ne dépasse pas l'équivalent en Dr de 10 millions d'Écus sur le marché national.

3. La notification doit être faite :

a) lorsque la concentration fait l'objet d'un accord entre les entreprises parties à la fusion, par chacune des entreprises en cause,

b) dans tous les autre cas, par les personnes physiques, entreprises, ou groupes de personnes physiques ou d'entreprises qui prennent le contrôle de la totalité ou d'une partie d'une ou plusieurs entreprises.

4. Le ministre du Commerce, après avis du Comité de la Concurrence, décide de la suite à donner à la notification.

5. Le ministre du Commerce, après avis du Comité de la Concurrence, peut imposer une amende pouvant atteindre trois pour cent du chiffre d'affaires global, tel qu'il est défini à l'article 4e, en cas d'inexécution fautive de l'obligation de notifier.

Article 4b

Concentration d'entreprises homogènes soumises à un contrôle préventif

1. Par décision conjointe des ministres de l'Économie nationale et du Commerce, un contrôle préventif peut être exercé sur les concentrations d'entreprises homogènes qui appartiennent à des secteurs de l'économie dans lesquels on estime que le renforcement du degré de concentration risque d'empêcher, de restreindre ou de fausser la concurrence sur le marché national, ou sur une partie substantielle de ce marché, du fait notamment de la création ou d'un renforcement d'une position dominante.

2. Toutes les concentrations prévues dans un secteur économique soumis à un contrôle préventif, conformément aux dispositions du para. 1 du présent article, doivent être notifiées avant leur réalisation aux autorités compétentes du Service de la concurrence lorsque :

a) la part de marché de toutes les entreprises parties à la fusion représente au moins 30 pour cent soit du chiffre d'affaires global du marché national de biens et services homogènes, soit d'une partie importante de ce marché, ou lorsque

b) le chiffre d'affaires global des entreprises en cause, conformément aux dispositions de l'article 4e, atteint ou dépasse l'équivalent en Dr de 65 millions d'Écus.

3. Toute concentration d'entreprises appartenant à des secteurs économiques soumis à un contrôle préventif, conformément aux dispositions du para. 1, est interdite si elle risque d'empêcher, de restreindre ou de fausser la concurrence sur le marché national ou une partie de ce marché ; spécialement par la création ou le renforcement d'une position dominante. Pour procéder à cette appréciation, il faut tenir compte de plusieurs facteurs :

-- la part de marché des entreprises en cause sur le marché concerné,

-- la puissance économique et financière des entreprises en cause,

-- l'accès aux fournisseurs ou aux marchés des entreprises en cause,

-- la compétitivité internationale des entreprises en cause,

-- les éventuels obstacles juridiques ou autres à l'entrée, et

-- l'évolution de l'offre et de la demande des biens et services sur lesquels porte la concentration envisagée.

Article 4c

Procédure pour le contrôle préventif des concentrations

1. Si, après avis du Comité de la Concurrence, le ministre du Commerce décide d'interdire une concentration au regard des dispositions de l'article 4b(3), il statue dans les deux mois qui suivent la date de la notification en interdisant sa réalisation. Le ministre peut, à titre exceptionnel, après avis du Comité de la Concurrence, autoriser les concentrations dont les avantages économiques d'ensemble compensent la restriction de la concurrence qui résultera de la concentration, ou encore celles qui sont nécessaires du point de vue des intérêts du pays. Cette autorisation accordée à titre exceptionnel peut s'accompagner de conditions ou d'obligations destinées à assurer la libre concurrence.

2. Une fois écoulé le délai prévu au paragraphe précédent, la réalisation de la concentration est considérée comme approuvée.

3. Le délai prévu au paragraphe 1 peut être prolongé par décision du ministre du Commerce :

    a) si les informations à fournir avec la notification sont incomplètes,

    b) si la notification est incorrecte ou mensongère.

    Si tel est le cas, le délai prévu au para. 1 commence à la date où la notification est présentée en bonne et due forme, et il peut être également prolongé sur demande des entreprises parties à la concentration.

4. Le ministre du Commerce peut, après avis du Comité de la Concurrence, annuler la décision d'exemption, accordée conformément aux dispositions du paragraphe 1, si cette décision a été accordée sur la base d'informations incomplètes, incorrectes ou mensongères, ou si les conditions et obligations qui accompagnent la décision ne sont pas respectées.

5. Si le ministre du Commerce, après avis du Comité de la Concurrence, conclut que la concentration notifiée n'entre pas le champ du présent texte, il formule une décision à cet effet.

Article 4d

Interdiction de la réalisation de concentrations

1. La réalisation de la concentration est interdite jusqu'à publication de la décision ministérielle prévue à l'article 4c(1), ou jusqu'à l'expiration des conditions prévues à l'article 4c(3). En cas de non-respect de cette interdiction, ou de n'importe laquelle des conditions ou obligations prévues à l'article 4c(1), dernier alinéa, une amende pouvant atteindre 15 pour cent du chiffre d'affaires global, selon la définition donnée à l'article 4e, est imposée aux entreprises concernées. Cette amende est imposée par décision du ministère du Commerce.

2. Lorsqu'une concentration a été réalisée en violation de précédent paragraphe, le ministre du Commerce, après avoir consulté le Comité de la Concurrence pour vérifier la nullité de l'acte juridique par lequel le contrôle a été acquis, peut ordonner soit la scission de l'entreprise, soit celle des actifs assemblés à la suite de la concentration, soit l'interruption du contrôle, soit toute autre mesure propre à rétablir la concurrence empêchée, restreinte ou faussée par la réalisation de la concentration.

    En cas de non-respect de cette décision, une amende est imposée pouvant atteindre jusqu'à 15 pour cent du chiffre d'affaires global des entreprises concernées, selon la définition de l'article 4e.

Cette amende est imposée par décision du ministère du Commerce.

3. Le ministre du Commerce peut, sur demande, et après avis du Comité de la Concurrence, accorder une dérogation à l'interdiction de réaliser une concentration pour éviter un grave préjudice à l'une ou plusieurs des entreprises concernées, ou à un tiers. Cette dérogation peut être assortie de conditions et d'obligations destinées à permettre une concurrence effective.

Article 4e

Calcul des parts de marché et du chiffre d'affaires global

1. La part de marché évoquée aux articles 4a(2)a) et 4b(2)a) correspond à l'ensemble des parts de marché détenues par les entreprises concernées sur le marché national ou sur la partie de ce marché visée par la concentration.

2. Le chiffre d'affaires global évoqué aux articles 4a(2)b) et 4b(2)b) correspond au montant global des chiffres d'affaires des entreprises concernées sur l'ensemble des produits vendus et des services fournis, dans le secteur considéré, au cours de l'exercice précédent, avant déduction des impôts et autres charges. N'entre pas dans ce calcul, le chiffre d'affaires résultant des transactions entre entreprises du même groupe.

3. Les seuils définis aux articles 4a(2)b) et 4b(2)b) peuvent être réajustés par décision du ministre du Commerce, après avis du Comité de la Concurrence.

4. Dans les cas où la concentration consiste en l'acquisition de certaines parties d'une entreprise ou groupe d'entreprises, constituées ou non en personnes morales, seuls sont pris en considération le chiffre d'affaires et la part de marché qui correspondent aux parties transférées.

5. Au lieu du chiffre d'affaires, évoqué aux articles 4a(2)b) et 4b(2)b) et aux para. 2, 3 et 4 du présent article, on utilisera :

    a) pour les banques, établissements de crédit, institutions financières et établissements d'investissements de portefeuille, un dixième de leurs actifs totaux, tels que ceux-ci apparaissent au bilan de l'exercice précédent,

    b) pour les compagnies d'assurances, la valeur totale brute des primes souscrites pendant l'exercice précédent.

6. Sans préjuger des dispositions des paragraphes 2 et 4 du présent article, le chiffre d'affaires global et la part de marché totale des entreprises en cause

seront calculés en additionnant les chiffres d'affaires et parts de marché respectifs des :

a) entreprises en cause,

b) entreprises qui, au sens de l'article 4(2) contrôlent au moins l'une des entreprises participant directement à la concentration,

c) entreprises qui, au sens de l'article 4(2) sont contrôlées par l'une des entreprises participant à la concentration.

Article 5

Exemptions et réglementations spéciales

1. Les dispositions de la présente loi seront également appliquées aux entreprises publiques ou aux entreprises d'utilité; cependant les ministres de la Coordination et du Commerce peuvent, par décision commune arrêtée après avis du Comité de la Concurrence, exempter de l'application de la présente loi certaines de ces entreprises ou certaines catégories d'entre elles, si elles sont d'une importance générale pour l'économie nationale.

2. Les dispositions de la présente loi seront également applicables aux entreprises et associations d'entreprises ayant pour objet la production, la transformation, le commerce ou la distribution des produits agricoles ou d'élevage, des produits forestiers ou de pêche, sauf si certaines catégories de ces entreprises ou certains secteurs de leurs activités sont exemptés de l'application de la présente loi par décision commune des ministres de la Coordination, du Commerce et de l'Agriculture, arrêtée après avis du Comité de la Concurrence.

3. Les dispositions de la présente loi seront également applicables aux entreprises et associations d'entreprises de transports sauf si des exemptions ou des réglementations spéciales -- imposées par la politique suivie en matière de transports -- sont accordées ou adoptées par décision commune des ministres de la Coordination, du Commerce et des Transports, pour ce qui concerne les transports terrestres et aériens ou des ministres de la Coordination, du Commerce et de la Marine Marchande, pour ce qui concerne les transports maritimes, après avis du Comité de la Concurrence.

Article 6

Ententes à l'exportation

Sous réserve des obligations internationales du pays, les dispositions de la présente loi ne s'appliquent pas aux accords, décisions et pratiques concertées tendant exclusivement à assurer, promouvoir ou consolider les exportations, sauf si les dispositions contraires, concernant certaines catégories d'entreprises ou de produits, sont adoptées par décision commune des ministres de la Coordination et du Commerce arrêtée après avis du Comité de la Concurrence.

Article 7

Direction chargée de l'Étude des Marchés et de la Concurrence

1. La Direction du ministère du Commerce chargée de l'étude des marchés et de la concurrence est l'organe compétent pour l'application et le respect des dispositions de la présente loi. Ses responsabilités sont décrites à l'article 6 du Décret présidentiel 397/1988 (FEK 185/25.8.88) "Organisation du ministère du Commerce".

2. D'autre attributions connexes peuvent être accordées à ladite Direction par décrets présidentiels arrêtés sur proposition du ministre du Commerce après avis du Comité de la Concurrence.

3. Les responsablités de la Direction chargée de l'Étude des Marchés et de la Concurrence, définies à l'article 6 du D.P. 397/1988 concernant les décisions du ministère du Commerce, couvrent également des décisions du Comité de la Concurrence.

Article 8

Comité de la Concurrence

1. Est constitué, auprès du ministre du Commerce, le Comité de la Concurrence qui est compétent pour rendre des décisions et donner des avis conformément aux dispositions de la présente loi.

2. Ce Comité est composé de sept membres :

    a) un Président du Tribunal Administratif de première instance, exerçant les fonctions de Président du Comité,

    b) un magistrat du Tribunal civil de première instance,

    c)   un professeur de droit commercial ou de sciences économiques appartenant à un Institut d'enseignement supérieur,

    d)   un représentant de la Banque de Grèce,

    e)   un représentant de l'Association des industries grecques,

    f)   un représentant du syndicat des associations commerciales grecques, et

    g)   un spécialiste des questions de concurrence.

3.   Le chef de la Direction chargée de l'Étude des Marchés et de la Concurrence participe aux travaux du Comité sans droit de vote, en qualité de Rapporteur général, assisté par le(s) Rapporteur(s) de l'affaire examinée.

4.   Le Secrétariat du Comité est assuré par un agent de la Direction chargée de l'Étude des Marchés et de la Concurrence.

5.   Le Président, les membres et le Secrétaire du Comité de la Concurrence sont nommés par décision commune des ministres de la Coordination, de la Justice et du Commerce. Par la même décision, sont nommés le Président adjoint qui doit être du même grade que le Président, les remplaçants des membres du Comité prévus aux sous-paragraphes *b)* à *g)* ci-dessus ainsi que le remplaçant du Secrétaire.

Le Chef de la Direction chargée de l'Etude des Marchés et de la Concurrence est remplacé, en cas d'empêchement, par son adjoint à cette Direction. Le Comité de la Concurrence peut, de son propre choix, opérer en sections composées de quatre membres pour traiter les affaires d'importance mineure.

6.   Le Comité de la Concurrence ne délibère valablement que si son Président, trois de ses autres membres et le Secrétaire assistent à la séance ; il prend ses décisions à la majorité. En cas d'égalité des voix, le vote du Président l'emporte.

7.   Toute personne ayant formé une demande ou une plainte selon la présente loi, peut assister en personne ou avec son représentant en justice ou se faire représenter par ce dernier durant les débats qui s'ensuivent devant le Comité de la Concurrence, convoqué à cet effet quinze jours avant. Il en est de même pour les entreprises et associations d'entreprises -- qui doivent être citées trente jours avant -- contre lesquelles serait introduite une instance devant le Comité de la Concurrence. Les parties présentes doivent apporter immédiatement les preuves de leurs présomptions.

8.   Toute personne qui n'a pas pu assister aux débats, faute d'une citation selon les formes et dans les délais prescrits, a le droit de former une demande en

réouverture des débats dans un délai de quinze jours à partir de la notification de la décision.

9. Le Président, les membres, le Rapporteur général, le(s) Rapporteur(s) et le Secrétaire du Comité de la Concurrence ainsi que leurs adjoints ou remplaçants perçoivent une indemnité par délibération, fixée par dérogation aux clauses pertinentes existantes par décision commune des ministres des Finances et du Commerce.

10. Le Règlement de procédure du Comité de la Concurrence, par lequel doit être réglée notamment toute question relative à la procédure à suivre pour le règlement des affaires soumises au Comité, la récusation de son Président, de ses membres et de son Secrétaire, l'élaboration et la publication de ses décisions ainsi que l'octroi des copies ou extraits de ses décisions ou de ses avis juridiques, est établi par décision du ministre du Commerce, arrêtée après avis du Comité de la Concurrence.

11. Les décisions et avis du Comité de la Concurrence sont notifiées, à la diligence de la Direction chargée de l'Étude des Marchés et de la Concurrence, aux personnes ayant droit à l'exercice du recours conformément aux points (a), (b) et (c) de l'article 14(3) de la présente loi.

12. Les juges en exercice, les fonctionnaires, les employés de l'État ou les employés d'une personne morale de droit public qui sont nommés membres du Comité de la Concurrence peuvent être libérés de leurs charges professionnelles habituelles pour la durée de leur participation aux travaux du Comité. Cette durée est considérée, pour ce qui concerne toute conséquence ce droit, comme durée de service effectif et la participation des dites personnes aux travaux du Comité ne peut en aucun cas avoir des conséquences défavorables à leur situation professionnelle.

Article 8a

1. Les responsabilités du ministre du Commerce définies à l'alinéa (b), para. 11 de l'article 66 du D.P. 397/1988 (FEK 185/25.8.1988, A), sont exercées sans préjuger des dispositions de la présente loi par le Comité de la Concurrence (voir article 8 de la présente loi).

2. Après avis favorable du Comité de la Concurrence, le ministre du Commerce peut décider de dérogations en faveur de certaines catégories d'accords, conformément à l'article 1(3), de la présente loi.

3. Après avis favorable du Comité de la Concurrence, le ministre du Commerce peut décider que certaines catégories d'accords, de décisions et de pratiques

concernées n'entrent pas dans le champ d'application des dispositions de l'article 1(1), de la présente loi.

Article 9

Pouvoirs du Comité en cas de violation des articles 1(1) et 2.

1. Le Comité de la Concurrence, après avoir constaté, soit d'office, soit à la suite d'une plainte qu'il y a violation des dispositions des articles 1(1) ou (2), peut, par voie de décision :

    a) recommander aux entreprises ou associations d'entreprises intéressées de ne pas commettre l'infraction constatée,

    b) obliger celles-ci de s'abstenir de l'infraction constatée ou de ne plus la commettre à l'avenir,

    c) menacer d'infliger une amende en cas de continuation ou de répétition de l'infraction commise,

    d) infliger l'amende dont elles ont été menacées chaque fois qu'elle constate, par voie de décision, la continuation ou la répétition de l'infraction commise,

    e) infliger une amende aux entreprises ou associations d'entreprises qui ont enfreint les dispositions ci-dessus.

2. L'amende, dont une entreprise ou association d'entreprises peut être menacée ou qui peut lui être infligée selon le paragraphe précédent, s'établit entre 60 et 100 millions de Dr. En cas d'infraction grave, l'amende peut être supérieure au plafond susmentionné et représenter jusqu'à dix pour cent des recettes brutes des entreprises, ou de l'association d'entreprises, ou de l'association de personnes physiques constituant une entité juridique, réalisées au cours de l'année pendant laquelle l'infraction a été commise ou au cours de l'année précédente.

    En cas d'extrême urgence et pour éviter une mesure imminente qui risque de fausser la concurrence, ou lorque l'on est en présence d'un abus manifeste de position dominante, les mesures prévues au paragraphe 1 du présent article peuvent être adoptées par le ministre du Commerce à titre provisoire avant que l'affaire ne soit portée devant le Comité de la Concurrence.

    Dans les cas de ce genre, le ministre du Commerce, dans les cinq jours qui suivent l'adoption de la mesure en cause, convoque le Comité de la

Concurrence pour le charger d'examiner l'affaire en question. Le Comité de la Concurrence est alors tenu dans les 15 jours qui suivent le jour de sa convocation de certifier, conserver ou commuer la mesure imposée par le ministre du Commerce.

3. La prise des décisions selon le premier paragraphe ne dépend point de la notification prévue aux articles 19 et 20 ou de l'expiration ou de la non-expiration du délai de notification prescrit.

Article 10

Décisions d'application de l'article 1(3)

1. Le Comité de la Concurrence est seul compétent pour l'application de l'article 1(3).

2. La décision du Comité de la Concurrence sur l'application de l'article 1(3):

    a) indique la date d'application de cette décision qui ne peut en aucun cas être antérieure à la notification,

    b) fixe la durée d'application de cette décision,

    c) peut faire dépendre celle-ci de certaines conditions et obligations.

3. Le Comité de la Concurrence peut, à la demande de l'entreprise ou de l'association d'entreprises intéressée, reconduire la décision ci-dessus, si les conditions posées à l'article 1(3) sont toujours remplies.

4. Le Comité de la Concurrence peut révoquer ou modifier sa décision sur l'application de l'article 1(3), dans le cas où :

    a) une donnée essentielle à la prise de cette décision a été modifiée,

    b) les contractants ne se conforment pas aux conditions et obligations imposées,

    c) les conditions de révocation des actes administratifs sont remplies.

Dans les cas *b)* et *c)* du présent paragraphe, la décision de révocation ou de modification peut agir rétroactivement.

Article 11

Imposition des amendes

Sans préjudice de l'article 9(2) de la présente loi, les amendes prévues par les dispositions de la présente loi sont infligées par décision du Comité de la Concurrence.

Article 12

Révocation des décisions du Comité

Le Comité de la Concurrence peut à tout moment révoquer sa décision de non-violation des interdictions prescrites par les articles 1(1) et 2, dans le cas où sont soumis à son attention par la Direction chargée de l'Étude des Marchés et de la Concurrence ou par une plainte, des éléments d'information qui n'ont pas été portés à sa connaissance ou ont surgi après la prise de décision ci-dessus et qui prouvent la violation de la loi.

Article 12a

Les dispositions des articles 3, 15(3), 18, 19(1), 30 et 31 s'appliquent également aux concentrations entre entreprises.

Article 13

Recours devant le Tribunal Administratif de Première Instance d'Athènes

1. Les décisions du Comité de la Concurrence et du ministère du Commerce qui sont rendues publiques conformément à l'article 4a, c et d de la présente loi peuvent être attaquées par la voie d'un recours exercé devant le Tribunal Administratif de Première Instance d'Athènes dans un délai de 20 jours à partir de la notification de ces décisions.

2. L'exercice du recours prévu au paragraphe précédent ne suspend pas l'exécution de la décision rendue par le Comité de la Concurrence ; cependant, après la requête de la personne concernée, le Président du Tribunal Administratif de Première Instance d'Athènes peut -- appliquant par analogie les dispositions de l'article 2(2) du Décret-Loi 4600/1966 "sur la réglementation de certaines questions concernant les tribunaux fiscaux" -- suspendre, en tout ou en partie ou sous certaines conditions, l'exécution de la décision contre laquelle le recours ci-dessus a été excercé si des raisons appropriées imposent la suspension.

3. Le recours peut être exercé :

   a) par l'entreprise ou l'association d'entreprises contre laquelle la décision a été rendue,

   b) par la personne qui a dénoncé l'infraction,

   c) par l'État, agissant par l'intermédiaire du ministre du Commerce.

4. Le recours doit être jugé dans un délai de trois mois à partir du jour où il est porté devant le Tribunal Administratif de Première Instance d'Athènes. Les débats ne peuvent être reportés qu'une seule fois pour des raisons appropriées ; en cas de report, ils ont lieu à une date n'excédant pas un mois à compter du jour d'audience initialement prévu, sauf dans le cas où plusieurs recours sont jugés à la fois.

Article 13a

Autorité nationale compétente
Application de la législation communautaire

1. Le ministère du Commerce est l'autorité nationale compétente pour les questions de concurrence vis-à-vis des Communautés européennes et des organisations internationales.

2. Par décisions du ministre du Commerce et d'autres ministres éventuellement compétents, toutes les mesures nécessaires sont prises pour l'application des Directives et des Règlements communautaires concernant la concurrence et les concentrations d'entreprises.

3. Par décisions du ministre du Commerce, formulées après avis juridique du Comité de la Concurrence, les détails de l'application de la présente loi sont définis.

Article 14

Voies de recours

1. Aux termes de la présente loi, il peut être formé contre les décisions de la Cour Administrative d'Appel d'Athènes pourvoi en cassation devant le Conseil d'État par les parties au procès qui a eu lieu devant cette Cour ; cette voie de recours est exercée et examinée conformément aux dispositions relatives aux pourvois devant le Conseil d'État.

2. Le Commissaire général de l'État auprès des tribunaux administratifs de droit commun est autorisé à interjeter appel et former un pourvoi en cassation devant le tribunal supérieur ou le Conseil d'État même dans le cas où il n'a pas été partie au procès au cours duquel la décision attaquée a été rendue. Dans ce cas, le délai pour exercer une voie de recours est de trois mois à partir de la publication de la décision.

3. L'appel et le pourvoi en cassation doivent être jugés dans un délai de trois mois à partir du jour où ils sont portés devant l'organe juridictionnel compétent. Les délais ne peuvent être reportés qu'une seule fois pour des raisons appropriées ; en cas de report, ils ont lieu à une date n'excédant pas un mois à compter du jour d'audience initialement prévu, sauf dans le cas où plusieurs appels ou pourvois en cassation sont jugés à la fois.

4. Les dispositions de l'article 52 du D.P. 18/1989 relatives à la suspension de l'exécution des décisions rendues par les tribunaux administratifs de droit commun, au cas où un appel est interjeté, où une requête en révision est introduite ou un pourvoi en cassation est formé, sont applicables aux décisions rendues conformément à la présente loi.

Article 15

1. Sauf en cas de disposition contraire de la présente loi, le règlement des affaires soumises aux Tribunaux administratifs conformément à la loi, a lieu selon les règles du Code de procédure fiscale et selon les règles applicables au pourvoi en cassation devant le Conseil d'État ; il en est notamment de la compétence des Tribunaux, de la récusation des juges ou des parties, de la connexité et de la demande en intervention, du jugement simultané ou séparé de plusieurs affaires, de la comparution, des règles fondamentales régissant le déroulement de l'instance, des rapports et des pièces du procès, des significations, des délais, des nullités procédurales, de la préparation des débats et de l'instruction du procès, de l'interruption, reprise et suppression de l'instance, de la décision, de la rectification et interprétation des décisions, de la force de la chose jugée, des preuves, des dispositions générales relatives aux voies de recours, de l'opposition, de l'appel, de la révision et du pourvoi en cassation.

2. Les dispositions des articles 70, 71, 72 et 74(2), du Code de procédure fiscale ne s'appliquent pas aux différends prévus au para. 1 du présent article.

3. Sont autorisées à intervenir aux procès prévus au para. 1 du présent article, les entreprises ou associations d'entreprises ayant passé une entente dans le

sens des articles 1 et 2 de la présente loi, avec l'entreprise ou l'association d'entreprises parties au procès.

4. Il peut être créé, par voie de décret présidentiel arrêté sur proposition des ministres de la Justice et du Commerce, auprès du Tribunal administratif de Première Instance d'Athènes et de la Cour Administrative d'Appel d'Athènes des chambres spéciales qui connaîtront des recours, demandes en intervention, oppositions, appels et demandes en révision exercés ou formés selon la présente loi. Le même décret peut également régler toute question relative à la procédure à suivre devant ces chambres.

Article 15a

Dispositions transitoires et annulations

1. Jusqu'à ce que le Comité de la Concurrence dispose des pouvoirs de décision prévus à l'article 8 de la présente loi et les exerce, l'actuel Comité continuera de fonctionner avec les compétences qui sont les siennes. Dans l'intervalle, le ministre du Commerce détient le pouvoir de décision final.

2. Les appels interjetés à l'encontre des décisions prises par le ministre du Commerce conformément au paragraphe précédent sont jugés sur la base des dispositions jusque-là en vigueur.

3. Les recours et les affaires en suspens devant les tribunaux qui ont leur origine dans la situation juridique précédente sont jugés par les Tribunaux sur la base de cette dernière.

4. Toutes les dispositions qui sont en contradiction avec la présente loi sont annulées.

Article 16

1. La disposition de l'article 16 du Code de procédure fiscale est également applicable aux voies de recours exercées, selon la présente loi, par le Commissaire général de l'État auprès des Tribunaux administratifs de droit commun.

2. Le Commissaire général n'est pas tenu à comparaître devant les Tribunaux, y compris le Conseil d'État, lors du jugement des recours qu'il exerce conformément à la présente loi; ces recours sont jugés en son absence comme s'il était présent.

3. Le Commissaire général peut charger le Vice-Commissaire ou son propre suppléant de l'exercice des pouvoirs que lui attribue la présente loi.

4. Le droit du Commissaire général de former un pourvoi en cassation au profit de la loi contre toutes décisions des tribunaux administratifs conformément à l'article 16 du Code de procédure fiscale est indépendant de son droit de former un pourvoi en cassation conformément à l'article 14(2) de la présente loi.

Article 17

1. Les décisions de la Cour Administrative d'Appel d'Athènes et du Conseil d'État rendues conformément à la présente loi ont la force de la chose jugée selon les dispositions en vigueur. Les décisions du Comité de la Concurrence et du ministre de Commerce contre lesquelles le recours prévu par la présente loi n'a pas été exercé dans les délais ne sont examinées par les Tribunaux qu'incidemment sur la question de savoir si elles sont valables.

2. A l'exception du cas prévu à l'article 1(3), et sous réserve des dispositions du paragraphe précédent, toute juridiction quelle qu'elle soit a le pouvoir de juger incidemment ou principalement les accords, décisions, pratiques concertées et positions dominantes visés à l'article 1(1) et à l'article 2. Les jugements portés par ces juridictions sur les ententes et positions dominantes ne lient pas le Comité de la Concurrence, le Tribunal Administratif de Première Instance d'Athènes, la Cour Administrative d'Appel d'Athènes ou le Conseil d'État qui jugent par application de la présente loi.

3. Par dérogation aux dispositions du Code de procédure civile faisant dépendre la validité des mesures provisoires de l'exercice d'une action principale en justice, toute personne ayant formulé une plainte, conformément aux dispositions de l'article 23(1), de la présente loi, contre une infraction aux dispositions des articles 1(1) et 2 peut, à condition qu'elle ait intérêt pour agir, demander au Tribunal de Première Instance compétent *ratione loci* et statuant en formation de juge unique, d'ordonner des mesures provisoires applicables jusqu'au prononcé de la décision du Comité de la Concurrence. La validité provisoire d'un accord ou d'une décision selon l'article 22(1), ne porte pas atteinte à la disposition de l'alinéa précédent. Des mesures provisoires peuvent également être décidées par le ministre du Commerce.

Chapitre B
REGISTRE ET NOTIFICATION

Article 18

Registre des ententes d'entreprises

1. La Direction chargée de l'Étude des Marchés et de la Concurrence tient le Registre spécial des ententes d'entreprises ; ce Registre comporte :

    a) le Registre provisoire des Ententes d'entreprises qui est confidentiel et

    b) le Registre définitif des ententes d'entreprises qui est public.

2. Le Registre provisoire des ententes d'entreprises comporte les inscriptions des notifications prévues aux articles 19 et 20.

3. Le Registre définitif des ententes d'entreprises comporte les inscriptions :

    a) des décisions irrévocables du Comité de la Concurrence se rapportant à des questions ou différends relatifs aux dispositions de l'article 1(1) et (3) ;

    b) des décisions irrévocables du Tribunal Administratif de Première Instance d'Athènes se rapportant à des questions ou différends de même nature.

    c) des décisions irrévocables de la Cour Administrative d'Appel se rapportant à des questions ou différends de même nature,

    d) des décisions du Conseil d'État se rapportant à des questions ou différends de même nature.

    Ces inscriptions doivent être effectuées dans un délai de trente jours à partir de la publication des décisions du Comité de la Concurrence ou, le cas échéant, à partir de la publication des décisions du Tribunal Administratif de Première Instance, de la Cour Administrative d'Appel ou du Conseil d'État.

Article 19

Notifications des anciennes ententes

1. Les accords, décisions et pratiques concertées, prévus à l'article 1(1), qui sont antérieurs à la mise en vigueur de la présente loi, doivent être notifiés par les entreprises ou associations d'entreprises concernées à la Direction de

263

l'Étude des Marchés et de la Concurrence dans un délai de quatre mois à partir de la mise en vigueur de cette loi.

2. Faute d'une telle notification, chacune des entreprises ou associations d'entreprises concernée est sanctionnée par :

    a) l'imposibilité totale de bénéficier de la disposition de l'article 1(3), et

    b) l'imposition d'une amende allant de 100 000 à 200 000 Dr.

Article 20

Notifications des nouvelles ententes

1. Les accords, décisions et pratiques concertées, prévus à l'article 1(1), qui sont postérieurs à la mise en vigueur de la présente loi, doivent être notifiés par les entreprises ou associations d'entreprises concernées à la Direction de l'Étude des Marchés et de la Concurrence dans un délai de trente jours à partir de leur conclusion.

2. Faute d'une telle notification, chacune des entreprises ou association d'entreprises concernée est sanctionnée par :

    a) L'impossibilité totale de bénéficier de l'application de l'article 1(3), et

    b) l'imposition d'une amende allant de cinq millions à 30 millions de Dr.

Article 21

Le contenu de la notification

1. La notification doit contenir tous les renseignements nécessaires en vue de permettre l'examen par l'autorité compétente de l'affaire qui lui est soumise, ou la conduite des enquêtes par secteurs, ou le contrôle des ententes d'entreprises et dans tous les cas, sous peine d'irrecevabilité :

    a) la dénomination et le siège de toutes les entreprises participant à l'entente notifiée,

    b) les écrits constatant la conclusion de l'accord ou la prise de décision notifiée,

    c) tout autre élément d'information dont résulte la réalisation de l'entente notifiée.

2. Le ministre du Commerce peut, par voie de décision arrêtée après avis du Comité de la Concurrence, imposer d'autres conditions de recevabilité en rapport avec le contenu de la notification.

3. Le ministre du Commerce fixe, par voie de décision arrêtée après avis du Comité de Protection de la Concurrence, le contenu, la forme et les modalités de soumission et d'inscription au Registre des Ententes :

    a) des notifications prévues aux articles 19 et 20,

    b) des demandes d'application de l'article 1(3) prévues à l'article 10,

    c) des plaintes portant sur la violation des articles 1(1) et 2 prévues à l'article 23,

    d) de toute autre question connexe aux notifications, demandes et plaintes.

Article 22

Effets de la notification

1. Jusqu'à ce que le Comité de la Concurrence rende sa décision, conformément à l'article 1(3), les accords et décisions légalement modifiés en vertu des articles 19 et 20 sont considérés comme étant provisoirement valables.

2. La nullité des accords et décisions non notifiés qui sont antérieurs à la mise en vigueur de la présente loi, remonte à la date de cette mise en vigueur.

3. La nullité des accords et décisions notifiés qui sont antérieurs à la mise en vigueur de la présente loi, remonte à la date à laquelle a expiré le délai fixé pour leur notification.

4. La nullité des accords et décisions non notifiés qui sont postérieurs à la mise en vigueur de la présente loi, remonte à la date à laquelle les accords ont été conclus ou les décisions ont été prises.

5. La nullité des accords et décisions notifiés qui sont postérieurs à la mise en vigueur de la présente loi remonte à la date à laquelle a expiré le délai fixé pour leur notification.

Chapitre C
PLAINTES ET ENQUÊTES

Article 23

Plaintes

1. Toute personne physique ou morale est en droit de dénoncer la violation des dispositions des articles 1(1) et 2.

2. Les fonctionnaires, les employés de personnes morales de droit public, les employés d'entreprises publiques ou d'entreprises d'utilité publique, ainsi que les personnes chargées pour une durée limitée de l'exécution d'un service administratif, doivent communiquer sans faute à la Direction chargée de l'Étude des Marchés et de la Concurrence tout ce qui est porté à leur connaissance quant à la violation des dispositions des articles 1(1) et 2 sous peine d'emprisonnement jusqu'à six mois et de sanction pécuniaire de vingt 20 000 à 200 000 Dr.

3. Les secrétaires des tribunaux doivent envoyer à la Direction chargée de l'Étude des Marchés et la Concurrence copie des décisions ayant appliqué les dispositions de la présente loi, encourant, en cas d'omission, des sanctions disciplinaires.

Article 24

Collecte des renseignements

1. La Direction chargée de l'Étude des Marchés et la Concurrence est autorisée à collecter les renseignements susceptibles de servir à la mise en oeuvre de la présente loi, adressant à cet effet une demande écrite aux entreprises, aux associations d'entreprises, à d'autres personnes physiques ou morales, aux autorités publiques ou non.

    Les personnes à qui s'adresse la demande doivent fournir immédiatement des renseignements complets et précis. La demande doit se référer aux dispositions de la loi qui fondent le droit pour la Direction chargée de l'Étude des Marchés et de la Concurrence de collecter des renseignements, fixer le délai -- qui ne peut être inférieur à vingt jours -- pour fournir les renseignements demandés et signaler les sanctions prévues au paragraphe 2 du présent article en cas de non-respect de l'obligation de donner ces derniers.

S'agissant d'une demande adressée à une entreprise ou association d'entreprises, les renseignements sont fournis par les personnes désignées à l'article 29 de la présente loi et par les employés compétents de cette entreprise ou association d'entreprises.

Les personnes désignées à l'article 212 du Code de procédure pénale ne sont pas tenues à fournir les renseignements ci-dessus à condition qu'elles s'acquittent de l'obligation qui leur est imposée par le paragraphe 3 de cet article. Les dispositions de la présente loi ne portent pas atteinte aux dispositions relatives au secret bancaire.

2. En cas de manquement -- à savoir refus, obstruction, retard -- à l'obligation de fournir les renseignements demandés conformément au paragraphe précédent, ou en cas de renseignements inexacts ou incomplets, le Comité de Protection de la Concurrence doit, sans préjudice des sanctions pénales prévues à l'article 28 :

    a) infliger aux entreprises ou associations d'entreprises, à leurs directeurs et à leurs employés compétents ainsi qu'aux personnes physiques ou morales de droit privé,une amende s'élevant jusqu'à 500 000 Dr ; cette amende est infligée à chacune des personnes et entités économiques ci-dessus et pour chacune des infractions commises ;

    b) faire rapport aux autorités dont dépendent les fonctionnaires ou les employés responsables des personnes morales de droit public pour qu'elles entament la procédure disciplinaire, vu que le manquement ci-dessus constitue une faute disciplinaire.

Article 25

Conduite des enquêtes

1. En vue de constater qu'il y a infraction aux articles 1(1) et 2, les employés mandatés par la Direction de l'Étude des Marchés et de la Concurrence ayant les pouvoirs de contrôleur fiscal peuvent notamment :

    a) contrôler tous les livres, documents et écrits tenus par les entreprises ou associations d'entreprises et en emporter des copies ou des extraits,

    b) procéder à des investigations aux bureaux et aux autres locaux occupés par les entreprises et associations d'entreprises,

    c) faire des perquisitions domiciliaires en conformité avec les dispositions de l'article 9 de la Constitution,

d) recevoir des témoignages sous ou sans serment, sous réserve des dispositions de l'article 212 du Code de procédure pénale.

2. L'employé chargé des contrôles et des enquêtes prévus au paragraphe précédent en fait rapport dont une copie est adressée aux entreprises ou associations d'entreprises intéressées.

3. Le mandat de mener une enquête doit être donné sous forme écrite par le Chef de la Direction chargée de l'Étude des Marchés et de la Concurrence; ce mandat doit mentionner l'objet de l'enquête et les conséquences de toute entrave ou obstruction à la conduite de celle-ci , ou du refus de présenter les livres, documents et autres écrits ou du refus d'en remettre des copies et des extraits.

4. A tous ceux qui font obstruction à la conduite des enquêtes prévues au paragraphe premier du présent article ainsi qu'à tous ceux qui refusent de présenter les livres, documents et autres écrits et d'en remettre des copies ou des extraits est infligée -- par décision du Comité de Protection de la concurrence et sans préjudice des sanctions pénales définies à l'article 28 de la présente loi -- amende allant de 100 000 à un million de Dr.

5. Les pouvoirs des employés mandatés de la Direction chargée de l'Étude des Marchés et de la Concurrence, décrits dans le présent article, valent également pour ce qui est de l'application des articles 4 à 4a de la présente loi.

6. Dans le cas où les employés mandatés de la Direction se heurteraient à un refus ou à une tentative d'empêchement de l'exercice de leurs fonctions, ils peuvent demander par l'intermédiaire du Procureur de la République compétent à être assistés de la police de l'endroit.

Article 26

Obligation de secret

1. Sous réserve de la disposition de l'article 37(2), du Code de procédure pénale, les employés de la Direction chargée de l'Étude des Marchés et de la Concurrence -- ayant de par l'exercice de leurs fonctions accès à des renseignements confidentiels qui sont sans rapport avec la mise en oeuvre de la présente loi -- sont tenus à en respecter le secret.

2. Les employés ci-dessus sont tenus à la même obligation de secret en ce qui concerne les renseignements confidentiels qui sont en rapport avec la mise

en oeuvre de la présente loi, sous réserve de la disposition de l'article 37(2) du Code de procédure pénale.

Ces renseignements sont communiqués à la Direction chargée de l'étude des marchés et de la concurrence, sous forme de rapport auquel sont annexés les documents justificatifs. Le rapport et les documents justificatifs peuvent faire partie du dossier soumis au Comité de Protection de la Concurrence, du Tribunal Administratif de Première Instance de la Cour Administrative d'Appel et du Conseil d'État, perdant ainsi leur caractère confidentiel.

3.   L'employé qui ne respecterait pas l'obligation prévue au paragraphe précédent est passible :

 a)   des sanctions pénales prévues à l'article 252 du Code pénal et d'une peine pécunaire de 20 000 à 200 000 Dr,

 b)   des sanctions disciplinaires vu que le non respect de cette obligation constitue une faute disciplinaire.

Chapitre D
SANCTIONS - TAXES

Article 27
Obligations de notification des infractions

1.   Le Comité de la Concurrence, après avoir constaté qu'il y a violation des dispositions des articles 1(1) et 2, doit faire connaître celle-ci au Procureur de la République compétent dans un délai de dix jours, au plus tard, à partir du prononcé de sa propre décision.

Article 28

1.   Les personnes qui, agissant en leur nom et pour leur compte ou en qualité de représentant d'une personne morale, concluent des accords, prennent des décisions ou appliquent une pratique concertée en violation de l'article 1(1), ou agissant en violation des articles 4 à 4a ainsi que ceux qui abusent de la position dominante de leur entreprise sur le marché ou de l'entreprise qu'elles représentent, sont punies de trois mois d'emprisonnement au moins

et de sanction pécuniaire d'un million de Dr au moins ; ces peines sont doublées en cas de récidive.

2. Est punie de trois mois d'emprisonnement au moins et de sanction pécuniaire d'un million de Dr au moins toute personne qui :

   a) entrave -- notamment en mettant des obstacles ou en dissimulant des documents -- le contrôle exercé par les organes compétents selon les articles 7 et 25 de la présente loi.

   b) atermoie ou refuse de fournir des renseignements à la Direction chargée de l'Étude des Marchés et de la Concurrence, conformément à l'article 24 ou ses employés qui sont habilités à faire des contrôles,

   c) fournit sciemment, en violation des dispositions des articles 24 et 25, à la Direction chargée de l'Étude des Marchés et de la Concurrence ou aux employés compétents de celui-ci, des renseignements faux ou dissimile des renseignements exacts,

   d) refuse de déposer sous ou sans serment devant l'employé mandaté de la Direction chargée de l'Étude des Marchés et de la Concurrence, conformément aux dispositions de l'article 24(1), (2) et (5) et de l'article 25(1) ou, durant sa déposition, donne sciemment des renseignements faux ou nie la véracité des faits.

Article 29

Personnes physiques responsables

1. Les personnes tenues d'observer les dispositions des articles 1(1) et 2 de la présente loi et contre lesquelles sont exercées les poursuites pénales conformément à l'article 28(1) sont les entreprises, les associés en nom collectif, les gérants et les membres du Conseil d'administration selon qu'il s'agit d'entreprises personnelles ou de sociétés en nom collectif, les gérants et les membres du Conseil d'administration selon qu'il s'agit d'entreprises personnelles ou de sociétés en nom collectif et de sociétés anonymes.

   Aux fins du présent article est interdite la désignation de tout autre responsable. En cas de décisions prises à la majorité, seules sont responsables les personnes qui ont voté pour celles-ci. Les mêmes personnes physiques sont personnellement et solidairement tenues de toute amende infligée aux personnes morales de droit privé conformément aux dispositions de la présente loi et sont sujettes à la contrainte par corps.

2. Lorsque les conditions posées par la présente loi sont remplies, lesdites personnes physiques engagent leur responsabilité indépendamment de la validité des accords, décisions ou pratiques concertées qu'elles ont conclus, prises ou appliquées.

3. Les situations pénales prévues à l'article 28(1), ne s'appliquent pas aux personnes désignées au paragraphe 1 du présent article en cas de notification des accords, décisions ou pratiques concertées conformément aux articles 19 et 20. Cependant, ces personnes engagent leur responsabilité pénale dans le cas où l'entreprise ou l'association d'entreprises concernée ne se conforme pas à la décision du Comité de la Concurrence ordonnant la cessation de l'infraction constatée, dans un délai de quinze jours à partir de la notification de cette décision.

Article 30

1. Les notifications prévues aux articles 19 et 20, la demande d'application de l'article 1(3), la demande de reconduction de la décision sur cette application selon l'article 10, doivent être accompagnées, sous peine d'irrecevabilité, par le bulletin de paiement d'une caution de 5 000 Dr en faveur du Trésor public.

2. A l'exception des recours exercés par l'État ou le Commissaire général de l'État auprès des Tribunaux administratifs de droit commun, les recours, appels, pourvois en cassation, oppositions, demandes en révision, demandes en intervention exercés ou formés devant les Tribunaux administratifs ainsi que la demande en réouverture des débats formée devant le Comité de la Concurrence doivent être accompagnés, sous peine d'irrecevabilité, par le bulletin de paiement d'une caution de cinq mille Dr et par le bulletin de paiement de 1,250 Dr à titre de taxes sur les débats, émis par le Trésor public. La restitution de la caution a lieu conformément aux dispositions de l'article 171(5), du Code de procédure fiscale et de l'article 36(4), du Décret-Loi 170/1973 concernant le Conseil d'État.

3. Les timbres fiscaux des pièces du procès, ainsi que les taxes d'enregistrement de comparution de l'avocat, de dépôt des pièces du procès et de procédure payables à la Caisse de Retraite des avocats inscrits au barreau d'Athènes, sont, pour ce qui concerne la procédure devant le Comité de la Concurrence, du même montant que les timbres fiscaux et taxes payés pour la procédure devant le Tribunal Administratif de Première Instance, et pour ce qui concerne la procédure devant la Cour Administrative d'Appel et

du Conseil d'État sont le double des timbres fiscaux et taxes normalement payés pour les procédures devant ces juridictions.

4. Le Commissaire général de l'État auprès des Tribunaux administratifs de droit commun jouit des mêmes exemptions que l'État pour tout recours exercé par lui conformément à la procédure.

5. Les modalités d'application des dispositions du présent article sont fixées par décret présidentiel arrêté sur proposition des ministres des Finances et du Commerce.

Chapitre E
DISPOSITIONS FINALES

Article 31
Champ d'application de la loi

La présente loi est appliquée aux restrictions à la concurrence ayant des effets ou pouvant avoir des effets dans le pays, même si elles résultent d'accords, décisions ou pratiques concertées, conclus, pris ou appliqués en dehors du pays ou si elles émanent d'entreprises ou associations d'entreprises ne possédant pas d'établissement dans celui-ci. Il en est ainsi également des abus de position dominante manifestés dans le pays.

Article 32
Publication des décisions

Les décisions communes des ministres compétents et des décisions réglementaires du ministre du Commerce et du Comité de la Concurrence prévues par les dispositions de la présente loi sont publiées au Journal Officiel.

Article 32a
Codification des dispositions

Par décret présidentiel, rédigé sur proposition du ministre du Commerce, les dispositions de la législation en vigueur concernant la concurrence peuvent être codifiées dans un texte unifié et interprétées, l'ordre des articles pouvant être modifié.

Article 33

Application des dispositions sur les notifications

Les dispositions relatives aux notifications des articles 56 à 67 du Code de procédure fiscale sont appliquées par analogie aux notifications des mandats de comparution devant le Comité de la Concurrence ou la Direction chargée de l'Étude des Marchés et de la Concurrence et aux notifications des décisions et des actes de ces derniers.

Article 34

Collecte des amendes

Les amendes prévues par la présente loi sont certifiées en tant que recettes publiques et sont perçues conformément au Code de perception des recettes publiques.

Article 35

Dispositions maintenues en vigueur

Les dispositions spéciales protégeant la libre concurrence ou prévoyant des ententes obligatoires d'entreprises sont maintenues en vigueur.

Article 36

Entrée en vigueur de la loi

Cette loi prendra effet six mois après sa publication au Journal Officiel, à moins qu'il n'en soit décidé autrement.

Article 36a

Entrée en vigueur de la loi modifiée

Les dispositions de la présente loi prennent effet à la date de publication au Journal Officiel, sauf indication contraire.

HONGRIE

(1992)

I. Contexte législatif

Nouvelles dispositions de la loi sur la concurrence

Aucun amendement n'a été apporté à la législation en 1992, la loi sur la concurrence n° LXXXVI/1990 restant en vigueur en Hongrie.

Les dispositions légales en vigueur

La loi sur la concurrence hongroise actuellement en vigueur est "la loi n° LXXXVI/1990 sur l'interdiction des pratiques commerciales déloyales", qui comprend toutes les dispositions par lesquelles elle protège la concurrence tenue pour conforme à l'intérêt général et les intérêts légitimes des concurrents et des consommateurs, auxquels il est porté atteinte par les procédés déloyaux utilisés dans la concurrence économique.

La clause générale de la loi précise que la liberté et la loyauté de la concurrence économique doivent être respectées et interdit les pratiques commerciales déloyales (article 3).

Les articles 4 à 10 de la loi interdisent les pratiques commerciales déloyales, telles que l'exploitation abusive des secrets commerciaux, la falsification des marques, les dommages à la réputation, le boycottage, le retrait de biens du marché à des fins spéculatives et les ventes liées, ainsi que le manquement à l'équité en ce qui concerne les soumissions, les ventes aux enchères et les opérations boursières.

En vertu des articles 11 à 13 de la loi, il est interdit de tromper les consommateurs afin d'améliorer les possibilités de commercialisation des biens ou des services. (Il existe de nombreux types de tromperies, y compris les fausses déclarations relatives aux caractéristiques essentielles des biens, les comparaisons et les publicités fallacieuses, la dissimulation de défauts essentiels, etc.).

Sont interdits les accords entre concurrents, qui risquent de restreindre ou de supprimer la concurrence et, par conséquent, les ententes en matière d'achat et de prix sont interdites, la répartition des marchés est illégale et les prix imposés sont également interdits (articles 14 à 19).

Une position dominante sur le marché est une situation spéciale, qui entraîne l'interdiction de toute exploitation abusive. Il y a exploitation abusive si un entrepreneur en position dominante impose à son partenaire des conditions qu'il lui serait impossible d'imposer en l'absence de sa position dominante (articles 20 à 22).

Afin d'éviter des incidences qui pourraient déboucher sur la restriction à la concurrence, la loi réglemente les concentrations sur le marché. Pour les fusions d'entreprises commerciales, une autorisation préalable doit être demandée en tout état de cause, là où la part commune des parties en cause dépasserait 30 pour cent du marché, ou où leur chiffre d'affaires commun global dépasserait 10 milliards de forints (soit 120 millions de $ des États-Unis ou 100 millions d'Écus). Les entrepreneurs devraient également demander une autorisation préliminaire, si l'un d'eux obtenait la majorité dans le capital de l'autre, là où leur part de marché commune dépasserait 30 pour cent (articles 23 à 27).

Une procédure peut être engagée par l'instance chargée de la surveillance de la concurrence soit sur la demande de la partie dont les intérêts ont été lésés, soit *ex officio* ou encore être engagée sur l'initiative du Tribunal.

Le Tribunal connaît des affaires relatives aux pratiques commerciales déloyales, le Tribunal et l'Office de la concurrence économique connaissent tous deux des affaires relatives à la tromperie des consommateurs, et l'Office seul connaît toutes les autres affaires.

Les décisions de l'Office de la concurrence économique sont arrêtées par des Conseils de la concurrence composées de trois membres.

Déclarations de principe établies en 1992, indispensables pour l'application de la loi

Au cours de la période considérée, l'Office de la concurrence économique a approuvé plusieurs déclarations de principe, qui serviront de références pour l'application ultérieure de la loi. Les plus importantes d'entre elles sont les suivantes:

"La législation en vigueur doit être respectée par tous les agents actifs sur le marché. En fixant des règles, elle permet l'égalité des chances aux entrepreneurs exerçant leurs activités sur le marché. Si, en violant l'égalité des chances établie de cette manière un entrepreneur obtient un avantage en matière de concurrence sur ses concurrents, l'exercice de ses activités constitue une violation de l'article 3(2) de la loi sur la concurrence (interdiction générale des pratiques commerciales déloyales). La publicité est un des moyens de la concurrence économique entre concurrents. Les activités publicitaires déloyales (par exemple l'interdiction de la publicité de certains articles) peuvent créer sur le plan de la concurrence des avantages injustifiés.

La vente par correspondance est organisée au moyen d'activités publicitaires. Si celles-ci sont déloyales, l'activité commerciale deviendra également déloyale. Il est d'une importance accrue que la publicité fournisse des informations exactes, car elle doit compenser le fait que les consommateurs n'ont pas connaissance des articles avant de les recevoir.

Dans le cas des prix imposés, la partie dont les prix ont été fixés, sera également responsable, au motif que l'article 14(3) de la loi sur la concurrence (interdiction des prix imposés) prévoit la responsabilité conjointe des parties. Cependant le degré de responsabilité est variable selon qu'il y a ou non exploitation abusive d'une position dominante par la partie fixant le prix de revente.

L'exploitation abusive d'une position dominante n'est concevable que dans le cas d'un entrepreneur qui a déjà acquis une position dominante. La violation de la loi commise en vue de l'acquisition d'une position dominante ne peut être jugée en application de l'article 20 de la loi sur la concurrence (interdiction de l'exploitation abusive d'une position dominante).

Bien que l'exécution d'un contrat à un prix plus élevé que le prix convenu, mais proportionné à l'amélioration de la qualité du service puisse passer, du point de vue économique, pour son exécution à des conditions inchangées, le consommateur est cependant en droit d'obtenir le service aux mêmes conditions que celles qui étaient prévues dans le contrat initial. Par conséquent, sous l'angle du droit de la concurrence, une exploitation abusive d'une position dominante implique un comportement qui menace les consommateurs, refusant les nouvelles conditions, de les placer dans une situation défavorable.

Les dispositions relatives à l'acquisition d'une influence dominante ne sont applicables que si les deux parties (la partie obtenant l'influence dominante et la partie soumise à cette influence), exercent des activités de production et de services sur le territoire de la République de Hongrie."

Modifications nécessaires

L'expérience de deux années d'application de la loi sur la concurrence en a démontré l'applicabilité.

Néanmoins, la nécessité d'apporter des modifications à cette loi est évidente. Elle résulte des tâches d'harmonisation des législations de la Communauté européenne et de la Hongrie, découlant de l'accord européen conclu entre la CEE et la Hongrie, des données dégagées des expériences des autorités étrangères en matière de concurrence, au cours des deux dernières années et de certaines difficultés particulières affrontées au cours des deux années d'application de la loi.

La date de modification de la loi dépend des travaux préparatoires et du temps nécessaire ainsi que de la procédure de modification au sein du Parlement. Le calendrier est dans une certaine mesure déterminé par le délai de trois ans pour l'adaptation à l'accord européen entre la CEE et la Hongrie, ainsi que par le programme d'élaboration de la législation interne.

II. L'application de la loi sur la concurrence

Les activités de l'Office de la concurrence économique

En 1992, l'Office a engagé 223 procédures et, au début de l'année, 32 affaires étaient encore en instance; sur un total des 255 affaires, 223 ont été réglées en 1992. A l'expiration de 1992, il y avait également 32 affaires en instance, qui faisaient l'objet de procédures engagées à la fin de 1992. La majorité des procédures ont été engagées sur requête (dans 236 affaires), mais l'Office a également exercé son droit d'engager une procédure *ex officio* (17 affaires) et dans deux autres affaires, il avait à connaître d'affaires dont il avait été saisi par le Tribunal.

Près de 50 pour cent des affaires réglées l'ont été à la suite de la décision du Conseil de la concurrence; les autres affaires ont été réglées au cours de la phase d'instruction, soit à la suite d'un désistement soit faute de coopération des demandeurs. Dans 104 affaires, le Conseil de la concurrence a arrêté 102 décisions (en joignant trois affaires), et, dans 44 de ces affaires, il a constaté une violation de la loi et infligé des amendes pour un montant total de 130 400 000 forints (environ 1.5 million de dollars des États-Unis ou 1.3 million d'Écus).

a) Application de la clause générale

Les affaires sur lesquelles il a été statué conformément à la clause générale concernent deux grandes sous-catégories: des affaires relatives à la violation d'autres lois, par exemple l'interdiction d'activités publicitaires, des problèmes de distribution et des affaires qualifiées de conduite déloyale, qui ont leur origine dans la constatation de faits non visés par la loi.

Les affaires en matière de publicité interdite, concernent essentiellement la promotion des tabacs et des alcools. Un des éléments de la violation de la loi - à savoir la violation des dispositions relatives à la publicité - ne tombe pas dans le champ d'application de la loi sur la concurrence. Néanmoins, dans de nombreuses affaires, il a été associé à la violation de la loi sur la concurrence, au motif que, dans l'exercice de cette activité, son auteur et les médias diffusant de la publicité interdite obtenaient un avantage injustifié sur le plan de la concurrence par rapport à leurs concurrents respectant la réglementation. L'utilisation de formes publicitaires interdites dans l'intérêt général, peut constituer également une violation des intérêts licites des consommateurs.

En ce qui concerne un exposé des faits, visé au chapitre de la loi de la concurrence interdisant les pratiques commerciales déloyales, du ressort exclusif des tribunaux, les demandeurs ont souvent fait valoir qu'une action particulière constituait également une violation de la clause générale. Là où - par exemple à côté de l'utilisation indue de noms ou l'usage illégal de secrets commerciaux - l'existence d'éléments additionnels pouvait également être prouvée, ils faisaient l'objet d'une contestation conformément à la clause générale.

b) Pratiques déloyales en matière de concurrence

En ce qui concerne les affaires de pratiques déloyales, traitées aux articles 4 à 10 de la loi sur la concurrence, les Tribunaux sont compétents.

L'Office de la concurrence économique ne peut saisir les cours et Tribunaux qu'en cas de violation grave de la loi ou de menaces graves à une concurrence loyale, et les cas particuliers répondent rarement à de telles conditions. La seule affaire de ce type - concernant le refus de Merkur (une entreprise vendant des voitures particulières) de vendre des voitures à la fin de 1990, avant une hausse des prix devant entrer en vigueur au début de 1991 - a été jugée par le Tribunal en première instance, saisi par l'Office de la concurrence économique. En 1992, aucun constat de ce type n'a été présenté par l'Office de la concurrence économique au Tribunal.

c) Interdiction de la fraude à la consommation

Dans ce domaine, le nombre de décisions s'est accru en 1992; il a été statué dans 24 affaires, et dans 19 de ces affaires une violation de la loi était constatée. Ce nombre répond à l'état actuel de la situation économique de la Hongrie: en vue de l'acquisition d'une clientèle, la concurrence est intense sur de nombreux segments du marché et elle comporte l'utilisation de méthodes déloyales ; en outre de nombreux nouveaux venus sur le marché manquent d'expérience des usages commerciaux normaux.

La majorité des affaires concernait la publicité mensongère ou la dissimulation de caractéristiques négatives des produits. Il est caractéristique également, qu'un grand nombre de procédures ait été engagée l'année dernière sur la demande des concurrents.

Les très grands écarts entre les amendes infligées rendent compte de manière très symptomatique des difficultés imputables à la formation d'une économie de marché. Dans certaines affaires, l'amende minimale de 10 000 forints hongrois a été infligée (soit 120 dollars des États-Unis ou environ 100 Écus), chaque fois que la violation de la législation était imputable au manque d'expérience de l'entrepreneur. D'autre part, l'amende la plus élevée a également été infligée dans une affaire de tromperie du consommateur, et s'est élevée à 100 millions de forints (environ 1.2 million de dollars des États-Unis ou 1 million d'Écus).

d) Application de l'interdiction des ententes

L'Office de la concurrence économique n'a traité que de trois affaires relatives aux ententes en 1992, dont une s'est conclue par un acquittement et deux par des décisions constatant la violation. Le nombre d'affaires est peu élevé. A l'évidence, la baisse sensible de la demande ne contribue pas à la conclusion d'accords en matière d'ententes ; la concurrence pour la conquête d'un marché en voie d'amenuisement est très intense dans certains secteurs, et les actions concertées avec d'autres concurrents sont de nature à limiter les chances de succès de l'entrepreneur (même ce qui subsiste du chiffre d'affaires devrait être partagé avec les concurrents).

L'expérience acquise par l'Office de la concurrence économique a établi que certains agents actifs sur le marché estiment toujours que l'absence de concurrence est un phénomène naturel et n'estiment pas extraordinaire d'être confronté à des prix fixés et au partage du marché. A l'évidence, le nombre de ces agents est désormais plus fluctuant (de nouvelles firmes arrivant sur le marché et d'anciennes firmes sortant du marché), que dans une situation stabilisée, mais c'est là également un phénomène naturel, corollaire de la phase de transition.

Il est typique de la situation actuelle que les nouvelles associations professionnelles (par exemple, l'Association nationale des entreprises de traitement des aliments) aient du mal à déterminer si un accord technique, quel qu'il soit, est préoccupant en matière d'ententes et à cet égard, elles n'en sont qu'au tout début de leurs efforts.

La concentration de la propriété découlant de la privatisation et la création de nouvelles institutions représentant l'État en sa qualité de propriétaire (gestionnaires de biens, agence de gestion de la propriété des biens publics, State Holding PLC) peuvent également favoriser les pratiques de certains propriétaires en infraction à la législation sur les ententes. Néanmoins, ce sont là des facteurs qui sont encore très récents et il se peut que leur effet ne soit pas encore ressenti en pratique.

Il est tout aussi exact que parmi les conditions inflationnistes il est extrêmement difficile de distinguer entre les activités parallèles justifiées par l'économie et les pratiques concernées restreignant la concurrence ; l'évolution rapide de la situation sur le marché rend plus incertaines les limites entre les pratiques concertées favorisant la formation du marché et les pratiques restreignant la concurrence.

En outre, le fait que toutes ces conditions font obstacle à l'heure actuelle à l'identification des ententes pèse également sur les relations entre les concurrents. Néanmoins, en analysant l'évolution de la structure du marché et les phénomènes modernes révélateurs de la formation des ententes, l'Office a pris et continue à prendre des mesures afin de surveiller systématiquement les structures de marché, menacées par les ententes, et d'engager des procédures d'office dans les affaires qui le justifient (une instruction de ce type a été engagée dans le secteur du sucre à la fin de 1992).

L'article 18 de la loi sur la concurrence prévoit la possibilité pour les agents actifs sur le marché se proposant de conclure un accord restrictif de la concurrence, d'introduire une demande afin de faire constater que leur projet d'accord ne tombe pas sous le coup de l'interdiction des ententes ou qu'il bénéficie d'une dérogation au regard des dispositions figurant dans la loi. En 1992, deux procédures dans ce domaine ont été engagées: dans la première affaire, les parties ont finalement renoncé à leur projet et, dans l'autre affaire, l'Office a accordé son autorisation, puisque, selon les résultats de l'enquête, le projet d'accord sur les prix de revente ne devait exercer aucun effet anticoncurrentiel.

e) *Exploitation abusive d'une position dominante*

En 1992, la majorité des décisions (au nombre de 32) a été arrêtée dans ce domaine. Dans 11 d'entre elles, l'exploitation abusive d'une position dominante a été constatée.

Le grand nombre de demandes introduites pour des motifs ne justifiant aucune poursuite tient à la grande incertitude des agents actifs sur le marché dans l'appréciation des faits. Quelquefois, dans le cadre des négociations sur le marché, ils ne déploient pas suffisamment d'efforts afin de faire valoir leurs intérêts ; ils tiennent la position dominante de leur partenaire pour un fait et ils agissent comme s'ils n'avaient pas le moyen de se défendre, dans l'espoir de trouver ensuite un soutien dans la législation de la concurrence. Néanmoins, ce soutien risque de ne pas leur être accordé, s'ils ont présumé à tort l'existence de la position dominante ou s'ils ont méconnu leurs propres possibilités.

Dans aucune des affaires sur lesquelles il a été statué, y compris en cas de condamnation, les demandeurs ne se sont bornés à contester le prix imputable au comportement de l'autre partie en position dominante; ils contestaient plutôt les autres conditions contractuelles, principalement les discriminations anticoncurrentielles (telles les décisions unilatérales touchant le lieu de livraison, l'obligation d'accepter des modifications et des conditions contractuelles, les entraves à l'accès au marché, des conditions contractuelles spéciales privilégiant une des parties). Le fait que les agents en position dominante sur le marché se soient montrés disposés dans de nombreux cas à modifier les conditions en cause constitue un phénomène positif.

f) *Contrôle des fusions et acquisitions*

Il a été statué dans huit affaires conformément aux dispositions de la loi sur la concurrence relatives au contrôle des fusions (fusions et acquisitions). Dans trois de ces affaires, l'opération a été autorisée, eu égard aux effets positifs et négatifs sur la concurrence (par exemple une réduction sensible des coûts de livraison; des éléments nouveaux en matière de normalisation, de sécurité et de protection de l'environnement, l'amélioration des possibilités de commercialisation du produit) et, dans les autres affaires, aucune approbation n'était nécessaire. L'inutilité d'une autorisation tenait notamment au fait que la fusion en question n'atteignait pas le seuil fixé par la loi sur la concurrence. Dans toutes les autres affaires - bien que les seuils minimaux fixés par la loi sur la concurrence étaient dépassés - les parties obtenant la participation majoritaire n'étaient pas des agents actifs sur le marché de la Hongrie, et ne tombaient donc pas dans le champ de l'application de la loi sur la concurrence.

Un point particulier - le rôle de l'autorité compétente en matière de concurrence dans le domaine de la privatisation - sera examiné au chapitre III.

g) *Notification préalable des hausses de prix*

Conformément à la loi n° LXXXVII/1990 sur la fixation des prix, le gouvernement précise les produits pour lesquels les agents en position dominante sur le marché doivent notifier leur hausse de prix à l'avance (en 1992, quatre produits - la poudre de paprika, le papier à lettres et d'impression, la margarine, l'huile de tournesol avaient été indiqués à ce titre). En 1992, six affaires ont fait l'objet d'une instruction visant à déterminer s'il y avait eu exploitation abusive d'une position dominante en ce qui concerne les hausses de prix. Aucune violation de la loi n'a été constatée dans le contexte des activités notifiées. Dans cinq affaires, les demandeurs tenaient à répercuter la hausse des coûts sur le prix (papier à lettres et d'impression dans le cas de plusieurs fabricants, paprika). Néanmoins, dans une affaire, la réalisation du projet de hausse des prix pour la margarine a dû être interdite, au motif qu'elle aurait entraîné une exploitation abusive d'une position dominante.

h) *Défense de la concurrence*

L'article 60 de la loi sur la concurrence prévoit que les ministres inviteront l'Office de la concurrence économique à présenter ses observations sur tout projet de loi risquant d'influer sur la concurrence. A cet égard, près de 200 projets de textes législatifs ont été présentés aux fins d'examen (bien qu'un petit nombre d'entre eux ne concernait même pas la concurrence).

Dans la plupart des cas, la mise en oeuvre de la liberté de la concurrence et de la neutralité en matière de concurrence n'était à l'origine d'aucune difficulté pour les travaux législatifs préparatoires. Dans plusieurs cas d'une importance capitale, l'Office est parvenu à faire prévaloir ses vues en ce qui concerne la liberté et la neutralité de la concurrence (par exemple pour le projet de loi sur les assurances, la législation sur les recettes de l'État) ou à conclure une transaction satisfaisante (par exemple la réglementation de divers fonds financiers, le projet de loi sur les orientations en matière d'agriculture).

Néanmoins, dans d'autres affaires, nonobstant l'opposition de l'Office de la libre concurrence, le ministère compétent ou le gouvernement a approuvé et soumis au Parlement des projets comprenant des dispositions créant des difficultés du point de vue de la concurrence (par exemple, la modification de certaines lois sur les transports en ce qui concerne la loi sur les concessions, instituant un régime de quotas pour les licences d'exploitation de services de taxi). Puisqu'il n'a pas obtenu des apaisements à cet égard, l'Office surveille l'application des dispositions en cause et, s'il le jugeait nécessaire, il utiliserait les voies de recours légales afin de faire modifier ces dispositions.

L'absence de plusieurs dispositions, qui seraient importantes du point de vue de la concurrence, cause toujours des difficultés, et les progrès sont très lents à cet égard. La réglementation des marchés publics devient de plus en plus urgente et la mise en chantier de certaines lois sectorielles de la plus haute importance n'en est qu'au stade préliminaire (par exemple les lois sur l'énergie, les chemins de fer, les transports aériens) et c'est là ce qui rend incertaine l'application de la loi sur les concessions. L'absence de lois sur la protection du consommateur et sur les instances compétentes en la matière est particulièrement ressentie en ce qui concerne la fixation de certaines normes au sujet du comportement sur le marché et la mise en place des institutions compétentes pour la conciliation et la défense des intérêts. L'absence de loi sur la presse et sur les médias rend imprévisible l'évolution de la structure du marché dans des conditions de fluctuations rapides du marché ou freine elle-même la restructuration. Bien que les mesures visant à réglementer les monopoles se soient accélérées, il faudra encore attendre avant d'en obtenir des résultats.

Expérience acquise en matière de contrôle juridictionnel

L'article 41 de la loi sur la concurrence permet de former un recours devant le Tribunal contre les décisions de l'Office de la concurrence économique. Les premières expériences à cet égard ont été faites en 1992.

En ce qui concerne les décisions arrêtées par le Conseil de la concurrence pendant les deux dernières années, 52 de ces décisions sont imputables à l'initiative de clients. Au cours des premières années d'application de la loi, c'est là un nombre qui ne peut être tenu pour très élevé. La saisine à deux niveaux (Office de la concurrence économique et Tribunal) peut accélérer sensiblement l'application générale de la loi et aider les agents actifs sur le marché à s'orienter dans le dédale des possibilités et des exigences de la nouvelle loi sur la concurrence.

Jusqu'à la fin de 1992, le Tribunal a arrêté 15 décisions en première instance ; dans 12 de ces affaires, il a confirmé les décisions de l'Office de la concurrence économique et, dans trois affaires, il les a réformées. Cette proportion est révélatrice d'une harmonie dans l'application de la loi. Au cours des procédures judiciaires, plusieurs points importants ont été élucidés et c'est là un élément favorable à l'application ultérieure de la loi sur la concurrence. Par conséquent, il est permis de se réjouir de la diversité des affaires et de l'acquisition par le Tribunal d'une expérience concernant des chapitres de plus en plus nombreux de la loi sur la concurrence.

La Cour suprême a été saisie de deux affaires à ce jour. A l'heure actuelle il n'a été statué que sur une d'elles : la Cour suprême a confirmé la décision antitrust de l'Office de la libre concurrence à l'encontre des sociétés fondatrices de Budapest Wholesale Meat Company.

L'article 52 limite les activités de l'Office de la concurrence économique en matière de surveillance de la concurrence au marché des denrées et des services. La surveillance de la concurrence sur le marché monétaire et le marché des valeurs mobilières, dans les secteurs de la banque et des assurances incombe aux autorités étatiques de surveillance du marché des valeurs mobilières, des activités bancaires et des assurances. Néanmoins, un cadre législatif d'application n'a été mis au point que pour le secteur bancaire. Au cours de l'année, l'autorité de surveillance du secteur bancaire a arrêté trois décisions dans des affaires de concurrence et a également infligé des amendes. En ce qui concerne l'élaboration de la loi sur les assurances et la modification de la loi sur les institutions financières, des propositions ont été présentées en vue de l'attribution de la surveillance de la concurrence sur ces marchés à l'Office de la concurrence économique également.

III. Le rôle des autorités compétentes en matière de concurrence dans la formulation et l'application des autres politiques

Acquisitions réalisées dans le cadre de la privatisation

En ce qui concerne l'application des dispositions relatives aux fusions et aux acquisitions dans le contexte de la privatisation, une très importante question technique a été soulevée au cours de l'année. Par le contrôle des fusions et des acquisitions, la loi sur la concurrence ne vise qu'à maîtriser le renforcement de la concentration parmi les agents actifs sur le marché. Néanmoins, à mesure qu'avance la privatisation, de nouvelles institutions se créent également. Les investisseurs et les gestionnaires de portefeuilles, qui exercent des droits de propriété effectifs à l'égard des agents actifs sur le marché tombant dans le champ d'application de la loi sur la concurrence jouent un rôle de plus en plus important. La loi sur la concurrence traite des agents actifs sur le marché et leur accorde une importance particulière et, en ce sens, elle tient pour presque neutre le propriétaire. Autrement dit, la loi sur la concurrence vise les firmes et les entreprises enregistrées en Hongrie et ne vise pas les investissements qui ne peuvent passer pour destinées à des activités de fabrication ou de services (par exemple, les achats d'actions) et la gestion des biens. L'Office hongrois de la concurrence économique n'est pas habilité à s'ingérer dans les affaires des agents actifs sur le marché en ce qui concerne la propriété (par exemple, en démantelant des conglomérats).

Par conséquent, la loi ne comprend pas dans son champ d'application les investisseurs étrangers, qui n'acquièrent que des droits de propriété et qui n'exercent pas des activités commerciales en Hongrie et ces investisseurs n'ont pas besoin d'obtenir une autorisation pour leurs prises de participations majoritaires et leurs acquisitions. Il en est de même si l'acquéreur est un particulier hongrois ne réunissant pas les conditions requises pour être qualifié d'entrepreneur.

Du point de vue de la relation entre la privatisation et la législation sur la concurrence, c'est là un problème important: peut-il être fait obstacle aux mesures de privatisation anticoncurrentielles au moyen de la législation sur la concurrence et exclusivement par ce moyen? La réponse à cette question est à l'évidence négative.

La question fondamentale est de savoir si la réglementation susvisée est conforme aux intérêts hongrois en matière de politique économique. Il n'est pas possible d'y répondre simplement et, dans une certaine mesure, des conclusions différentes peuvent être tirées des aspects de la législation sur la concurrence selon *a)* qu'il s'agisse de la première acquisition de l'investisseur en Hongrie ou *b)* qu'il est déjà un actionnaire majoritaire dans une firme hongroise et que, par la nouvelle acquisition, il dominera une part du marché plus importante.

Dans les affaires de privatisation un propriétaire particulier prend pied pour la première fois sur le marché hongrois, il n'existe pas de concentration, mais uniquement des modifications de la propriété. Par conséquent, dans ces affaires, il est logique que la privatisation ne puisse être appréciée du point de vue de la législation sur la concurrence.

Dans les affaires de politique de la concurrence, dans lesquelles, au cours de la privatisation, un investisseur étranger (ou d'autres parties qui ne sont pas considérées sur le marché hongrois comme des entrepreneurs) acquiert une participation majoritaire dans une deuxième ou une autre firme tenue pour une firme concurrente de la première. Dans ce cas, la concentration peut est renforcée (au moins en ce qui concerne la propriété), ce qui risque également d'exercer un effet négatif sur la création, le maintien et l'évolution de la concurrence.

Cet effet négatif peut être compensé par le fait que la loi sur la concurrence tient les entités juridiques indépendantes appartenant au même propriétaire pour des agents indépendants sur le marché et, pour autant qu'elles agissent sur le même marché, elles sont tenues pour des firmes concurrentes. Par conséquent, elles ne sont pas autorisées à conclure des accords (ententes) les unes avec les autres ou de poursuivre en concertation des activités anticoncurrentielles, même sur l'instruction du même propriétaire ou avec son acquiescement.

En d'autres termes, lorsqu'au cours du processus de privatisation, un propriétaire acquiert plusieurs entreprises, qui étaient des firmes concurrentes, la législation sur la concurrence applicable vise à maintenir la concurrence en interdisant les ententes.

Simultanément, l'interdiction des ententes (comme les règles en matière de comportement) ne seront jamais aussi efficaces que le contrôle des fusions (qui peut même faire obstacle à la formation de structures de marché nuisibles). D'une part - ce que révèle clairement l'expérience internationale - il n'est pas facile d'enquêter sur les ententes et d'en constater l'existence. D'autre part, la législation sur la concurrence des pays occidentaux - à la différence de la législation hongroise - n'interdit pas les pratiques concertées entre les entreprises appartenant au même propriétaire. (C'est là un fait qui ne devrait pas faire obstacle à ce qu'une procédure éventuelle soit engagée contre elles en Hongrie).

Par conséquent, le dilemme théorique est le suivant: compte tenu de la prépondérance de la propriété étatique, le principe justifié de la législation hongroise sur la concurrence est qu'un propriétaire ne peut tout se permettre en vertu de son droit de propriété. Il ne peut créer d'entente, parce que les firmes étatiques sont tenues pour des firmes concurrentes sur le marché. Dans les économies avancées fondées sur la propriété privée, la coexistence et les contradictions de la législation sur la concurrence, d'une part, et le droit du propriétaire de disposer de son bien, d'autre part, ont créé des marges de manoeuvre à l'intérieur desquelles le droit du propriétaire a le pas sur le droit de la concurrence. Très vraisemblablement, à mesure que l'économie de marché se développe en Hongrie, une pratique de cette nature se répandra également en Hongrie.

La législation hongroise actuelle est définitivement tournée vers l'avenir en ce qui concerne la nécessité de démanteler la propriété étatique mais elle est pleine de contradictions du point de vue des propriétaires. Si la législation sur le concurrence évolue et si la législation occidentale sur la concurrence sert manifestement de point de départ, un large pouvoir sera conféré au représentant actuel de l'État en qualité de propriétaire (agence des biens d'État, State Holding PLC, gestionnaire des biens sous contrat). En ce qui concerne le calendrier du changement, c'est là une contradiction qui soulève un autre problème: si l'attente est trop longue, il y a risque que la concentration ne se renforce en échappant au contrôle des fusions et lorsque la législation sera modifiée, que la concentration renforcée n'ait également échappé à l'interdiction des ententes ; si la législation sur la concurrence est modifiée prématurément, il sera difficile d'éviter l'établissement de dispositions temporaires touchant la propriété étatique, ce qui peut soulever des problèmes concrets à d'autres égards (par exemple : le ralentissement de la privatisation).

Il faut souligner qu'après les procédures qui se sont déroulées jusqu'à ce jour, toutes les décisions, à l'exception d'une seule, de l'Office se prononçant contre les ententes jugées préjudiciables sont soumises à un contrôle juridictionnel. Les décisions sur les ententes de holdings de création récente et de gestionnaires de biens ne constituent actuellement qu'une possibilité théorique, puisque leurs présentes activités viennent à peine d'être lancées.

Il est par conséquent évident que les contradictions internes de la législation sur la concurrence doivent être résolues tôt ou tard mais leur règlement n'est pas à l'abri de difficultés. C'est le processus de la privatisation qui est révélateur de ces contradictions et qui les exacerbe. Néanmoins, les modifications de la propriété dans le secteur privé à la suite de la privatisation, soulèveront certainement les mêmes problèmes de fusion par cartellisation avec la participation des investisseurs, ce qui fait ressortir à quel point il importe de découvrir une solution à long terme.

IV. Affaires importantes

Application de la clause générale

A la suite d'une demande déposée par Compack Douwe Egberts, l'Office de la concurrence économique a engagé une procédure contre son concurrent Alvorada Ltd. Le Conseil de la concurrence a déclaré que Alvorada Ltd. avait manqué à son obligation de procéder à un essai préliminaire sur la qualité de 11 variétés de café distribuées par la firme et qu'aucune information étiquetée ne figurait sur les paquets en langue hongroise. En ce qui concerne quatre variétés de café, des renseignements trompeurs étaient donnés aux consommateurs en ce qui concerne le lieu d'origine et la qualité du produit. Le Conseil de la concurrence a interdit au distributeur de poursuivre ce type d'activité et l'a condamné à une amende de 500 000 forints hongrois (6 000 dollars des États-Unis, environ 5 000 Écus). (Alvorada Ltd. a demandé un contrôle judiciaire).

L'Office de la concurrence économique a engagé une procédure contre Signal Discount Ltd. qui écoule des appareils ménagers et du matériel de télécommunications.

Le Conseil de la concurrence a constaté qu'au cours de la distribution des produits, la firme ne s'était pas conformée scrupuleusement aux dispositions relatives à la protection de la qualité, à la garantie et à l'information du consommateur et que, de ce fait, elle avait également violé à plusieurs reprises la loi sur la concurrence. La firme en cause a également violé la loi en ne révélant pas dans ses annonces publicitaires que certains de ses articles n'étaient conformes ni aux dispositions réglementaires ni aux exigences auxquelles des produits de cette nature sont habituellement soumis. L'Office de la concurrence lui a infligé une amende de 400 000 forints (environ 4 700 dollars des États-Unis, 4 000 Écus). (La firme n'a pas formé un recours contre la décision devant le Tribunal).

Tromperie des consommateurs

L'Office de la concurrence économique a engagé une procédure contre Home Shopping Ltd., une firme de vente par correspondance appartenant à des étrangers. Grâce à ses activités de promotion intensive, la firme a suscité un grand intérêt parmi les consommateurs et réalisé un important chiffre d'affaires à très bref délai.

Home Shopping faisait la publicité de ses produits et les vendait en omettant, dans certains cas, de faire tester la qualité de ses produits, ce qui était exigé avant la distribution, et, dans d'autres cas, en méconnaissant le résultat de ses essais de qualité. Selon la publicité, la majorité des produits était d'une qualité supérieure et de prix peu élevés. L'Office de la concurrence a constaté que, pour 17 des produits effectivement distribués, il y avait risque que les consommateurs ne soient induits en erreur. Pour divers produits, des informations fallacieuses ou incomplètes avaient été indiquées en ce qui concerne les articles et leur lieu d'origine. L'agence de publicité a également été tenue pour responsable.

En statuant, le Conseil de la concurrence a souligné que, dans cette affaire, l'activité de promotion était la seule source d'information sur les articles pour les consommateurs. La vente par correspondance est un secteur très particulier de la distribution et il importe d'autant plus que le matériel de promotion contienne des informations exactes. En infligeant l'amende, le Conseil a considéré comme une circonstance aggravante "qu'une série d'infractions et d'actions illégales risquaient de saper la confiance du consommateur" dans cette forme de distribution, en portant préjudice dans cette mesure à la concurrence et que, d'autre part, elle risquait de réduire la concurrence qui aurait été plus intense à mesure que cette forme de distribution devenait plus populaire. Il a considéré comme une circonstante atténuante n'excluant cependant pas la responsabilité que Home Shopping avait établi une garantie dite de remboursement pour une très large gamme de produits et, compte tenu de tous ces éléments, lui a infligé une amende de 100 millions de forints (1.2 million de dollars des États-Unis ou environ un million d'Écus) (la décision est à l'examen). Les agences de publicité participant à la campagne ont également été condamnées par le à une amende de 2 millions de forints (23 300 dollars des États-Unis, près de 20 000 Écus).

L'Office de la concurrence économique a engagé une procédure contre Unilever Hungary Ltd. sur demande de Tiszamenti Vegyimüvek, un des concurrents de Unilever, pour tromperie des consommateurs. A la suite de l'enquête, il a constaté que, conformément à une demande de Unilever Hungary Ltd., la télévision hongroise avait diffusé 126 fois entre juin 1991 et mars 1992 un clip de promotion pour la lessive OMO. Le clip prétendait donner une présentation objective en laboratoire et suivant l'essentiel de son message, en comparaison des produits traditionnels, OMO était la seule poudre à laver éliminant les tâches de vin rouge. Simultanément, l'Office a constaté qu'il n'avait été procédé à aucune analyse objective comparée afin d'étayer ce message.

En statuant, le Conseil de la concurrence a déclaré que l'interdiction prévue à l'article 11(2)(b) de la loi sur la concurrence avait été violée et a interdit à Unilever de poursuivre ses activités illégales et l'a condamnée aux dépens et à une amende de 2 millions de forints (environ 23 300 dollars des États-Unis, près de 20 000 Écus).

A la réception de la décision du Conseil de la concurrence, Unilever a cessé de diffuser le clip publicitaire mais il a formé un recours devant le Tribunal contre cette décision. La procédure judiciaire est toujours en cours.

Ententes

Borsod Brewery écoule ses produits partiellement par son propre réseau de distribution partiellement par d'autres grossistes. Dans leurs contrats, Borsod Brewery et les grossistes ont délimité les zones d'activité des grossistes, en dehors desquelles les ventes ne sont autorisées que moyennant une autorisation particulière du fabricant et des autres grossistes. Le fabricant a fixé le prix de gros et il est interdit de s'en écarter. Le contrat prévoyait que les grossistes étaient autorisés à s'occuper des produits d'autres brasseries hongroises et étrangères à concurrence de 10 pour cent du chiffre de ventes total au maximum.

Le Conseil de la concurrence a interdit la fixation de prix imposés (ainsi que l'exclusion des réductions de prix) et déclaré que la répartition du marché restreignait la concurrence. Néanmoins, le Conseil a exempté le contrat de l'application de l'interdiction à condition qu'elle ne restreigne pas les achats du grossiste à d'autres firmes. Il a condamné à une amende de 100 000 forints

(1 200 dollars des États-Unis, environ 1 000 Écus) à Borsod Brewery et à une amende de 10 000 forints (120 dollars des États-Unis, environ 100 Écus) Bier Non-Stop Ltd., intervenant en qualité de revendeur. (La décision a été confirmée par le Tribunal de première instance).

Le Conseil de la concurrence a statué en mars 1993 dans une affaire d'ententes remontant à l'automne 1992. En 1992, 11 sucreries dominant à elles toutes la quasi-totalité du marché hongrois ont augmenté à plusieurs reprises le prix de production du sucre en poudre à peu près dans la même mesure et à la même date respectivement. L'Office a examiné les hausses de prix séparément ainsi que dans leur contexte et a qualifié les hausses de prix uniformes survenues en été (de 38.5 forints à 45 forints) et en novembre (de 45 forints à 52.5 forints) de pratiques anticoncurrentielles concertées. L'accumulation au milieu de l'année de stocks énormes chez les firmes du secteur du sucre dont le maintien aurait entraîné des pertes considérables a été tenu pour une preuve indirecte de l'illégalité des hausses de prix survenues en été.

Dans ces circonstances, la firme ne peut normalement relever ses prix (surtout dans une mesure considérable) que, si en les relevant, elle a la certitude que ses concurrents relèveront leurs prix respectifs de sorte que ses acheteurs antérieurs lui resteront fidèles. Le fait qu'au cours de la période en cause, les représentants de la haute direction des firmes en cause se concertaient régulièrement au sein du Conseil de l'association de l'industrie sucrière a été également tenu par le Conseil de la concurrence pour une preuve indirecte. L'adoption d'une décision concernant l'importance de la hausse des prix au cours d'une réunion du Conseil d'administration de l'association de l'industrie sucrière le 9 octobre et la date de sa fixation ont servi de preuve directe de la concertation de la hausse des prix survenue en novembre.

Au motif que le comportement illicite avait duré pendant une longue période et s'était manifesté sur l'ensemble du marché hongrois, l'Office de la libre concurrence a infligé une amende de 96 millions de forints (près 1.2 million de dollars des États-Unis, environ 1 million d'Écus) aux firmes incriminées, amendes réparties entre elles en fonction de leur part du marché.

Abus de position dominante

Sur demande d'une firme chimique, une firme du secteur du blé et une firme de conserves alimentaires respectivement, une procédure a été engagée contre les chemins de fer hongrois (MAV) pour exploitation abusive d'une position dominante.

A partir du 1er juillet 1992, MAV, qui était placée dans une situation extrêmement difficile, n'a livré des marchandises qu'à ses clients qui la payaient au comptant ou concluaient avec elle un accord de compte courant. MAV proposait l'ouverture d'un compte courant à ses partenaires (environ 2 000), qui avaient auparavant réglé normalement leurs dettes et n'étaient pas en retard de paiement. Les parties demanderesses incriminaient les conditions d'intérêt de l'accord, aux termes desquelles MAV paierait un intérêt de 14 pour cent sur le solde du compte courant.

Selon les projets de MAV, elle aurait distribué un revenu sous forme d'intérêt à ses clients, comme si ceux-ci avaient placé leurs fonds dans une banque commerciale. Néanmoins, dans l'état actuel de l'économie hongroise, la majorité des entreprises commerciales doit souscrire des emprunts et, ni les clients à l'origine de l'enquête ni MAV ne faisaient exception à cet égard. Par conséquent, grâce aux comptes courants, MAV obtenait du crédit à un taux d'intérêt bien moins élevé que le taux ordinaire, alors que sa clientèle devait accorder un crédit à partir d'emprunts souscrits par elle à un taux d'intérêt bien inférieur à celui qu'elle payait. Il en résultait un avantage unilatéral injustifié pour MAV et, par conséquent, il a été interdit à MAV de continuer à procéder de la sorte et une amende de 500 000 forints (6 000 dollars des États-Unis, environ 5 000 Écus) lui a été infligée.

L'Office a engagé une procédure contre Pick Szeged, fabricant de salami et autres produits à la base de viande. Après avoir été saisi de plaintes émanant d'agriculteur, le membre du Parlement représentant la région a signalé à l'Office de la concurrence que, pour les achats de porcs, l'usine Szalami exploitait abusivement sa position dominante. L'enquête a permis de constater l'existence d'une activité illégale et le Conseil de la concurrence a déclaré que la firme Szalami obligeait les petits agriculteurs à accepter des conditions plus défavorables en appliquant des prix plus bas pour certaines catégories de poids que pour les porcs fournis par des vastes exploitations agricoles. Le Conseil de la concurrence a condamné cette firme à une amende de 1.5 million de forints (environ 18 000 dollars des États-Unis et 15 000 Écus).

Autorisation de fusions et d'acquisitions

Se fondant sur l'article 23(1) de la loi sur la concurrence, Linde Gaz Hungary PLC. a demandé l'autorisation de fusionner ses quatre entreprises commerciales hongroises, qui avaient été créées auparavant et dans lesquelles Linde Gaz était majoritaire.

Les activités des entreprises commerciales parties à la fusion s'exercent essentiellement dans le domaine de la production, de l'assainissement, du traitement, de l'emballage et de la distribution de gaz industriels extraits de la terre et de l'air. La forme de l'opération serait la fusion, puisque les actifs de trois entreprises seraient transférés à Linde Repcegaz PLC, qui est le successeur à titre universel de ces sociétés.

Les avantages sensibles découlant de la formation de la société par actions, soit la réalisation et l'expansion planifiées financées par des fonds communs, les délais de livraison réduits, la réduction probable des coûts de livraison, l'amélioration de la protection de l'environnement et de l'équipement technologique de sécurité, les économies de coût en cas d'administration commune et un accroissement sensible des exportations dépasseraient probablement les inconvénients qui en résultaient.

Compte tenu de l'avis rendu par le Ministère de l'industrie et du commerce conformément à l'article 45(3) de la loi sur la concurrence, de l'avis émis par les concurrents respectivement et du fait que sur le marché des gaz industriels également, la concurrence a commencé à s'affirmer au cours des quelques dernières années avec l'arrivée des nouvelles firmes, l'Office de la concurrence a jugé que la fusion ne constituerait pas une violation de l'article 24(1) de la loi sur la concurrence, et n'exercerait pas d'effet anticoncurrentiel et, pour ce motif, elle a approuvé la fusion des firmes demanderesses.

Annexe

DONNÉES RÉLATIVES AUX PROCÉDURES DE L'OFFICE DE LA CONCURRENCE

a) Nombre de procédures   255
   - se poursuivant depuis 1991   32
   - engagées 1992   223

b) Nombre
   - sur demande   236
   - *ex officio*   17
   - autres   2

c) Nombre d'affaires réglées en 1992   223
   - reglées par décision en cours d'enquête   119
   - jointes à d'autres affaires   2
   - réglées par décision du Conseil de la concurrence   102

d) Nombre d'affaires en instance :   32
   - au stade de l'instruction :   21
   - au Conseil de la concurrence :   11

e) Types d'affaires	1991	1992
- Article général	11	24
- Pratiques commerciales déloyables	-	1
- Tromperie du consommateur	6	24
- Entente	5	3
- Notification d'entente	3	2
- Exploitation abusive de position dominante	28	32

-	Fusion	5	8
-	Affaires dont le Tribunal est saisi	-	1
-	Affaires transférées par le Tribunal en vue de la condamnation à une amende	1	1
-	Notification de hausse des prix	5	6
-	Affaires au titre de l'article 65 ('ancienne entente)	13	-
	Total	**77**	**102**

f)   Recours formé devant le Tribunal contre des décisions[*] du Conseil de la concurrence

Type de décision			Nombre de décisions		Proportion de décisions
			Total	A examiner	A examiner (en %)
1.	Condamnations	1991	30	11	36.7
		1992	45	27	60.9
		Total	**75**	**38**	**50.7**
2.	Refus	1991	13	6	46.2
		1992	35	8	22.9
		Total	**48**	**14**	**29.2**
3.	(1+2)	1991	43	17	39.5
		1992	80	35	43.8
		Total	**123**	**52**	**42.3**

*   Le tableau ne tient pas compte des décisions des affaires dans lesquelles les parties ne souhaiteraient pas former un recours.

g) Examen des décisions du Conseil de la concurrence par le Tribunal de première instance

		Nombres d'affaires		
		1991	1992	Total
1.	Confirmation de la décision	3	9	12
	Réforme de la décision	2	1	3
	Sous-total	5	10	15
2.	Affaires en instance	6	13	19
3.	Affaires dont le Tribunal est saisi	6	12	18
	Total	**17**	**35**	**52**

h) Décisions du Conseil de la concurrence en application
   des articles et la loi sur la concurrence   102

   Établissement de la violation de la loi: 44
   - au titre de l'article 3 (article général)   12
   - au titre de l'article 11 (tromperie du consommateur)   19
   - au titre de l'article 14 (pratiques concertées)   2
   - au titre de l'article 20 (position dominante)   11

   Autorisation :   10
   - d'une fusion ou d'une acquisition   3
   - de prix imposées   1
   - de hausse des prix après notification préalable   6

   Désistement :   11
   - retrait de la demande   6
   - inutilité de l'autorisation de fusion   5
   - inférieure au seuil   1
   - Acquisition par un investisseur étranger   4

   Rejet de la demande :   35
   - Compétence de la Cour   7

-	Absence de compétence	1
-	Absence de violation de la loi	12
-	Demande non fondée	12
-	Divers	3

Divers :		2
-	Saisine du Tribunal	1
-	Affaire transférée par le Tribunal en vue de la condamnation à une amende	1

i)	Affaires réglées par décisions des enquêteurs		119
	-	Retrait de la demande	15
	-	Communication d'informations complémentaires	85
	-	Divers	19

IRLANDE

(1992)

I. Modifications ou projets de modification des lois et des politiques de la concurrence

L'année 1992 a été celle des 12 premiers mois d'application de la loi de 1991 sur la concurrence, qui est entrée en vigueur le 1er octobre 1991. Il n'y a eu que deux nouveautés législatives au cours de l'année. Le ministre de l'industrie et du commerce a pris un décrêt, le 6 avril, 1992 prévoyant que la notification de l'octroi d'une autorisation ou de la délivrance d'un certificat doit être envoyée à qui de droit. Le ministre a rendu le 19 octobre 1991 un décret d'entrée en vigueur de l'article 6(2)(b) de la loi sur la concurrence en date du 2 novembre. Il en est résulté que les actions engagées contre une exploitation abusive d'une position dominante au titre de la loi peuvent désormais être intentées aussi bien devant la Circuit Court (juridiction de rang inférieur) que devant la High Court.

II. Application des lois et des politiques de la concurrence

Action contre les pratiques anticoncurrentielles

Au titre de la loi de 1972 - L'action du Directeur

Comme il a été indiqué dans le rapport pour 1991, l'action du Directeur chargé des affaires intéressant les consommateurs dans le domaine de la concurrence se limite à l'application du décret de 1987 sur les pratiques restrictives dans le secteur de l'épicerie. Au cours de l'année, deux procédures qui avaient été engagées en 1991 dans le secteur du lait et celui de la boulangerie ont été clôturées de manière satisfaisante alors qu'une action judiciaire avait été également engagée en vue de mettre fin à une autre guerre des prix entre les principales entreprises à succursales multiples.

i) Le secteur laitier

Une procédure judiciaire a été engagée par le Directeur en 1991 sur la base d'enquêtes concernant un prétendu boycottage exercé par les laiteries d'une grande entreprise à succursales multiples. Le boycottage découlait de la réduction des prix de détail par cette entreprise et le Directeur était préoccupé par la question de la fixation des prix pour la distribution de lait. Son enquête a permis d'établir l'existence d'accords entre laiteries qui semblaient constituer des violations du décret relatif au secteur de l'épicerie. L'affaire a été portée devant la High Court en mars 1992. Plusieurs laiteries ont reconnu devant la High Court que des accords, des arrangements ou des ententes avaient été conclus en violation des dispositions dirigées contre la fixation des prix du décret relatif au secteur de l'épicerie. En outre, toutes les laiteries défenderesses ont souscrit à des engagements devant la Cour de respecter les dispositions du décret. Le Directeur est en droit de ré-ouvrir la procédure en cas de violation future du décret.

ii) Le secteur de la boulangerie

L'affaire faisant l'objet de la procédure engagée par le Directeur en 1991 contre plusieurs boulangeries a été portée devant la High Court en décembre 1992. L'enquête du Directeur concernait la question de la fixation des prix, à la suite d'une hausse généralisée en 1991 du prix du pain de 800 g en tranches. Son enquête lui a permis de découvrir des éléments révélateurs de ce que des arrangements, des accords ou des ententes concernant le prix du pain avaient été conclus entre deux boulangeries lors de plusieurs réunions qui s'étaient tenues en 1991. Le Directeur a suspendu la procédure en se fondant sur les aveux devant la High Court de plusieurs boulangeries quant aux violations qu'il avait invoquées et sur leur engagement de respecter sans réserve les dispositions du décret relatif au secteur de l'épicerie.

iii) Bons de réduction

Dunnes Stores Ltd a lancé en octobre 1992 une campagne publicitaire, dans le cadre de laquelle des bons de réduction de 5£Ir sur les achats de 40£Ir au moins, à l'exclusion des boissons alcoolisées, étaient distribués au public. Le Directeur a été saisi de plusieurs plaintes selon lesquelles cette campagne entraînait la vente en-dessous du prix facturé net, pratique interdite par le décret concernant le secteur de l'épicerie. Plusieurs autres firmes à succursales multiples, qui ont imité Dunnes en délivrant leurs propres bons, ont renoncé à cette pratique à la suite de la décision du Directeur, aux termes de laquelle ce type de campagne constitue une violation du décret. Une procédure engagée en vue d'une injonction a été engagée par le Directeur contre Dunnes Stores, qui a nié avoir violé le décret. En novembre 1992, en vertu d'une injonction accordée au Directeur, il a été interdit à Dunnes Stores de violer le décret relatif au secteur de l'épicerie, en particulier son article 11 qui interdit la vente d'articles à un prix inférieur au prix facturé net.

Au titre de la loi de 1991 - L'action de l'Autorité chargée de la concurrence

Notifications

La loi sur la concurrence a notamment pour caractéristique que tous les accords existant à la date de l'entrée en vigueur de la loi (accords anciens), pour lesquels les parties demandaient un certificat ou une autorisation, devaient être notifiés dans un délai d'un an, soit avant le 1er octobre 1992. Au cours des 12 mois qui ont précédé cette date, plus de 1 100 accords ont été notifiés, dont un peu plus de 900 accords notifiés au dernier jour, soit le 30 septembre. A peine plus de 1000 notifications concernaient des accords anciens. L'enregistrement et l'examen préliminaire de ce très grand nombre de notifications ont constitué l'essentiel des travaux dont l'Autorité s'est acquittée au cours de l'année.

Sur la base d'un premier examen, il a semblé que la plus importante catégorie d'accords notifiés concernait la distribution exclusive : 308 (soit 27.1 pour cent du total), et 17 autres concernaient la fabrication et la distribution exclusives. Il y a eu 104 accords d'achats en exclusivité (9.1 pour cent), dont 64 concernaient les combustibles pour voitures. Les accords de courtage ont été au nombre de 27, et 39 notifications concernaient la distribution sélective de voitures automobiles. 232 contrats de bail de centres commerciaux ont été notifiés (20.4 pour cent), dont certains avaient pour objet un point de vente unique et d'autres la totalité du centre commercial. 54 notifications concernaient divers baux d'immeubles, tels que magasins indépendants, bureaux et usines. 80 accords de prises de participation ont été notifiés (sept pour cent). Des accords concernant des fusions et des cessions d'entreprises ont fait l'objet de 37 notifications et il y a eu 39 notifications d'entreprises communes. Dans 42 cas, il s'agissait d'accords de franchisage, 16 concernaient des contrats d'emploi et 21 concernaient essentiellement des prix imposés. 67 notifications concernaient la propriété intellectuelle, en particulier les droits d'auteurs et les marques commerciales.

Au cours du dernier semestre de 1992, seules 12 autres notifications ont été reçues et toutes avaient pour objet de nouveaux accords. C'est ainsi que, pour 1992 dans son ensemble, l'Autorité a reçu au total 1 136 notifications, dont un grand nombre concernait un accord type qui s'appliquait à de grands nombres et, parfois, à des centaines ou des milliers d'accords particuliers. Sur le total de 1 150 notifications reçues au cours des 15 mois précédant l'expiration de l'année 1992, trois ont été rejetées par l'Autorité et trois ont été retirées par les parties ayant procédé à la notification. Les trois accords rejetés l'ont été au motif que les accords n'étaient pas conclus entre entreprises, un accord étant conclu entre une entreprise et des consommateurs, et les deux autres entre une entreprise et des particuliers - un administrateur et son épouse. L'Autorité n'estime pas que les parties peuvent de plein droit retirer une notification régulière, mais elle en autorise le retrait dans certains cas. A la fin de 1992, il y avait donc au total 1 144 notifications examinées par l'Autorité.

L'Autorité a donc arrêté en 1992, 11 décisions officielles, qui concernaient 16 notifications, de sorte qu'il restait 1 128 notifications à traiter à la fin de 1992.

Décisions

Les 11 décisions arrêtées ont pour effet la délivrance de dix certificats et de quatre autorisations. Alors que le nombre de décisions était réduit, l'Autorité a pu exprimer ses vues au sujet de plusieurs questions importantes. Les principaux thèmes traités étaient notamment les suivants :

- un particulier en tant qu'entreprise ;

- relations entre une société-mère et une filiale ;

- définition d'une entreprise à but lucratif ;

- clauses de non-concurrence en cas de cession d'une entreprise ;

- fusions et acquisitions et clauses de non-concurrence ;

- accords d'achats en exclusivité ; et

- prix imposés.

Les principaux éléments de ces décisions sont exposés ci-après :

i) Clauses de non-concurrence en cas de cession d'entreprise

C'est dans l'affaire Nallen/O'Toole qu'il a été statué pour la première fois par l'Autorité. L'accord concernait un associé dans une entreprise d'articles électriques d'une petite ville, qui vendait sa participation à son associé. Il prévoyait une clause de non-concurrence empêchant le vendeur de faire concurrence à l'acheteur dans la branche d'activité en cause dans les limites d'une région déterminée pendant une période de trois ans. L'Autorité a souligné que, lorsqu'un particulier a possédé ou contrôlé une entreprise, ce particulier était assimilable à une entreprise au sens de la loi. Il ressort de la décision qu'en évaluant la concurrence sur le marché, l'Autorité a tenu compte de la concurrence effective et potentielle. L'Autorité a déclaré qu'elle tenait certaines restrictions imposées au vendeur d'une entreprise pour indispensables afin de veiller à un transfert satisfaisant des actifs incorporels d'une entreprise à l'acquéreur. Ces restrictions devaient être limitées en termes de durée, d'étendue géographique et d'objet. Un certificat a été délivré pour l'accord.

Des certificats ont été délivrés dans deux affaires similaires. Dans l'une de ces affaires, l'Autorité a conclu qu'une restriction interdisant au vendeur pendant une période de quatre ans de proposer un emploi aux anciens membres du personnel de l'entreprise transférée dépassait ce qui était nécessaire pour assurer le transfert des actifs incorporels. Une réduction à trois ans a été tenue pour acceptable par l'Autorité. Dans la même affaire, l'Autorité craignait également qu'une clause empêchant le vendeur d'utiliser, de faire connaître ou de divulguer des informations secrètes ou confidentielles concernant l'exploitation de l'entreprise transférée n'empêche le vendeur d'exploiter sa connaissance du marché en cause s'il décidait de s'implanter sur ce marché ultérieurement. Eu égard aux préoccupations de l'Autorité, l'acquéreur s'est engagé à ne pas utiliser et à ne pas s'efforcer d'utiliser cette clause d'une manière risquant d'empêcher le vendeur de revenir sur le marché dès l'expiration de la période de non-concurrence de deux années.

ii)   Fusions et acquisitions et clauses de non-concurrence

Les accords notifiés dans une autre affaire concernaient un accord portant sur l'acquisition par Woodchester Bank Limited à Hill Samuel & Co. B.V. du capital de UDT Bank Limited. L'accord comprenait également plusieurs clauses de non-concurrence. Dans sa décision, l'Autorité a déclaré que les fusions n'échappaient pas de plein droit à l'application des dispositions de l'article 4(1) de la loi sur la concurrence, même si elles avaient été approuvées par le ministre au titre de la loi sur les fusions. En examinant le point de savoir si des fusions constituaient une violation de l'article 4(1), l'Autorité a précisé qu'il devait être avéré que la fusion entraînait ou était de nature à entraîner une diminution de la concurrence sur le marché en cause. Une réduction du nombre de concurrents ou le fait qu'une fusion ait pour résultat que l'entreprise résultant de la fusion disposerait d'une plus grande part du marché que celle dont disposait séparément auparavant l'une ou l'autre des entreprises fusionnées ne suffisait pas à établir que la concurrence avait diminué ou diminuerait probablement. Il n'en résultait pas que toutes les fusions devaient nécessairement être notifiées au titre de la loi sur la concurrence.

L'Autorité a jugé que l'acquisition par Woodchester Bank d'UDT ne pouvait être tenue en elle-même pour une violation de l'article 4(1) de la loi, puisqu'il n'existait aucun élément révélateur de ce qu'il en résulterait une réduction de la concurrence sur aucun marché en cause et qu'en fait, cette acquisition pouvait renforcer la concurrence sur certains marchés. En ce qui concerne les clauses de non-concurrence, elle a précisé que des restrictions n'étaient imposées au vendeur que dans la mesure nécessaire pour veiller au transfert de l'intégralité des actifs incorporels à UDT et un certificat a été délivré en vue de l'opération.

Dans une autre affaire (Kindle/ACT), l'Autorité a relevé que les arrangements en cause concernaient non seulement le transfert d'actifs incorporels, mais également d'un certain savoir-faire technique. Elle a estimé que la durée proposée de trois années pour la plupart des clauses de non-concurrence ne constituait pas une violation de l'article 4(1), parce que ce transfert concernait tant le savoir-faire technique que les actifs incorporels. Une clause restrictive concernant la divulgation ou l'utilisation d'informations confidentielles au sujet des opérations de Kindle ne prévoyait aucune limite dans le temps quant à ses effets. A la suite d'objections de l'Autorité, cette clause a été modifiée par la fixation d'un délai de cinq ans à compter de la date de l'acte. Un certificat a été délivré en faveur de l'accord.

iii) Relations entre sociétés mères et filiales et signification du terme "entreprises"

Dans une décision, l'Autorité chargée de la concurrence a certifié qu'un accord entre une société mère et deux de ses filiales, en vertu duquel ces filiales se spécialiseraient chacune dans certains domaines du marché de l'assurance hors l'assurance vie ne constituait pas une violation de l'article 4(1) de la loi. La question essentielle dans cette affaire est soulevée par l'absence d'indépendance commerciale des filiales en propriété exclusive. L'Autorité a conclu que les trois entreprises faisaient partie d'un groupe constituant une entité économique unique. Pour cette raison, les filiales ne pouvaient être tenues pour se faisant réciproquement concurrence et l'accord notifié à l'Autorité ne pouvait donc empêcher, restreindre ou fausser la concurrence, puisqu'il s'agissait simplement de la répartition des tâches au sein du groupe.

Dans une autre affaire, Performing Right Society/IMRO, l'Autorité a conclu que l'accord ne constituait pas une violation à l'article 4(1) en raison de la relation société mère/filiale entre les deux firmes et a délivré un certificat relatif à l'accord. Cette affaire a fourni l'occasion à l'Autorité d'examiner la portée de la loi sur la concurrence en ce qui concerne une "entreprise à but lucratif". L'Autorité a conclu que la loi s'appliquait à toutes les entreprises se livrant à une activité économique ou commerciale, que ce soit dans le secteur public ou le secteur privé, et indépendamment du point de savoir si l'entreprise réalisait ou non des bénéfices.

En ce qui concerne la signification du terme "entreprise à but lucratif", la thèse défendue par l'Autorité a été considérablement renforcée par un arrêt de la Cour suprême du 29 juillet 1992. Le point en litige concernait la question de savoir si VHI, un organisme d'assurance-santé créé par la loi, se livrait à des activités à but lucratif alors qu'il n'avait pas pour objet de réaliser un bénéfice. Le président de la Cour suprême a déclaré : "Je suis, par conséquent, amené à conclure que suivant l'interprétation exacte de cet article, le terme à but lucratif désigne simplement une activité exercée ou un service fourni comme en l'espèce, en contrepartie d'une redevance ou d'un paiement et que, par conséquent, la partie défenderesse est bien visée par la définition d'une entreprise dans la loi de 1991...".

iv) Accords d'achats en exclusivité

Esso Ireland Limited a notifié son accord type unique et trois accords connexes. La caractéristique de l'accord unique est que le distributeur unique est tenu de pourvoir à ses besoins en combustibles pour véhicules en les achetant exclusivement à Esso pendant une période ne dépassant pas dix ans. Dans son appréciation, l'Autorité avait tenu compte du règlement n° 1984/83 de la CEE, qui déroge à l'interdiction prévue à l'article 85(1) du traité de Rome, en faveur de certains accords d'achats en exclusivité, y compris des accords concernant des stations-service.

L'Autorité a appris qu'Esso informait ses distributeurs des prix de détail recommandés maximum et a estimé que cette pratique devait être tenue pour un aspect des accords soumis à l'examen. Esso elle-même exploitait un grand nombre de ces stations propriétés de la firme. En informant ses distributeurs exclusifs d'un prix recommandé maximum, Esso les informait également du prix à demander dans ses stations exploitées par la firme. C'était là informer à l'avance les distributeurs exclusifs des prix qui seraient demandés par leurs concurrents. L'Autorité craignait que cette pratique n'ait pour effet d'éliminer l'incertitude et de fausser la concurrence entre les points de vente Esso. Esso a accepté de ne pas informer à l'avance les distributeurs exclusifs des modifications des prix à la pompe à ses stations-service exploitées par la firme.

L'Autorité a accordé une autorisation en ce qui concerne chacune des quatre catégories d'accords notifiés par Esso, sans y attacher de conditions. Les autorisations ont été délivrées pour une période de dix ans, soit du 25 juin 1992 au 24 juin 2002.

v) Divers

Waterford Harbour Commissioners a notifié un accord avec Bell Lines Ltd au sujet de l'exploitation prioritaire de facilités portuaires de Waterford. L'Autorité a jugé que l'accord ne constituait pas une violation de l'article 4(1) et un certificat a été délivré.

Questions relatives aux notifications

Contrats d'emploi

En septembre, l'Autorité a diffusé une communication dans laquelle elle exposait ses vues concernant la situation des contrats ou des accords d'emploi entre les salariés et les employeurs au titre de la loi sur la concurrence. Elle a précisé qu'à son avis, les salariés comme tels n'étaient pas assimilables à des entreprises au motif qu'ils agissaient normalement pour le compte de l'entreprise qui les employait. Par conséquent, elle n'a pas assimilé les accords entre employeurs et salariés à des accords entre entreprises. Il en est résulté qu'un contrat d'emploi comme tel n'était pas susceptible d'être notifié à l'Autorité, la loi ne prévoyant que la notification d'accords se rangeant dans la catégorie définie à l'article 4(1). Néanmoins, l'Autorité a poursuivi en déclarant que, dès qu'un salarié avait quitté un employeur et cherché à créer sa propre entreprise, il s'agirait dès lors d'un accord entre entreprises susceptible d'être notifié. Il a estimé qu'une tentative d'un ancien employeur d'appliquer une clause de non-concurrence dans un contrat d'emploi s'agissant d'un salarié qui avait quitté cet employeur et s'efforçait de créer sa propre entreprise, constituait une restriction à la concurrence.

Projet d'autorisations par catégorie pour les accords concernant les stations d'essence

L'Autorité a pu élaborer un projet d'autorisation par catégorie pour les accords concernant l'achat en exclusivité de combustibles pour véhicules. Ce projet d'autorisation est fondé sur la réglementation de la CEE en matière de dérogations par catégorie pour les accords d'achats en exclusivité, en particulier son Titre III qui vise les accords relatifs aux stations services. Le projet d'autorisation s'appliquerait aux accords en vertu desquels le revendeur s'entend avec le fournisseur, en contrepartie de certains avantages commerciaux et financiers, afin d'acheter des combustibles pour véhicules exclusivement à ce fournisseur. L'Autorité a publié le projet d'autorisation par catégorie et a demandé aux parties intéressées de présenter leurs observations.

Publications par l'Autorité

Une quatrième édition du guide pour les entreprises irlandaises concernant la politique de la CEE en matière de concurrence, préparée par le président, a été publiée en juin 1992. L'Autorité a élaboré un guide approfondi de la législation irlandaise en matière de concurrence et sa parution est attendue pour la fin de l'année.

Fusions et concentrations

Autorité chargée de la concurrence

La première affaire de fusion déférée au titre de la loi sur la concurrence de 1991 a été portée par le ministre devant l'Autorité le 19 février 1992. L'affaire dont l'Autorité était saisie concernait le projet qui permettrait à Independant Newspaper plc, le plus important groupe de presse d'Irlande, d'accroître sa participation dans le Tribune Group, qui publie un journal du dimanche, de 29.99 pour cent à une participation pouvant s'élever à 53.09 pour cent. Le rapport a été soumis au ministre le 20 mars et publié le 30 mars. C'était le premier rapport d'enquête sur une fusion à être publié depuis l'instauration du contrôle des fusions en 1978.

Il était évident que le Tribune Group était confronté à une situation financière critique et que, sans une forte injection immédiate de capitaux, sa survie était improbable.

En ce qui concerne tant le marché de la presse que celui de la publicité par les journaux, une majorité des membres de l'Autorité était d'avis que le projet était de nature à empêcher ou à restreindre la concurrence et à restreindre les échanges et qu'il exercerait donc probablement des effets préjudiciables à l'intérêt général. L'Autorité n'a pas estimé que le projet de charte de la rédaction apportait des garanties satisfaisantes qui permettraient de veiller à l'indépendance de la rédaction ni qu'elle pouvait faire l'objet d'une surveillance ou d'une exécution satisfaisantes. Il semblait n'exister aucune condition garantissant après une prise de contrôle une concurrence effective qui pourrait être surveillée dans une mesure satisfaisante. L'Autorité a constaté qu'il serait porté préjudice à la concurrence si le Tribune Group cessait d'exercer ses activités mais elle a jugé que le préjudice en cause serait moins grave que les dangers potentiels découlant du projet. Elle a estimé qu'il y aurait peut-être moins de pertes d'emplois si le projet était accueilli favorablement et qu'il était certain que bien plus de 100 emplois seraient perdus si le Tribune Group cessait entièrement ses activités. Néanmoins, le projet impliquait peut-être une véritable menace pour un plus grand nombre d'emplois dans la presse concurrente qui se trouvait déjà en difficulté. L'Autorité a estimé qu'il était probable que si le projet était rejeté, les titres du Tribune Group seraient achetés par un tiers et qu'un journal similaire réapparaîtrait rapidement, sans être accablé par des dettes, dans l'intérêt de la concurrence et de l'emploi. Elle a jugé qu'il ne fallait pas permettre au Independent Group d'acquérir les titres appartenant au Tribune Group dans ces circonstances. Elle a recommandé que le ministre rende une ordonnance d'interdiction du projet notifié.

Dans un avis dissident, le troisième membre de l'Autorité a exprimé une opinion toute autre. Tout en reconnaissant que le projet de prise de contrôle comportait certains risques pour la concurrence et l'intérêt général, il n'estimait pas qu'il était de nature à "empêcher ou restreindre la concurrence", ni à "restreindre les échanges" ou à "exercer des effets préjudiciables à l'intérêt général" (article 8(2)(a) de la loi de 1978 sur les fusions, dans sa version modifiée). L'enquête n'avait pas conclu à une grande probabilité d'un comportement anticoncurrentiel ou abusif à la suite de la prise de contrôle. Si un tel comportement devait effectivement être constaté ultérieurement, le système mis en place par la loi de 1991 sur la concurrence serait plus que suffisant pour y faire face. En outre, il était possible d'obtenir des engagements en bonne et due forme des parties à ce stade, en ce qui concerne l'exploitation du Tribune Group, indépendamment de l'exploitation de l'Independent Group (en particulier dans le domaine de la commercialisation), le renforcement des dispositions relatives à l'indépendance de la rédaction et des mesures prises pour éviter les pratiques abusives de manière générale.

Le 30 mars 1992, le ministre a rendu un décret d'interdiction du projet d'augmentation de la participation de l'Independant Group dans le Tribune Group. Il a estimé que si la prise de contrôle était réalisée, elle exercerait des effets préjudiciables à l'intérêt général et qu'en particulier, la concurrence sur le marché de la presse dominicale irlandaise et, dans une moindre mesure, sur le marché de tous les journaux du dimanche et de la publicité dans l'ensemble de la presse irlandaise serait réduite au point qu'il serait porté préjudice à l'intérêt général. Il a également déclaré que si le Tribune Group cessait ses activités, l'Independent Group ne devait pas être autorisé à acheter des titres lui appartenant. Un recours dirigé contre le décret ministériel a été déposé par les parties au titre de l'article 12 de la loi de 1978 sur le contrôle des fusions, des prises de contrôle et des monopoles.

Activités du Département

Statistiques sur les concentrations

Concentrations notifiées au ministre en 1991 et en 1992 :

	1991	1992
Affaires en instance au début de l'année	12	12
Notifiées au cours de l'année	137	142
En dehors du champ d'application de la loi	80	69
Sans suite	2	10
Autorisations de poursuivre la procédure	55	68
Interdictions de poursuivre	--	1
Affaires déférées à la Commission/ Autorité chargée de la concurrence	1	1

III. Déréglementation, privatisation et politique de la concurrence

Il n'y a pas eu de fait nouveau important dans le domaine de la déréglementation ou de la privatisation en 1992.

IV. Le rôle des autorités compétentes en matière de concurrence dans la formulation d'autres politiques

Il n'y a pas eu de fait nouveau notable dans ce domaine en 1992.

V. Nouvelles études ayant trait à la politique de la concurrence

EEC Policy on Competition (Politique communautaire en matière de concurrence). A guide for Irish business (Un guide pour les entreprises irlandaises), 4e édition. Commission pour la loyauté dans le commerce. PL 8783.

Competition Policy and the 1991 Irish Competition Act (La politique de la concurrence et la loi irlandaise de 1991 sur la concurrence), 1992. Centre in Economics and Law, University College, Galway, 1992.

ITALIE

(1992)

I. Évolution de la politique de la concurrence

Modifications de la législation et promotion de la concurrence

L'adoption de la loi n° 287/90 (ci-après dénommée "la loi") en matière de concurrence a témoigné de la ferme intention du Parlement italien d'axer davantage sur le marché la manière de concevoir les politiques économique et industrielle.

C'est ce même esprit qui anime les dernières propositions de refonte des règlements régissant les appels d'offres pour les marchés publics. Bien que les premières directives communautaires sur les marchés publics aient été incorporées dans la législation italienne avec un retard de plusieurs décennies, le Parlement travaille actuellement d'une manière plus active afin de respecter les délais fixés par la Communauté. En outre, l'orientation adoptée par la Commission des Communautés européennes retient bien davantage l'attention que par le passé, de sorte que les critères propres à la Communauté sont fréquemment incorporés dans la législation italienne même si leur incorporation n'est pas obligatoire.

La confirmation de l'intention d'adopter les principes de la Communauté en les intégrant dans la législation italienne avec un nouveau sens de l'urgence ressort des récents projets du gouvernement d'ouvrir à la concurrence des secteurs tels que les télécommunications, les compagnie aériennes, la production et la distribution d'électricité et de gaz qui ont jusqu'ici fait l'objet de monopoles légaux. Là où des concessions exclusives ne sont plus justifiables sur le plan technico-économique, la stimulation de la concurrence peut favoriser le renforcement de l'efficacité et l'amélioration de la qualité, en apportant des avantages considérables aux consommateurs et à l'économie nationale dans son ensemble.

C'est dans cette perspective que l'Autorité de la concurrence exerce activement ses pouvoirs consultatifs, étant convaincue de la nécessité d'élargir sensiblement le domaine de la concurrence dans l'économie italienne. Au titre de l'article 8(2), de la loi, les sociétés qui sont légalement accréditées pour fournir des services présentant un intérêt économique général ou qui exercent leurs activités dans le cadre d'un monopole sur le marché, sont en tout état de cause soumises à la législation sur la concurrence, la seule dérogation admise concernant les comportements anticoncurrentiels étroitement liés à l'accomplissement de leur mission respective; conformément aux récents arrêts de la Cour de justice des Communautés européennes, l'Autorité interprète cette dérogation de manière des plus restrictives.

Dans le cadre de l'évolution qui se déroule dans le secteur des services publics, y compris en ce qui concerne les aménagements à la législation et à la réglementation, l'Autorité considère favorablement le projet de mise en place des organismes investis de pouvoirs de réglementation sur les droits d'accès, les normes techniques et le contrôle des prix. La mise en place de ces nouveaux organismes de réglementation a également pour utilité de définir des systèmes d'intervention plus transparents basés sur une nette distinction entre gestionnaires et instances de réglementation.

En tout état de cause, il importe de préserver dans tous les secteurs les obligations inhérentes à la protection de la concurrence dont l'autorité est investie. Les objectifs de la législation en matière de concurrence et de la politique de réglementation ne sont pas toujours uniformes. L'appréciation des activités et des comportements anticoncurrentiels des sociétés exige la constitution d'un fond commun spécial de compétences et de savoir-faire sensiblement distinct de ce qui caractérise les secteurs en cause. La distinction entre les organismes de réglementation et l'Autorité chargée de la concurrence encourage non seulement la transparence administrative, mais elle est également efficace en ce sens qu'elle évite des empiétements et des doubles emplois onéreux.

Privatisation et application des mesures antitrust

Des récentes propositions de privatisation des entreprises publiques ont rendu peut-être possible de relancer la concurrence et l'efficacité au sein de l'économie nationale. En règle générale, les entreprises privées sont assujetties à des exigences budgétaires plus strictes que les entreprises publiques, et les mesures de privatisation stimulent donc l'efficience et la croissance économique.

En Italie, et dans beaucoup d'autres pays, les entreprises publiques ont été gérées essentiellement en termes d'objectifs et de rationalité économiques, tout en ayant bénéficié d'une position privilégiée pour l'attribution des marchés publics.

Ainsi que le programme élaboré en décembre 1992 par le gouvernement italien l'a souligné, la réorganisation et la privatisation des sociétés propriété de l'État sont inévitables dans une très large mesure.

Afin de veiller à ce que les fusions résultant de cette évolution aient lieu en conformité parfaite avec la législation régissant la concurrence et ne créent ni ne renforcent de position dominante sur le marché en cause, une importance considérable est attachée au rôle joué par l'Autorité.

A cet égard, la définition de la portée de l'article 25 de la loi, qui donne au gouvernement certains pouvoirs concernant le contrôle des fusions, constitue un aspect particulièrement délicat.

L'article 25(1) prévoit ce qui suit : "Le Conseil des ministres italien établit, sur la proposition du ministre du commerce et de l'industrie, les critères généraux à appliquer par l'Autorité en délivrant des autorisations dérogeant à l'interdiction prévue par l'article 6 de la loi, là où de grands intérêts généraux de l'économie nationale sont en cause dans le processus de l'intégration européenne, à condition que la concurrence ne soit pas tout à fait écartée des marchés ou ne soit pas limitée dans une mesure qui n'est pas strictement justifiée par ces intérêts économiques généraux. Dans toutes ces affaires, l'Autorité prescrit également des mesures à arrêter en vue du rétablissement d'une concurrence intégrale pour une date limite précise".

La solution adoptée par l'article 25 de la loi prévoit la mise en place d'un système de relations qui fait ressortir la nécessité de limiter les dérogations à des cas exceptionnels, afin d'éviter une interférence non apparente avec les critères normaux établis par la loi pour l'évaluation des concentrations et d'établir une distinction nette entre les décisions essentiellement politiques (qui incombent au gouvernement) et les évaluations d'un caractère plus strictement technique (qui sont du ressort de l'Autorité).

Les pouvoirs gouvernementaux en ce qui concerne les fusions doivent donc être limités à l'identification des conditions exceptionnelles qui, conformément à l'intérêt général de l'économie nationale en termes de progrès de l'intégration européenne, permettent à l'Autorité d'autoriser des opérations qui seraient sinon interdites et de fixer des critères déterminants généraux fondamentaux pour l'octroi des dérogations en cause.

Néanmoins, il est évident que (en l'absence de dispositions légales plus précises) l'octroi de ces dérogations est étroitement lié à l'identification et à la fixation des conditions et critères susvisés par le gouvernement.

Compte tenu des objectifs qui découlent implicitement de la loi, nonobstant l'interdiction explicite de l'autorisation d'opérations qui éliminent la concurrence sur le marché (ou qui imposent des restrictions à la concurrence qui ne sont pas strictement justifiées), il faut d'emblée faire valoir que les grands intérêts généraux de l'économie nationale, qui doivent être définis dans le contexte de progrès de l'intégration européenne, doivent être explicitement identifiés et justifiés par le Conseil des ministres. En outre, leur identification et leur justification ne peuvent être effectuées en termes généraux, mais dans le contexte de situations et de circonstances concrètes et exceptionnelles. Ce serait là rendre possible la définition précise des cas d'application de l'article 25, ce qui parerait au risque d'établir des restrictions indues et excessives à la concurrence.

En deuxième lieu, en ce qui concerne les critères généraux et primordiaux, même si l'article 25 oblige l'Autorité à se conformer à ces critères, il prévoit cependant que cette Autorité peut, si elle le juge bon, autoriser des opérations qui seraient sinon interdites. Les critères doivent donc être définis de telle manière que l'Autorité soit en mesure d'exercer son pouvoir d'appréciation en évaluant les cas concrets en lui permettant, par exemple, de fonder sa décision au titre de l'article 25 de la loi sur une évaluation commune tant des coûts sociaux qui découleraient de la restriction à la concurrence que des avantages en résultant sous l'angle des autres intérêts généraux identifiés préalablement par le gouvernement.

La relation entre la législation de la Communauté et la législation interne en matière de concurrence

Du fait de l'adoption de l'Acte unique européen de 1986, la date limite pour la réalisation du marché intérieur a été fixée au 31 décembre 1992. Depuis le 1er janvier 1993, les libertés fondamentales inscrites dans le traité de Rome, c'est-à-dire la libre circulation des biens et des services, des personnes et des capitaux, y compris le droit d'établissement, sont par conséquent intégralement en vigueur. L'Acte unique prévoit une base normative renforcée, en vue de la mise en oeuvre des nombreuses propositions formulées dans le Livre blanc de la Commission des Communautés européennes, destinées à lever tout obstacle subsistant aux échanges entre les États membres, une attention particulière étant accordée à des secteurs tels que les services qui ont jusqu'ici été protégés contre la concurrence étrangère.

Le traité signé à Maastricht le 7 février 1992 a également une portée novatrice en ce qui concerne la formulation des objectifs de l'Acte unique. Après avoir énoncé les objectifs de l'Union européenne, à savoir la stimulation du progrès économique et social des États membres, en affirmant une identité européenne sur le plan international et en mettant au point une politique sociale commune, ce traité consacre la pleine reconnaissance du principe de la subsidiarité sous-jacent aux relations entre la Communauté et les États membres.

Conformément au principe de subsidiarité, la Communauté n'agit que dans la poursuite des objectifs du traité "dans la mesure où les objectifs de l'action envisagée ne peuvent pas être réalisés de manière suffisante par les États membres..." (article 3b du traité). En d'autres termes, en ce qui concerne la législation régissant la concurrence, les États membres particuliers doivent utiliser leurs propres instruments juridiques et administratifs afin de contribuer au progrès de l'unification européenne, ce qui leur permet d'exercer des fonctions essentielles présentant de l'importance pour la Communauté.

Au cours du débat au sujet de l'application du principe de subsidiarité à la concurrence, il n'a été fait état de manière générale de l'article 9(3) de la loi 17/62 du Conseil du 6 février 1962, qui prévoit ce qui suit : "...les autorités des États membres restent compétentes pour l'application de l'article 85(1) et de l'article 86, conformément à l'article 88 du traité ...". De cette manière, les autorités nationales des États membres jouent un rôle commun dans la poursuite des objectifs de la Communauté dans le cadre de l'application directe des dispositions du traité.

Néanmoins, conformément au principe de la subsidiarité, les objectifs du traité peuvent également être poursuivis par les autorités nationales appliquant leur législation nationale.

C'est là un aspect qui semble particulièrement important en Italie, où les dispositions de la loi régissant la concurrence sont très similaires à celles de la législation communautaire en matière de concurrence. Par conséquent, en appliquant les dispositions de la loi, l'Autorité joue un rôle subsidiaire de celui de la Communauté.

Le champ d'action de la Commission des Communautés européennes en matière d'application des dispositions communautaires doit par conséquent être limité aux affaires dans lesquelles tout dommage aux échanges ne peut être éliminé uniquement par les autorités nationales.

L'application du principe de la subsidiarité confirme l'interprétation de l'article 1 de la loi que l'Autorité a invoquée dans un grand nombre de ses décisions, en réitérant que la loi s'applique aux affaires présentant un intérêt national dans la mesure où elle ne s'écarte pas des dispositions de la Communauté. C'est là une nouvelle optique qui lève toute incertitude concernant la question de la compétence en ce qui concerne les diverses affaires, qui pourraient découler de l'interprétation de l'article premier de la loi.

II. Application de la législation sur la concurrence en 1992

Exposé succinct des mesures prises par l'Autorité

La protection et la stimulation de la concurrence constituent le critère constant de toute l'activité institutionnelle de l'Autorité.

En 1992 et au cours du premier trimestre de 1993, l'Autorité en appliquant la loi a statué sur 27 accords, 18 cas d'exploitation abusive prétendue d'une position dominante et 499 concentrations. En outre, 33 avis ont été présentés à l'autorité compétente en matière de monopoles de la radiotélédiffusion et de l'édition et à la Banque d'Italie, en application de l'article 20(1), (2) et (3) de la loi.

Au cours de la même période, l'Autorité a constaté 13 cas de violation de l'interdiction des accords restreignant la concurrence, conformément à ce que prévoit l'article 2 de la loi, et sept cas de violations de l'interdiction de l'exploitation abusive d'une position dominante prévue par l'article 3 de la loi. Deux des concentrations examinées ont été interdites et deux ont été autorisées, étant entendu que des modifications devaient être apportées au projet tel qu'il avait été initialement notifié par les sociétés, en vue de l'élimination de tout effet anticoncurrentiel éventuel.

L'Autorité a non seulement agi à la suite de rapports émanant des milieux d'affaires mais elle a également joué un rôle actif dans la constatation de comportements anticoncurrentiels en Italie. Plus concrètement, au cours de l'année, des enquêtes de caractère général ont été conduites en application de l'article 12(2) de la loi, en ce qui concerne des secteurs pour lesquels il existait des éléments donnant à croire que la concurrence risquait d'être entravée, limitée ou faussée (téléphonie cellulaire, lait et produits laitiers, cinéma, matériel roulant, trains à grande vitesse et services portuaires).

Il y a à peine un an, lors de l'entrée en vigueur du décret législatif n° 74 du 25 janvier 1992, l'Autorité a été dotée du pouvoir de réglementer la publicité mensongère. C'est là une obligation extrêmement importante : ce décret a inséré dans la législation italienne le principe important suivant lequel les consommateurs, les sociétés concurrentes et le grand public doivent être protégés contre la publicité mensongère, en remplaçant les dispositions de l'article 2598 du Code civil qui limitaient la protection au concurrent particulier dont les intérêts étaient lésés.

En 1992 et au cours du premier trimestre de 1993, l'Autorité a rendu une décision définitive dans 43 affaires de publicité mensongère prétendue, des violations de la loi ayant été constatées dans 17 de ces affaires ; là où la publicité a été jugée mensongère, il a été interdit aux sociétés de continuer à y recourir.

Dans l'exercice de toutes ses activités, l'Autorité a veillé à ce que l'intérêt général soit protégé au cours de la procédure administrative. En outre, les décisions adoptées ont généralement été acceptées et ce n'est qu'exceptionnellement que les parties ont formé un recours contre les décisions de l'Autorité devant les juridictions compétentes. Ce n'est que dans un seul cas que le Tribunal Administratif du Latium a fait droit à un recours formé en vue de la suspension de la procédure, et cela en raison d'une question de forme relative à la procédure de notification.

Ainsi que le tableau le fait ressortir clairement, la charge de travail de l'Autorité s'est nettement accrue.

Décisions de l'Autorité

(nombre d'affaires)

	1991	1992	janvier-mars 1993
Fusions	232	380	119
Accords	9	25	2
Abus de position dominante	2	14	4
Publicité mensongère	-	22	21

On peut constater à quel point les activités particulières de l'Autorité concordent avec les orientations générales de la politique de la concurrence qu'elle a mises au point, en examinant ses interventions dans plusieurs domaines précis.

Télécommunications

Le besoin de protéger et d'encourager la concurrence ressort à l'évidence des travaux menés par l'Autorité dans le domaine des télécommunications. C'est là un domaine dans lequel l'évolution technologique rend possible d'introduire la concurrence dans des marchés qui constituaient auparavant un monopole naturel. Une politique de libéralisation à ramifications multiples a déjà été engagée dans l'ensemble de la Communauté en vue de la stimulation de la concurrence pour les services nationaux et les marchés d'infrastructure. L'évolution de la réglementation des Communautés européennes en matière des services de télécommunications est d'une grande importance pour la compréhension de l'évolution en Italie. La directive du Conseil 387/90 (dénommée disposition relative à la fourniture d'un réseau ouvert) libéralise l'accès aux réseaux et leur utilisation par des tiers en vue de l'offre de services de télécommunications publics, sauf en ce qui concerne la téléphonie vocale, les services de télex et les téléphones mobiles. Toute aussi importante est la directive communautaire 388/90, qui libéralise tous les services à valeur ajoutée (y compris la revente de la capacité). Les deux directives autorisent toujours le monopole de la téléphonie vocale, mais le propriétaire du réseau public est tenu de garantir l'accès à des conditions transparentes et non discriminatoires.

Il est de la plus haute importance d'incorporer ces directives communautaires et leurs principes fondamentaux dans la législation italienne afin de renforcer la concurrence dans le secteur des télécommunications. Dans cette perspective, l'Autorité a présenté un avis au premier ministre, au ministre des services postaux et des télécommunications et au ministre des politiques communautaires, en application de l'article 22 de la loi, en ce qui concerne un projet de décret législatif visant à incorporer des dispositions de la directive 388/90 dans la législation italienne, en soulignant qu'il restreignait le champ de libéralisation en interdisant la revente de la capacité de transmission, et ne garantissait pas suffisamment la suppression de tout type de discrimination entre les fournisseurs de services de télécommunication.

Afin de favoriser le renforcement de la concurrence sur les marchés là où c'est techniquement possible, l'Autorité a procédé à une enquête dans le secteur des services de téléphonie mobile, en présentant un rapport final au premier ministre et au ministre des postes et des télécommunications. Plus précisément, l'Autorité a constaté que, depuis que le franchise exclusif des services nationaux de téléphone, soit Sip Spa, avait commencé à commercialiser le nouveau système GSM, il existait un risque que tout nouveau retard dans la conclusion de conventions autorisant d'autres firmes à accéder au marché ne mette en péril de manière permanente la future structure de la concurrence. Elle a également souligné que, conformément aux directives communautaires, toute mesure donnant à Spi Spa le droit exclusif de fournir le service GSM en étendant son monopole sur un marché contigu sans aucune véritable nécessité, risquait d'enfreindre les dispositions communes des articles 86 et 90 du traité de Rome.

Des mesures visant à restreindre le renforcement de la position dominante de l'exploitant d'un réseau téléphonique sur des marchés autres que ceux qui lui étaient expressément réservés ont également été prises par l'Autorité en vertu des dispositions interdisant l'exploitation abusive d'une position dominante et la formation d'une position dominante dans le cadre d'une fusion, conformément à ce que prévoient les articles 3 et 6 de la loi. En ce qui concerne les fusions, l'acquisition par Stet Spa, la firme qui détient la majorité des actions de Spi Spa, de deux sociétés exerçant leurs activités dans le secteur des petits équipements de télécommunications a été interdite, au motif qu'il s'agissait là d'un secteur dans lequel Stet était pratiquement, par l'intermédiaire de sa filiale Sip Spa, le seul client. Compte tenu des caractéristiques de la concentration en cause, l'Autorité a été amenée à conclure que le contrôle d'un fournisseur par le franchise exclusif d'un service téléphonique risquait de fausser les conditions normales de la concurrence, par le renforcement de sa position dominante existante et l'établissement d'obstacles importants et durables à l'accès au marché[1].

En application de l'article 3 de la loi, des mesures avaient déjà été prises au début de 1992 de manière à interdire au franchisé exclusif du service téléphonique national d'étendre abusivement sa position dominante jusqu'au marché des services de paiement des services téléphoniques au moyen de cartes de crédit, qui ne relevaient pas de son monopole. Récemment, en application du même article 3 de la loi, il a été constaté que les caractéristiques du système de commercialisation d'un téléphone cellulaire adopté par Sip Spa, et en particulier les clauses d'exclusivité appliquées dans les contrats avec ses distributeurs, conduisaient à un renforcement abusif sur le marché des téléphones mobiles vendus directement aux consommateurs de sa position dominante en sa qualité de fournisseur du service[2].

Marchés publics

L'Autorité s'est vue dans la nécessité de suivre minutieusement l'évolution de la législation nationale afin de garantir que les principes de la pleine concurrence consacrés au niveau communautaire dans le domaine des marchés publics soient incorporés intégralement dans le droit italien. Dans ce domaine, la surveillance et la sanction des comportements anticoncurrentiels prévues par le titre I de la loi prennent d'autant plus d'importance que des questions plus générales se posent en matière de protection des principes d'équité et de transparence.

En effet, dans de nombreux cas, la situation en ce qui concerne les marchés publics est non seulement le résultat d'un comportement anticoncurrentiel de la part de sociétés violant la loi, mais, dans une très large mesure, elle résulte du caractère extrêmement discrétionnaire des procédures et de la fréquence des cas de non-respect généralisé de la loi de la part des départements ministériels, des entités publiques et des sociétés de franchise.

Cette optique double, quoique unitaire pour l'essentiel, a donc caractérisé les travaux effectués par l'Autorité dans l'exercice de ses pouvoirs légaux en ce qui concerne des situations concrètes et des questions plus générales touchant l'incidence de la législation existante sur la concurrence.

A cet égard, les enquêtes récemment entreprises par l'Autorité en application de l'article 12(2) de la loi dans le secteur des chemins de fer et en particulier sur le marché national du matériel roulant et le projet de trains à grande vitesse prennent un relief particulier. Dans les deux cas, l'information acquise a fait apparaître qu'il existait des motifs de présumer que la concurrence avait été faussée sur les marchés concernés en raison des modalités d'attribution des contrats et de l'existence d'un accord entre les principaux producteurs et fournisseurs en vue de la répartition du marché entre eux.

Dans l'exercice des pouvoirs dont elle est investie au titre des articles 21 et 22 de la loi, l'Autorité a informé le premier ministre et le président du Sénat que certaines dispositions régissant les procédures d'adjudication du contrat pour l'automatisation du système de jeux "Loto" (article 7 du décret-loi n° 298 du 26 mai 1992 et clause 7 du projet de loi n° 278 d'application de ce décret) faussaient la concurrence, au motif qu'elles étaient destinées à veiller à ce que seules les firmes sous contrôle de l'État soient en mesure d'obtenir la concession du ministère des finances pour la gestion du service. L'Autorité a souligné que c'était là une discrimination injustifiable.

Une analyse d'ensemble plus approfondie de la législation nationale en vigueur régissant les marchés et les appels d'offres publics a également été exposée dans un rapport soumis au premier ministre, en application de l'article 24 de la loi, en juillet 1992. Ce rapport traitait en particulier des limitations et des failles de la réglementation actuelle et définissait plusieurs critères et directives pour la réforme du système, essentiellement destinés à normaliser davantage le cadre normatif, à améliorer l'efficacité des contrôles et à veiller à une plus grande rigueur dans l'utilisation des instruments contractuels et des procédures contractuelles (notamment pour l'octroi de concessions ou la conduite de négociations privées), qui, pour l'essentiel, échappent à l'application des règles de la concurrence et ne garantissent pas une gestion saine et transparente des fonds publics. Dans son rapport, tout en soulignant l'existence d'un très grand nombre de difficultés soulevées par la mise en conformité de la législation italienne avec les directives du Conseil sur les marchés publics, l'Autorité a souligné l'intérêt de veiller à une concurrence loyale entre les firmes en matière de soumissions pour les marchés publics, de manière à ce que les marchés soient attribués conformément à des règles et des procédures impartiales.

Transports

En 1992, l'Autorité s'est engagée dans un large éventail d'activités en application de la loi sur la concurrence dans le secteur des transports : c'est là un secteur dans lequel de nombreuses firmes contrôlées par l'État exercent leurs activités, où il existe toute une gamme de concessions exclusives et où l'existence d'un système généralisé de subventions tend à violer les principes de la liberté de la concurrence.

En premier lieu, l'Autorité a constaté que, grâce aux subventions sélectives ou à l'annulation comptable systématique des pertes, le gouvernement donnait aux sociétés bénéficiaires un avantage structurel par rapport à leurs concurrents : l'exploitation abusive d'une telle position dominante était interdite au titre de l'article 3 de la loi[3]. En outre, elle a présenté au premier ministre, au ministre de la marine marchande et au président des deux chambres son rapport au sujet des distorsions de la concurrence causées par l'octroi d'une aide financière à des compagnies de navigation sous contrôle de l'État, ce qui entraînait une discrimination au détriment des autres compagnies de navigation exerçant leurs activités sur les mêmes marchés. Elle a déclaré que les subventions de l'État n'étaient pas indispensables pour les itinéraires desservis par plusieurs exploitants publics et privés italiens et étrangers concurrents ; elle a donc exprimé l'espoir que toute la question de l'aide aux compagnies de navigation propriété de l'État serait réexaminée. La nécessité de mettre fin à une discrimination injustifiée entre les compagnies de navigation a été réaffirmée par l'Autorité en application de l'article 2 de la loi en ce qui concerne les remises accordées par les concessionnaires fournissant des services portuaires[4].

En ce qui concerne les aéroports, l'Autorité a pris des mesures au titre de l'article 3 de la loi contre la société Aeroporti di Roma, qui détient la concession de la gestion des deux aéroports de Rome, en estimant que cette société avait exploité abusivement sa position dominante en empêchant indûment toutes les compagnies aériennes, sauf deux, d'exercer leur droit de fournir des services auxiliaires et en imposant indûment des conditions onéreuses pour la fourniture des services en cause[5].

Dans le secteur des activités portuaires, l'Autorité a décidé de procéder à l'enquête générale prévue par l'article 12(2) de la loi, afin d'acquérir une meilleure compréhension de la concurrence, en vue de la prise de mesures concrètes complémentaires en ce qui concerne les situations et les comportements qui faussent le jeu du marché.

Dans le secteur du transport par rail, l'Autorité a récemment décidé de procéder à une enquête au sujet de Ente Ferrovia dello Stato Spa en ce qui concerne des violations prétendues des articles 2 et 3 de la loi relatives à l'octroi de conditions plus favorables injustifiées touchant les remises sur les tarifs des transports par rail pour les conteneurs à sa filiale Italcontainer Spa.

Services financiers et assurances

En 1992 et au cours du premier trimestre de 1993, l'Autorité a examiné un grand nombre de cas de fusions dans le secteur des services financiers et a communiqué 23 avis à la Banque d'Italie au sujet de fusions concernant des banques tombant dans le champ d'application de l'article 20(2) et (3) de la loi.

S'agissant de fusions sur les marchés des dépôts bancaires et des emprunts, l'Autorité a constaté que les effets sur les marchés locaux des projets de concentration étaient généralement insuffisants pour faire naître des préoccupations, en partie parce que, dans de nombreux cas, les chevauchements entre les réseaux térritoriaux de fourniture des services étaient rares ou inexistants.

Néanmoins, certaines opérations analysées donnaient aux banques en cause des parts de marché particulièrement élevées sur les marchés locaux des services bancaires fournis directement aux particuliers. Dans un cas dans lequel l'Autorité a constaté que la concurrence avait été limitée à la suite d'une concentration, dans l'avis qu'elle a communiqué à la Banque d'Italie, elle a présenté plusieurs observations touchant les mesures qu'elle jugeait nécessaires afin de réduire sensiblement de tels effets[6].

En ce qui concerne le secteur des assurances, l'Autorité a présenté un rapport au président des deux chambres et au ministère de l'industrie au sujet d'un projet de loi gouvernemental sur l'assurance de la responsabilité civile pour les véhicules automobiles, qu'elle tenait pour non conforme aux dispositions de la directive communautaire n° 49 adoptée par le Conseil des Communautés européennes le 18 juillet 1992. Ce projet de loi prévoyait un système de contrôle des primes et la communication systématique des primes aux autorités de surveillance. L'Autorité a estimé que l'établissement par le ministère de l'industrie de commissions minimales à payer aux agents d'assurances menaçait de restreindre gravement les avantages éventuels pour les consommateurs tenant à la libéralisation encouragée au niveau communautaire.

Une attention particulière a été consacrée à l'analyse du vaste domaine de la coopération entre les compagnies d'assurances, principalement en ce qui concerne les travaux de l'association nationale des compagnies d'assurances. En général, la solution des problèmes relatifs à l'information qui caractérisent ce secteur contribue à l'amélioration de la fourniture de services d'assurances ; à cet égard, la Commission des Communautés européennes a élaboré des règlements pour certains types d'accords dérogeant expressément en leur faveur à l'interdiction prévue à l'article 85 du traité CEE. Néanmoins, hormis ces cas précis, la coopération entre les firmes peut donner naissance à des contraintes pesant sur le jeu des mécanismes du marché, contraintes interdites par la législation régissant la concurrence.

Publicité

En 1992 et au cours du premier trimestre de 1993, l'Autorité a communiqué à l'autorité compétente en matière de monopoles dans le secteur de la radiotélédiffusion et de l'édition dix avis au sujet des fusions sur le marché de la presse quotidienne et périodique, et sur la vente de messages publicitaires publiés dans la presse et diffusés par les chaînes de télévision. Dans un cas, une société en position dominante pour la vente d'espaces publicitaires sur les réseaux de télédiffusion avait renforcé cette position par une concentration sur le marché contigu de la vente d'espaces publicitaires dans la presse : l'Autorité a recommandé que l'autorité compétente en matière de monopoles de la radiotélédiffusion et de l'édition examinent les effets de cette opération sur la concurrence de manière plus approfondie. Se fondant sur les résultats de l'enquête menée par cette autorité et compte tenu des contraintes normatives limitant l'action de la société absorbante dans le secteur de la vente directe d'espaces publicitaires au consommateur, elle a formulé dans son avis plusieurs observations.

Alimentation et distribution commerciale

Compte tenu de la vaste réorganisation en cours de la production dans le secteur du lait et des produits laitiers, comportant une série d'acquisitions de petites entreprises par des exploitants exerçant leurs activités au niveau national, l'Autorité a décidé de procéder à une enquête. Les fusions réalisées sont essentiellement le résultat de stratégies visant à développer le marché géographique par l'acquisition de marques bien implantées et de réseaux de distribution existants, ainsi que d'une tendance générale au renforcement des relations d'intégration verticale aux différents stades du processus de production et de commercialisation.

Aux fins de la protection de la concurrence, une très importante mesure adoptée a été l'analyse des systèmes de distribution commerciale. Ainsi que l'enquête sur le secteur du lait et des produits laitiers et l'analyse de nombreuses fusions dans le secteur de l'alimentation l'ont révélé, l'accès aux circuits de distribution est une condition indispensable du maintien de conditions concurrentielles dans le secteur de la production. En particulier, une acquisition qui a entraîné l'acquisition de très importantes parts de marché dans certains marchés du secteur de l'alimentation a été autorisée par l'Autorité, étant entendu que l'entreprise issue de la concentration ne peut établir de relation d'exclusivité avec des distributeurs indépendants et les détaillants se situant au dernier échelon du circuit de distribution des produits, et à condition que toute condition d'exclusivité existante soit supprimée[7].

L'Autorité surveille méticuleusement toutes les évolutions actuelles dans le secteur de l'alimentation et dans le secteur de la distribution commerciale, afin d'agir sans délai au titre des articles 2, 3 et 6 de la loi, si elles restreignent la concurrence. Comme il a été indiqué dans un rapport présenté en janvier 1993 au premier ministre au titre de l'article 24 de la loi, afin de stimuler la concurrence dans le secteur de la vente au détail en Italie, il est nécessaire de procéder à un tour d'horizon de la législation actuelle, en adoptant des modifications de large portée à la loi n° 426 du 11 juin 1971 et à ses règlements d'application. En particulier, l'Autorité a recommandé l'abolition du présent système de planification commerciale, car ce système engendre des contraintes administratives limitant sensiblement les possibilités d'accès au marché et restreignant le choix de l'échelle de production et de la gamme de produits, en dressant des barrières à l'entrée qui ne peuvent être justifiées par des nécessités répondant à l'intérêt général. Afin de renforcer la possibilité d'une concurrence dans le secteur, entraînant des avantages sensibles pour les consommateurs, l'Autorité a également recommandé l'adoption de mesures destinées à lever progressivement les restrictions aux heures d'ouverture des magasins, conformément à la loi n° 121 du 27 mars 1987, en s'inspirant de l'expérience des localités dont l'économie est basée sur le tourisme, et où la loi prévoit déjà une plus grande souplesse.

Secteurs divers

Un des domaines d'intervention de l'Autorité en 1992 a été le marché de la graine de betterave sucrière, sur lequel un abus de position dominante de la part des raffineries au détriment des producteurs de betteraves sucrières[8] a été constatée. En outre, sur les marchés du ciment et du béton, qui sont caractérisés par des dimensions géographiques réduites et par des barrières à l'entrée élevées tenant à la réglementation existante, l'existence d'un grand nombre d'accords restrictifs de la concurrence a été constatée. Dans les cas les plus graves, des sanctions ont été prononcées.

L'enquête sur le secteur du béton, qui a commencé en 1991 et est toujours en cours, non seulement a contribué à l'identification des accords existants, mais également à l'analyse des principaux objectifs du processus de concentration en cours, qui a pour effet de renforcer progressivement l'intégration verticale entre les industries du béton et du ciment. En ce qui concerne l'industrie du ciment, l'Autorité a également pris des mesures au titre de l'article 6 de la loi, en autorisant une concentration, sous réserve de certaines conditions destinées à empêcher la création de barrières à l'entrée de nature à faire obstacle à l'importation par mer de ciment à partir de la Grèce[9].

Dans l'industrie cinématographique, l'Autorité a constaté l'existence d'un travail intense de restructuration caractérisé par l'acquisition de petits exploitants par des sociétés d'importation nationales et internationales et d'accords entre des sociétés de distribution et des sociétés de gestion de salles de cinéma, visant à déterminer à l'avance les plannings des programmes. Ces accords semblent, dans de nombreux cas, avoir pour objectif l'acquisition du contrôle de circuits de distribution de films. En raison essentiellement du faible niveau des recettes de ventes de billets, en particulier pour les firmes qui gèrent les salles de cinéma, les acquisitions en cause font rarement l'objet d'un contrôle préalable des concentrations conformément à ce que prévoit la loi. En décembre 1992, l'Autorité a entrepris une enquête afin de mieux évaluer quelle est actuellement l'ampleur de ces opérations et leurs incidences sur la concurrence sur les marchés concernés.

Enfin, plusieurs procédures sont toujours en cours en ce qui concerne des accords éventuellement anticoncurrentiels dans des secteurs dans lesquels les contrôles de prix ont récemment été abolis, tels que la distribution de gaz de pétrole liquéfié ou d'essence et d'autres carburants. De manière plus générale, l'Autorité se propose de prêter une attention particulière aux marchés pour lesquels les contrôles de prix ont récemment été abolis, afin de garantir un développement sain de la concurrence.

Notes

1. Italtel-Italtel-Mistel ; Italtel-General 4 Elettronica Sud

2. Ducati-Sip

3. Tirrenia-Marinzulich

4. Cardile Bros.

5. IBAR

6. Banco di Sardegna-Banca Popolare di Sassari

7. Unichips-PAI

8. Apca-Compag

9. Cemensud-Calcementi Jonici

Annexe

Décisions de l'Autorité concernant les accords, les abus de position dominante et les fusions

Accords

Accords sur le marché du béton

L'Autorité a estimé que l'interdiction au titre de l'article 2(2) de la loi avait été violée dans le cas de huit accords entre des fabricants de béton, dans la plupart des cas en ce qui concerne des règlements de consortiums opérant sur certains des nombreux marchés locaux entre lesquels, en particulier en raison de la rapide détérioration du produit et de la forte incidence des coûts de transport sur le prix final, le marché national est segmenté.

Les accords susvisés étaient très similaires, tant par leur forme que sur le fond. L'enquête menée sur chacune des affaires examinées a permis de constater dans les règlements de consortium l'existence de dispositions qui :

a) fixaient les prix de vente du béton ;

b) fixaient des quotas de production en répartissant les fournitures de béton entre les sociétés affiliées aux consortiums sur la base d'un contingent ;

c) coordonnaient les décisions touchant la mise en place, le développement et le transfert d'installations de production conformément à des procédures précises comportant une autorisation préalable ;

d) mettaient en place des systèmes de contrôle des cas de non-respect des accords par les sociétés affiliées.

Compte tenu de l'importance des sociétés affiliées aux consortiums en termes de la dimension des marchés particuliers en cause et de la faible possibilité pour les usagers d'acquérir des produits de substitution ou de produire leur propre béton, l'Autorité a estimé que les dispositions susvisées constituaient une violation flagrante de l'article 2(2) de la loi, parce qu'elles étaient destinées à entraver, restreindre ou fausser sensiblement la concurrence entre les sociétés en cause sur les marchés concernés.

Cementir-Sacci

Une enquête a été menée au sujet de l'entreprise commune en coopération pour la production de ciment en Italie centrale, entreprise constituée par Cementi Spa et Sacci Spa.

Les éléments de preuve rassemblés au cours des inspections ont fait apparaître que les parties s'étaient entendues afin d'harmoniser leurs politiques commerciales pour veiller à ce qu'elles soient en mesure de détenir une part en pourcentage préétablie du marché dans les régions suivantes : Toscane, Ombrie, les marchés, Latium, Abruzzes, Molise et Campanie, grâce à des mécanismes précis destinés à rééquilibrer le marché et par des arrangements compensatoires.

Compte tenu de l'importante part détenue par les sociétés sur le marché concerné, l'Autorité a estimé que les accords susvisés considérés dans leur ensemble pouvaient manifestement être imputés à un seul plan unique et cohérent destiné à empêcher et à fausser sensiblement la concurrence sur une part considérable du marché national.

Cementir-Merone

Cette affaire concernait un accord aux termes duquel Cementi Spa et Cementeria Merone Spa s'étaient engagées à s'attribuer réciproquement 49 pour cent du capital-actions de Arquata Cementi Srl et Cementeria Morano Srl, qu'elles contrôlaient respectivement. Puisque cette attribution croisée de participations n'était pas destinée à constituer des entités économiques autonomes, mais à coordonner les activités de production et de commercialisation des sociétés Cementi et Merone, l'affaire tombait sous le coup des dispositions de l'article 2 de la loi n° 287/90.

Le marché concerné était la production et la commercialisation de ciment et de divers liants hydrauliques. Compte tenu de la large gamme des activités des entreprises qui étaient supposées réciproquement convenues (activités commerciales, production et investissements), l'Autorité a estimé que les accords entre Cementir et Merone mettaient fin à l'indépendance des sociétés Arquata Cementi et Cementeria di Morano, en garantissant *de facto* leur position respective sur le marché concerné.

En outre, le lien étroit entre les accords Cementir-Merone et les accords Cementi-Sacci a permis de déceler une intention générale de restreindre la concurrence entre les sociétés en cause.

Federazione Nazionale Spedizionieri

L'enquête a été entreprise à la suite de la publication par les Federazione Nazionale Spedizionieri dans le quotidien financier "Il Sole 24 Ore" d'un avis annonçant la publication et le dépôt auprès de la chambre de commerce d'une nouvelle liste de prix contenant des indications précises touchant les prix que les sociétés de transport internationales appartenant à la fédération étaient tenues de faire payer par leurs clients pour la fourniture de services de transports routiers internationaux. La liste des prix et des redevances constituait un moyen de normalisation des prix demandés par les sociétés de transport par camion pour le segment du trafic qualifié de "groupage", en particulier pour les cargaisons pesant moins de cinq tonnes, segment tenu pour le marché en cause aux fins de l'application de l'accord.

Contestant la prétention de la Fédération, l'Autorité a estimé que l'information publiée dans l'avis inséré dans "Il Sole 24 Ore" ne pouvait pas être tenue pour une simple analyse établie en vue de l'information des membres de l'association au sujet des implications financières de l'entrée en vigueur du marché unique européen, ni pour une simple notification de normes de coût générales touchant les tendances des prix pour le secteur en cause, mais qu'elle était délibérément destinée à restreindre la concurrence.

Elle a donc jugé que l'accord constituait une violation de l'article 2(2) de la loi.

Associazione Librai Italiani

Les enquêtes concernaient l'adoption par l'Associazione Librai Italiani, soit l'association des librairies italiennes, de taux de conversion spéciaux, dénommés "taux de change pour les livres" en vue de l'établissement d'un taux de change général incorporant tous les coûts d'importation, utilisé en Italie pour la vente d'ouvrages et de publications en provenance de l'étranger.

Le marché en cause pour cet accord était celui de l'importation et de la commercialisation des livres et des publications en provenance de l'étranger, lequel diffère du marché du livre dans son ensemble, en raison des besoins particuliers des consommateurs qui ne peuvent être satisfaits par la fourniture de versions en langue italienne.

L'Autorité a estimé que l'utilisation du taux de change spécial pour les livres par l'Associazione Librai Italiani constituait une violation de l'article 2(2) de la loi, parce qu'elle était destinée à fixer indirectement le prix de détail en Italie pour des ouvrages publiés à l'étranger en établissant un prix tout compris uniforme pour les coûts à l'importation.

Cardile Bros.

Cette affaire concernait un accord conclu entre trois associations d'armateurs, d'une part, et l'Associazione Nazionale Gruppi Ormeggiatore e Barcaioli Porti Italiani (ANGOPI), d'autre part, qui représente toutes les entités autorisées à fournir en exclusivité des services de mouillage et des services portuaires aux navires. Le marché concerné est celui des services portuaires et des services de mouillage.

L'accord comprenait une disposition prévoyant des remises importantes aux trois associations d'armateurs sur les redevances maximales pour les services fournis dans chaque port.

L'Autorité a estimé que le système d'application des remises n'était fondé sur aucun critère justifié économiquement et vérifiable. L'accord semblait violer l'article 2 de la loi au motif qu'il avait pour objectif de fixer les prix des services de mouillage et des services portuaires fournis aux navires appartenant aux compagnies de navigation affiliées aux associations signataires de l'accord, soit pratiquement à tous les navires enregistrés en Italie, alors que des conditions différentes s'appliquaient pour les mêmes services, avec des inconvénients anticoncurrentiels injustifiés, pour les usagers qui ne réunissaient pas les conditions requises pour bénéficier des remises, et qui étaient pour la plupart des armateurs étrangers.

Au cours des enquêtes, afin d'éliminer les éléments potentiellement anticoncurrentiels de l'accord, les parties ont présenté un projet provisoire fondé sur de nouveaux paramètres de référence objectifs et directement vérifiables et elles se sont expressément engagées à veiller à ce que tout armateur intéressé, présentant les mêmes caractéristiques que les associations d'armateurs signataires de l'accord, soit en mesure d'adhérer à l'accord et de prétendre aux remises qu'il prévoit.

National Starch & Chemical-Casco Nobel

L'Autorité a enquêté au sujet d'un accord conclu par National Starch & Chemical Spa et Casco Nobel Srl, sur le marché des adhésifs industriels, en particulier des colles thermodurcissable, des colles à base d'eau et des colles thermoplastiques.

Au titre de cet accord, National Starch & Chemical s'est engagée à cesser de vendre des colles thermodurcissables et à ne pas en reprendre la production pendant une période de deux ans ; simultanément et pour la même période, Casco Nobel s'est engagée à cesser de fabriquer et de vendre des colles à base d'eau et des colles thermoplastiques.

Dans la première partie de son enquête, l'Autorité a signalé une infraction éventuelle à l'article 2 de la loi, au motif que l'accord était destiné à fixer des parts de marché entre les deux sociétés pour les produits en cause.

A la suite de ces observations de l'Autorité, les deux parties ont résilié expressément l'accord. L'Autorité a donc clôturé son enquête.

Marsano-Tirrenia

Une enquête a été menée au sujet de l'accord conclu entre Tirrenia di Navigazione Spa et Lloyd Sardegna Compania Sarda di Navigazione Srl en vue de l'harmonisation de leurs services de roulage réguliers pour le transbordement de véhicules automobiles et de remorques entre l'Italie et la Sardaigne, en particulier sur la ligne Leghorn-Cagliari.

L'Autorité a estimé que l'engagement de ne pas modifier les jours des voyages hebdomadaires sur cet itinéraire particulier et que l'accord d'échange d'espaces sur les navires supposaient en fait une coordination entre les deux sociétés et entraînaient une restriction sensible à la concurrence sur le marché concerné, en violation de l'article 2(2) de la loi.

Abus de position dominante[1]

Ancic-Cerved

A la suite du dépôt d'une plainte en octobre 1991, l'Autorité a entrepris une enquête au sujet de Cerved Spa, afin de déterminer si elle avait exploité abusivement une position dominante pour la gestion et la distribution de l'information commerciale fournie par les chambres de commerce.

Cerved Spa est la seule société à laquelle sont communiquées sur une bande magnétique des données fournies par le milieu des affaires aux chambres de commerce locales. Son activité commerciale consiste à fournir des services aux chambres de commerce et à diverses entités.

Au cours de son enquête, l'autorité a constaté que des personnes privées étaient en mesure d'obtenir des informations en provenance des chambres de commerce soit en demandant directement des certificats aux chambres de commerce soit en achetant un accès aux banques de données payées de Cerved Spa ou encore en recourant à d'autres sources privées d'informations qui étaient également liées à Cerved Spa.

Le marché concerné, qui s'étend à tout le pays, est celui des informations commerciales fondées sur des données communiquées par les chambres de commerce dans le cadre de leurs fonctions d'utilité publique. L'information émanant des chambres de commerce a un caractère unique, que l'information émanant de toute autre source ne peut remplacer.

Il a été constaté que même si aucun droit d'exclusivité n'a été créé par contrat avec les chambres de commerce, Cerved est *de facto* le seul partenaire des chambres de commerce pour la collecte et la gestion de données brutes utilisant la télématique et il est improbable que dans un proche avenir une autre entreprise, quelle qu'elle soit, soit capable de mettre en place un système concurrent. Puisque les firmes fournissant des informations commerciales doivent presque immanquablement obtenir leurs informations directement de Cerved pour exercer efficacement leurs activités, l'Autorité a jugé que Cerved occupait une position dominante sur le marché des informations commerciales en provenance des chambres de commerce. Plus particulièrement, elle a estimé que Cerved détenait un monopole sur la fourniture de données brutes, monopole de nature à exercer une considérable influence sur la concurrence sur le marché des données traitées, sur lequel Cerved occupait une position minoritaire mais en expansion continue.

Dans les contrats types utilisés par Cerved, l'Autorité a relevé des conditions qui restreignaient la concurrence, en particulier l'interdiction aux firmes exploitant les informations commerciales de communiquer les informations reçues de Cerved à aucun tiers ou d'utiliser ces informations aux fins d'activités qui risquaient de concurrencer Cerved et de manière générale, de diffuser ces informations, par exemple par des publications.

En matière d'établissement des prix par Cerved, l'Autorité a constaté des discriminations quant aux prix qui plaçaient les sociétés s'occupant d'informations commerciales dans une situation désavantageuse et n'étaient pas justifiées économiquement.

L'Autorité a jugé que les clauses et conditions contractuelles appliquées à l'origine par Cerved aux sociétés de renseignements commerciaux et la discrimination injustifiée quant aux prix pratiquée à leur encontre constituaient une exploitation abusive d'une position dominante.

Lors de la dernière audition, Cerved a exposé les nouvelles redevances et conditions contractuelles qui mettraient fin à la discrimination antérieure au détriment des sociétés de renseignements commerciaux.

Marinzulich-Tirrenia

En octobre 1991, l'Autorité a reçu un rapport dans lequel les éléments suivants étaient soulignés :

a) Tirrenia di Navigazione Spa accordait une remise de fidélité pour le transport de marchandises entre la Sardaigne et l'Italie continentale, qui était accordée au terme de l'année à la clientèle n'utilisant que des navires appartenant à Tirrenia Spa sur les itinéraires exploités par cette société ;

b) après que Marinzulich Srl eut commencé à exploiter la liaison Leghorn-Cagliari, Tirrenia a augmenté le nombre de ses voyages qui est passé de deux à trois par semaine et a modifié ses jours de départ de manière à ce qu'ils coïncident avec les jours pendant lesquels Marinzulich Srl exploitait le service.

Le marché concerné est tenu pour le marché des services de "roulage" pour le transport de marchandises entre Cagliari et les ports desservant l'Italie du nord (Gênes et Livourne).

Sur le marché concerné, Tirrenia Spa détenait 77.6 pour cent du trafic de marchandises en 1991 contre 18.2 pour cent pour Marinzulich Srl, sa principale concurrente. Sur la ligne Gênes-Cagliari, Tirrenia Spa détenait un monopole. Compte tenu de la réputation que s'était forgée la firme et de la régularité et de la fréquence de ses services, il a été jugé improbable qu'aucun nouveau concurrent puisse accéder au marché. Cette firme réalise des bénéfices sur cette ligne parce qu'elle peut exploiter des navires dont le rendement dépasse largement le seuil de rentabilité.

Afin d'évaluer la position de Tirrenia sur le marché concerné, il a été tenu compte du fait que Tirrenia reçoit une subvention d'exploitation en application du décret du ministre de la marine marchande du 24 mai 1990, afin de couvrir la différence entre les recettes et les coûts pour le trafic sur les lignes jugées essentielles, y compris celles pour lesquelles Tirrenia fait concurrence aux autres compagnies de navigation, telle que la compagnie assurant la liaison Livourne-Cagliari pour le transport des marchandises. Cette situation permet à la société de poursuivre une politique commerciale comparativement indépendante de celle de ses concurrents.

Au cours des enquêtes, il est apparu que Tirrenia Spa exploitait la ligne Livourne-Cagliari bien au-dessous du seuil de rentabilité et que la capacité en réserve était même supérieure après l'inauguration du troisième voyage hebdomadaire ; cela donne à penser que les pertes étaient compensées par les bénéfices dus à l'exploitation de l'itinéraire Gênes-Cagliari et par les subventions octroyées pour ces deux itinéraires.

L'Autorité a ordonné à Tirrenia Spa de cesser d'appliquer les remises de fidélité et les primes à la production annuelles en fonction des quantités transportées sur toutes les lignes exploitées par cette société et de cesser d'exploiter la troisième liaison hebdomadaire à des conditions qui faisaient double emploi avec celles des sociétés concurrentes aussi longtemps que la liaison régulière était exploitée à perte.

Apca-Compag

En février 1992, l'Autorité a commencé à enquêter au sujet de la prétendue violation de l'article 3 de la loi par plusieurs raffineries de sucre qui avaient signé des accords interprofessionnels dans le secteur de la betterave sucrière en 1990-1991 (Eridania A.N. Srl, SFIR Spa, Co/Pro.B., ISI Agroindustriale Spa).

Les raffineries de sucre qui étaient titulaires de droits de distribution exclusive de la graine de la betterave sucrière, livraient prétendument aux producteurs une graine différente de celle que les producteurs avaient auparavant demandée dans leurs offres en matière de culture de betteraves. Plus spécialement, les variétés de graines produites par les producteurs de graines indépendants étaient remplacées par des variétés produites par des entreprises de production de graines contrôlées par les raffineries elles-mêmes.

Le marché concerné, tel qu'il a été identifié au cours de l'enquête, est celui des achats et de la distribution de graines de betteraves sucrières, alors que les segments en aval de ce marché directement concernés étaient ceux de la betterave sucrière et du sucre.

Afin d'estimer si une position dominante existait sur le marché, l'Autorité a examiné les éléments de fait suivants :

-- les producteurs de sucre considérés dans leur ensemble détiennent un monopsone sur les firmes de production de graines ;

-- en ce qui concerne les producteurs de betteraves sucrières, les sucreries considérées dans leur ensemble détiennent un monopole sur la vente des graines et un monopsone sur les achats de betteraves sucrières ;

-- les producteurs particuliers de betteraves n'ont aucune possibilité de recourir à d'autres producteurs de sucre et, de ce fait, de bénéficier de leur concurrence réciproque. Cette situation tient tant aux difficultés liées aux coûts d'implantation et de transport qu'au système d'attribution des quotas de production en Italie.

L'Autorité a donc jugé que les sucreries occupent une position dominante par rapport aux producteurs de betteraves, en ce qui concerne tant l'achat de betteraves sucrières que la vente de graines.

En fournissant des graines différant du type demandé par les producteurs de betteraves et spécifié dans leurs offres en matière de culture, les sucreries exploitaient abusivement leur position dominante en matière d'achat et de distribution des graines, en violant de ce fait l'article 3 de la loi. L'Autorité a ordonné aux sucreries de mettre fin à ces pratiques.

FIV

En juillet 1992, à la suite d'un rapport présenté par l'Associazione Italiana Claasi Internazionali (AICI), l'Autorité a entrepris une enquête au sujet de la Federazione Italiana Vela (FIV) afin de vérifier s'il existait des violations de l'article 3 de la loi en ce qui concerne la fourniture de services de mesure des yachts et l'aide à l'organisation de courses de yachts en mer.

La FIV a été instituée au titre de la loi n° 426/42 et elle est la fédération sportive nationale qui organise, encourage et coordonne les activités de voile en Italie. En 1989, elle a adopté un règlement qui ne reconnaissait que l'IOR (International Offshore Rule) et l'IMS (International Measurement System), dont elle est le concessionnaire exclusif en Italie, en tant que systèmes de mesure officiel, soit ceux qui corrigent le temps réel en le traduisant en temps compensé afin de tenir compte des différences entre les yachts participant à des compétitions. Le règlement prévoit également que l'utilisation d'autres systèmes nécessite l'autorisation de la FIV, qui peut être accordée sur demande en procédant cas par cas.

Au nombre des autres systèmes de mesure qui ne sont pas officiellement agréés, figure le système CHS, pour lequel l'association AICI, qui l'a signalé à l'Autorité, est le concessionnaire exclusif pour l'Italie. Selon l'AICI après avoir adopté le règlement, la FIV a commencé à préconiser le système IMS afin de le faire adopter de manière générale, tout en s'efforçant de dissuader les clubs qui y sont affiliés d'utiliser le système CHS en leur envoyant des lettres dans lesquelles elle les priait instamment de ne pas utiliser ce système, et en mettant en garde de manière pressante contre toute récidive les clubs accueillant des régates organisées en utilisant le système CHS sans demander une autorisation préalable.

L'Autorité a donc entrepris de déterminer le point de savoir si FIV détenait une position dominante en ce qui concerne les marchés concernés et si elle avait exploité abusivement sa position dominante par son comportement destiné à empêcher l'organisation d'épreuves de voile en dehors de la fédération, comportant l'utilisation du système de mesure CHS.

L'Autorité a considéré que le marché concerné était celui de l'organisation d'épreuves de yachting, dont les courses de yachts en mer ne constituait qu'une catégorie. Elle a également relevé que le choix du système de mesure conditionne l'organisation des épreuves de voile en mer et influe de ce fait sur le marché concerné : le succès d'un système de mesure accroît la possibilité pour le promoteur d'agir en tant qu'acteur économique pour l'organisation des manifestations sportives.

L'Autorité a également souligné que la FIV était tenue pour une "entreprise" aux fins de l'application de la loi régissant la concurrence et devait être considérée comme telle, conformément à la jurisprudence communautaire, selon laquelle une entreprise est "toute entité qui exerce une activité économique, indépendamment de son statut juridique et des formes de son financement".

Compte tenu des résultats des enquêtes auxquelles elle a procédé, l'Autorité a jugé que lorsque la FIV exigeait l'autorisation individuelle pour l'utilisation d'un système de mesure différent de ceux qu'elle avait officiellement agréés, dans l'intention expresse de faire obstacle à l'utilisation de ces systèmes, ce qui portait donc préjudice à l'AICI, en dehors du domaine des compétitions relevant de la fédération, elle exploitait abusivement sa position dominante et, de ce fait, violait l'article 3 de la loi.

Aéroport di Roma

En juillet 1992, l'Autorité a commencé à enquêter sur de prétendues exploitations abusives de position dominante pour la fourniture de services d'escale par Società Aeroporti di Roma Spa, qui est concessionnaire de la gestion des aéroports de Fiumicino et de Ciampino à Rome.

Sur les principaux aéroports de la Communauté européenne, il est de pratique courante pour les compagnies aériennes de fournir des services d'escale, en particulier pour le transport des passagers, sous réserve seulement du paiement par ces compagnies à l'administration de l'aéroport d'une redevance locative pour les espaces utilisés.

Néanmoins, les services auxiliaires de l'aéroport de Fiumicino sont fournis par Aeroporti di Roma qui en détient le monopole ; à l'heure actuelle, seuls quelques services d'escale peuvent être fournis par les compagnies elles-mêmes et seulement dans le cas de TWA et d'Alitalia, au titre de sous-concessions délivrées par la société Aeroporti di Roma et autorisées par le ministère des transports. Les critères de calcul du montant des redevances et des charges à payer à Aeroporti di Roma sont cependant différents pour ces deux compagnies, ce qui signifie qu'elles sont traitées tout à fait différemment en ce qui concerne la possibilité de fournir elles-mêmes des services d'escale autonomes, sans la moindre justification économique satisfaisante.

En outre, au cours des récentes années, plusieurs compagnies aériennes différentes ont à maintes reprises demandé à Aeroporti di Roma de fournir leurs propres services d'escale, ou tout au moins certains de ces services, mais elles se sont vu toujours opposer un refus fondé sur les prétendues insuffisances de l'infrastructure de l'aéroport.

En ce qui concerne les services d'enregistrement des passagers, l'autonomie pour la fourniture des services a encore été davantage découragée par les conditions extrêmement onéreuses proposées par Aeroporti di Roma aux compagnies aériennes pour la délivrance de sous-concessions, ainsi que par la carence dont Aeroporti di Roma a fait preuve en ne mettant pas en place des systèmes rendant possible aux terminaux des pupitres de contrôle à l'enregistrement de dialoguer sans restriction avec les systèmes d'information des différentes compagnies aériennes, nonobstant les demandes répétées à cette fin émanant des compagnies aériennes elles-mêmes.

L'ensemble des coûts aux transporteurs pour les services auxiliaires à l'aéroport de Fiumicino sont calculés en fonction du coût des services d'escale dits courants et des services d'escale fournis sur demande. La redevance ordinaire porte également sur plusieurs services -- tels que le service courant de contrôle à l'entrée ou l'utilisation des bus et des terminaux pour les transferts entre l'aéroport et l'avion -- qui ne sont pas utilisés par les compagnies aériennes ou, tout au moins, par toutes les compagnies aériennes à l'heure actuelle, parce qu'ils ont été fréquemment remplacés par des services introduits plus récemment. La société Aeroporti di Roma n'accorde aux compagnies aucune réduction sur les charges ordinaire pour tout service qu'elles n'utilisent pas.

Au cours des enquêtes, plusieurs compagnies aériennes ont déclaré qu'Aeroporti di Roma faisait payer indûment des redevances élevées qui n'étaient pas fonction des coûts réels et qu'elles répartissaient les coûts des services d'escale d'une manière discriminatoire entre les différents utilisateurs.

L'Autorité a examiné l'affaire au regard de l'article 8(2) de la loi qui prévoit expressément que les dispositions régissant les accords, l'exploitation abusive d'une position dominante et les concentrations s'appliquent aux sociétés qui ont l'obligation légale de fournir des services présentant un intérêt général économique ou qui exercent leurs activités en détenant un monopole sur le marché, pour tout ce qui concerne ce qui n'est pas strictement lié à l'exécution des tâches particulières qui leur sont confiées.

En appliquant la loi, l'Autorité a jugé que les services auxiliaires de l'aéroport n'étaient pas strictement liés à l'exécution de l'obligation spécifique de gérer l'aéroport comme tel, parce qu'ils pouvaient également être fournis au titre d'un contrat ou d'une sous-concession.

Le marché concerné, tel que l'Autorité l'a identifié était celui des services d'escale pour les avions, les passagers, les bagages et les cargaisons à l'aéroport de Fiumicino à Rome.

Compte tenu des éléments de preuve qu'elle a recueillis, l'Autorité a estimé que, par son comportement, la société Aeroporti di Roma avait violé l'article 3 de la loi :

a) en imposant indûment des redevances élevées aux usagers des services d'escale par l'application d'une charge forfaitaire pour ses services qui comportaient également des services non effectivement fournis ;

b) en imposant indûment des conditions contractuelles onéreuses pour les services d'escale fournis par les compagnies elles-mêmes ;

c) en limitant l'accès au marché et en ne permettant qu'à deux utilisateurs de fournir des services auxiliaires autonomes à l'aéroport de Fiumicino, en refusant aux autres compagnies aériennes le droit de fournir des services d'escale de manière autonome sans justification valable ;

d) en faisant obstacle à l'accès au marché, en décourageant les compagnies aériennes tenant à fournir leurs propres services d'escale par la fixation de redevances et d'autres charges indues ;

e) en faisant obstacle à l'évolution technique et au progrès technique et, de ce fait, en lésant les consommateurs en ne permettant pas aux compagnies aériennes, sans aucune raison valable, exception faite d'Alitalia et de la TWA seulement, de relier leurs systèmes d'information aux terminaux des pupitres de contrôle à l'entrée ;

f) en imposant aux compagnies aériennes exerçant leurs activités à l'aéroport de Fiumicino des clauses et conditions objectivement différentes pour des services équivalents, en n'accordant qu'à deux de ces compagnies aériennes (Alitalia et TWA) une réduction de la charge pour services auxiliaires courants, disproportionnée par rapport à l'importance effective des services auxiliaires autonomes et en exerçant en outre une discrimination entre ces deux firmes par l'offre de remises sur les redevances pour les services d'escale courants en fonction de critères économiques différents et en imposant des redevances basées sur des critères absolument différents ;

g) en subordonnant la conclusion d'un contrat de fourniture de services d'escale à l'acceptation de services qui n'étaient pas demandés et/ou qui n'étaient pas utilisés, en imposant une redevance forfaitaire générale unique.

L'Autorité a donc ordonné à la société Aeroporti di Roma de mettre fin aux infractions susvisées et de lui notifier dans les 180 jours un rapport sur les mesures correctives qu'elle avait arrêtées.

Ducati-Sip

L'enquête a commencé en juillet 1992 à la suite d'une plainte suivant laquelle les articles 2 et 3 de la loi étaient violés par la société Sip Spa en ce qui concerne la commercialisation des téléphones cellulaires.

Sip Spa est le seul concessionnaire pour la fourniture de services téléphoniques de base et elle est actuellement la seule firme en Italie fournissant des services de téléphonie cellulaire mobile. Cette firme commercialise également des téléphones cellulaires qu'elle achète directement aux fabricants, sous sa propre marque, par l'intermédiaire de ses propres succursales et d'un réseau de détaillants qui lui sont apparentés au titre de contrats de franchisage.

Selon le rapport présenté à l'Autorité, le comportement de Sip Spa consiste en particulier dans l'insertion dans les contrats de franchisage de clauses obligeant les détaillants affiliés à s'approvisionner exclusivement auprès de Sip et à n'écouler au détail que des téléphones cellulaires portant la marque Sip, en faisant payer les remises fixés par Sip.

Sip Spa est en position dominante sur le marché des téléphones cellulaires, en particulier en raison de l'avantage concurrentiel résultant du monopole sur la fourniture du service national de téléphonie cellulaire.

L'Autorité a estimé que l'insertion par Sip de clauses d'exclusivité dans les contrats de distribution conclus avec les détaillants et que son utilisation d'informations inaccessibles aux tiers constituaient une violation de l'article 3 de la loi, au motif qu'elles étaient destinées à empêcher d'autres distributeurs d'accéder aux circuits de la vente au détail des téléphones cellulaires, en les plaçant indûment dans une situation désavantageuse sur le plan de la concurrence.

Fusions

Pour cinq des opérations examinées en 1992, il semblait de prime abord s'agir d'affaires dans lesquelles une position dominante serait constituée ou renforcée de sorte que la concurrence serait soit éliminée soit réduite sensiblement et durablement (Cereol-Continentale ; Cemensud-Calcementi ; Italtel-Mistel ; Italtel General 4 Elettronica Sud ; Unichips Finanziaria). En ce qui concerne chacune de ces opérations, il a été procédé à une enquête en vue de l'acquisition d'un plus grand nombre de données, afin de déterminer si les conditions d'interdiction ou d'autorisation conditionnelles de la concentration étaient réunies, au titre de l'article 6(1) et (2) de la loi.

Quatre des enquêtes ont été achevées en 1992, alors que l'enquête concernant l'opération Unichips Finanziaria n'a été menée à terme qu'en février 1993. Une autre enquête, qui a commencé en janvier 1993, a été achevée en mars 1993 (Sio-Sogeo Finanziaria).

Cereol-Continentale

En février 1992, une enquête a été entamée au sujet de l'acquisition par Cereol Italia Srl d'une participation majoritaire dans cinq sociétés qui avaient appartenu auparavant à Continentale Italiana Spa, exerçant leurs activités dans le secteur du broyage des oléagineux en vue de la production de farine et d'huile et de l'emballage et de la commercialisation des huiles.

La société absorbante et la société absorbée sont les deux entreprises dominantes dans le secteur du broyage des oléagineux en Italie. Il existait certaines préoccupations au sujet des effets que la nouvelle position de Cereol dans le secteur du broyage des oléagineux risquait d'avoir sur le marché des oléagineux. A la suite de l'opération, le groupe Ferruzzi Group est devenu le plus important utilisateur de graines produites en Italie, à utiliser pour le broyage (66 pour cent du total national) et le principal importateur d'oléagineux avec un quota d'environ 85 pour cent de toutes les importations. L'Autorité a également relevé que depuis la récolte de 1992, le système d'aide communautaire pour les producteurs d'oléagineux avait été modifié et que les prix avaient été libérés au lieu d'être imposés comme auparavant. Elle a donc estimé nécessaire de procéder à une enquête en bonne et due forme afin de vérifier si, à la suite de la concentration, Cereol deviendrait en mesure d'influer sensiblement sur le prix des oléagineux produits en Italie, en conditionnant de ce fait les choix des producteurs italiens de graines oléagineuses.

A la suite de la concentration, Cereol a acquis environ 68 pour cent de la production italienne de graines de soja, en consolidant sa position en sa qualité de principal acheteur. Compte tenu également de la présence importante de sociétés directement ou indirectement dominées par Ferruzzi Finanziaria Spa dans le secteur de l'agriculture en général, l'autorité a estimé qu'à la suite de la concentration, Cereol serait en position dominante sur le marché national de la graine de soja.

Une analyse approfondie des conditions du marché a dégagé plusieurs éléments qui donnent à penser cependant qu'il ne s'agissait pas d'une situation dans laquelle la concurrence est restreinte sensiblement et durablement.

En premier lieu, les installations utilisées pour le broyage de la graine de tournesol peuvent généralement être converties avec facilité en vue du broyage de graines de soja ; en évaluant les parts de marché réelles ou potentielles des acheteurs de graines de soja, il faut donc tenir compte de la capacité de production de ces installations.

L'Autorité a également relevé que la capacité de Cereol d'imposer des conditions onéreuses aux producteurs nationaux de soja est limitée par leur possibilité d'exporter leurs graines vers les marchés étrangers au cours mondial, ou, subsidiairement, d'affecter leurs terres à d'autres cultures.

Enfin, l'Autorité a souligné que puisque l'entreprise devait acheter ses graines de soja soit aux producteurs italiens, soit sur le marché mondial à des prix connus, elle n'avait aucun intérêt stratégique à contraindre les producteurs nationaux à cesser de fournir leurs produits. Compte tenu de ce que la production dominante acquise par Cereol sur le marché italien du broyage des oléagineux ne peut éliminer ni réduire sensiblement et durablement la concurrence pour les raisons susvisées, l'Autorité a clôturé l'enquête et déclaré que la concentration était compatible avec l'article 6 de la loi.

Cemensud-Calcementi

Une deuxième enquête a été entamée en mars 1992 au sujet de l'acquisition par Cemensud Spa, dont la majorité des actions est détenue par Italcementi Spa, de la totalité du capital-actions de Calcementi Jonici Spa.

Calcementi Jonici Spa importe du ciment transporté par mer par la firme grecque Titanus Cement Company Sa. Les importations sont effectuées par un quai spécialement équipé pour le déplacement et l'entreposage de ciment en vrac, situé à Siderno, dans la province de Reggio Calabria. La société absorbée possède également des installations de production de ciment et possède une installation de broyage fabrique de briques vitrifiées, partiellement déjà en service, avec une capacité de production de 280 000 tonnes de ciment par an.

Cemensud fabrique et commercialise le ciment et possède cinq usines dans le sud de l'Italie.

Le marché concerné pour l'analyse de la concurrence à la suite de la concentration est celui du ciment. Le marché géographique de référence identifié est celui de la région calabraise.

Cemensud détient une part de marché de 69 pour cent pour les ventes de ciment en Calabre, alors que Calcementi Jonici, par ses importations de ciment à partir de la Grèce, détient une part de marché de 12 pour cent ; après la concentration, Cemensud, qui est déjà en position dominante sur le marché, disposera de ce fait d'une part de marché de 81 pour cent.

L'Autorité était essentiellement préoccupée par les effets de l'acquisition par Cemensud (et indirectement sa société mère Italcementi) du quai de Siderno, qui est la seule voie de passage pour les importations de ciment en vrac en Calabre. Environ neuf pour cent des importations italiennes de ciment et 20 pour cent des importations dans le sud de l'Italie passent par ce quai.

Compte tenu de la configuration géographique de la région concernée par la fusion, de la structure du marché, des obstacles à l'accès au marché tenant au coût élevé des transports par terre et des difficultés administratives existantes en ce qui concerne le développement du transport maritime pour ce produit particulier, l'Autorité a estimé que la concentration était de nature à renforcer la position dominante de Cemensud sur le marché concerné et à réduire sensiblement et durablement la concurrence, en raison des conséquences liées à la disparition d'une société indépendante dont l'existence garantissait auparavant l'existence d'un important courant d'importations passant par le quai de Siderno.

Au cours de l'enquête, Cemensud s'est montrée disposée à modifier le projet initial de concentration afin de rendre l'opération conforme à l'article 6 de la loi et plus particulièrement en permettant aux sociétés tierces de continuer à importer du ciment par le quai de Siderno. L'Autorité a jugé que si cette condition était remplie, même si la position de Cemensud sur le marché calabrais restait considérable, elle ne serait pas sensiblement renforcée à la suite de la concentration et, par conséquent, elle a autorisé l'opération.

Italtel-Mistel/Italtel-General 4 Elettronica Sud

Ces deux concentrations liées consistaient dans l'acquisition par Italtel Spa d'une participation majoritaire dans le capital de Mistel Spa et de General 4 Elettronica Sud Srl, deux sociétés dans lesquelles Finmistel Spa était auparavant majoritaire.

Mistel fabrique des équipements et des systèmes de téléphones publics, également connus sous le nom d'équipements de centraux téléphoniques et, dans le domaine des petites pièces d'équipement et de systèmes de télécommunications publics, elle fabrique des systèmes de recherches de personnes, des appareils de télédiagnostic et des dispositifs de mesure du trafic téléphonique. General 4 fournit des services exclusivement pour le compte de Mistel.

Stet Spa, qui est majoritaire dans Italtel Spa, la société absorbante, est également majoritaire dans les deux sociétés Necsy Spa et AET Elettronica Spa, qui exercent leurs activités sur certains des marchés sur lesquels Mistel Spa exerce également les siennes.

Il a été tenu compte du fait que Stet Spa est également majoritaire dans Sip Spa, le concessionnaire exclusif en Italie pour le service téléphonique national de base et le principal utilisateur des biens et des services produits sur les marchés concernés par l'opération.

Compte tenu de l'importance des parts du marché pour la production d'équipements de télédiagnostic et d'équipements de mesure du trafic téléphonique et de la possibilité pour Stet Spa d'exercer une influence déterminante sur le principal acquéreur sur les marchés en cause, il a été considéré que les deux opérations examinées risquaient de créer ou de renforcer une position dominante de Stet sur ces marchés.

Au cours de l'enquête, l'Autorité a relevé l'existence d'obstacles importants à l'accès aux marchés de référence, en raison du savoir-faire technologique nécessaire pour la production et de la politique d'approvisionnement du transporteur national.

Sur le marché des petits articles d'équipement et des systèmes de télécommunication publics (sur lequel les systèmes de recherches de personnes, l'équipement de télédiagnostic et les systèmes de mesure de trafic téléphonique sont des produits de "créneau"), la part de marché de Ste Spa a augmenté la suite de la concentration élevée en passant à 51 pour cent, ses principaux concurrents détenant respectivement des parts de marché de 25 pour cent et de 14 pour cent. Cependant, Stet Spa n'exerce pas d'activité sur le marché de pièces de centraux téléphoniques sur lequel Mistel Spa détient une part de marché de 23 pour cent.

L'Autorité a relevé que, puisque Sip est le fournisseur exclusif du service téléphonique de base, elle est protégée de la concurrence réelle ou potentielle dans ce domaine et que dans les décisions touchant les achats de produits elle n'est pas liée exclusivement par des considérations de coût et de rentabilité. En outre, Sip est en mesure de transmettre des informations sur certaines techniques disponibles de manière privilégiée et prioritaire aux sociétés dans lesquelles Stet Spa est majoritaire.

Au motif qu'à la suite de l'opération, Stet Spa aurait acquis une forte capacité de production sur les marchés de référence, qui lui permettrait de renforcer sensiblement sa capacité de satisfaire la demande de sa filiale Sip Spa et que Sip Spa ne serait pas fortement incitée à acquérir les produits en cause auprès de sociétés autres que celles dans lesquelles Stet a la majorité, ce qui restreindrait en conséquence durablement la concurrence sur le marché, l'Autorité a interdit la concentration entre Italtel-SIT et Mistel, et entre Italtel-SIT et General 4 Elettronica Sud Srl.

Unichips Finanziaria

En décembre 1992, une enquête a été entamée au sujet de l'acquisition par Unichips Finanziaria Spa, qui est majoritaire dans la société San Carlo Gruppo Alimentare Spa, de la totalité du capital actions de Alidolce Spa et de sa filiale Pai Spa, dans lesquelles la société holding IRI était auparavant majoritaire. A la suite de l'opération, la part de marché de la société absorbante s'est accrue en passant de 26 pour cent à 39.3 pour cent pour les amuse-gueule salés (y compris les chips, les biscuits de cocktail, les noix décortiquées et salées et les mets piquants ou salés), en renforçant sa position de chef de file sur le marché italien. Compte tenu de ce que ses concurrents sur le marché des amuse-gueule salés sont détenteurs de parts de marché considérablement plus réduites, il a été jugé approprié de commencer les enquêtes afin de déterminer le point de savoir si la concentration créait une position dominante au point d'éliminer ou de réduire sensiblement et durablement la concurrence.

Afin d'identifier le marché concerné, il a été jugé nécessaire de se référer spécialement aux habitudes des consommateurs italiens pour la consommation d'amuse-gueule afin d'examiner la mesure dans laquelle les différents produits du secteur des amuse-gueule salés étaient remplaçables.

Dans ces conditions, l'Autorité a jugé que les secteur chips, biscuits de cocktail, noix et mets piquants ou salés étaient des marchés distincts, même s'il existe une certaine mesure d'interchangeabilité entre les différents produits.

Les caractéristiques du système de distribution ont également amené l'Autorité à estimer que le marché géographique concerné s'étendait à tout le pays.

Alors que le marché des noix décortiquées et des mets piquants ou salés reste inférieur à deux pour cent à la suite de la concentration, les parts du marché en ce qui concerne les chips et les biscuits de cocktail augmentaient en passant à 71.5 pour cent et à 47.7 pour cent respectivement.

Pour ce qui concerne le marché des biscuits de cocktail, compte tenu des caractéristiques des produits (en particulier le fait qu'ils sont moins périssables et que le prix unitaire est relativement élevé), la présence sur le marché d'autres firmes très importantes, et le plus petit nombre d'obstacles à l'accès à ce marché en comparaison des obstacles existant sur le marché des chips, l'Autorité a été amenée à juger que la concentration ne réduisait pas sensiblement la concurrence sur le marché.

En ce qui concerne le marché des chips, il a été établi que les possibilités d'accès étaient entravées par les éléments suivants :

-- la nécessité de disposer d'un réseau de distribution à vastes ramifications afin de garantir une grande fréquence dans les livraisons ;

-- la nécessité d'étaler des coûts de distribution élevés sur une large gamme de produits ;

-- la nécessité de garantir des chiffres d'affaires sensiblement élevés afin d'exploiter pleinement l'investissement dans le réseau de distribution.

Un obstacle à l'accès au marché est constitué par la forme particulière de commercialisation des chips, utilisant la technique de distribution "de l'achat réflexe", qui n'est pas utilisée pour la commercialisation des autres mets piquants ou salés. Même pour les sociétés travaillant sur les marchés contigus, la réorganisation du système de distribution destinée à faire passer de la "pré-vente" des produits à la "vente réflexe" est particulièrement complexe et prend une à deux années.

Il a également été souligné que la création de marques commerciales ouvrira d'importantes possibilités d'accès aux marchés pour les entreprises de distribution sur une grande échelle. Néanmoins, il faudra encore beaucoup de temps pour que ces entreprises accèdent au marché.

Compte tenu des considérations susvisées, l'Autorité a jugé que l'acquisition de Alidolce Spa par Unichips Finanziaria Spa avait créé effectivement une position dominante sur le marché des chips au point de réduire sensiblement et durablement la concurrence.

Au cours de l'enquête, Unichips s'est montrée disposée à supprimer tous les éléments anticoncurrentiels dans son projet initial de concentration. En application de l'article 6(2) de la loi, la concentration a donc été autorisée sous réserve de certaines conditions concernant la suppression des effets anticoncurrentiels. Plus concrètement, Unichips Finanziaria Spa s'est engagée à garantir qu'elle fournirait des chips pendant une période de cinq années aux sociétés exerçant leurs activités sur le secteur de la distribution à une grande échelle, sur leur demande, même lorsqu'elles se proposaient de vendre leurs propres produits sous leurs propres marques, aux meilleures conditions du marché en termes de qualité et de prix.

Afin de réduire les obstacles à l'accès au marché, obstacles tenant aux caractéristiques du système de distribution, la société s'est également engagée à ne pas imposer de relations exclusives aux distributeurs indépendants (franchisés et grossistes) et aux détaillants écoulant des chips, placés à la fin du circuit de distribution, ainsi qu'à annuler tout accord d'exclusivité déjà existant.

Sio-Sogeo Finanziaria

Une enquête a été entamée en 1993 au sujet de l'acquisition par Sio Srl, dans laquelle Alic-Air Liquide International Corporation était majoritaire, d'une participation majoritaire dans Sogeo Finanziaria Spa.

Tant la société absorbante que la société absorbée produisent et commercialisent de l'oxygène, de l'azote et de l'argon. L'oxygène est commercialisé dans l'ensemble de l'Italie, alors que l'azote et l'argon le sont principalement dans les régions de la Vénétie, de Lombardie et de l'Emilie-Romagne.

Même si les gaz en cause dans la concentration sont le produit de la même technique de production, leurs caractères techniques et fonctionnels sont tels qu'ils ne sont pas interchangeables. Il existe des prix sensiblement différents entre les produits (oxygène, azote et argon) et les procédures de distribution particulières adoptées.

Considérant que la société absorbée n'exerce pas ses activités dans le système des gazoducs, les marchés de référence identifiés pour la concentration ont été tenus pour ceux de l'oxygène liquide, de l'oxygène en cylindres, de l'azote liquide, de l'azote en cylindres, de l'argon liquide et de l'argon en cylindres. Sur ces marchés, à la suite de la concentration, Sio détiendrait des parts de marché de 42 pour cent, 35 pour cent, 42 pour cent, 30 pour cent, 62 pour cent et 32 pour cent, respectivement.

En ce qui concerne la distribution de gaz comprimé en cylindres, les utilisateurs ont une réelle possibilité de l'acheter à toute firme qui offre les meilleures conditions sur le moment et, sur les marchés en cause, il existe une forte mesure de concurrence, y compris de concurrence au niveau des prix.

Pour la distribution de gaz liquide, l'accès aux marchés était plus limité en raison de l'existence de clauses dans les contrats d'approvisionnement qui, non seulement, imposaient une période de cinq années, mais également obligeaient la clientèle à ne recourir qu'à un seul fournisseur (une clause d'exclusivité). A la suite d'une intervention de la Commission des Communautés européennes en 1989, après une enquête concernant le secteur des gaz industriels, les clauses d'exclusivité ont été éliminées et la durée de validité des contrats d'approvisionnement a été réduite à trois ans. C'était là rendre possible un renforcement de la concurrence entre producteurs en termes non seulement de la qualité du service, mais également de prix.

En ce qui concerne le marché de l'argon liquide, la possibilité de Sio d'agir avec une mesure sensible d'indépendance vis-à-vis de ses concurrents et des utilisateurs est forcément limitée par les importantes importations de produits, en particuliers à partir de l'Allemagne.

En ce qui concerne l'oxygène et l'azote commercialisées à l'état liquide, la firme ne semble pas être en mesure de relever ses prix sensiblement et durablement. Au titre des contrats d'approvisionnement, les utilisateurs peuvent facilement s'approvisionner auprès d'autres concurrents qui offrent des conditions plus favorables.

Conformément à l'analyse du marché effectuée au cours de l'enquête, l'Autorité a estimé que l'acquisition par Sio Srl d'une participation majoritaire dans le capital de Sogeo Finanziaria Spa ne constituait pas et ne renforçait pas une position dominante qui éliminerait ou réduirait sensiblement et durablement la concurrence.

Note

1. La première décision par laquelle l'Autorité a reconnu l'existence d'un abus de position dominante a été arrêtée en mars 1992 contre Sip Spa, le seul franchisé à fournir le service téléphonique national, sur le marché des services de paiement des services téléphoniques par cartes de crédit. La décision de l'Autorité, adoptée en mars 1992, a été examinée dans le rapport précédent.

JAPON
(1992)

Ce rapport annuel rend compte succinctement de l'évolution de la politique japonaise en matière de concurrence pour l'année civile 1992 et de certains faits nouveaux intervenus entre janvier et mars 1993.

En septembre 1992, M. Masami Kogayu, ancien Ministre-adjoint des finances, est entré en fonction en qualité de Président de la Fair Trade Commission (Commission pour la loyauté dans le commerce, ci-après dénommée la "FTC" ou "la Commission") en remplacement de M. Setsuo Umezawa qui a pris sa retraite à l'expiration de son mandat.

I.   Législations et politiques de la concurrence - modifications adoptées ou envisagées

Résumé des dispositions nouvelles de la législation sur la concurrence et de la législation connexe

La politique antimonopole du Japon a été mise en oeuvre conformément à la loi portant interdiction des monopoles privés et préservation de la loyauté dans les échanges (loi n° 54 de 1947, ci-après dénommée "loi antimonopole") ainsi qu'à deux autres lois complémentaires : la loi visant à éviter des retards dans les paiements aux sous-traitants (loi n° 120 de 1956, dénommée "loi sur la sous-traitance") et la loi contre les primes injustifiées et les présentations trompeuses (loi n° 134 de 1962, ci-après dénommée "loi sur les primes et les présentations").

Le gouvernement japonais a notamment pour objectif prioritaire de préserver et d'encourager la loyauté et la liberté de la concurrence qui servent l'intérêt des consommateurs afin d'améliorer la qualité de la vie dans l'ensemble du pays et d'ouvrir davantage son marché au niveau international. Le renforcement des mesures de dissuasion contre les violations de la loi antimonopole constitue l'une des principales mesures prises à cette fin.

A la suite d'un amendement adopté en 1991 et visant à quadrupler en principe le taux des surtaxes frappant les violations de l'interdiction des ententes, le gouvernement japonais a présenté à la Diète en mars 1992 un projet de loi de modification de la loi antimonopole. Il vise à relever radicalement les amendes pénales maximales frappant les entreprises et les associations commerciales de vingt fois en les faisant passer de cinq millions de yen à cent millions de yen, en cas d'infraction en matière d'ententes, etc. Le projet de loi a été approuvé le 10 décembre 1992 et adopté le 15 janvier 1993. Ces deux amendements ont renforcé de manière spectaculaire les mesures générales de dissuasion dirigées contre les violations de la loi antimonopole.

Renforcement des pouvoirs de dissuasion et d'exécution et diverses mesures connexes

Mesures rigoureuses dirigées contre les violations de la loi antimonopole et mesures de dissuasion

Pour que la liberté et la loyauté de la concurrence soient encouragées, il est absolument indispensable d'appliquer de manière stricte la loi antimonopole. A cette fin, la FTC a arrêté des mesures rigoureuses dirigées contre les comportements constituant des violations de la loi antimonopole, telles que les ententes pour la fixation des prix, les soumissions frauduleuses, les prix imposés et les obstacles injustifiables aux importations et, simultanément, a procédé à des enquêtes sur les violations en matière de distribution et de services, et dans le secteur des industries réglementées par le gouvernement.

La Commission a pris les mesures exposées ci-après en 1992.

a) Élargissement et renforcement des pouvoirs d'enquête de la FTC

Les effectifs des services d'enquête, ont été renforcés en passant de 178 au cours de l'exercice de 1992 à 186 pour l'exercice 1993 et deux unités supplémentaires ont été ajoutées au service des enquêtes tant au niveau du siège qu'au niveau des bureaux locaux. L'expansion de la FTC et en particulier de son service d'enquêtes s'est poursuivie chaque année, tant en termes d'effectifs que de structure administrative, alors même que le gouvernement s'en était tenu rigoureusement à la réforme administrative. Il se fait donc que les effectifs du service d'enquêtes ont augmenté en passant de 129 personnes au cours de l'exercice 1989 à 186 personnes au cours de l'exercice 1993, soit une augmentation totale de plus de 40 pour cent.

b) Publication des actions en justice

En ce qui concerne des mesures formelles telles que des recommandations et des condamnations au paiement de surtaxe, la Commission a traditionnellement publié la teneur des actions, y compris les noms des délinquants, la nature des infractions et le contexte de ces infractions, afin de renforcer l'effet dissuasif de ces actions, en faisant obstacle à des infractions similaires et en veillant à la transparence des mesures prises. Conformément à cette politique, la FTC a rendu compte publiquement de toutes les actions officielles et de toutes les affaires concernant des mises en garde, sauf dans des cas exceptionnels.

c) Actions pénales en cas de violation de la loi antimonopole

La FTC dont la politique à cet égard a été annoncée publiquement en juin 1990 engage systématiquement des poursuites visant à obtenir des condamnations pénales dans les cas suivants :

-- Actes malintentionnés et graves qui passent pour exercer une large influence sur les conditions de vie des personnes, au nombre desquelles, les infractions qui restreignent sensiblement la concurrence dans certains domaines des échanges, telles que les ententes pour la fixation des prix, les ententes en vue de la limitation de l'offre, les partages de marché, les soumissions frauduleuses, les boycottages par catégorie et diverses infractions.

-- Infraction concernant les firmes ou les industries qui sont des délinquants récidivistes ou qui ne se conforment pas aux mesures prescrites, les affaires pour lesquelles les mesures administratives de la FTC ne passent pas pour atteindre l'objectif de la loi.

La FTC a engagé en février 1993 des actions pénales contre les fournisseurs de sceaux utilisés pour les avis de paiement et diverses pièces commandées par l'administration de l'assurance sociale. Elle a porté plainte auprès du procureur général contre quatre fournisseurs (voir plus loin).

Mesures en matière de politique de la concurrence relatives aux systèmes de distribution et aux pratiques commerciales

En vue d'une application rigoureuse et efficace de la loi antimonopole, il est indispensable de veiller à la transparence de l'application de la loi pour que l'objectif de la loi, la teneur des règlements et la politique de mise en oeuvre soient pleinement compris par les entreprises et les consommateurs au Japon et à l'étranger. La FTC a mené diverses enquêtes et publié certaines directives au titre de la loi antimonopole, tout en veillant à l'application rigoureuse de la loi.

En juillet 1991, la FTC a publié "Les directives au titre de la loi antimonopole concernant les systèmes de distribution et les pratiques commerciales" (directives concernant les systèmes de distribution et les pratiques commerciales) . La partie I de ces directives contient l'énoncé de conseils concernant le caractère continu et exclusif des transactions entre les firmes, en tenant compte essentiellement des transactions portant sur les biens de production et les biens d'équipement entre les producteurs et les utilisateurs. La partie II comporte l'exposé des orientations, au titre de ladite loi, relatives aux transactions dans le domaine de la distribution, et principalement des transactions sur les biens passant par le circuit de distribution avant de rejoindre leurs utilisateurs. En outre, la partie III contient des conseils au titre de la loi antimonopole sur des accords de distribution en exclusivité pour l'ensemble du marché intérieur, indépendamment de la nature des produits.

En 1992, la FTC a mis en place un système de consultation préalable sur les systèmes de distribution et les pratiques commerciales afin de répondre à des demandes de conseils précises de la part des entreprises et des associations professionnelles au sujet de cas concrets, de manière à faire obstacle aux violations de la loi antimonopole, tout en s'employant également à diffuser les directives.

Après la publication des directives, les firmes se sont efforcées de mettre en place des programmes internes pour respecter la loi antimonopole, et la FTC a appuyé leurs efforts volontaires dans ce domaine.

En janvier 1992, un organisme privé a procédé à une enquête auprès d'environ dix pour cent des firmes japonaises répertoriées. Cette enquête fait apparaître qu'environ 20 pour cent d'entre elles ont déjà établi des manuels à usage interne sur le respect de la loi. Environ 20 pour cent des entreprises élaborent actuellement des manuels de cette nature et plus de 40 pour cent ont déclaré qu'elles envisageaient d'en établir. Ainsi plus de 80 pour cent du total des firmes qui ont donné suite à l'enquête, ont déclaré être conscientes de la nécessité d'élaborer un manuel à usage interne sur le respect de la loi antimonopole.

Mesures en matière de politique de la concurrence liées à l'évolution du contexte économique

Les innovations technologiques en raison de la recherche et du développement qu'elles supposent, nécessitent beaucoup de moyens financiers, de temps et diverses ressources technologiques ; les technologies sont en effet désormais extrêmement évoluées et complexes, et couvrent de nombreux domaines distincts. Il en résulte que les projets communs de recherche et de développement élaborés par de nombreuses firmes se sont multipliés. La FTC s'attend à être saisie d'un nombre croissant de demandes de conseils dans ce domaine à l'avenir.

Dans ces conditions, la FTC a décidé de publier des directives au titre de la loi antimonopole en matière d'activités communes de recherche et de développement (directives relatives aux travaux communs de recherche et de développement), en espérant que la publication de sa conception générale des accords d'élaboration et de réalisation communes de projets de recherche et de développement aura pour effet de permettre à de tels projets de stimuler la concurrence au lieu de l'entraver. La FTC a diffusé le projet de directive et demandé des observations aux parties en cause dans le pays et à l'étranger en septembre 1992. Elle met actuellement au point ces directives compte tenu de ses observations.

II. Application des lois et des politiques de la concurrence

Mesures prises contre les infractions

1. Enquêtes

En 1992, la FTC a enquêté au total sur 226 affaires concernant des infractions prétendues à la loi antimonopole. 68 se rattachaient à l'exercice précédent et 158 ont été engagées au cours de la période considérée. La FTC a mené à leur terme ses enquêtes sur 146 de ces affaires, et les 80 autres, pour lesquelles les enquêtes étaient encore en cours, ont été reportées en 1993.

2. Mesures officielles

Sur les 146 affaires qui ont été clôturées au cours de cet exercice, la FTC a diffusé des ordonnances (décisions sous forme de recommandations) de cessation des pratiques illégales dans 30 affaires. 19 affaires ont été clôturées par des avertissements, la FTC n'ayant pas engagé d'actions judiciaires. Le nombre annuel d'ordonnances de ne pas faire s'est sensiblement accru depuis 1988.

a) Recommandation

Sur les 30 affaires pour lesquelles la FTC a rendu en 1992 des décisions comportant des recommandations, 17 affaires concernaient des soumissions frauduleuses et 13 affaires, des ententes en matière de prix (à l'exclusion des soumissions frauduleuses). Sur toutes les affaires ayant fait l'objet de décisions comportant des recommandations en 1992, 12 affaires ont fait l'objet de décisions comportant des recommandations à l'encontre des associations professionnelles.

b) Amendes

Lorsque des entreprises ou des associations professionnelles créent une entente qui influe soit sur les prix des produits ou des services soit sur les prix en limitant sensiblement l'offre de biens et de services, la FTC est habilitée par la loi antimonopole à ordonner aux entreprises en cause ou aux différents membres des associations profesionnelles de verser une amende qui est calculée en fonction de la valeur des transactions conclues au cours de la période pendant laquelle l'entente était en vigueur. Au cours de la période examinée, la FTC a condamné 203 entreprises à verser des amendes pour un total de 4 129 420 000 yen dans 19 affaires d'ententes.

c) Poursuites pénales

A la suite de l'adoption des mesures diffusées en 1990, la FTC a porté plainte, le 24 février 1993, auprès du procureur général contre quatre fournisseurs qui avaient participé à des soumissions frauduleuses relatives à des commandes passées par l'Office des assurances sociales au sujet de sceaux utilisés pour les avis de paiement et diverses pièces. Les fournisseurs étaient soupçonnés d'avoir commis une infraction pénale à l'article 3 (interdiction des restrictions déraisonnables aux échanges) de la loi antimonopole.

Les fournisseurs s'étaient concertés avant de soumissionner au sujet des sceaux pour déterminer à l'avance celui qui emporterait le marché. Au titre de cet arrangement, le soumissionnaire emportant le marché sous-traiterait la production des sceaux à un ou plusieurs des trois autres fournisseurs. Grâce à l'ajustement du prix de la sous-traitance, les avantages qui en résultaient étaient répartis également entre les participants. En restreignant ainsi mutuellement les activités commerciales des entreprises en cause, cet arrangement a limité sensiblement la concurrence en matière de fourniture des sceaux en question, au détriment de l'intérêt général.

La FTC avait auparavant émis en mai 1992 une recommandation à l'encontre des firmes en cause dans cette affaire pour des affaires similaires de soumissions frauduleuses. Mais dès l'établissement de la recommandation, les firmes en cause ont conclu un nouvel accord et procédé à nouveau à des soumissions frauduleuses pour les commandes de sceaux de l'Office des assurances sociales. Pour ce motif, la FTC a estimé que des poursuites pénales devaient être engagées dans cette affaire conformément à la politique relative aux poursuites pénales adoptée en 1990.

d) Auditions

Au cours de la période examinée, il n'y a eu aucune affaire dans laquelle la FTC ait engagé de procédure orale. Dans deux affaires, dans lesquelles des procédures orales avaient été engagées antérieurement - ventes liées de jouets électroniques domestiques - (violation de l'article 19 de la loi antimonopole : voir le rapport annuel pour 1990) et ententes illicites visant à relever les prix de vente des laminés (violation de l'article 3 de la loi antimonopole : voir le rapport annuel pour 1989), la FTC a décidé de rendre des ordonnances de ne pas faire. En conséquence, le nombre de procédures orales en cours au titre de la loi antimonopole s'élève actuellement à cinq.

3. *Affaires importantes*

a) Affaires Mitsui Toastu Chemicals, Inc. et sept autres entreprises

Mitsui Toastu Chemicals Company Inc. et sept autres firmes s'étaient entendues pour majorer en commun le prix de vente du film extensible en chlorure de polyvinyle à usage commercial en violation de l'article 3 (interdiction des restrictions déraisonnables aux échanges) de la loi antimonopole. Une ordonnance de ne pas faire a été rendue le 8 janvier 1992. Les 6 novembre et 9 décembre 1991, la FTC avait porté plainte auprès du Procureur général contre huit producteurs et 15 de leurs dirigeants et employés pour violation de l'article 3 de la loi antimonopole. Ces personnes avaient été inculpées le 20 décembre 1991. La procédure judiciaire engagée au sujet de cette affaire se poursuit.

Le 26 mars 1992, Mitsui Toastu Chemicals Company Inc. et sept autres entreprises ont été condamnées au versement d'une surtaxe d'un montant total de 449 780 000 yen.

b) Affaire Toyo Ink Manufacturing Company Ltd. et dix autres entreprises

Dans cette affaire, Toyo Ink Manufacturing Company Ltd. et dix autres entreprises s'étaient entendues pour relever conjointement le prix de vente de l'encre ordinaire de cliché plat et de divers produits, en violation de l'article 3 (interdiction des restrictions déraisonnables aux échanges) de la loi antimonopole. Une ordonnance de ne pas faire a été rendue le 10 avril 1992. Le 22 juillet 1992, des condamnations au versement d'une amende ont été prononcées contre Toyo

Ink Manufacturing Company Ltd. et dix autres firmes pour un montant total de 446 400 000 yen.

De même, le 10 avril 1992, deux ordonnances de ne pas faire ont été rendues portant d'une part sur une affaire d'infraction concernant Toyo Ink Manufacturing Company Ltd. et huit autres firmes, qui s'étaient entendues pour relever conjointement le prix de vente de l'encre de gravure pour des matériaux souples de conditionnement, et d'autre part sur une affaire de violation concernant Nihon Shimbun Ink Manufacturing Company Ltd. et quatre autres firmes qui s'étaient entendues afin de relever conjointement le prix de vente de l'encre d'imprimerie pour journaux.

Le 22 juillet 1992, Toyo Ink Manufacturing Company Ltd. et huit autres entreprises ont été condamnées à verser des amendes pour un montant total de 240 810 000 yen. Le même jour, Nihon Shimbun Ink Manufacturing Company Ltd. et quatre autres entreprises ont été condamnées à verser une amende de 189 990 000 yen au total.

c) Affaire Dai Nippon Printing Company Ltd. et treize autres entreprises

Il a été constaté que Dai Nippon Printing Company Ltd. et 13 autres entreprises avaient violé l'article 3 (interdiction des restrictions déraisonnables aux échanges) de la loi antimonopole, en s'entendant illicitement pour désigner le soumissionnaire emportant le marché avant l'appel d'offres lancé par Japan Highway Public Corporation pour l'impression de cartes magnétiques utilisées pour les péages d'autoroutes et de divers articles. Une ordonnance de ne pas faire a été rendue le 15 mai 1992. Le 18 septembre 1992, Dai Nippon Printing Company Ltd. et treize autres firmes ont été condamnées à une surtaxe d'un montant de 214 600 000 yen au total.

Dans une affaire similaire, il a été constaté que Dai Nippon Printing Company Ltd. et quatre autres entreprises avaient violé la loi antimonopole en s'entendant illicitement pour désigner le soumissionnaire emportant le marché, avant un appel d'offres lancé par Metropolitan Expressway Public Corporation pour l'impression de reçus, de billets et de divers articles. Une ordonnance de ne pas faire a été rendue le 15 mai 1992. Le 18 septembre 1992, Dai Nippon Printing Company Ltd. et quatre autres entreprises ont été condamnées à une surtaxe d'un montant de 44 370 000 yen au total.

d)   Affaire Kajima Corporation et 65 autres entreprises

Dans cette affaire, il a été constaté que Kajima Corporation et 65 autres entreprises avaient violé l'article 3 (interdiction des restrictions déraisonnables aux échanges) de la loi antimonopole en s'entendant illicitement pour désigner le soumissionnaire emportant le marché avant l'appel d'offres pour certains projets du génie civil lancé par la préfecture de Saitama. Une ordonnance de ne pas faire a été rendue le 3 juin 1992.

Le 18 septembre 1992, 43 entreprises du secteur de la construction ont été condamnées à des surtaxes dans la préfecture de Saitama pour un montant total de 1 006 670 000 yen.

e)   Affaire Aoi Engineering Company et 72 autres entreprises et Aikawa Survey and Design Company et 139 autres entreprises.

Dans ces deux affaires, il a été constaté que respectivement Aoi Engineering Company et 72 autres entreprises et Aikawa Survey et Design Company et 139 autres entreprises avaient violé l'article 3 (interdiction des restrictions déraisonnables aux échanges) de la loi antimonopole en s'entendant illicitement afin de déterminer l'adjudicataire du marché avant l'appel d'offres pour des projets de services de consultation et d'études en matière de construction respectivement, lancé par la préfecture d'Aichi. Des ordonnances de ne pas faire ont été rendues le 7 août 1992.

f)   Affaire concernant les pratiques restrictives en matière d'étiquetage des prix des produits d'électronique grand public

Il a été constaté que Matsushita Electronics Company, Hitachi Home Appliances Company, Sony Network Sales Company et Toshiba East Japan Life Electronics Company avaient respectivement violé l'article 19 (interdiction des pratiques commerciales déloyales) de la loi antimonopole en induisant les détaillants pratiquant des remises à maintenir à un niveau minimum les prix indiqués pour les produits d'électronique grand public récemment lancés sur le marché par des annonces dans la presse à grande diffusion et par des étiquettes de prix en vitrine. Des ordonnances de ne pas faire ont été rendues le 8 mars 1993. (Cette affaire n'est pas comptée dans les 30 affaires de 1992 citées plus haut, sous 2.a) Recommandation).

4.   Enquête sur le suivi

En enquêtant sur les parties en cause, une fois les décisions rendues, la FTC s'assure qu'elles respectent ces décisions. Elle s'efforce également d'empêcher le retour des activités illégales. Au cours de la période examinée, aucune enquête sur le suivi n'a été terminée.

5.   *Recommandations et directives au titre de la loi sur la sous-traitance*

La loi sur la sous-traitance vise à empêcher les retards de paiement dû aux sous-traitants etc. et à veiller à la loyauté des transactions entre les entreprises et leurs sous-traitants. Simultanément, la loi vise à protéger les intérêts des sous-traitants en contribuant par là à saine une expansion de l'économie nationale. Compte tenu de la nature des accords de sous-traitance, il est improbable que des sous-traitants portent plainte. Par conséquent, afin d'atteindre l'objectif de la loi, la FTC s'emploie à constater des violations par des enquêtes annuelles régulières en interrogeant par écrit les entrepreneurs et leurs sous-traitants en coopération avec l'agence chargée des petites et moyennes entreprises. Au cours de la période examinée, la FTC a interrogé par écrit 12 493 entrepreneurs et leurs 70 735 sous-traitants. Parallèlement, au cours de la même période, l'agence chargée des petites et moyennes entreprises a procédé au même type d'enquête au sujet de 38 497 établissements d'entrepreneurs principaux et de leurs 14 539 sous-traitants.

A la suite des enquêtes susvisées, les entrepreneurs convaincus d'avoir violé les dispositions de la loi sur la sous-traitance se sont vus enjoindre de mettre fin à leur comportement illégal et de prendre des mesures correctives, y compris de rembourser les montants perdus par les sous-traitants.

6.   *Ordonnance de ne pas faire au titre de la loi sur les primes et les présentations trompeuses*

La loi sur les primes et les présentations trompeuses, en prévoyant des dispositions spéciales au titre de la loi antimonopole, vise à empêcher que la clientèle ne soit influencée par des primes injustifiables et des présentations trompeuses dans le cadre de transactions concernant des biens ou des services et par là à préserver la loyauté de la concurrence ainsi qu'à protéger les intérêts des consommateurs en général. La FTC a ouvert 1 547 enquêtes au titre de la loi sur les primes et les présentations trompeuses en 1992. Des injonctions prohibitives ont été prononcées au titre de l'article 6 de la loi dans quatre affaires concernant des primes excessives et trois affaires concernant des présentations trompeuses. Des avertissements ont été également adressés dans 845 affaires.

Fusions et concentrations économiques

1. *Statistiques relatives aux fusions*

Conformément aux articles 15 et 16 de la loi antimonopole, toutes les fusions et cessions d'entreprises doivent être notifiées préalablement à la FTC. Celle-ci examine les notifications et ordonne des mesures correctives et, dans les cas extrêmes interdit, lorsqu'elle estime que le projet de fusion ou d'acquisition risque de restreindre sensiblement la concurrence. En 1992, la FTC a reçu 1 991 notifications de fusion au titre de l'article 15 et 1 072 notifications de cession d'entreprises au titre de l'article 16.

Au cours de l'exercice examiné, la FTC n'a pris aucune mesure officielle dans les affaires de fusion ou de cession d'entreprises.

Au Japon, lorsqu'un projet de fusion suscite des inquiétudes au regard de la loi antimonopole, les parties en cause consultent habituellement la FTC avant de procéder à la notification de la fusion et la FTC procède à un examen approfondi afin de vérifier si le projet de fusion donne lieu à une violation de la loi antimonopole. Si à ce stade le projet est préoccupant sous l'angle de la concurrence, les parties à la fusion projetée renoncent à ce projet ou elles peuvent modifier le contenu du projet de manière à ce qu'il ne soulève plus d'objection au titre de la loi antimonopole.

Notifications déposées au sujet de fusions et de cessions d'entreprises

Année	1990	1991	1992
Fusions	1 532	2 116	1 991
Cessions d'entreprises	969	1 214	1 072
Total	2 501	3 330	3 063

2. Principales affaires de fusion

a) Fusion de Iyo Bank Ltd. et de Toho Sogo Bank Ltd. (Caisse mutuelle d'épargne)

La banque Iyo et la banque Toho Sogo, qui ont toutes deux leur siège et leurs principales activités dans la préfecture d'Ehime, ont fusionné afin de renflouer et de sauvegarder la banque Toho Sogo qui était sur le point de sombrer. Alors que la banque créée à la suite de la fusion disposerait dans la préfecture d'Ehime, de la part de marché la plus importante en terme de volume des dépôts (29.6 pour cent) et de solde des emprunts (41.3 pour cent) l'augmentation de la part du marché n'était pas importante dans l'ensemble ; la fusion avait pour but d'éviter la faillite de la banque Toho Sogo ; il aurait été très difficile de trouver un autre partenaire que Iyo Bank réunissant les conditions requises. Dans certaines régions, où la part de marché de la nouvelle banque devait augmenter sensiblement, des mesures devaient être prises pour le transfert de branches d'activité à d'autres institutions financières. Compte tenu de cet élément, la FTC a estimé que la fusion n'était pas appelée à restreindre sensiblement la concurrence dans un quelconque domaine des échanges.

b) Fusion entre Jujo Paper Company Ltd. et Sanyo-Kokusaku Pulp Company Ltd.

Cette affaire concerne la fusion de deux grandes papeteries du Japon, Jujo Paper Company Ltd. et Sanyo-Kokusaku Pulp Company Ltd. La part de marché de la firme créée à la suite de la fusion (Japan Paper Company Ltd.) devait s'élever à 17.3 pour cent de l'ensemble du marché des produits de papeterie. Cette firme, y compris ses filiales et d'autres entreprises apparentées, devait avoir la part de marché la plus élevée pour certains produits, notamment 36.6 pour cent pour le papier couché, 46.1 pour cent pour le papier carbone et 56 pour cent pour le papier à cigarette. Néanmoins, il a été relevé que cette firme liquiderait les liens avec les sociétés qui lui étaient apparentées en diminuant sa participation dans leur capital social. En conséquence, la part de marché de la firme pour les trois produits susvisés s'élèverait pour cette seule firme à respectivement 23 pour cent, 16.8 pour cent et 19.6 pour cent. Compte tenu de ces éléments, la FTC a estimé que la fusion ne restreindrait sensiblement la concurrence dans aucun secteur commercial particulier.

3. Autres grandes affaires d'association d'entreprises

Entreprise commune et création de liens entre Anheuser-Busch Inc. et Kirin Brewery Company Ltd.

Anheuser-Busch Inc. (ci-après dénommée "AB"), le fabricant américain de la marque de bière "Budweiser", qui avait l'intention de lancer une campagne de commercialisation de grande envergure sur le marché japonais de la bière, se proposait de conclure un accord de formation d'une entreprise commune et de fidélité avec Kirin Brewery Company Ltd. (ci-après dénommée "Kirin"). Suivant le projet d'accord, AB créerait une filiale japonaise pour la commercialisation, dans laquelle Kirin aurait une participation minoritaire. Le projet prévoyait également un soutien de Kirin, comportant des exigences très diverses. Les parties au projet ont engagé des consultations préalables avec la FTC afin d'examiner les problèmes susceptibles d'être soulevés au titre de la loi antimonopole.

Le marché japonais de la bière est hautement oligopolistique et Kirin dont la part de marché est d'environ 50 pour cent, y occupe une position dominante. AB et la bière Budweiser détiennent une place importante sur le marché japonais grâce sur le plan de la concurence. C.ompte tenu de ces éléments, si les activités commerciales de la nouvelle firme et la commercialisation de la bière Budweiser tombaient sous l'empire de Kirin, et si le projet d'alliance renforçait encore la position de Kirin sur le marché, un accord d'exclusivité d'une aussi vaste portée était de nature à susciter des inquiétudes au titre de la loi antimonopole, a estimé la FTC.

A la lumière de ces préoccupations, les deux entreprises ont décidé au stade des consultations préalables la FTC, de refondre leur projet de manière à limiter l'ampleur de leurs accords de participation et de fidélité, afin de les rendre provisoires et d'éviter qu'ils ne restreignent la concurrence.

Se fondant sur les explications qui lui ont été données sur la refonte du projet, la FTC a estimé que les dispositions en cause prévoyaient de la part de Kirin un minimum de soutien indispensable à la nouvelle firme pour son accès au marché pour qu'elle réponde aux conditions nécessaires, par exemple les règlements régissant l'acquisition et la licence de vente de boissons alcoolisées, en vue du lancement d'une campagne de commercialisation de grande envergure sur le marché japonais, en tant qu'entité concurrente indépendante, et qu'à l'expiration des accords en la matière, la nouvelle firme exercerait ses activités sans le soutien de Kirin. La FTC a relevé que l'aide de Kirin serait limitée dans son étendue et dans le temps, et ne restreindrait pas la concurrence. La FTC a l'espoir que la concurrence sur le marché japonais de la bière sera stimulée par la nouvelle firme si elle se lance dans une campagne de commercialisation tous azimuts en qualité de nouvelle venue sur le marché.

Examen du système de notification pour les contrats internationaux et des codes de concurrence loyale pour les offres de primes

La FTC a amendé les règles sur le dépôt de notification des accords et des contrats internationaux le 30 mars 1992. Au titre des règles amendées, le champ d'application des conditions en matière de dépôt est limité aux types d'accords ou de contrats qui passent pour affecter la concurrence. Les amendements ont entraîné à ce jour une diminution du nombre des notifications d'environ 85 pour cent par rapport aux chiffres de la même période de l'exercice précédent (de mai 1991 à mars 1992).

Alors que la réglementation des offres de primes vise à veiller à l'exercice loyal de la concurrence sur le marché et à protéger les intérêts des consommateurs, la FTC a conseillé aux Conférences sur la loyauté dans le commerce d'examiner la réglementation établie par les codes de la concurrence loyale pour les offres de primes, de manière à ce qu'ils ne risquent pas d'avoir pour effet de faire obstacle à l'accès au marché par des entreprises étrangères ou nationales.

A l'issue de cet examen, au cours de la période considérée, la réglementation prévue par les codes de la concurrence loyale pour les offres de primes a été assouplie dans les secteurs suivants : agences de voyage, appareils électroménagers, publication de magazines (en février), vente au détail de publications, industrie de la chaussure en caoutchouc et en résine synthétique, fabrication de bière (en mars), fabrication de boissons alcooliques, fabrication de vins à base de fruits, fabrication de sake japonais synthétique (en avril), commerce en gros de la bière (en septembre), commerce en gros de boissons alcooliques (en novembre), industrie du miso, de la sauce au soja et d'autre sauces (en décembre). L'assouplissement de la réglementation régissant l'industrie du pneu en mars 1993 a été examiné en dernier et ainsi ont pris fin les travaux visant à assouplir la réglementation des offres de primes établie par les codes de la concurrence loyale, travaux qui s'étaient poursuivis depuis l'exercice fiscal 1989.

III. Le rôle des autorités chargées de la concurrence dans la formulation et la mise en oeuvre d'autres politiques

Du point de vue de la politique de la concurrence, la FTC procède à un examen à long et à moyen terme des systèmes de réglementation publique. Conformément à la recommandation du Conseil de l'OCDE publiée en 1979, la FTC a procédé à une enquête sur les conditions effectives dans ce domaine en 1982 et a fait connaître son point de vue et il a demandé ensuite au Ministère et aux organismes publics compétents d'examiner les systèmes de réglementation publique.

En principe, la loi antimonopole interdit la formation d'ententes entre entreprises et associations professionnelles. Néanmoins, certaines ententes échappent à l'application de la loi, si elles répondent à des conditions précises prévues par la législation. Des conditions spéciales d'octroi d'une dérogation sont prévues non seulement par la loi antimonopole elle-même, mais également par certaines lois distinctes, telles que la loi d'organisation des petites et moyennes entreprises et la loi sur le commerce d'exportation et d'importation. D'une façon générale, les ententes qui peuvent bénéficier d'une dérogation doivent être notifiées à ou agréées par la FTC ou par l'administration compétente en la matière.

A la fin de 1992, on dénombrait 162 ententes bénéficiant d'une dérogation, dans la formation desquelles la FTC était intervenue. Dans la plupart des cas, il s'agit soit d'ententes formées par des petites et moyennes entreprises soit d'ententes ayant pour objectif d'éviter des conflits dans les échanges.

Les administrations compétentes ont procédé à l'examen de ces ententes bénéficiant d'une dérogation et 60 d'entre elles ont été liquidées en 1992. Les ententes concernant la limitation des installations d'infrastructure des industries textiles, ententes constituées conformément aux dispositions de la loi d'organisation des petites et moyennes entreprises, doivent être liquidées à l'expiration de l'exercice fiscal 1995.

En ce qui concerne les dérogations au titre de la loi antimonopole pour les prix imposés, qui sont de son ressort, la FTC a décidé en avril 1992 que, pour les produits de beauté et les produits pharmaceutiques, la désignation des dérogations au titre de la loi antimonopole, qui couvriront la moitié des produits actuellement désignés, cessera d'être en vigueur en principe dès avril 1993 et que les autres produits feront l'objet d'un examen en 1998.

Le gouvernement japonais a procédé à une étude exhaustive des réglementations gouvernementales et publiques conformément au programme d'encouragement à le déréglementation (approuvé par le cabinet le 13 décembre 1988). Le Conseil spécial pour la promotion de la réforme administrative, constitué en octobre 1990 sous forme d'organe consultatif responsable devant le premier ministre, étudie le démantèlement de la réglementation économique dans les secteurs qui exercent un effet important sur les conditions de vie de la nation et envisage la mise à jour des dérogations légalement sanctionnées à la loi antimonopole. Le Conseil spécial a présenté ses recommandations en juin 1992.

-- En ce qui concerne les réglementations régissant l'accès au marché et les installations de fabrication, appliquées aux fins de l'ajustement des conditions de l'offre et de la demande, les dispositions en la matière doivent être en principe examinées à la date la plus proche possible au cours des dix années à venir en vue de leur abrogation.

-- En ce qui concerne la réglementation des prix, les dispositions en matière doivent être examinées en vue de la déréglementation des prix et dans le sens d'une plus grande souplesse, ainsi qu'en vue de leur abrogation.

En ce qui concerne les dérogations, légalement sanctionnées, à la loi antimonopole, le Conseil spécial a recommandé d'étudier les ententes sanctionnées au titre de lois distinctes et particulières, afin de les réduire au strict minimum et de mener à terme l'étude pour la fin de l'exercice fiscal 1995. A la suite des recommandations du Conseil spécial, le gouverneur a décidé en juin 1992 qu'il ferait tout ce qui est en son pouvoir pour se conformer à ces recommandations.

IV. Études ayant trait à la politique de la concurrence

Statut des groupes d'entreprises

Du point de vue de la politique de la concurrence, la FTC a procédé à une enquête sur les six principaux groupes d'entreprises du Japon (Mitsui, Mitsubishi, Sumitomo, Fuyo, Sanwa et le groupe bancaire Dai-Ichi Kangyo), afin d'examiner de quelle manière les entreprises qui en sont membres sont unies par des liens réciproques et quelles transactions sont conclues au sein des six groupes. Les résultats de cette enquête ont été diffusés en février 1992 et peuvent être résumés comme suit.

Nonobstant des différences entre les six grands groupes d'entreprises, les relations entre les membres des groupes ne sont dans l'ensemble pas solides en termes de participation et d'envoi de cadres. En outre, ces relations se relâchent. C'est ainsi que les transactions à l'intérieur des groupes représentent tout au plus 7.28 pour cent du chiffre d'affaires global des entreprises des groupes et 8.10 pour cent de leurs achats. Ces pourcentages témoignent de ce que les transactions entre les entreprises du groupe et les entreprises extérieures sont multiples et que les transactions à l'intérieur du groupe sont considérablement moins fréquentes qu'au cours de l'exercice fiscal 1981 (10.8 pour cent pour les ventes et 11.7 pour cent pour les achats). Alors que la relation entre les entreprises et les groupes passe pour risquer d'encourager les échanges préférentiels à l'intérieur du groupe, la proportion des transactions à l'intérieur du groupe diminue. On ne peut prétendre qu'il existe dans ce domaine des relations privilégiées. (Voir sur ce point le numéro 13 de FTC/Japan Views pour un résumé en du rapport à ce sujet.)

Tarifs aériens internationaux et politique de la concurrence

Répondant à une demande de la FTC sur l'état réel des tarifs internationaux et sur d'autres études, le groupe d'étude des réglementations gouvernementales et de la politique de la concurrence, constitué au sein de l'administration de la FTC, a procédé à une étude sur la situation effective des tarifs internationaux des vols commerciaux à partir du Japon et en particulier des tarifs spéciaux pour les groupes et les particuliers. Le groupe d'étude a examiné les problèmes de politique de la concurrence et les moyens de les résoudre et a publié ses conclusions en avril 1992.

Entreprises de radiotélédiffusion et politique de la concurrence

Le groupe d'étude de la politique de la concurrence dans le domaine de la diffusion de l'information, constitué au sein de la direction de la FTC, a étudié les problèmes de politique de la concurrence dans le secteur de la radiotélédiffusion, une importance spéciale étant attachée aux questions de réglementation gouvernementale. Il a formulé l'essentiel de sa position et publié ses conclusions en août 1992.

Japon

Annexe

Index de FTC/Japan Views n° 13 (juin 1992)

A. "Japan's Competition Policy" (politique japonaise de la concurrence) (allocution d'ouverture de M. Setsuo Umezawa, président de la Commission pour la loyauté dans le commerce, dans le cadre du séminaire sur le droit de la concurrence organisé au Japon et aux États-Unis le 14 avril 1992)

B. Modification des règles régissant le dépôt de notification des accords ou contrats internationaux

C. Les grandes lignes du rapport sur la situation réelle des six principaux groupes d'entreprises.

CORÉE

(1993)

I. Introduction

Objectif législatif

Durant les années 60 et 70, le développement de l'économie coréenne a été largement orienté par le gouvernement. Afin de parvenir à un développement économique rapide à bref délai et compte tenu de contraintes telles que la dimension modeste du marché intérieur, le manque de ressources naturelles et l'insuffisance des moyens financiers, le gouvernement a adopté une stratégie privilégiant l'industrie manufacturière, des secteurs orientés vers l'exportation et des grandes entreprises, au détriment respectivement de l'agriculture, des industries de consommation nationale et des petites et moyennes entreprises.

Bien que la stratégie de développement conduite par le gouvernement ait abouti au résultat escompté durant la période où les capacités du secteur privé étaient limitées et où les conditions économiques à l'étranger étaient relativement stables, la taille de l'économie et la complexité de sa structure augmentant, elle a également engendré plusieurs problèmes et effets secondaires.

Du fait des politiques industrielles et bancaires qui accordaient un traitement favorable aux conglomérats en vue de réaliser des économies d'échelle, l'activité des petites et moyennes entreprises a diminué et le pouvoir économique s'est concentré. Avec le développement excessif et la diversification des activités commerciales des conglomérats, la structure monopoliste du marché s'est renforcée. Les comportements anticoncurrentiels se sont répandus et les pratiques commerciales déloyales sont devenues courantes.

L'interventionnisme des pouvoirs publics sur le marché a également engendré une certaine inefficience économique. Le mécanisme des prix s'est trouvé entravé et des distorsions sont apparues sur les marchés. L'intervention des pouvoirs publics sur le marché, qui visait à éviter le gaspillage des ressources dû à une surchauffe de la concurrence et à utiliser efficacement les moyens disponibles, a souvent eu de nombreux effets secondaires néfastes et ne s'est pas traduite par une répartition efficiente des ressources.

A la fin des années 70, lorsque les limites de la politique économique menée par le gouvernement et l'impact négatif des épiphénomènes sont devenus perceptibles, les pouvoirs publics ont réalisé qu'une réforme importante de l'économie était nécessaire et ont choisi de reconsidérer leur politique en la matière. Par la suite, en décembre 1980, le gouvernement a carrément abandonné sa politique de développement déséquilibré fondée sur l'intervention des pouvoirs publics et décidé d'adopter un système de pratiques commerciales loyales s'appuyant sur les activités commerciales créatives du secteur privé et la libre concurrence en promulguant la "loi sur la réglementation des monopoles et les pratiques commerciales loyales" (appelée par la suite "LRMPCL").

La LRMPCL qui interdit l'abus de position dominante sur le marché, la concentration excessive du pouvoir économique et les pratiques commerciales déloyales, a pour objet de favoriser une concurrence libre et loyale, afin de stimuler les activités commerciales créatives, de protéger les consommateurs et de favoriser un développement équilibré de l'économie nationale (article 1).

Points forts de la législation actuelle en matière de concurrence

Les points forts de la LRMPCL qui cherche à favoriser une concurrence loyale et ouverte et un développement équilibré de l'économie nationale, peuvent être regroupés sous deux rubriques : l'amélioration de la structure des marchés, et la promotion de comportements concurrentiels sur ces marchés.

Par amélioration de la structure des marchés, on entend la promotion de la prospérité économique des consommateurs par la relance de la concurrence qui se trouvait restreinte du fait des monopoles, et la prévention de l'apparition de nouveaux monopoles. Promouvoir des comportements concurrentiels sur les marchés signifie encourager les comportements sensés en corrigeant les attitudes commerciales restrictives des entreprises ou groupes d'entreprises.

Les dispositions de la LRMPCL visant à favoriser l'amélioration de la structure des marchés portent sur l'interdiction de l'abus de position dominante et la limitation des associations d'entreprises et de la concentration du pouvoir économique. Les dispositions visant à encourager les comportements concurrentiels touchent à la limitation des actions concertées injustifiées, l'interdiction des pratiques commerciales déloyales, la réglementation des prix imposés et le contrôle des accords internationaux déloyaux.

Sur le plan du contenu, la LRMPCL peut être divisée en six parties portant respectivement : pour la première, sur l'interdiction de l'abus de position dominante ; pour la seconde, sur la limitation des associations d'entreprises en vue d'éviter la formation de nouveaux monopoles ; pour la troisième, sur la répression de la concentration du pouvoir économique par les conglomérats ; pour la quatrième, sur l'interdiction des ententes déraisonnables entre entreprises ou organisations professionnelles ; pour la cinquième, sur l'interdiction des activités commerciales déloyales ; et pour la sixième, sur la réglementation des accords internationaux qui pourraient engendrer des restrictions à la concurrence intérieure.

La LRMPCL a fait l'objet d'une révision en décembre 1992. Trois éléments importants ont été introduits : une limitation de la garantie des dettes croisées entre sociétés affiliées ; des exceptions au plafond du montant total des investissements des conglomérats dans d'autres sociétés ; et des mesures d'application. A dater du 1er avril 1993, la garantie des dettes entre sociétés affiliées des grands conglomérats ne peut excéder 200 pour cent du capital de l'une quelconque des sociétés. Les conglomérats soumis à cette réglementation disposent d'un délai de grâce de trois ans pour respecter ce plafond. La version révisée de la LRMPCL élargit les exceptions concernant le montant plafonné de l'investissement total des conglomérats en exigeant qu'ils se déffassent de tout ce qui dépasse 40 pour cent de leurs actifs nets. Le nouveau texte étend également l'interdiction des actions concertées des organisations professionnelles et prévoit un système d'amendes visant à renforcer l'effet dissuasif de la LRMPCL. Le décret d'application de cette loi a été révisé en conséquence en février 1993, de façon à limiter le nombre de conglomérats soumis aux plafonnements du montant total des investissements et de la garantie des dettes aux 30 groupes les plus importants en termes d'actifs, et à revoir à la hausse le critère de définition des entreprises dominantes sur le marché qui, d'un montant annuel des ventes supérieur 30 milliards de won passe à plus de 50 milliards.

II. Le champ d'application de la loi sur la réglementation des monopoles et les pratiques commerciales loyales (LRMPCL) et ses principales dispositions

Champ d'application de la loi

Secteurs soumis à la LRMPCL

Contrairement à d'autres pays, la LRMPCL a adopté une approche positive. Les secteurs industriels soumis à cette loi aux termes de l'article 2(1) sont les suivants : industries manufacturières ; distribution d'électricité, de gaz et d'eau ;

construction ; services de gros et de détail et activités de réparation de biens de consommation ; hôtellerie et restauration ; services de transport, d'entrepôts et de communications ; services bancaires et assurances ; immobilier, leasing et services commerciaux ; services de formation ; services de santé et de protection sociale ; autres services publics, sociaux et personnels ; services domestiques ; autres activités désignées par décret présidentiel. Du fait de l'approche positive adoptée, les secteurs industriels soumis à la LRMPCL font l'objet d'une liste nominative, mais on constate finalement peu de différences par rapport aux lois d'autres pays ayant opté pour une approche par défaut, puisque la liste de la LRMPCL couvre un très large éventail de secteurs industriels.

Exceptions

La LRMPCL n'est pas applicable aux secteurs de l'agriculture, des pêches et de l'extraction minière. Certaines activités entrant dans des catégories soumises à la loi sont également exclues de son champ d'application. Ainsi, par exemple, l'exercice du droit de propriété intellectuelle conformément aux lois sur le copyright, les brevets, les modèles d'utilité, la conception industrielle ou les marques, et certaines activités menées par des organisations professionnelles créées temporairement à des fins d'aide réciproque entre opérateurs de petites entreprises ou consommateurs ne sont pas soumis à la LRMPCL.

La raison de l'exclusion de l'agriculture, des pêches et de l'extraction minière du champ d'application de la LRMPCL tient à ce que ces secteurs n'ont pas encore leur maturité. De même, vu le grand nombre de petites entreprises dans ces secteurs, il est peu probable qu'elles puissent nuire véritablement à la loyauté dans les échanges.

Principales dispositions

Interdiction de l'abus de position dominante sur le marché

Les entreprises détenant un pouvoir important sur le marché font l'objet d'un classement dans la catégorie entreprises dominantes, qui leur est notifié à l'avance. A ce titre, celles de leurs activités s'appuyant, par exemple, sur des pratiques abusives en matière de prix et le recours à des conditions restrictives, sont strictement contrôlées.

L'article 2 de la LRMPCL et l'article 4 du décret d'application précisent les critères de classement dans la catégorie entreprises dominantes.

L'article 3 de la LRMPCL énumère les pratiques abusives des entreprises dominantes.

Parmi les mesures correctives prévues pour ces pratiques figurent celles incluses dans l'article 5 de la LRMPCL, les sanctions énoncées à l'article 6 de cette loi et des peines d'emprisonnement pouvant aller jusqu'à trois ans et/ou, au titre de l'article 66, des amendes d'un montant pouvant atteindre jusqu'à 200 000 000 de won.

Répression de la concentration du pouvoir économique

Les mécanismes de répression de la concentration du pouvoir économique ont été adoptés dans le but de contenir le développement excessif des conglomérats et de s'assurer d'une structure financière saine. Les dispositions en la matière sont énoncées aux articles 8 à 11 de la LRMPCL.

L'article 8 interdit la création de sociétés holding.

L'article 9 interdit à une société appartenant à un groupe d'acquérir ou de détenir des actions d'une société affiliée qui elle-même détient des actions de ladite société.

L'article 10 précise les limites du montant de l'investissement en capital qu'une société peut opérer dans une autre société.

L'article 10(2) de la LRMPCL énumère les restrictions relatives à la garantie des dettes entre sociétés affiliées. Le montant total de la garantie qu'une société appartenant aux 30 conglomérats les plus importants peut accorder à des sociétés affiliées sur le territoire national, ne doit pas dépasser 200 pour cent de son capital.

L'article 11 précise les limites relatives aux droits de vote des banques et sociétés d'assurance actionnaires affiliées à un conglomérat.

Restrictions relatives aux associations d'entreprises

Si l'association d'entreprises peut avoir des effets positifs, grâce à la réalisation d'économies d'échelle, etc., elle peut également avoir divers types de conséquences négatives, comme faciliter l'instauration de nouvelles barrières à l'entrée et encourager la collusion. C'est pourquoi la LRMPCL interdit l'association d'entreprises, pour éviter l'apparition de nouveaux monopoles, réglemente certaines activités et prévoit des obligations de notification.

L'article 7 interdit les associations d'entreprises qui sont susceptibles de réduire sensiblement la concurrence par l'acquisition d'actions, le cumul de mandats d'administrateur, une fusion, l'acquisition d'actifs ou la création d'une nouvelle société, etc.

L'article 12 prévoit une obligation de notification pour les entreprises dont le capital nominal est égal ou supérieur à cinq milliards de won et dont les actifs totaux ont une valeur égale ou supérieur à 20 milliards de won. La notification d'association d'entreprises doit être effectuée préalablement pour les fusions, les transferts d'actifs ou la création d'une nouvelle société, ou dans les 30 jours consécutifs en cas d'acquisition d'actions ou de cumul de mandats d'administrateur.

Interdiction des actions concertées injustifiées

Aux termes de l'article 19, les actions concertées injustifiées entre entreprises sont, à certaines exceptions près, en principe interdites. Huit types d'actions concertées injustifiées sont répertoriées, parmi lesquelles les ententes sur les prix, la répartition des marchés, etc. Aux termes de ce même article, les actions concertées visant à rationaliser le secteur, relancer une industrie en difficulté, ajuster la structure industrielle, encourager la concurrence des petites et moyennes industries, développer la recherche et la technologie et rationaliser les pratiques commerciales, ne tombent pas sous le coup de cette interdiction, sous réserve de leur approbation par la Commission coréenne de pratiques commerciales loyales (CCPCL).

Interdiction des pratiques commerciales déloyales

Dans le cadre de l'article 23, la CCPCL a répertorié six types de pratiques commerciales déloyales visées par cette interdiction. L'objet de la réglementation des pratiques commerciales déloyales est de garantir une concurrence ouverte et loyale sur le marché où les transactions et leurs conditions doivent être librement décidées, afin que les ressources soient efficacement réparties pour produire des biens et services de la meilleure qualité possible et au meilleur prix.

Les textes publiés en vigueur en juin 1993 sont les suivants : "Directive relative à la désignation des pratiques commerciales déloyales", "Pratiques commerciales déloyales particulières aux grands magasins" applicables à certains domaines spécifiques, "Indication du fournisseur pour les stations-service", "Directive relative aux ventes à prix réduit", et "Critères de définition des pratiques commerciales déloyales concernant l'octroi de cadeaux promotionnels".

Activités interdites aux organisations professionnelles

L'article 26 réglemente les activités des organisations professionnelles susceptibles de réduire la concurrence sur le marché.

Les organisations professionnelles doivent être enregistrées auprès de la CCPCL dans les 30 jours suivant leur création, conformément à l'article 25 de la LRMPCL. La modification comme la dissolution de ces organisations doit être notifiée à la CCPCL.

Restrictions relatives aux prix imposés

L'article 29 interdit, en principe, aux producteurs ou vendeurs de biens la pratique de prix imposés, à l'exception de certains matériels soumis au copyright et de quelques produits désignés par la CCPCL.

Restrictions relatives aux contrats internationaux à caractère déloyal

A des fins de prévention, les contrats internationaux à caractère déloyal sont examinés en vue de déterminer s'ils comportent ou non des dispositions anticoncurrentielles. L'identification et la modification de telles dispositions après conclusion desdits contrats permettront de garantir la possibilité pour les entreprises nationales et étrangères d'entrer sur le marché, d'encourager la concurrence sur le marché intérieur et de veiller à ce que la libéralisation opère pleinement en évitant des dispositions potentiellement anticoncurrentielles.

L'article 32 proscrit la conclusion de contrats internationaux prévoyant des actions concertées injustifiées, des pratiques commerciales déloyales ou des prix imposés. Il revient à la CCPCL de déterminer les types de pratiques commerciales déloyales pouvant être considérés comme anticoncurrentiels et d'en publier la liste. La CCPCL exige également que lui soient précisées les parties à certaines catégories d'accords internationaux, afin de déterminer si ces contrats contiennent ou non des dispositions déloyales.

En juin 1993, il existait trois catégories de contrats internationaux soumis à l'obligation de notification : les accords de soutien technologique ; les accords visant à favoriser le respect du copyright (à l'exclusion de ceux portant sur les livres, les disques et les films) ; et les accords de distribution. Toutefois, les accords de ce type qui n'atteignent pas les seuils minima en matière de durée et de montant des droits, sont dispensés de notification. Ainsi, par exemple, dans le cas des contrats de soutien technologique, seuls sont soumis à notification ceux dont la durée est égale ou supérieure à un an et qui prévoient des droits égaux ou supérieurs à 300 000 \$EU par an ou une redevance initiale de 50 000 \$EU ou plus et des redevances courantes de trois pour cent ou plus des recettes nettes provenant des ventes.

Lorsqu'un contrat international comporte des dispositions potentiellement anticoncurrentielles, la CCPCL commence par conseiller aux parties de modifier les dispositions concernées dans le cadre de négociations volontaires. Si les parties refusent d'obtempérer, elle peut imposer la modification ou l'annulation de ces dispositions, ou prendre toute autre mesure nécessaire, conformément à l'article 34 de la LRMPCL ; sous réserve que la CCPCL ait suffisamment de raisons de croire que l'incidence négative des dispositions déloyales sera importante.

Consultations concernant les lois et règlements limitant la concurrence

Afin de favoriser la concurrence sur le marché, il importe d'éviter l'adoption de nouvelles règles qui restreignent la concurrence, et d'éliminer celles qui existent déjà. L'article 63 de la LRMPCL stipule que, lorsque les responsables de l'administration centrale envisagent de promulguer ou d'amender une loi et/ou une réglementation, ou de prendre une quelconque mesure administrative, elles doivent d'abord consulter la CCPCL. Sont considérées comme pratiques restrictives soumises à consultation préalable les actions concertées injustifiées visées à l'article 19(1) et la limitation du nombre d'entreprises dans un secteur spécifique aux termes de l'article 26(1), alinéa 2.

III. Application de la LRMPCL

Procédure d'application

Procédure de traitement des affaires

Si une infraction à la LRMPCL est constatée ou si une plainte est déposée, la CCPCL désigne un enquêteur chargé d'étudier l'affaire. A l'issue d'un premier examen, cet enquêteur doit, s'il considère qu'il y a infraction, faire savoir qu'il a entamé une enquête. Après enquête complémentaire, il devra rédiger et présenter un rapport à la CCPCL. La CCPCL pourra alors décider de prendre des mesures correctives sous forme d'ordonnance ou de condamnation à une amende.

Mesures correctives administratives

En cas d'infraction à la LRMPCL, la CCPCL peut prendre, après délibération, cinq types de mesures correctives.

a) Avertissement

Si l'affaire répond à chacune des conditions suivantes, la CCPCL peut émettre un avertissement : l'infraction ou son impact sur la concurrence dans le secteur industriel concerné présente un caractère mineur ; l'entrepreneur qui a enfreint la LRMPCL a volontairement remédié à cette situation au cours de l'enquête, de sorte qu'il est inutile de prendre des mesures correctives. De janvier 1992 à juin 1993, la CCPCL a formulé 547 avertissements.

b) Recommandation de mesures correctives

La CCPCL peut recommander à l'entrepreneur de se conformer à des mesures correctives si l'affaire concernée remplit chacune des conditions suivantes : l'infraction ou son impact sur la concurrence dans le secteur industriel concerné présente un caractère mineur ; le temps disponible pour remédier à l'infraction, après délibération de la CCPCL, est insuffisant ou la probabilité que l'infraction engendre à terme un préjudice important, est négligeable ; le responsable de l'infraction a reconnu celle-ci et fermement exprimé son intention d'y remédier immédiatement. De janvier 1992 à juin 1993, la CCPCL a formulé 100 recommandations.

c) Ordonnance de mesures correctives

Si l'infraction est grave ou si son incidence sur la concurrence est importante, la CCPCL peut ordonner d'y mettre fin ou de prendre les mesures nécessaires à cet effet. De janvier 1992 à juin 1993, la CCPCL a pris 198 ordonnances de mesures correctives.

d) Condamnation au versement d'une amende

S'il est nécessaire de prendre des sanctions financières, du fait de la gravité de l'infraction ou de son impact sur la concurrence, la CCPCL peut condamner le responsable de l'infraction à verser une amende. La personne faisant l'objet d'une telle condamnation doit s'acquitter de cette amende dans les 60 jours auprès de l'organisme financier désigné par la CCPCL. De janvier 1992 à juin 1993, 35 affaires ont donné lieu à des condamnations à des amendes pour un montant total de 750 millions de won.

e) Demande d'inculpation

La CCPCL peut demander aux autorités chargées de l'application de la loi l'inculpation de l'entreprise ou de l'entrepreneur qui a enfreint la LRMPCL. Dans ce cas, la personne concernée peut être condamnée à une peine d'emprisonnement pouvant aller jusqu'à deux ou trois ans et/ou à une amende pouvant atteindre 200 millions de won. De janvier 1992 à juin 1993, dix personnes ayant commis de telles infractions ont fait l'objet d'une demande d'inculpation.

Mesures correctives judiciaires

a) Dommages et intérêts

Conformément aux articles 56 et 57 de la LRMPCL, l'entrepreneur ayant enfreint cette loi peut être tenu pour civilement responsable du préjudice subi par d'autres entrepreneurs ou entreprises. Le fait, pour l'auteur de l'infraction, d'apporter la preuve qu'il ne s'agit en rien d'une négligence ou d'un acte délibéré, ne saurait le dégager de sa responsabilité en la matière. Conformément à l'article 56, le droit à des dommages et intérêts ne peut être exercé devant les tribunaux qu'après épuisement des mesures correctives de la CCPCL dans le cadre de la LRMPCL.

b) Sanctions pénales

Les articles 66 à 68 de la LRMPCL prévoient des sanctions pénales. Selon la nature de l'infraction, la sanction peut prendre la forme d'une amende de 100 à 200 millions de won et/ou d'une peine d'emprisonnement pouvant atteindre jusqu'à trois ans. Toutefois, il s'agit ici des peines maxima que la justice peut être amenée à prononcer en dernière instance, suite à une demande d'inculpation de l'auteur de l'infraction déposée par la CCPCL auprès du Bureau du Procureur. La CCPCL ne détient pas de pouvoir judiciaire et ne peut donc pas imposer directement de telles sanctions pénales.

Politique d'application

Répression de la concentration du pouvoir économique

a) Cession de l'excédent des capitaux investis

Au 31 mars 1992, date d'expiration du délai imparti pour céder les capitaux investis au-delà du plafond prévu à l'article 4 de l'Addendum de la LRMPCL,

299 sociétés appartenant à 51 conglomérats désignés à l'époque avaient procédé à des cessions pour un montant de 1.73 billion de won. Le montant total des investissements excédentaires par rapport au plafond étant de 1.75 billion de won, le taux de cession a donc été de 99 pour cent. Quinze sociétés appartenant à dix conglomérats n'ont pas procédé à la cession des 19 milliards de won correspondant au dépassement du plafond au 31 mars 1992, mais en avril 1993, leur situation était régularisée.

b) Cession de participations croisées

Les grands conglomérats désignés comme tels en 1991 devaient céder les participations croisées dépassant le plafond fixé à l'article 9 de la LRMPCL d'ici le 31 mars 1992. Pour 18 sociétés appartenant à six conglomérats, dont les investissements se situaient dans la fourchette de 7.5 à 19.3 milliards de won, l'achèvement des opérations de cession de participations croisées est intervenu en août 1992 avec le démantèlement définitif de cinq sociétés appartenant à deux conglomérats. Par ailleurs, 33 conglomérats pour qui les cessions devaient intervenir avant mars 1991, ont respecté ce délai en procédant respectivement à des opérations d'un montant de 437 milliards de won pour les plus importantes et de 85.1 milliards de won pour les moins importantes. Ainsi, le montant des cessions de participations croisées effectuées par 39 conglomérats entre avril 1987 et la fin de l'année 1992 a atteint, selon les cas, de 92.6 à 456.3 milliards de won.

c) Sanctions pour non-cession

La CCPCL a pris une ordonnance à l'encontre de 12 sociétés appartenant à six conglomérats qui n'avaient pas procédé à la cession de leurs participations croisées ou de la part dépassant le plafond en procédant par vente ou par fusion conformément à l'article 16. La CCPCL a également prononcé une condamnation à verser une amende de 1.8 milliard de won, soit un montant équivalent à dix pour cent des participations non cédées, conformément à l'article 17(1). Trois sociétés n'ayant pas respecté les délais requis ou ayant procédé illégalement à des investissements supplémentaires se sont vu également imposer des amendes pour un montant de 3.3 milliards de won. Des avertissements ont été adressés à quatre sociétés ayant procédé aux cessions requises après le délai prescrit.

d) Résultats des mesures correctives et des condamnations à verser une amende

Quatorze sociétés appartenant à huit conglomérats ont versé des amendes pour un montant de 3.3 milliards de won en procédant à des fusions ou des cessions de participation dans les délais fixés par la CCPCL et 11 sociétés ont procédé aux cessions dans les délais prévus aux termes de l'ordonnance de mesures correctives. Deux sociétés n'ont procédé aux fusions ou ventes d'actions requises qu'en décembre 1992, soit bien après la date limite de cession fixée au 31 juillet de la même année.

Restrictions aux associations d'entreprises

De janvier 1992 à juin 1993, 201 affaires d'associations d'entreprises ont été notifiées et ultérieurement examinées en vue de déterminer si elles risquaient d'engendrer des restrictions à la concurrence sur le marché. Dans aucun cas ce risque n'a été constaté, mais pour 34 affaires, des cas d'infraction aux procédures administratives ont été relevés.

Contrôle des entreprises dominantes sur le marché

a) Désignation des entreprises dominantes sur le marché

Le système de désignation des entreprises dominantes sur le marché est en vigueur depuis 1981. Ont été retenus comme critère de classement dans cette catégorie 144 biens marchands et 352 activités en 1992 et 140 biens marchands et 335 activités en 1993.

b) Bilan des transactions opérées par des entreprises dominantes sur le marché

De janvier 1992 à juin 1993, des ordonnances de mesures correctives pour pratiques commerciales abusives ou déloyales de la part d'entreprises dominantes sur le marché ont été prises dans 59 affaires. Parmi ces affaires figurent six cas de pratiques abusives, cinq cas d'activités commerciales assorties de conditions d'exclusivité, 20 cas d'abus de position dominante, 30 cas d'activités commerciales assorties de conditions restrictives, 15 cas de prix imposés et trois cas d'infractions d'autres types.

Mesures correctives pour infraction de la part d'entreprises
dominantes sur le marché
(Infractions graves ayant au moins donné lieu
à un avertissement -- nombre d'affaires)

	1992	1993 (janvier-juin)	Total
Pratiques abusives	6	--	6
Pratiques commerciales déloyales	34	19	53
Total	40	19	59

Actions concertées injustifiées et activités anticoncurrentielles des organisations professionnelles

Les actions concertées sont habituellement le fait de petites entreprises, mais un certain nombre de grandes sociétés se sont également livrées à des activités de ce type, qui ont eu une incidence plus importante pour l'ensemble de la nation. En outre, les organisations professionnelles mènent fréquemment des actions concertées qui ont une incidence similaire sur la concurrence. Les préjudices causés par ce type d'actions concertées devraient être évités par une interdiction des activités limitant la concurrence ou l'entrée de nouvelles entreprises sur le marché.

Ainsi, entre 1992 et juin 1993, la CCPCL a relevé 98 affaires d'infraction à la LRMPCL. Ces affaires ont donné lieu, dans un cas, à une ordonnance de mesures correctives accompagnée d'une condamnation à une amende ; dans 23 cas, à des ordonnances de mesures correctives et, dans les 75 autres cas, à des avertissements.

Actions concertées entre entrepreneurs et activités d'organisations
professionnelles restreignant la concurrence
(Nombre d'affaires)

Mesures prises	Actions concertées entre entrepreneurs	Activités d'organisations professionnelles restreignant la concurrence	Total
Ordonnances de mesures correctives	5	18	23
Avertissements	15	60	75
Total	20	78	98

Sur les 20 affaires de collusion entre entrepreneurs, 12 portaient sur des prix imposés, deux sur des restrictions concernant les zones de vente ou les clients ; quatre sur des restrictions relatives au type de produits ; et deux sur d'autres types d'actions concertées. Sur les 82 affaires concernant des activités d'organisations professionnelles restreignant ou empêchant la concurrence, 45 avaient trait à l'imposition de prix, 11 portaient sur des restrictions aux nouvelles implantations, 15 sur une limitation des activités commerciales d'entrepreneurs membres des organisations, et 11 sur d'autres types d'activité.

Actions concertées injustifiées ayant fait l'objet de mesures correctives
(Nombre d'affaires)

Types d'infraction	1992	1993 janvier-juin	Total
Prix imposés	4	8	12
Ententes sur les conditions de vente	1	-	1
Répartition des marchés	2	-	2
Restrictions concernant les types de produits	1	3	4
Restrictions concernant les activités commerciales d'autres entrepreneurs	1	-	1
Total	9	11	20

Note : Deux violations ou plus peuvent survenir dans une seule et même affaire.

Mesures correctives visant les restrictions à la concurrence imputables
à des organisations professionnelles
(Nombre d'affaires)

Types d'infraction	1992	1993 janvier-juin	Total
Restrictions à la concurrence dans certains secteurs commerciaux	28	17	45
Restrictions relatives au nombre d'entrepreneurs	7	4	11
Restrictions relatives aux activités commerciales des entreprises membres de l'organisation	7	8	15
Pratiques commerciales déloyales, prix imposés	9	2	11
Total	51	31	82

Note : Deux violations ou plus peuvent survenir dans une seule et même affaire.

Restrictions relatives aux pratiques commerciales déloyales

De janvier 1992 à juin 1993, la CCPCL a formulé des avertissements ou pris des sanctions dans 428 affaires de pratiques commerciales déloyales. Ces affaires ont donné lieu à des ordonnances de mesures correctives, dans 158 cas, à des recommandations de mesures correctives, dans 15 cas, et à des avertissements dans 255 cas.

Mesures correctives concernant les pratiques commerciales déloyales
(Nombre d'affaires)

Mesures prises	1992	1993 janvier-juin	Total
Ordonnances de mesures correctives	87	71	45
Recommandations de mesures correctives	6	9	15
Avertissements	164	91	255
Total	257	171	428

Note : Deux violations ou plus peuvent survenir dans une seule et même affaire.

Sur les 428 affaires de pratiques commerciales déloyales enregistrées entre janvier 1992 et juin 1993, quatre concernaient des refus de vente, 162 des cas de publicité mensongère ou exagérée, 123 des cadeaux d'entreprise excessifs et 72 des ventes au rabais déloyales. La progression des infractions semble être due à une certaine agressivité dans les activités de promotion des ventes dans le contexte de détérioration de l'économie coréenne. En 1992 et de janvier à juin 1993 ont été constatés respectivement 29 et sept cas d'abus de position de force dans les négociations -- résiliation unilatérale de contrats, interprétation abusive de conditions des contrats, demande d'acceptation en blanc -- qui ont donné lieu à des mesures correctives. Pour 17 de ces cas, il s'agissait d'affaires de prix imposés. Les sept affaires d'imposition de conditions restrictives constatées en 1992, contre cinq seulement de janvier à juin 1993 portaient sur des restrictions, notamment sur des secteurs de ventes ; toutes ont donné lieu à des mesures correctives. La diminution du nombre d'affaires de ce type est due à l'adoption en 1992 de directives particulières préconisant une approche au cas par cas.

Mesures correctives prises à l'encontre des pratiques commerciales déloyales
(Nombre d'affaires)

Types d'infraction	1992	1993 janvier-juin	Total
Refus de vente injustifiés	1	6	7
Étiquetage inadapté et publicité mensongère ou exagérée	102	60	162
Cadeaux d'entreprise excessifs	72	51	123
Ventes à des prix exagérément bas	44	28	72
Abus de position de force	29	7	36
Prix imposés	12	5	17
Conditions commerciales exagérément restrictives en matière de secteurs de vente, etc.	7	5	12
Encouragement déraisonnable des consommateurs, etc.	8	9	17
Total	275	171	446

Restrictions relatives aux contrats internationaux à caractère déloyal

De janvier 1992 à juin 1993, les parties à quelque 1 451 contrats internationaux se sont vu notifier la mise en examen de ces derniers. Dans 49 cas seulement, soit 3.4 pour cent, une modification a été nécessaire. L'explication de cette faible proportion tient à ce que le système d'examen desdits contrats repose sur une approche au cas par cas.

La CCPCL a considérablement amélioré ce système d'examen au 1er avril 1993. Les dispositions générales de restriction de l'ensemble des pratiques déloyales dans les contrats internationaux ont été supprimés et des pratiques déloyales dans les contrats internationaux ont été précisés et illustrées par des exemples. Par ailleurs, tous les contrats internationaux correspondant à la définition officielle devaient auparavant faire l'objet d'une notification. Depuis le 1er avril 1993, cette obligation n'est plus applicable qu'aux accords de soutien technologique, de distribution et de copyright. Ceux concernant les coentreprises, le copyright des livres, films et disques, le soutien des services techniques et les prêts sont dispensés de notification.

La CCPCL s'efforce d'appliquer le système d'examen en respectant les normes et règles internationales en matière de politique de la concurrence.

Notifications et modifications des contrats internationaux

(Nombre d'affaires)

	1992		1993 janvier-juin		Total	
	Notifi- cations	Modifi- cations	Notifi- cations	Modifi- cations	Notifi- cations	Modifi- cations
Soutien technologique	530	42	240	7	770	49
Coentreprises	27	-	8	-	31	-
Distribution	49	-	92	-	141	-
Services techniques	62	-	7	-	71	-
Copyright	395	-	40	-	435	-
Prêts	1	-	-	-	1	-
Total	1 064	42	387	7	451	49

Créer un environnement favorable à une concurrence loyale

Comprendre et respecter la LRMPCL est une nécessité pour maintenir une économie de marché, en particulier au fur et à mésure que l'économie évolue dans le sens d'une libéralisation et d'une ouverture plus grandes. En réponse à cette nécessité, il apparaît indispensable de concevoir un programme permettant aux entreprises de se conformer volontairement à la LRMPCL.

Bien que la CCPCL n'ait pas encore élaboré son propre programme, le nouveau plan économique quinquennal offre une base pour recommander et mettre en place un programme d'application autorégulé.

Principales affaires

Abus de position dominante

Trois sociétés de fabrication et de commercialisation de biscuits détenant des positions dominantes sur le marché ont été convaincues d'avoir malhonnêtement fixé et imposé leurs prix en réduisant les quantités de produits contenues dans les paquets sans pour autant le signaler aux consommateurs ni modifier les prix en conséquence. Ces sociétés ont en effet tiré avantage du fait que les consommateurs négligent de vérifier la quantité de produit au moment de l'achat.

Face à cette pratique, la CCPCL a jugé qu'il s'agissait d'un abus de position dominante et pris une ordonnance de mesures correctives en janvier 1992. Elle a ordonné à ces sociétés : d'abaisser les prix de leurs produits ou d'augmenter le volume en conséquence, d'indiquer le volume de biscuits de façon aisément compréhensible pour le consommateur, et de publier dans les principaux quotidiens une annonce faisant état de leur infraction à la LRMPCL.

Concentration économique

La société D Motor, du Groupe D, placée dans la catégorie des conglomérats en 1987, détenait des participations dans d'autres sociétés pour un montant supérieur au plafond de 40 pour cent de ses actifs nets. Il lui a été demandé de procéder à un démantèlement au mois de mars 1992 au plus tard. Bien qu'elle se soit dessaisie d'une partie de cet excédent par la vente d'actions de la société H, une des filiales du conglomérat fabriquant des pièces détachées pour motocyclettes, la totalité du démantèlement requis n'a pas été opérée dans les délais fixés.

La CCPCL a pris une ordonnance de mesures correctives à l'encontre de la société D Motor lui imposant de se dessaisir de l'excédent de ses participations, par vente ou par fusion, et la condamnant à verser une amende équivalant à 10 pour cent du montant de cet excédent pour infraction à la LRMPCL. La société D Motor s'est conformée à cette ordonnance en procédant à une fusion avec la société O, une entreprise de commercialisation de motocyclettes appartenant au même conglomérat, et a restructuré son groupe de sociétés en procédant, d'une part, à la vente d'une société et, d'autre part, à une fusion.

Actions concertées et ententes illicites entre organisations professionnelles

a) Mesures correctives concernant l'augmentation concertée des commissions par l'ensemble des banques sur le territoire national

A l'issue de plusieurs réunions, les présidents de 32 banques réparties sur l'ensemble du territoire ont convenu d'augmenter ou d'imposer diverses commissions sur les services bancaires. Après confirmation et mise en application de cet accord, la CCPCL, s'inspirant d'une décision selon laquelle ce type d'accord constitue un obstacle à la libre concurrence entre les banques, a condamné chacune des parties à une amende. En outre, elle a pris une ordonnance de mesures correctives annulant l'accord en question et ordonné à chacune des banques de fixer le montant de ses commissions de façon indépendante. Suite à cet ordonnance, l'ensemble du système de rémunération des services bancaires a été remanié. Chacune des banques a abaissé les frais d'émission de chéquiers et de transferts en ligne et modifié le barème des autres commissions. La concurrence en matière de prix et de services bancaires a pu ainsi être instaurée.

b) Mesures correctives relatives aux actions concertées présumées malhonnêtes d'entités commerciales

Certes les deux fabricants de motocyclettes concernés n'avaient pas explicitement conclu d'accord d'augmentation des prix de leurs produits, mais leurs employés chargés de la tarification avaient échangé des informations dans ce domaine et il a été confirmé qu'ils avaient augmenté les prix des produits comparables d'un montant identique, au même moment et ce, pendant plusieurs années.

Face à cette situation, la CCPCL a pris une ordonnance de mesures correctives. Malgré l'absence d'accords prouvant l'existence d'une action concertée en infraction avec la LRMPCL, la CCPCL a jugé qu'il existait suffisamment d'éléments pour présumer que ces entités commerciales avaient conclu une entente illicite et a donc pris des mesures correctives sur la base de l'article 19(3) de la LRMPCL qui prévoit la présomption d'existence d'actions concertés.

c) Mesures correctives à l'encontre des organisations professionnelles limitant les activités commerciales d'autres entrepreneurs ou mandants

D'après un rapport, l'Association des docteurs en médecine de Séoul avait fait pression sur des fabricants de vaccins pour qu'ils cessent d'approvisionner les écoles et hôpitaux ayant pris des mesures de prévention collectives, cette association ayant parallèlement fixé son propre barème pour les vaccinations contre l'encéphalite. La CCPCL a procédé à une enquête qui a confirmé la véracité du rapport.

Elle a jugé que les agissements de cette association constituait des restrictions aux activités commerciales d'autres entités ou mandants et lui a ordonné de cesser d'exercer des pressions sur les sociétés de produits pharmaceutiques pour qu'elles n'approvisionnent plus en vaccins les écoles, ou sur d'autres entités, telles que les hôpitaux, pour qu'elles cessent les vaccinations. La CCPCL a en outre ordonné l'annulation de l'accord entre les membres de cette association concernant la tarification de la vaccination contre l'encéphalite.

Restrictions relatives aux pratiques commerciales déloyales

a) Publicité mensongère

En juin 1992, la société H, une entreprise de fabrication et d'importation de montres et pendules, a procédé à une campagne publicitaire affirmant que ses produits étaient entièrement fabriqués à l'étranger et importés, alors qu'ils étaient importés en pièces détachées et assemblées sur le territoire national. La CCPCL a réagi en ordonnant à cette société de modifier sa publicité et de rendre publique la procédure qui avait été engagée à son encontre.

b) Abus de position dominante

La société D qui fabrique et commercialise des machines agricoles et des produits connexes, imposait à ses distributeurs, sous prétexte de facilités d'expédition, d'acheter les produits par lots de cinq à dix articles, même en cas de commande de deux ou trois articles seulement. La société D contraignait donc effectivement ses distributeurs à accepter des produits dont ils n'avaient pas besoin. Il lui arrivait par ailleurs d'expédier des pièces détachées en nombre supérieur à celui figurant sur le bon de commande, voire, dans certains cas, d'envoyer des articles non commandés.

La CCPCL a jugé que le comportement de la société D constituait un abus de position de force sur le marché et a pris des mesures correctives. Les faits pris en compte étaient les suivants : la société D occupait avec la D Industries Co., la K Machinery Co. et la K Wire Co. une position dominante sur le marché de machines agricoles en Corée ; elle entrait dans la catégorie des entités commerciales dominantes pour certaines autres machines agricoles ; elle détenait une forte part du marché des machines agricoles.

c) Transactions comportant des conditions restrictives

La société D traitait avec ses distributeurs à la condition qu'en cas de transaction avec des concurrents, elle gèlerait pendant deux ans l'ensemble des cautions qu'elle détenait. En outre, ses contrats prévoyaient l'attribution à ses distributeurs de secteurs de ventes restreints et la dénonciation desdits accords, dans le cas où les distributeurs procéderaient sans autorisation préalable à des ventes en dehors des zones qui leur étaient affectées. De fait, la société D avait dénoncé un accord de distribution sous ce prétexte en mars 1992.

Du fait qu'à l'époque, le marché des produits en aluminium était aux mains d'un oligopole et que la société D y occupait la troisième place en termes de parts de marché, l'obligation que cette société imposait à ses distributeurs de ne pas commercialiser les produits de ses concurrents, avait pour effet d'écarter ces derniers du marché, de réduire leurs possibilités d'activité commerciale et, de ce fait, de diminuer la concurrence entre les distributeurs. La CCPCL a donc pris des mesures correctives en ordonnant à la société D de supprimer les clauses déloyales des contrats passés avec ses distributeurs et de mettre fin aux conditions restrictives injustifiées.

Restrictions relatives aux contrats internationaux à caractère déloyal

La société américaine M qui possède des copyrights de logiciel représentant une part correspondant à environ 80 pour cent du marché national des produits de ce type, a décidé, début 1992, d'amender l'accord de soutien technologique qu'elle avait passé avec l'une des principales sociétés nationales, afin de maintenir sa situation de monopole. Cet amendement portait sur une modification de la structure des paiements des redevances, supprimant l'ancien mode de calcul par exemplaire (critère d'utilisation effectif) au profit d'un décompte par système. Par cette méthode, tous les PC produits par la société détenant la licence technologique devaient donner lieu au versement d'une redevance, indépendamment de l'utilisation effective du logiciel concerné. Du fait de cette méthode, le détenteur de la licence n'avait pas d'autre choix que d'utiliser le logiciel de la société M, puisque même s'il employait un autre DOS, il lui faudrait verser des redevances à la société M. En conséquence, cet amendement avait pour effet de limiter la pénétration du marché national par des produits similaires fabriqués par d'autres concurrents.

En réponse à ces agissements, la CCPCL a transmis au Ministère de l'Industrie et du Commerce, en avril 1992, un avis selon lequel le fait de limiter l'utilisation de technologies concurrentes ou d'imposer des redevances sur des produits ne faisant pas appel à la technologie concernée par le contrat, devrait faire l'objet de mesures correctives, en tant que pratiques commerciales déloyales aux termes des paragraphes 4 et 8 de l'article 5 des Directives officielles relatives aux accords internationaux. Conformément à cet avis, l'accord a fait l'objet d'une révision qui a été notifiée à la CCPCL, ainsi qu'à la FTC américaine.

IV. Autres fonctions des autorités chargées de la concurrence

Politique industrielle et politique de la concurrence (Droit de délibération de la CCPCL en matière de législation limitant la concurrence)

Au début des années 80, le gouvernement coréen s'est employé à transformer les fondements de son économie en favorisant l'initiative du secteur privé et à alléger diverses réglementations en vue de favoriser le dynamisme économique et de réagir activement à la concurrence internationale. En décembre 1980, les pouvoirs publics ont dans un premier temps promulgué la LRMPCL qui leur a permis de constituer une base structurelle pour une économie de libre marché en éliminant le contrôle direct du gouvernement et la réglementation des prix des produits industriels et en favorisant plus avant la concurrence entre les entreprises. En outre, dans le but de remodeler le système économique qui restreignait la concurrence dans l'ensemble des secteurs industriels, les autorités coréennes ont, à partir de la fin des années 80, commencé à mettre en oeuvre des programmes plus concrets d'allégement de la réglementation dans chaque secteur industriel, en développant la politique d'autonomie et d'ouverture lancée au début des années 80. Parallèlement, au cours de cette même décennie, le gouvernement coréen a modifié sa politique industrielle, abandonnant le soutien sans limite de secteurs spécifiques au profit d'un contrôle des investissements fonctionnels, permettant ainsi une plus grande initiative du secteur privé en matière économique.

Toutefois, la déréglementation administrative ne s'est opérée que dans le cadre d'une démarche d'évaluation a posteriori. Il reste donc à éliminer des lois et mesures administratives les éléments limitant la concurrence avant que ces textes ne soient promulgués. Ainsi, la LRMPCL, telle qu'elle se présente actuellement, stipule que lorsque des lois, amendements ou mesures administratives comportent des dispositions restreignant la concurrence, les responsables des services administratifs centraux doivent préalablement consulter la CCPCL. Toutefois, la réglementation et les procédures d'application de la consultation préalable n'ayant pas été précisées dans le détail, les échanges et consultations entre organismes concernés sont insuffisants. La CCPCL continuera donc à s'attacher à ce que la réglementation ne comporte pas d'éléments restreignant la concurrence en renforçant le processus de débats préalables et en poursuivant la révision des lois concernées.

Politique commerciale et politique de la concurrence

Bien que jusqu'à présent la politique de la concurrence ait été considérée comme relevant du domaine national, l'internationalisation de l'économie et le développement de l'influence de la politique de la concurrence sur les échanges ont rendu la nécessité d'une harmonisation de la politique de la concurrence et de la politique commerciale d'autant plus grande. En modifiant les relations commerciales, l'application de la politique de la concurrence en matière de cartel d'exportation, de pratiques exclusives, de transactions entre filiales de sociétés multinationales, ont engendré un nombre croissant de différends avec d'autres nations. Parallèlement, la politique commerciale relative aux barrières tarifaires et non tarifaires a influé sur la concurrence sur le marché en protégeant l'industrie nationale et en limitant les activités des entreprises étrangères. Dernièrement, du fait de l'internationalisation et de l'ouverture de l'économie coréenne, l'interaction entre la politique commerciale et la politique de la concurrence s'est accrue, rendant nécessaire une coordination étroite de ces politiques. Parallèlement, des mesures d'alignement de la politique de la concurrence sur les normes internationales ont été réclamées.

Face à cette tendance, la CCPCL s'est engagée à appliquer la politique de la concurrence de façon transparente et loyale en renforçant les activités de coopération internationale, de façon à éliminer les différends résultant de l'application des politiques menées par chacun des pays. Elle prévoit d'accroître la participation à la coopération internationale avec les pays avancés en prenant part aux négociations sur les politiques de la concurrence dans le cadre de l'OCDE ou de la CNUCED.

Protection des consommateurs et politique de la concurrence

Dans la mesure où les conditions générales des contrats proposés aux consommateurs sont en général unilatéralement définis par les entités commerciales qui économiquement, se trouvent en situation dominante, ces contrats tendent à être désavantageux pour le consommateur. Compte tenu des faits qui précèdent, les clauses déloyales figurant dans les contrats types ont, en Corée, fait l'objet d'une réglementation.

Depuis la promulgation et la mise en application de la Loi relative aux clauses types des accords, en juin 1987, et jusqu'à la modification de cette loi, en mars 1993, 47 affaires ont été examinées et ont donné lieu, dans 43 cas, à des mesures correctives. Toutefois, avant l'amendement du 1er mars 1993, les mesures correctives n'avaient valeur que de recommandation et le cadre réglementaire n'était donc pas suffisant pour permettre une application effective. Depuis cette date, la CCPCL a été chargée de réexaminer les formulaires types de contrat avec les consommateurs et habilitée à prendre des ordonnances de mesures correctives visant à une application effective de la loi et une protection efficace des consommateurs.

De mars à juin 1993, 104 affaires de révision de clauses types ont été transmises à la CCPCL. Parmi ces affaires, neuf ont été étudiées par la CCPCL, 28 ont été renvoyées pour complément d'enquête et 22 classées, les 45 autres étant actuellement en cours d'examen. Les clauses types examinées par la CCPCL avaient trait aux offres de vente d'appartements ou de locaux commerciaux, à la location-bail de bureaux, à la vente de terrains à vocation industrielle, aux contrats d'adhésion et aux conditions de transport. Parmi les types de dispositions considérées comme injustes pour les consommateurs figuraient : les pénalités excessives en cas de dénonciation d'un contrat, les indemnités ou la limitation de la responsabilité des entreprises, et la restriction du droit de recours des consommateurs.

Protection des petites et moyennes entreprises et politique de la concurrence

Bien que la protection des petites et moyennes entreprises ne soit pas directement prévue dans la LRMPCL, elle est assurée par le biais des restrictions relatives à la concentration du pouvoir économique et la réglementation des pratiques commerciales déloyales. En matière de pratiques commerciales déloyales, la réglementation concernant l'abus de position dominante sur le marché joue un rôle important dans la prévention des excès des grandes sociétés à l'égard des petites et moyennes entreprises. C'est dans le but de contrôler plus efficacement ce type d'abus dans le domaine de la sous-traitance qu'a été promulguée en 1984 la loi sur la loyauté dans la sous-traitance.

Cette loi définit entre autres les obligations et interdictions auxquelles sont assujetties les grandes sociétés en matière de sous-traitance : un contrat écrit doit obligatoirement être remis ; il est interdit d'imposer un contrat de sous-traitance d'un montant excessif ; le versement du montant prévu au contrat doit obligatoirement intervenir dans les 60 jours ; les retours de marchandises injustifiés ou la réduction du paiement prévu sont interdits ; en cas d'utilisation de traites à long terme, des intérêts doivent être versés ; et il est interdit de recourir à d'autres modes de règlements que ceux prévus. En cas d'infraction, la CCPCL peut prendre des mesures correctives ou engager une procédure pénale. Dans ce dernier cas, la société visée ne pourra être condamnée à une peine supérieure au double du montant du contrat de sous-traitance.

La ventilation des quelque 471 affaires de pratiques déloyales en matière de sous-traitance qui ont donné lieu à des mesures correctives est indiquée dans le tableau.

	1992	1993 janvier-juin	Total
Plaintes	7	3	10
Ordonnances des mesures correctives	26	4	30
Avertissements	66	26	92
Arbitrages*	50	36	86
Classement de l'affaire et autres	122	131	253
Total	271	200	471

* Arbitrages rendus par le Comité d'arbitrage prévu dans le cadre des organisations concernées.

V. Nouvelles orientations de la politique de la concurrence

La politique de la concurrence et la nouvelle économie

L'économie coréenne est confrontée à un choix : devenir une économie avancée ou maintenir les choses en l'état. Dans les deux ou trois années à venir, la Corée va devoir, pour mettre en place une économie nouvelle, s'attacher à devenir une puissance économique telle qu'elle puisse ultérieurement rejoindre les économies avancées. Par nouvelle économie, on entend une économie dirigée simultanément par les pouvoirs publics et les citoyens reposant sur des principes fondamentalement différents de ce qu'ils étaient auparavant. Afin d'encourager la participation de l'ensemble de la population au développement de cette nouvelle économie, il convient d'alléger les règles qui pèsent sur les moyens d'existence des habitants et l'activité économique des entreprises et de s'assurer d'une justice économique permettant de récompenser la participation de tous au développement par des avantages appropriés. Afin d'y parvenir, l'ensemble de la structure financière, fiscale, bancaire et économique doit être complètement réformée. Pour favoriser une telle réforme, il est préférable de modifier prudemment l'essentiel, plutôt que d'améliorer ou compléter les accessoires. Toutefois, pour éviter les essais et les erreurs, ce type de réforme doit se fonder sur le pragmatisme.

Pour réaliser de tels changements, la politique de la concurrence menée dans le cadre du nouveau Plan économique quinquennal s'appuie sur les éléments essentiels suivants : favoriser la séparation de la gestion et de la propriété en réprimant efficacement la concentration du pouvoir économique et en évitant les effets pervers des monopoles, tout en encourageant la compétitivité sur le marché national ; mettre en place un environnement institutionnalisé favorable à une gestion des affaires et une organisation industrielle plus efficientes, de façon à renforcer la compétitivité et permettre l'ouverture des marchés et l'internationalisation ; maximiser la créativité du secteur privé en instaurant un ordre équitable dans l'ensemble de l'économie et en protégeant les consommateurs ; et faire de la loyauté dans les échanges la règle fondamentale de l'économie.

Priorités d'action de la nouvelle économie

Dans le cadre des quatre orientations fondamentales mentionnées précédemment, la CCPCL prévoit de consacrer toute l'énergie nécessaire à la mise en oeuvre des éléments suivants.

Politique de répression de la concentration du pouvoir économique

a) Réduction progressive de la garantie des dettes croisées

Pendant la durée du nouveau Plan économique quinquennal, la politique récemment adoptée de réduction de la garantie des dettes croisées sera effectivement mise en application, de façon à favoriser une moindre concentration du pouvoir économique. Depuis le 1er avril 1993, les pouvoirs publics ont imposé aux 30 conglomérats les plus importants des restrictions limitant leur possibilité d'assurer la garantie des dettes croisées des sociétés filiales à hauteur maximum de 200 pour cent de leur capital, les garanties dépassant ce plafond devant être supprimées d'ici le 31 mars 1996. Les mesures prises prévoient également l'obligation pour les conglomérats d'élaborer, en consultation avec les institutions bancaires, des plans annuels de réduction afin d'améliorer les pratiques habituelles de ces institutions qui entraînent des garanties superflues ou faisant double emploi.

b) Ajustement des investissements croisés

La LRMPCL prévoit actuellement un plafonnement du montant total des participations tel que les parts qu'une société affiliée à un grand conglomérat possède dans d'autres sociétés coréennes doivent représenter moins de 40 pour cent de ses actifs nets. Toutefois, les investissements nécessaires à l'amélioration de la compétitivité internationale, tels que les investissements consacrés au développement de la technologie, ne sont pas soumis à ces restrictions. Il doit donc y avoir équilibre entre la politique de la concurrence qui vise à réprimer la concentration du pouvoir économique, et la politique industrielle qui tend à renforcer la compétitivité internationale. La CCPCL prévoit par ailleurs d'étudier les moyens d'abaisser la limite des 40 pour cent des actifs nets, afin d'éviter une diversification illimitée dans des activités sans lien et d'éliminer les obstacles au démantèlement d'entreprises infructueuses.

c) Amélioration rationnelle des critères de désignation des grands conglomérats

Depuis 1987, sont considérés comme de grands conglomérats ceux dont les actifs totaux atteignent ou dépassent les 400 milliards de won. Toutefois, depuis 1993, cette catégorie regroupe les 30 conglomérats dont les actifs sont les plus importants. Le montant total des actifs utilisé actuellement ne constitue cependant pas un critère adapté à la réalisation de l'objectif de prévention d'une concentration excessive du pouvoir économique. Ce critère sera donc complété par une prise en compte dans la désignation des grands conglomérats de plusieurs autres facteurs, tels que le nombre de sociétés affiliées, la répartition des participations, etc. En outre, les sociétés à participation de l'État, qui avaient été exclues de la liste des grands conglomérats, y seront incluses en vue de promouvoir un traitement égal à celui des entreprises privées.

Création de conditions favorables à la concurrence

a) Développement d'un système commercial équitable répondant aux normes internationales

Récemment, la politique de la concurrence a pris une importance primordiale dans les négociations internationales avec d'autres pays. En particulier, le système d'examen des contrats internationaux a peut-être devenir une question clé des échanges commerciaux. C'est pourquoi, la CCPCL prévoit de renforcer et développer les critères d'examen des pratiques commerciales déloyales dans les contrats internationaux en se conformant aux critères internationaux.

b) Mise au point d'un système de contrôle des pratiques commerciales déloyales

La progression continue de l'allégement de la réglementation gouvernementale et de la promotion de l'autodiscipline ouvre des possibilités croissantes aux ententes déloyales, telles que la pratique de prix imposées. Il faudra donc renforcer le contrôle de ces pratiques. La CCPCL prévoit de concentrer ses efforts sur la dénonciation et la correction des actions concertées sur les prix des services, et de celles dont les organisations professionnelles ou les orientations administratives des pouvoirs publics sont à l'origine. En outre, un système de contrôle destiné à prévenir toute pratique commerciale déloyale sera mis au point. La CCPCL étudiera les mesures de prévention des ententes en matière de soumission et renforcera sa capacité d'enquête et d'analyse du marché selon les secteurs, les types d'entreprise et les pratiques commerciales en usage.

c) Instauration d'un nouvel ordre dans le domaine de la sous-traitance

Afin de renforcer la protection des sous-traitants, les pouvoirs publics prévoient, durant le nouveau Plan économique quinquennal, d'étendre le domaine d'application de la loi sur la sous-traitance. Pour ce qui est de la sous-traitance entre petites et moyennes entreprises des manufacturières, des critères de revenu seront ajoutés à celui du nombre d'employés, afin d'élargir le nombre de sous-traitants bénéficiant de la protection. La loi sur la sous-traitance sera également étendue à la sous-traitance dans le domaine de la construction. Les nouveaux secteurs industriels, tels que l'industrie des logiciels, seront également soumis à cette loi. En outre, les procédures d'enquête automatiques seront élargies, de façon à permettre un contrôle et une correction des pratiques commerciales déloyales plus efficaces. Le gouvernement s'attachera à mettre en place un nouvel ordre de la sous-traitance par l'éducation et la promotion et la large diffusion de modèles de contrats de sous-traitance.

    d)   Prévention des pratiques commerciales déloyales dans le secteur public

La CCPCL assurera le contrôle et la correction des pratiques commerciales déloyales dans le secteur public et, notamment, les entreprises à participation de l'État, et la révision des politiques irrationnelles qui donnent lieu à de telles pratiques. Pour y parvenir, la CCPCL procédera auprès des principales entreprises à participation de l'État à des enquêtes annuelles destinées à identifier et corriger les éventuelles infractions, fera publiquement connaître les pratiques commerciales déloyales et mettra au point des directives en matière de prévention et de contrôle préalable.

Renforcement du cadre de la politique de la concurrence

    a)   Elaboration et exécution du programme de mise en application de la LRMPCL

Afin de favoriser le respect volontaire de la LRMPCL, le secteur privé sera encouragé à participer à l'élaboration et l'exécution du programme de mise en application de cette loi. Les entreprises visées par ce programme seront les grands conglomérats, les entreprises dominantes et, ultérieurement les autres entreprises.

    b)   Organisation d'un Comité de la concurrence

La création et le fonctionnement d'un Comité de la concurrence auquel pourront participer l'administration et les citoyens, devraient permettre d'éviter les infractions à la LRMPCL. A partir des réactions de l'industrie, ce Comité pourra formuler une politique de la concurrence plus efficace et favoriser les pratiques commerciales loyales en s'appuyant sur des initiatives du secteur privé.

c) Mise en oeuvre de consultations préalables sur les lois restreignant la concurrence

Afin d'éviter la mise en place de réglementations limitant à priori la concurrence, la LRMPCL impose aux responsables des services administratifs centraux de consulter la CCPCL avant la promulgation de toute législation ou disposition administrative limitant la concurrence. La mise en oeuvre du processus de consultation préalable sera effectuée en complétant la réglementation détaillée relative aux mécanismes de consultation.

NOUVELLE-ZÉLANDE

(1er septembre 1992 - 31 août 1993)

I. Législation et politique de la concurrence : modifications apportées ou envisagées

En Nouvelle-Zélande, le droit de la concurrence est régi par la loi de 1986 sur le commerce. Celle-ci n'a pas été modifiée au cours de la période couverte par le présent rapport.

Sur les recommandations du groupe de fonctionnaires chargé de réexaminer la loi sur le commerce, le gouvernement a décidé :

-- de mettre l'accent sur l'analyse de l'efficience économique lorsqu'il s'agira d'autoriser des fusions et des pratiques anticoncurrentielles ;

-- de modifier la loi de façon que la fixation de prix collectifs soit au lieu de présumée réduire sensiblement la concurrence; présumée, sauf preuve contraire, réduire sensiblement la concurrence et

-- de modifier la loi de façon à accroître la responsabilité de la Commission du commerce (l'instance chargée de son application) pour ses priorités d'application et pour les procédures qu'elle applique.

Le gouvernement a pris également des décisions sur un ensemble d'autres questions qui se sont posées lors du réexamen de la loi sur le commerce notamment :

-- l'application de la loi aux fusions auxquelles il est procédé hors de Nouvelle-Zélande ;

-- l'ensemble de questions pour l'examen desquelles des membres non juristes de la Haute Cour peuvent être désignés ; et

-- la procédure applicable pour l'examen des demandes d'autorisation de pratiques commerciales.

Il n'a pas encore été pris de décision quant à la date de mise en oeuvre de ces questions.

II. Application de la législation et des politiques relatives à la concurrence

Mesures prises à l'encontre des pratiques anticoncurrentielles

Autorisations

Au cours de la période allant du 1er juillet 1992 au 30 juin 1993, la Commission du commerce n'a enregistré aucune demande d'autorisation de pratiques commerciales restrictives.

Application de la loi

Au cours de l'année, des procédures ont été engagées pour sept affaires différentes à la suite d'enquêtes menées par la Commission du commerce.

La Commission a eu gain de cause dans la procédure engagée contre Hewlett Packard (NZ) Ltd accusée d'appliquer des prix de vente imposés dans ses opérations avec l'un de ses agents, Compusales Software and Hardware Ltd. Des preuves avaient été fournies, tendant à montrer que Hewlett Packard avait déclaré à Compusales que la publicité en faveur du prix réduit du produit en cause, inférieur au prix de vente conseillé, était inacceptable et qu'elle devait cesser. Hewlett Packard soutenait qu'au contraire, les preuves montraient que l'objet de ses préoccupations n'était pas tant le rabais proprement dit que la méthode utilisée par Compusales pour annoncer le rabais. La Cour a estimé toutefois qu'à l'origine de la démarche de Hewlett Packard il y avait les plaintes des autres revendeurs et le désir de maintenir un marché stable. La Cour a estimé que Hewlett Packard avait tenté d'inciter Compusales à ne pas annoncer pour prix de vente de ses produits un prix inférieur au prix indiqué par Hewlett Packard. Celle-ci a été condamnée à des amendes d'un montant de 35 000$NZ.

Une autre affaire engagée par la Commission a pris fin sur un règlement aux termes duquel le défendeur reconnaissait avoir enfreint les dispositions de la loi et était d'accord pour payer à la Couronne une amende de 2 500$NZ. La Commission est également parvenue à obtenir le prononcé d'une injonction contre une chaîne d'hôtels de tourisme qui avait fixé des prix. Des audiences sur le fond relatives à cette affaire, ainsi que les procédures engagées dans les secteurs de la sécurité, de la laine et du lait devaient avoir lieu à la fin de la période examinée.

De plus, la Commission a pris plusieurs décisions administratives, ou adressé des mises en garde informelles lorsqu'une procédure juridique était jugée inopportune.

La Commission a achevé une enquête sur le fonctionnement du secteur du gaz de pétrole liquéfié et, en particulier, sur un certain nombre de conventions de branches organisant la distribution du produit. Des discussions ont lieu actuellement avec les parties prenantes sur les modifications qui pourraient être apportées à ces conventions.

La Commission a entrepris des travaux préparatoires concernant les problèmes de concurrence qui peuvent se poser dans le secteur de la santé et le secteur de l'énergie récemment déréglementés. Elle a notamment élaboré à l'intention des pouvoirs publics des documents sur la définition du marché, les acquisitions d'entreprises et les mesures d'intervention en cas de pratique commerciale restrictive. En matière de mise en oeuvre, la Commission met avant tout l'accent sur la formation. Toutefois, le cas échéant, elle engage des procédures devant les tribunaux.

Actions privées

La High Court a rendu un arrêt sur la requête de Clear Communications qui soutenait que Telecom Corporation of New Zealand Ltd avait abusé de sa position dominante sur un marché lors de négociations concernant l'interconnection pour l'accès local. La Cour a jugé que Telecom avait enfreint l'article 36 de la loi sur le commerce à deux égards. En bref, lors des négociations, Telecom facturait trop cher le raccordement et refusait de fournir un produit standard sur le marché de détail (lequel pouvait fournir l'équivalent d'un raccordement).

Cependant, la Court a entériné un modèle pour l'établissement des droits de raccordement, inspiré du modèle proposé par Telecom au cours de l'audience. Cette règle, connue sous le nom de règle modifiée Baumol-Willig (règle "B-W") fixe le prix du raccordement (interconnection price : IP) de la façon suivante :

IP   : P-AIC

P   : étant le tarif normal facturé par Telecom à ses clients ; et

AIC   : étant le coût de production marginal moyen.

AIC est un type de coût marginal dans lequel l'unité supplémentaire est suffisamment importante pour tenir compte du coût réel de la prestation du service.

Le prix de raccordement comprend les dépenses courantes de Telecom et les bénéfices de monopole de Telecom (le cas échéant).

Aux termes de la règle B-W, Clear devrait être en mesure de soutenir la concurrence uniquement dans le cas où son AIC est inférieur à l'AIC de Telecom. La High Court a jugé que si les coûts de Telecom étaient inférieurs, Clear ne pourrait apparaître sur un marché en tant que concurrente, mais il en résulterait la situation la plus efficiente (la Cour ne s'est occupée que de l'efficience rentable).

La Cour a observé que les composantes des prix représentaient le coût d'opportunité de Telecom pour fournir le service de raccordement fourni à Clear. Elle a estimé que la règle B-W :

"... présuppose (1) une concurrence effective ou une évolution suffisamment rapide vers une concurrence effective, ou bien (2) un régime de réglementation complémentaire qui élimine ou plafonne les rentes de monopole dont pourraient bénéficier les deux participants."

La Cour n'a pas cherché à déterminer si Telecom dégageait des bénéfices des monopoles, faute de preuves, et par ailleurs elle ne se considérait pas comme une instance de réglementation.

La Cour a jugé que pour pouvoir appliquer cette règle de fixation de prix telle qu'elle a été proposée, il convenait de mettre en place un mécanisme d'ajustement, dans des conditions de pleine concurrence, appliqué éventuellement par une instance de réglementation. Aux termes de la règle B-W, Telecom doit transférer à Clear le bénéfice de toute réduction concurrentielle sur les prix qu'elle facture à ses clients.

Les principes économiques de fixation de prix qui découlent de cette règle doivent être ensuite transformés en coûts financiers. La Cour a observé que Telecom et son conseiller fiscal avaient établi une série de coûts mais que Clear n'avait pas encore examiné cette information. Aucun calcul du prix de revient sur la base de dépenses effectives n'a été révélé dans le jugement.

L'arrêt de la High Court est actuellement en appel.

Fusions et concentrations

La Nouvelle-Zélande applique un système de notification volontaire avant fusion. Les fusions notifiées à la Commission au cours de la période allant du 1er juillet au 30 juin 1993 sont les suivantes:

Demandes de fusions enregistrées au titre de l'article 66 (Agrément)

En instance au 1 juillet 1992	0
Enregistrées au cours de l'année	40
Total	40
Agréées dans un délai de dix jours ouvrables	28
Agrées après une prolongation du délai	3
Retirées	2
Agrément refusé	-
En instance au 30 juin 1993	7

Demandes de fusions enregistrées au titre de l'article 67 (Autorisation)

En instance au 1er juillet 1992	0
Enregistrées au cours de l'année	2
Total	2
Agréées dans un délai de 60 jours ouvrables	1
Autorisées dans un délai de 60 jours ouvrables	0
Autorisées après prorogation du délai	1
Autorisation refusée	0
En instance au 30 juin 1993	0

Vente de New Zealand Rail Ltd.

Les principaux éléments des décisions de la Commission du commerce sur les demandes des entreprises sont illustrés par cette affaire. New Zealand Rail Ltd, compagnie d'État qui exploite des services ferroviaires de passagers et de marchandises ainsi qu'un service de transbordeurs pour wagons de chemin de fer, véhicules à moteur et passagers entre l'île du nord et l'île du sud, a fait l'objet d'une offre de vente durant l'année. La Commission a reçu onze demandes émanant de sociétés et de consortiums qui demandaient l'autorisation de l'acquérir.

New Zealand Rail Ltd a une participation dans Clear Communications Ltd ainsi qu'un droit de représentation au sein de son Conseil d'administration. Clear Communications est une société de télécommunications qui est en concurrence avec Telecom Corporation of New Zealand Ltd.

Deux sociétés demandant l'autorisation d'acquérir New Zealand Rail Ltd détenaient des parts dans Telecom Corporation ainsi qu'une représentation à son Conseil d'administration. La Commission craignait que Clear Communications et Telecom ne créent éventuellement une direction commune qui pourrait renforcer la domination de cette dernière sur le marché des services de téléphone standard. Avant que l'autorisation ne soit accordée, la Commission et chacun des deux demandeurs ont souscrit des actes aux termes desquels, si la Commission le leur demandait, les requérants devaient se dessaisir de la participation de New Zealand Rail dans Clear Communications (s'ils achetaient New Zealand Rail). La Commission s'est engagée à ne pas demander le dessaisissement si, après acquisition de New Zealand Rail, le demandeur procédait à un vote pour se dessaisir du droit illimité de désigner des administrateurs au Conseil d'administration de Clear. Aucune personne associée au demandeur ou à Telecom ne devait être autorisée à siéger au Conseil d'administration de Clear.

Mise en oeuvre

Aucune action n'a été engagée par la Commission devant la High Court à l'occasion de fusions.

Appels

Foodstuffs (South Island Co-operative/Countdown Supermarkets)

Le précédent rapport sur l'évolution de la situation en Nouvelle-Zélande a signalé l'appel dont faisait l'objet la conclusion de la Commission selon laquelle l'entreprise visée par la fusion occuperait probablement une position dominante sur certains marchés du détail et marchés de gros. La High Court a infirmé la décision.

Air New Zealand/Auckland International Airport Ltd.

Air New Zealand Ltd avait fait appel d'une décision rendue en 1990 par la Commission du commerce qui autorisait la Couronne à porter de 50 à 51.6 pour cent sa participation dans Auckland International Airport en achetant les parts d'une instance locale. La High Court a rejeté l'appel.

III. Rôle des autorités chargées des questions de concurrence dans la formulation et dans la mise en oeuvre d'autres programmes d'action

Secteur de la santé

Depuis le 1er juillet 1993, de profondes modifications ont été apportées à la structure des services de santé financés par le gouvernement. Parmi ces modifications figurent la séparation des fonctions de "financement" de celles de "prestation de services", la mise en place de quatre autorités sanitaires régionales (regional health authority : RHA) chargées d'acheter au nom de la collectivité les services de santé essentiels, enfin, la restructuration des hôpitaux publics existants en "entreprises sanitaires de la Couronne" qui seront exploitées sur une base commerciale.

Le gouvernement a décidé que la loi sur le commerce s'appliquera à l'achat et à la prestation des services de santé essentiels. Seule exception : les arrangements que pourraient conclure les RHA ou la Public Health Commission pour les produits pharmaceutiques et les appareils médicaux connexes, ainsi que certains arrangements liés aux services ayant trait au sang et qui auront été approuvés par le Gouverneur général.

Au cours de la période transitoire allant du 1er juillet 1993 au 30 juin 1994, aucune action privée ne pourra être engagée contre les RHA au titre d'infractions présumées aux dispositions de la loi relatives aux pratiques commerciales restrictives. Toutefois, la Commission du commerce est habilitée à engager des procédures de ce genre.

La Commission du commerce a publié un communiqué de presse annonçant son intention d'axer ses efforts sur l'information, de préférence à la répression, dans le secteur des services pendant au moins les 12 premiers mois de fonctionnement du nouveau régime. Le Gouvernement a entériné l'intention de la Commission du commerce d'insister sur ce rôle d'information pendant la période transitoire.

Industries de l'électricité et du gaz

Les réformes engagées par le Gouvernement dans le secteur de l'énergie sont pour une grande partie presque achevées. La quasi-totalité des services de distribution d'électricité a été organisée sous forme de sociétés et le type de propriété a été déterminé, par application des procédures définies dans l'Energy Companies Act (loi de 1992 sur les compagnies de distribution d'énergie). Les compagnies qui n'auraient pas déjà été organisées sous forme de sociétés ont été soumises au même processus. Plusieurs compagnies nouvelles vont être cotées en bourse (bien que dans certains cas, une partie des actions soit détenue par les autorités locales ou des trusts locaux), alors que pour les autres compagnies, la totalité des actions est détenue par les autorités locales ou par des trusts locaux spéciaux.

Le 1er avril 1993 a été marqué par la levée du contrôle sur les prix du gaz. Le même jour, une franchise régionale exclusive applicable à tous les usagers du gaz ainsi qu'aux clients dont la consommation d'électricité ne dépassait pas 0.5 Gigawatt/heure (GWh) en 1992 a été supprimée. Le 1er avril 1994 sera supprimée la dernière restriction à la franchise régionale pour les consommateurs d'éléctricité utilisant plus de 0.5 GWh en 1992. Ces changements garantiront des prix reflétant plus étroitement les coûts et favoriseront la vente de services énergétiques à valeur ajoutée.

Étant donné la puissance sur le marché que détiennent encore, du fait de leur monopole, les compagnies de transmission, ainsi que les distributeurs de gaz et d'électricité déjà en place sur le marché de détail, un régime de réglementation assez souple ("light-handed") sera mis en place sous peu tant dans l'industrie du gaz que dans celle de l'électricité. La divulgation de l'information devrait permettre l'accès de nouveaux entrants sur les marchés du gaz et de l'électricité et faciliter les enquêtes prévues au titre de la loi sur le commerce en cas d'abus de puissance sur le marché de la part d'entreprises dominantes.

On peut résumer brièvement comme suit les obligations auxquelles sont soumis les exploitants de réseaux d'électricité et de gaz, détenteurs d'un monopole, dans les réglementations proposées pour la divulgation de l'information :

a)   établir et divulguer séparément l'état financier concernant les réseaux d'électricité ou de gaz, et ceux des autres activités ;

b) indiquer dans le détail les modalités de la fixation des prix dans chacun des contrats ;

c) établir et divulguer des indicateurs de performance pour les réseaux d'électricité et de gaz ;

d) divulguer les méthodes de fixation des prix concernant les réseaux d'électricité et de gaz, ainsi que les méthodes de ventilation des coûts, des recettes, de l'actif et du passif entre les documents financiers distincts indiqués plus haut ;

e) divulguer les informations concernant les recettes et dépenses liées à la prestation de services entre les exploitants de réseaux d'électricité ou de gaz et d'autres de leurs partenaires ;

f) indiquer les dépenses et recettes de chaque groupe de charge ou catégorie tarifaire, ainsi que les méthodes utilisées pour affecter ces dépenses et ces recettes à ces groupes ou catégories ; et

g) indiquer les sommes facturées à chaque consommateur, séparément pour chaque exploitant de réseau d'électricité ou de gaz en cause.

Dans l'industrie de l'électricité, les travaux en vue de la mise en place d'un marché de gros se poursuivent. Le premier rapport intitulé Wholesale Electricity Market Study (WEMS) (Etude sur le marché de gros de l'électricité) a été suivi de la création d'un organisme financé conjointement par les pouvoirs publics et l'industrie, le Wholesale Electricity Market Development Group (WEMDG) qui doit présenter en avril 1994 un rapport sur les problèmes de mise en oeuvre.

Autre mesure destinée à faciliter la concurrence dans l'industrie de l'électricité : la séparation des activités de transport et de production. Des méthodes séparées pour la fixation des prix de transport et d'énergie devaient être mises en place le 1er octobre 1993. Il est également proposé de séparer Trans Power (propriétaire et gestionnaire de la grille de transport) de l'Electricity Corporation of New Zealand (entreprise publique qui contrôle 96 pour cent de la production d'électricité néo-zélandaise), à titre de société propriété de la Couronne. Ceci permettrait éventuellement de créer par la suite un club regroupant à égalité les producteurs et détaillants, une forme de propriété qui devrait assurer un fonctionnement efficient du réseau ainsi que la liberté d'accès en offrant le maximum de stimulants.

Télécommunications

La loi de 1987 sur les télécommunications, modifiée par la loi de 1988, prévoyait l'ouverture progressive des marchés des télécommunications à la concurrence. Toutes les restrictions existant encore au niveau de la prestation des services de télécommunication ont été supprimées le 1er avril 1989.

Le régime néo-zélandais des télécommunications se caractérise par ses facilités d'accès. A la différence de bon nombre d'autres pays, aucune restriction ne limite ni le type ni l'ensemble de services qu'un exploitant peut fournir. L'ouverture du régime transparaît également dans la souplesse de la réglementation du secteur des télécommunications. Le Gouvernement s'est prononcé contre une réglementation propre à la branche d'activité et contre une instance chargée de l'élaborer. Il a préféré s'appuyer essentiellement sur la loi de 1986 sur le commerce pour assurer la protection du processus concurrentiel.

En 1991, la concurrence dans la prestation de services nationaux et internationaux longue distance (à péage), s'est développé et les responsables ont annoncé des projets qui devraient la garantir aussi pour les appels locaux et la téléphonie mobile. Les usagers sont les bénéficiaires de la baisse des tarifs et de la mise en place de nouveaux services.

Toutefois, la concurrence ne joue toujours pas dans l'un des secteurs, celui de la desserte des abonnés. Un entrant potentiel, Clear Communications Ltd, n'a pas été en mesure de conclure un accord de raccordement qui lui aurait permis d'accéder à ce marché. Les tribunaux ont été saisis au titre de la loi sur le commerce. La décision dans cette affaire est en instance.

IV. Publications relatives au droit de la concurrence :

Review of the Commerce Act 1986, Ministère du commerce, février 1993.

Competition Review: Current Issues in New Zealand Competition and Consumer Law, vol. 5 (mai 1993), Commission du commerce.

Telecommunications Industry Inquiry Report, Commission du commerce, 23 juin 1992.

Publications de la Commission du commerce

The Commerce Act 1986 -- A General Guide

Complying with the Commerce Act

Authorising Anti-competitive Practices

Anti-competitive Behaviour -- What the Commerce Act Prohibits

Dictating Prices and the Commerce Act

Price Fixing and the Commerce Act -- A Guide for the Business Community

Refusal to Deal and the Commerce Act

Reducing Competition -- A Guide to Section 27 of the Commerce Act

Excluding your Competitors -- A Guide to Section 29 of the Commerce Act

Abusing a Dominant Position -- A Guide to Section 36 of the Commerce Act

A Guide to the Revised Conference Procedures of the Commerce Commission

Business Acquisitions and the Commerce Act

Confidentiality Orders and the Commerce Act

Anti-competitive Behaviour -- Exceptions to the Commerce Act Rules

Investigative Powers of the Commerce Commission.

NORVÈGE

(1er octobre 1992 - 31 octobre 1993)

I. Fondement juridique

La législation actuelle

Les activités des autorités compétentes en matière de prix pour la période visée par le présent rapport ont été fondées sur la loi du 26 juin 1953 sur les prix. Ces autorités comprennent le ministère de l'administration centrale, la Direction des prix, l'Inspection des prix et le Conseil des prix. Conformément à la loi sur les prix, elles ont une mission de surveillance des accords commerciaux restrictifs et des entreprises en position dominante. Les accords et les groupements restrictifs doivent obligatoirement être notifiés à la Direction des prix qui peut intervenir en amendant ou en annulant toutes restrictions risquant de nuire à la production ou aux échanges. Deux formes de restrictions sont interdites. Les associations ou groupements de fournisseurs ne sont autorisés ni à recommander ni à fixer des prix indicatifs de revente. La coopération entre entreprises en matière de prix, de remises et de marges bénéficiaires ainsi qu'en matière de soumissions est interdite. Le Conseil des prix a le pouvoir de bloquer une fusion sur la recommandation de la Direction des prix, là où une fusion risque de conduire à la formation d'une position dominante sur un marché et d'affaiblir dangereusement la concurrence.

La nouvelle loi sur la concurrence

La loi relative à la concurrence dans le secteur commercial (la loi sur la concurrence) a été adoptée le 11 juin 1993. Cette nouvelle loi met en place l'Autorité norvégienne en matière de concurrence qui se substitue à la Direction des prix et à l'Inspection des prix. Cette Autorité aura pour objectif essentiel l'utilisation efficace des ressources de la société en établissant les conditions nécessaires à une concurrence effective.

Le présent régime d'interdiction des collusions entre entreprises en ce qui concerne les prix, les marges bénéficiaires et les remises ainsi que les soumissions concertées a été maintenu par la loi. Il en est de même de l'interdiction des prix imposés. La nouvelle loi interdit le partage des marchés, sous la forme des répartitions des régions et de la clientèle, des quotas, de la spécialisation et des restrictions quantitatives. Le pouvoir d'agir contre les fusions a été maintenu et transféré à l'Autorité compétente en matière de concurrence. Celle-ci aura également le pouvoir d'intervenir contre toutes restrictions jugées préjudiciables à la concurrence. Les dispositions en la matière s'appliquent par exemple aux entreprises dominantes qui tentent de renforcer leur position de force sur le marché.

La nouvelle loi charge l'Autorité compétente en matière de concurrence d'examiner les effets possibles des mesures des pouvoirs publics sur la concurrence et de présenter des observations à ce sujet.

La loi antérieure avait prévu l'obligation de notifier les accords commerciaux et les positions dominantes d'entreprises à caractère restrictif à la Direction des prix et placé particulièrement l'accent sur le contrôle des prix. Les dispositions en ce sens ont été abrogées dans la nouvelle loi. Le pouvoir d'arrêter des mesures concrètes telles que le blocage des prix et la fixation de prix maximums a été prévu par une loi distincte, soit la loi relative à la politique des prix. Cette loi maintient également l'interdiction des prix excessifs.

Le texte intégral de la loi sur la concurrence figure à l'annexe du présent rapport ; un exposé plus précis de ses dispositions figure ci-dessous (IV). La loi sur la concurrence et la loi sur la politique des prix devraient entrer en vigueur le 1er janvier 1994.

Les dispositions en matière de concurrence de l'accord sur l'espace économique européen s'appliqueront aux entreprises norvégiennes dès l'entrée en vigueur de cet accord. Ces dispositions ont été intégrées dans la législation norvégienne par des lois et des règlements spéciaux.

II. Les principales orientations de la politique de la concurrence

Surveillance et mise en oeuvre

Les autorités compétentes en matière de prix veilleront à ce que les entreprises agissent conformément aux dispositions de la loi sur les prix. Les activités de surveillance ont permis de découvrir l'existence de diverses pratiques illégales. Celles-ci ont été signalées en vue de poursuites et dans certains cas, des amendes importantes ont été infligées. Les infractions concernaient dans la plupart des cas l'interdiction des accords en matière de prix.

En 1992, quatre entreprises ont été dénoncées aux autorités au motif qu'elles s'étaient prétendument concertées en vue de soumissionner pour un projet de construction. Deux entreprises du secteur de la fabrication de piles ont été dénoncées au motif qu'elles s'étaient prétendument entendues en matière de prix. A la suite d'une visite de vérification chez un fournisseur de serrures et de systèmes de sécurité, la firme ainsi que trois particuliers ont été signalés au motif qu'ils avaient prétendument violé l'interdiction de réglementer les prix de détail.

Quatre producteurs de carton en position dominante qui avaient été dénoncés à la police en 1991 sont maintenant condamnés à une amende de 20 millions de couronnes norvégiennes. Ils ont interjeté l'appel de la condamnation à cette amende.

Interventions

Pendant quelques années, la Direction des prix est intervenue contre les restrictions appliquées par des associations commerciales à l'échelle du pays. Ces restrictions concernaient les conditions commerciales, les règlements intérieurs et les règles déontologiques. Des interventions ont également été dirigées contre les conditions commerciales appliquées par des entreprises en position dominante. Les restrictions interdites concernaient le "verrouillage" ("locking in") de la clientèle et la prise de mesures visant à opposer des obstacles à l'accès au marché par de nouvelles entreprises. Dans plusieurs affaires, la Direction des prix est intervenue contre des remises de fidélité et des systèmes de primes récompensant la fidélité. Les règles déontologiques de diverses professions libérales ont également fait l'objet d'une intervention.

Dérogations

La Direction des prix peut accorder des dérogations aux interdictions des prix imposés et des accords sur les prix si ceux-ci sont de nature à accroître la productivité et donc à entraîner une réduction des coûts et des prix. En deuxième lieu, les restrictions doivent être une condition préalable nécessaire à l'exercice d'effets favorables; les résultats positifs devront compenser tout effet préjudiciable indirect de la réduction de la concurrence. L'affaire la plus importante qui a été examinée en vue d'une dérogation en 1992 a été l'accord sur la fixation des prix dans le secteur du livre. (Voir ci-après).

Contrôle des fusions

Au cours des dix premiers mois de l'année 1993, 189 fusions ont été enregistrées. Neuf d'entre elles ont été mises à part en vue d'une enquête complémentaire. Le Conseil des prix n'a été saisi d'aucune affaire de fusion en vue d'une intervention au cours de la période visée par le présent rapport.

Mesures prises par les pouvoirs publics

Aux termes des directives adoptées par le Parlement norvégien, la Direction des prix est chargée de veiller à ce que les effets positifs des mesures prises par les pouvoirs publics soient mis en balance avec les inconvénients résultant de la réduction de la concurrence et de la perte d'efficience. Elle donne son avis au sujet de ces mesures qui risquent d'exercer un effet préjudiciable sur la concurrence. Elle peut aussi examiner d'office de quelle manière les mesures en vigueur risquent de peser sur la concurrence. Au cours de la présente période, elle a donné son avis sur plusieurs mesures prises par les pouvoirs publics, par exemple dans le cas exposé ci-après.

III. Mise en oeuvre de la législation et des politiques de la concurrence

Accord commercial dans le secteur du livre

En décembre 1991, l'association norvégienne des libraires et l'association norvégienne des éditeurs ont demandé à la Direction des prix une prorogation de la dérogation accordée en faveur de leur accord commercial. Cette dérogation a été accordée, sous les conditions suivantes :

-- Le système de fixation des prix n'est pas applicable aux manuels scolaires et les éditeurs doivent être autorisés à les vendre directement aux écoles et aux municipalités.

-- Les magasins d'ouvrages spécialisés doivent être autorisés à acheter certains ouvrages directement aux éditeurs et bénéficier des mêmes conditions que les libraires.

-- L'office norvégien des bibliothèques, qui est un organisme semi-public créé en vue de l'achat, de la reliure et de la distribution des livres aux bibliothèques, doit bénéficier des conditions prévues pour les libraires en vue de la vente aux bibliothèques.

-- L'accord commercial n'est plus applicable aux transactions effectuées par les non-membres des deux associations.

La critique essentielle que les parties à l'accord et diverses parties intéressées ont adressée à ces conditions était que la perte de la vente rentable des manuels scolaires risquait d'obliger plusieurs petites librairies à cesser leurs activités. L'action visant à rendre facilement accessibles les ouvrages dans toutes les régions, soit un important aspect de la politique culturelle, subirait un grave revers.

Néanmoins, suivant l'argument principal de la Direction des prix, la libération des prix des manuels et l'autorisation aux établissements scolaires d'acheter directement aux éditeurs rendraient le commerce des manuels plus efficace par rapport aux coûts. Ce serait là avantager les municipalités et les élèves du niveau secondaire supérieur du fait de la réduction du prix des manuels.

La Direction des prix a estimé les économies à au moins 30 à 40 millions de couronnes norvégiennes par an. Les effets négatifs pour les libraires seraient, de l'avis de la Direction des prix, négligeables, étant donné que la baisse du chiffre d'affaires pour le libraire moyen ne s'élèverait qu'à quelque cinq pour cent.

Les parties à l'accord ont formé un recours auprès du ministère de l'administration centrale afin de faire annuler les conditions susvisées. En juin 1993, le ministère a décidé de proroger la dérogation accordée pour les manuels jusqu'au 1er avril 1994 en ce qui concerne les prix imposés. Un groupe de travail comprenant des représentants de plusieurs ministère s a été chargé d'étudier les conséquences possibles pour le marché du livre écoulé au détail en cas de déréglementation du prix des manuels scolaires. Sous cette réserve, le recours a été rejeté.

Équipement sanitaire -- le principe du "tout ou rien"

Les membres de l'association norvégienne des grossistes en tuyauterie ont donné aux producteurs et aux importateurs le choix entre la distribution de tout leur équipement sanitaire par l'intermédiaire des grossistes et la vente directe aux plombiers et aux détaillants. En mettant en application cette règle de manière rigoureuse, les grossistes, qui sont en position dominante sur le marché, ont été en mesure d'entraver gravement les échanges entre producteurs et détaillants.

En juin 1993, la Direction des prix est intervenue et a interdit aux grossistes d'exploiter leur puissance sur le marché en faisant de la distribution exclusive de tous les produits par l'intermédiaire des grossistes une condition essentielle de la distribution des articles en provenance des producteurs et des importateurs. Ceux-ci sont désormais libres de choisir le circuit de distribution qu'ils tiennent pour le plus rentable pour un produit particulier, quel qu'il soit.

Équipement électroménager

Au cours de la période 1992-1993, les autorités compétentes en matière de prix ont procédé à des enquêtes approfondies sur le marché de l'équipement électroménager et des appareils de radio et de télévision. Il est devenu bientôt évident que plusieurs fournisseurs avaient exercé des pressions sur les détaillants pour que ceux-ci s'abstiennent de vendre en deçà d'un prix minimum que les fournisseurs avaient imposé. Les détaillants étaient menacés de l'annulation de certains systèmes de soutien et accords de coopération. Les fournisseurs leur avaient déclaré qu'ils cesseraient de participer à leurs dépenses de commercialisation si les prix annoncés étaient inférieurs à ceux qui étaient recommandés par le fournisseur. Plusieurs détaillants ont informé la Direction des prix qu'ils avaient été obligés de ce fait de relever leurs prix dans le cadre de campagnes de ventes davantage qu'ils ne l'auraient sinon souhaités. Au lieu de signaler les fournisseurs aux autorités pour infraction à l'interdiction des prix imposés, la Direction des prix a convoqué chaque fournisseur individuellement et de lui présenter les éléments de preuve qui avaient été recueillis. Elle a fait comprendre aux fournisseurs que, même si elle prenait très au sérieux toute tentative de fixation des prix, elle renoncerait à les dénoncer aux autorités si, à l'avenir, ils renonçaient à toute nouvelle tentative de peser sur les prix demandés par un détaillant. En outre, les fournisseurs devraient informer chacun de leurs clients de l'interdiction des prix imposés et lui faire comprendre clairement que les détaillants étaient parfaitement libres de fixer leurs propres prix. La Direction des prix a encore souligné que toute nouvelle tentative de peser sur les prix des détaillants serait dénoncée aux autorités, preuves à l'appui. Les fournisseurs ont obtempéré et un récent contrôle a dégagé des résultats positifs.

Vente en gros de médicaments et de produits médicamenteux

A l'heure actuelle, le dépôt norvégien des produits médicinaux (NMD) détient un monopole sur la vente en gros de médicaments et de produits médicamenteux. Tous les médicaments, qu'ils soient importés ou produits en Norvège, sont vendus aux pharmacies, aux hôpitaux, etc. par l'intermédiaire du NMD. Lorsque l'accord sur l'espace économique européen entrera en vigueur, ce monopole devra cesser d'exister. Cet accord autorise cependant la fixation de certaines conditions qui doivent être remplies par des personnes désireuses d'écouler en gros des médicaments.

Les conditions proposées par la Direction de la santé apporteraient, de l'avis de la Direction des prix, une protection efficace du présent monopole. Le projet prévoit par exemple que le grossiste doit exercer ses activités commerciales à partir d'établissements situés en Norvège. En d'autres termes, les grossistes implantés au Danemark et en Suède ne seront pas autorisés à approvisionner la clientèle norvégienne. Le projet exige encore que tous les grossistes stockent tous les médicaments agréés et soient également en mesure de procéder à des livraisons dans toutes les parties de la Norvège dans des délais précis. La Direction des prix a estimé que c'était là une exigence tant très regrettable du point de vue de la concurrence qu'inutile du point de vue de la santé, le NMD disposant déjà d'un circuit de distribution garantissant l'offre de tous les médicaments agréés dans toutes les parties de la Norvège. Le projet obligerait également un grossiste à investir des montants considérables dans des entrepôts et dans des installations de stockage et de distribution. Un investissement aussi excédentaire dans des systèmes de distribution parallèles entraînerait des coûts importants et inutiles qui en fin de compte se répercuteraient sur les consommateurs. Le projet exercerait un véritable effet dissuasif sur quiconque tiendrait à mettre en route une affaire de commerce de gros dans le secteur des médicaments. En tout état de cause, les conditions en cause entraîneraient un gaspillage des ressources.

Le NMD est actuellement le seul organisme autorisé à importer des médicaments. La Direction de la santé tient à limiter les possibilités d'importations parallèles en imposant certaines conditions aux candidats importateurs/exportateurs de médicaments dans les régions couvertes par l'espace économique européen. La Direction des prix est d'avis que des conditions de cette nature peuvent avoir pour effet d'enlever aux pharmacies, aux hôpitaux et aux établissements de santé le droit d'importer des médicaments agréés alors que l'importation serait économiquement rentable.

La directive 92/25/CEE du Conseil concernant la distribution en gros des médicaments à usage humain fera sous peu partie de l'accord portant création de l'EEE. La possibilité de réglementer le commerce de gros à l'échelon national sera dès lors limitée. De l'avis de la Direction des prix, ce fait aurait dû être d'autant plus pris en compte que les dispositions provisoires retarderont l'accès au marché de gros par de nouveaux acteurs économiques.

Le marché énergétique

Une nouvelle loi sur l'énergie est entrée en vigueur le 1er janvier 1991. A la suite de l'adoption de cette nouvelle loi, les sociétés régionales distributrices d'énergie ont perdu leur droit exclusif de fournir de l'électricité aux usagers de leur région et un marché de l'énergie électrique a été mis en place. La production d'électricité a été ouverte à la concurrence, le transport de l'électricité étant cependant tenu pour un monopole naturel. Les propriétaires de grilles doivent maintenant exploiter ces grilles dans le cadre d'une unité distincte soumise à une limitation spéciale touchant la rentabilité. La loi prévoit également que les propriétaires de grilles régionales et locales doivent autoriser d'autres fournisseurs à accéder à la grille à des conditions non discriminatoires.

En principe chaque consommateur est libre de choisir un fournisseur, indépendamment du point de savoir qui est le propriétaire de la grille locale. Les coûts de transactions élevés, y compris ceux de la mise en place de compteurs d'électricité modernes, rendent cependant non rentable pour la majorité des usagers un changement de fournisseur. Les grands consommateurs d'énergie électrique ont pourtant pu réaliser d'importantes économies sur leurs factures d'électricité en changeant de fournisseur. La Direction des prix envisage de prendre des mesures afin d'obtenir des fournisseurs qu'ils renoncent à l'exigence d'un compteur d'électricité sophistiqué pour l'usager moyen, en facilitant ainsi un changement de fournisseur.

Conditions de préavis dans les contrats de livraison

Un problème pour un usager tenant à changer de fournisseur tient aux longues périodes de préavis imposées par de nombreux distributeurs. Après avoir été saisi de nombreuses plaintes d'usagers et de concurrents potentiels, la Direction des prix a soulevé cette question auprès d'un grand distributeur qui exigeait habituellement une durée de préavis de trois mois au moins. Elle lui a signalé qu'elle engagerait une action visant ce préavis. Après en avoir été informé officiellement, le distributeur a modifié sa pratique et réduit la durée de préavis à un mois. En conséquence, la plupart des distributeurs d'énergie électrique ont adopté désormais une période de préavis d'un mois, sauf là où une plus longue période de préavis a été convenue dans le cadre de négociations.

Contrats de livraison

La Direction des prix a examiné certaines affaires dans lesquelles des accords à long terme entre les distributeurs locaux et une firme d'électricité régionale avaient été conclus avant l'adoption de la nouvelle loi. Certains des contrats en cause prévoient des clauses qui interdisent au distributeur d'acheter l'électricité sur le marché. Certaines conditions ont été fixées unilatéralement par la société productrice d'électricité. La Direction peut juger que les accords en ce sens sont préjudiciables à l'intérêt général et doivent donc être annulés. Dans deux affaires, elle a notifié aux parties qu'elle envisageait d'intervenir. Les parties ont répondu qu'elles s'efforceraient de résoudre la question à l'amiable.

Hausse du prix de l'électricité au prix au comptant

A l'automne 1992, la Direction des prix a soumis à un contrôle cinq firmes de production de distribution d'électricité afin d'enquêter sur les raisons pour lesquelles le prix de l'électricité au comptant avait accusé une hausse brusque et spectaculaire. A la suite de cette hausse, des usagers avaient pris contact à plusieurs reprises avec la Direction des prix en laissant entendre que cette hausse était peut-être révélatrice d'une collusion entre les fournisseurs d'électricité au prix au comptant. Même si l'enquête n'avait pas permis d'établir l'existence d'une concertation entre les fournisseurs destinée à relever les prix en violation de la loi, il a été établi que plusieurs producteurs étaient parvenus à "une entente commune" au sujet d'un niveau des prix minimum. Il se pourrait que Statkraft, un service public et le fournisseur en position dominante, ait provoqué la hausse, en informant les autres producteurs d'électricité de son intention de ne pas vendre l'électricité au prix au comptant en dessous de 10 øre par KWh. La Direction des prix a estimé qu'une telle action allait à l'encontre de l'esprit de la loi sur l'énergie qui était destinée à établir un marché efficace de l'énergie électrique et elle a conseillé au ministère du pétrole et de l'énergie de veiller à ce que les actes de Statkraft à l'avenir soient conformes aux objectifs de la loi sur l'énergie.

IV. La nouvelle législation norvégienne relative à la concurrence

La loi relative à la concurrence en matière d'activités commerciales (la loi sur la concurrence) a été votée le 11 juin 1993 et devrait entrer en vigueur le 1er janvier 1994. A partir de la même date, la loi sur les prix, sur laquelle, depuis 1953, la politique norvégienne concernant les prix et la concurrence était fondée, sera abrogée.

La loi sur la concurrence reprend les dispositions de la législation antérieure interdisant les principales formes de restrictions à la concurrence et permettant aux autorités d'intervenir contre les restrictions préjudiciables à la concurrence et contre les acquisitions d'entreprises. C'est ainsi que la combinaison du principe de l'interdiction et du principe de l'exploitation abusive, sur laquelle la législation en matière de prix était en pratique basée, reste intacte. Les interdictions de la concertation en matière de prix et de soumissions et des prix imposés, ont été complétées par une interdiction de la répartition du marché. Une obligation générale de notification concernant les restrictions à la concurrence et les entreprises en position dominante est abrogée. L'obligation de fournir des informations sur les prix en ce qui concerne les ventes aux consommateurs a été étendue au point d'englober les services en même temps que les biens. Les dispositions de mise en application comprennent de nouveaux instruments tels que la recherche des éléments de preuve, le paiement de pénalités temporaires et la renonciation à des gains.

La loi sur la concurrence s'applique aux activités commerciales de toute nature, indépendamment du type de biens ou de services concernés ou du fait de savoir si ces activités sont soit privées soit gérées par les pouvoirs publics centraux ou locaux. Elle ne vise pas les conditions salariales et les conditions de travail au service d'autrui. Elle s'applique à toutes les clauses commerciales, accords et actions pouvant avoir une incidence en Norvège. Elle ne comporte aucune modification sensible en ce qui concerne sa portée essentielle ou son rayon d'action territorial.

Dès l'entrée en vigueur de l'accord relatif à l'espace économique européen, l'interdiction de la coopération restreignant la concurrence ainsi que de l'exploitation abusive d'une position dominante en ce qui concerne des facteurs risquant de peser sur les échanges entre les Etats relevant de l'EEE, sera applicable. Les dispositions en cause ont été incorporées dans la législation norvégienne par des actes et des règlements spéciaux.

Parallèlement à la loi sur la concurrence, la loi du 11 juin 1993 relative à la politique des prix prendra effet. Cette loi prévoit l'autorisation de réglementer les prix. En outre, elle reprend l'interdiction des prix déraisonnables.

Les règles essentielles de la loi sur la concurrence

Interdictions

La loi sur la concurrence prévoit des interdictions de la coopération en matière de prix, de marges bénéficiaires et de remises. Ces interdictions s'appliquent dans ce qui a trait à la vente de services et de biens, mais pas en ce qui concerne les achats. Toutes formes de concertation en matière de soumissions sont interdites.

Il est interdit aux fournisseurs de fixer les prix des destinataires ou de peser sur ces prix. Cette disposition s'applique tant aux biens qu'aux services. Néanmoins, un fournisseur individuel peut établir des prix recommandés pour les ventes de biens et de services par ses partenaires à condition que ces prix soient expressément qualifiés de recommandés.

En outre, il existe des interdictions à la répartition du marché sous la forme de division territoriale, de division de la clientèle, de la répartition des quotas, de spécialisation et de limitation de la quantité. Néanmoins, un fournisseur individuel peut convenir d'une répartition du marché avec ses partenaires ou en fixer une répartition à leur intention, par exemple sous la forme d'accord de distribution exclusive ou de systèmes de distribution sélective.

L'Autorité norvégienne compétente en matière de concurrence peut accorder une dérogation aux interdictions. Une dérogation peut être autorisée, par exemple, quand les restrictions à la concurrence en cause impliquent un renforcement de la concurrence sur l'ensemble du marché en question, ou encore là où elles n'auraient qu'une incidence négligeable sur la concurrence.

Les dispositions de la loi sur la concurrence concernant les dérogations générales aux dispositions concernant les interdictions prévoient notamment ce qui suit :

-- La coopération au niveau des prix dans le cadre d'une fourniture commune de biens ou services est autorisée là où il s'agit d'un projet individuel. Cette dérogation s'applique à toutes les entreprises et englobe tant les soumissions que les offres diverses. La condition préalable à l'application de la dérogation est que le client soit informé de la coopération.

-- La coopération en matière de prix et la répartition du marché sont autorisées entre firmes du même groupe d'entreprises et entre firmes en copropriété. Par contre, la coopération au niveau des soumissions est interdite, sauf dans le cas de projets communs individuels là où le client a été informé de l'existence d'une coopération dans ce domaine.

-- Il existe des dérogations à certaines restrictions en matière d'accords de licence d'exploitation de brevets et de modèles. Les restrictions à la concurrence qui s'appliquent aux prix et à la répartition des marchés dans le cadre d'accords entre un donneur de licences et un licencié sont autorisées.

-- Les ventes de première main des produits norvégiens de l'agriculture, de la foresterie et de la pêche font l'objet d'une dérogation aux interdictions de la coopération en matière de prix, de la répartition des marchés et d'établissement des prix aussi bien que des actes visant à influencer les prix des destinataires.

Intervention contre les restrictions nuisibles à la concurrence

La loi investit l'Autorité compétente en matière de concurrence du pouvoir d'intervenir contre les accords, les clauses commerciales et les actions risquant de restreindre la concurrence. Cette Autorité peut notamment interdire les procédés qui maintiennent ou renforcent une position dominante sur le marché, les refus de traiter, les restrictions au choix des consommateurs et celles qui sont de nature à rendre la production, la distribution ou la vente plus coûteuse ou encore à empêcher les concurrents d'accéder au marché. Les décisions concernant l'intervention peuvent comporter l'établissement d'interdictions et d'ordonnances, ou l'octroi de dérogations conditionnelles. Les décisions peuvent comporter une réglementation des prix.

Nullité

Les accords entre les parties qui sont incompatibles avec les interdictions au titre de la loi sur la concurrence sont nuls. Cette nullité s'applique d'office aux parties de l'accord qui sont visées par les interdictions.

Contrôle des fusions

La loi donne à l'Autorité compétente en matière de concurrence le pouvoir d'intervenir contre une acquisition d'entreprise. Le délai d'intervention sera normalement de six mois à compter de la conclusion de l'accord définitif sur l'acquisition. Un accord sur une fusion ou un achat d'actions peut être signalé volontairement à l'Autorité compétente en matière de concurrence dans le but d'élucider le fait de savoir si l'Autorité tiendra à intervenir. Cette autorité doit dans ce cas se prononcer dans les trois mois afin de déterminer oui ou non si son intervention peut être nécessaire.

Mesures du secteur public

L'Autorité compétente en matière de concurrence est tenue par la loi d'attirer l'attention sur les effets restrictifs à la concurrence des mesures prises par le secteur public. Elle peut en conséquence présenter des propositions visant à renforcer la concurrence et à faciliter l'accès à de nouveaux concurrents.

Étiquetage des prix

La loi sur la concurrence prévoit des dispositions exigeant une information sur les prix dans le cadre des ventes de biens et de services aux consommateurs.

Application et surveillance

Le devoir d'informer

Chacun a le devoir de fournir à l'Autorité compétente en matière de concurrence les informations dont elle a besoin pour l'accomplissement de sa mission conformément à la loi sur la concurrence. Tous les types de documents commerciaux, procès-verbaux de réunions, notes, ainsi que les données provenant des dispositifs techniques auxiliaires peuvent être exigés aux fins d'enquêtes.

Recherche des preuves

En cas de soupçon d'une infraction à la loi sur la concurrence, l'Autorité chargée de la concurrence peut exiger l'accès aux entreprises afin de rechercher elle-même des éléments de preuve. Le tribunal compétent en matière d'examen et de référé statue en ce qui concerne cette recherche des éléments de preuve.

Paiement de pénalités temporaires

Afin de veiller au respect de décisions particulières arrêtées conformément à la loi sur la concurrence, l'Autorité chargée de la concurrence peut condamner l'entreprise contre laquelle la décision est dirigée à payer à l'Etat une pénalité temporaire jusqu'à ce que la situation soit normalisée. Cette autorité peut par exemple imposer une pénalité provisoire là où une ordonnance d'annulation d'une restriction nuisible à la concurrence n'est pas respectée.

Abandon des bénéfices

En cas d'infraction à la loi sur la concurrence, l'Autorité chargée de la concurrence peut signifier qu'elle donne la possibilité de renoncer à des bénéfices qui ont été obtenus par le biais d'une infraction à la loi. Le montant peut être fixé de manière approximative. Si l'option est rejetée par le destinataire, les juridictions peuvent être saisies.

Dispositions pénales

En cas d'infraction à la loi sur la concurrence, l'Autorité compétente en matière de concurrence peut signaler l'affaire aux autorités de poursuite. L'infraction à la loi peut être sanctionnée soit par une amende, soit par une peine d'emprisonnement. Une demande d'abandon des bénéfices peut être intégrée dans une procédure pénale. La peine sanctionnant l'infraction est, en cas de circonstances aggravantes, l'emprisonnement pour une période pouvant atteindre six ans.

Organisation

Le ministère de l'Administration centrale et l'Autorité norvégienne chargée de la concurrence ont des obligations prévues par la loi sur la concurrence. Cette Autorité est responsable de l'exécution des tâches journalières au titre de la loi sous la conduite de son directeur général. Elle dispose de bureaux régionaux.

Le ministère de l'Administration centrale est l'instance d'appel contre toutes les décisions individuelles arrêtées par l'Autorité chargée de la concurrence.

Annexe

Loi n° 65 du 11 juin 1993 relative à la concurrence dans l'exercice d'une activité commerciale (la Loi sur la concurrence)

Chapitre 1. Dispositions préliminaires

Article 1(1). L'objectif de la loi

La présente loi a pour objectif de parvenir à une exploitation efficace des ressources de la société en stipulant les conditions nécessaires à une concurrence efficace.

Article 1(2). Définitions

a)   Par "activité commerciale" au sens de la présente loi, il faut entendre tout type d'activité économique rémunérée, qu'elle soit permanente ou périodique. Par "entreprise", il faut entendre tout particulier ou société se livrant à des activités commerciales.

b)   Par "groupe de sociétés" au sens de la présente loi, il faut entendre une structure de la propriété par laquelle une société possède un si grand nombre d'actions ou de parts de capital d'une autre société qu'il correspond à une majorité des voix. La première société est considérée comme la société mère et la deuxième comme une filiale. Une société est également réputée appartenir à un groupe de sociétés là où une société mère et une filiale, ou encore une filiale ou plusieurs filiales possèdent collectivement le nombre d'actions ou de parts de capital visé dans la première phrase.

c)   Par "prix" au sens de la présente loi, il faut entendre toute forme de paiement, indépendamment des termes servant à le désigner : rémunération, honoraire, émolument, affrètement, taux, loyer, etc.

d)   Par "biens" au sens de la présente loi, il faut entendre les biens immeubles ou meubles, y compris les navires, les avions, le gaz et l'électricité ainsi que les divers transporteurs d'énergie.

e)   Par "services" au sens de la présente loi, il faut entendre tous services, y compris les droits, qui ne sont pas des biens.

Article 1(3). La portée essentielle de la loi

La loi s'applique à tout type d'activité commerciale, indépendamment du type de biens ou de services que cette activité concerne et du fait de savoir si elle est exercée à titre privé ou par des pouvoirs publics centraux ou locaux.

La loi ne s'applique pas ni aux conditions salariales ni aux conditions de travail au service d'autrui.

Article 1(4). Rapport avec les décisions du Storting et les autres lois

Les dispositions arrêtées conformément à la présente loi ne peuvent être incompatibles avec les décisions adoptées par le Storting. Là où une question qui relève de la présente loi tombe également dans le champ d'application de dispositions d'autres lois touchant la réglementation et la surveillance, le Roi peut arrêter des dispositions spéciales en vue de la restriction réciproque de la compétence des autorités en cause.

Section 1(5). La portée territoriale de la loi

La loi s'applique aux conditions commerciales, aux accords et aux actes qui exercent des effets ou qui risquent d'en exercer dans le Royaume de Norvège.

Dans la mesure où ils n'exercent des effets ou risquent de n'en exercer qu'en dehors du Royaume, les clauses commerciales des accords et des actes susvisés ne se trouvent pas dans le champ d'application de la présente loi, à moins que le Roi n'en décide autrement.

La portée de la loi peut être élargie en vertu d'un accord avec un Etat étranger ou une organisation internationale. Un accord en ce sens peut également restreindre la portée de la loi dans un secteur limité.

Le Roi se prononce sur le fait de savoir dans quelle mesure les dispositions arrêtées conformément à la présente loi ou à ce qui s'ensuit s'appliquent à Svalbard.

Section 1(6). La durée des effets des décisions arrêtées en application de la loi

En général, les décisions arrêtées en application de la présente loi ne sont en vigueur que pendant une durée déterminée. La période d'application de chaque décision ne dépasse pas normalement cinq ans et ne peut jamais dépasser dix ans. Les décisions sont renouvelables.

Chapitre 2. L'organisation et les obligations des Autorités chargées de la concurrence

Article 2(1). *L'organisation des autorités chargées de la concurrence*

Les autorités compétentes en matière de concurrence sont le Roi, le Ministre et l'Autorité norvégienne compétente en matière de concurrence (ci-après dénommée "l'autorité chargée de la concurrence").

L'Autorité chargée de la concurrence est responsable de la surveillance journalière, conformément à la présente loi. Le Roi peut arrêter des dispositions spéciales concernant l'organisation et les activités de cette autorité, y compris en déterminant si des organismes publics ou privés ou des particuliers doivent apporter leur concours à cette autorité.

La gestion journalière de l'Autorité chargée de la concurrence relève de la responsabilité du directeur général de cette autorité.

Article 2(2). *Les obligations des autorités compétentes en matière de concurrence*

Les autorités compétentes en matière de concurrence surveillent la concurrence sur les divers marchés. Elles s'acquittent notamment des tâches suivantes :

a)   vérifier que les interdictions et les exigences de la loi soient respectées et accorder des dérogations là où l'objectif de la loi le requiert ;

b)   intervenir en cas de nécessité contre le comportement anticoncurrentiel et les acquisitions des entreprises ;

c)   mettre en oeuvre des mesures visant à renforcer la transparence des marchés ;

d)   attirer l'attention sur les effets restrictifs de la concurrence entraînés par les mesures prises par les pouvoirs publics, le cas échéant, en présentant des propositions visant à renforcer la concurrence et à faciliter l'accès à de nouveaux concurrents ;

e)   en cas de besoin, apporter une assistance aux autres autorités pour le suivi du respect des divers règlements là où des infractions risquent d'avoir des effets préjudiciables sur le marché et sur les conditions de la concurrence.

Chapitre 3. Interdiction des restrictions à la concurrence et intervention contre ces restrictions ; dérogations et exemptions

Article 3(1). Interdiction de la coopération et de l'influence sur les prix, les majorations et les remises

Deux ou plusieurs entreprises ne peuvent, dans le cadre de la vente de biens ou de services, par voie d'accord ou de pratiques concertées, ou par tout autre comportement risquant d'influer sur la concurrence, fixer ou chercher à influencer les prix, les majorations ou les remises, sauf en cas de remises normales pour paiement au comptant. Par "remises normales pour paiement au comptant", il faut entendre les remises opérées dans le cadre des paiements au comptant ou des paiements dans les 30 jours. Un taux dépassant 3 pour cent ne peut en aucun cas être tenu pour une remise normale sur un paiement au comptant.

De même, un seul ou plusieurs fournisseurs de marchandises ne peuvent fixer ou chercher à influencer les prix, les remises ou les majprations pour les ventes de biens ou de services par le partenaire commercial.

Les interdictions prévues aux premier et au deuxième paragraphes visent également les directives dont la teneur est contraire à ces paragraphes. Ces interdictions comprennent les accords ou les arrangements tant obligatoires que recommandés.

Les interdictions prévues aux premier et deuxième paragraphes ne font pas obstacle à ce que le fournisseur particulier de biens communique à son partenaire commercial des prix recommandés pour la vente de biens ou de services. Dans toutes les communications adressées à cette fin le fournisseur doit expressément qualifier ces prix de recommandés.

Les entreprises ne peuvent influencer les fournisseurs en ce qui concerne le calcul des prix recommandés.

Article 3(2). Interdiction de la coopération et de l'influence sur les soumissions

Deux ou plusieurs entreprises ne peuvent, dans le cadre de la vente de biens ou de services, par le biais d'accords, de pratiques concertées ou d'autres comportements risquant d'influencer la concurrence, ni fixer ou chercher à influencer les prix, le calcul des quantités ou les diverses conditions liées aux soumissions, la répartition des soumissions ni ordonner à aucune entreprise de renoncer à soumissionner ou chercher à les y amener.

L'interdiction prévue au premier paragraphe vise également les directives dont la teneur est contraire à ce premier paragraphe. L'interdiction comprend les accords ou les arrangements tant obligatoires que recommandés.

Article 3(3). Interdiction de la coopération relative à la répartition du marché ou de l'exercice de l'influence visant à répartir les marchés

Deux ou plusieurs entreprises ne peuvent, dans le cas de la vente de biens ou de services, par accord, pratiques concertées ou tout autre comportement risquant d'influencer la concurrence, fixer ou chercher, par l'exercice de leur influence, à parvenir à une répartition du marché sous la forme de division régionale, de répartition de la clientèle, de répartition des quotas, de spécialisation ou de limitation des quantités.

L'interdiction prévue au premier paragraphe vise également les directives dont la teneur est incompatible avec le premier paragraphe. Elle vise les accords ou arrangements tant obligatoires que recommandés.

Les dispositions du présent article ne font pas obstacle à ce qu'un fournisseur particulier s'entende sur la répartition du marché avec ses partenaires commerciaux ou ne fixe des répartitions du marché pour ses partenaires commerciaux.

Article 3(4). Interdiction aux entreprises apparentées de fixer des restrictions ou de les encourager

Des associations d'entreprises ne peuvent elles-mêmes fixer ou encourager les restrictions visées à l'article 3(1) à (3) ou les restrictions incompatibles avec les décisions visées par l'article 3(8) à (10).

L'interdiction prévue au premier paragraphe s'applique par conséquent aux membres des conseils d'administration, aux associations représentatives des salariés et aux salariés de ces associations.

Article 3(5). Dérogations accordées dans le cadre de projets communs

Les interdictions prévues à l'article 3(1), (2) et (4) ne font pas obstacle à ce que deux ou plusieurs entreprises coopèrent à des projets particuliers et présentent une soumission ou une offre commune pour la fourniture commune de biens ou de services.

427

Cette dérogation ne s'applique que là où l'offre établit clairement ce que la coopération implique et qui sont les coopérants.

Article 3(6). Dérogations en faveur d'une coopération entre propriétaire et société et entre sociétés ayant des propriétaires communs

Les interdictions prévues à l'article 3(1), (3) et (4) ne font pas obstacle à la collaboration ou à des restrictions concertées entre propriétaires et sociétés là où le propriétaire possède plus de 50 pour cent des parts du capital, des actions ou des participations correspondantes donnant droit de vote. Cette dérogation s'applique également à la coopération et aux restrictions convenues entre entreprises du même groupe de sociétés.

Article 3(7). Dérogation en faveur d'accords de licence d'exploitation de brevets et de modèles

Les interdictions prévues à l'article 3(1), (3) et (4) ne s'appliquent pas aux restrictions à la concurrence qui sont convenues entre un donneur de licence et un licencié par voie d'accord prévoyant le droit du licencié d'exploiter le brevet ou le modèle déposé.

Article 3(8). Dérogation en faveur de la coopération en matière de vente des produits de l'agriculture, de la foresterie et de la pêche

Les interdictions prévues à l'article 3(1), (3) et (4) ne font obstacle ni à la coopération ni aux restrictions convenues dans le cadre de la vente ou de la fourniture de produits norvégiens de l'agriculture, de la foresterie ou de la pêche par des producteurs ou des organisations de producteurs des secteurs de l'agriculture, de la foresterie ou de la pêche.

Article 3(9). Dérogations aux interdictions prévues par la loi

L'Autorité chargée de la concurrence est autorisée, par voie de décisions ou de réglementations particulières, à accorder des dérogations aux interdictions contenues dans l'article 3 (1) à (4), étant entendu :

a) que les restrictions à la concurrence doivent entraîner un renforcement de la concurrence sur le marché en cause ;

b) que l'efficience accrue doit probablement plus que compenser la perte tenant à la restriction à la concurrence ;

c)   que les restrictions à la concurrence n'ont qu'une portée négligeable sur la concurrence, ou

d)   qu'il existe des motifs spéciaux d'agir en ce sens.

Des conditions concernant les dérogations peuvent être imposées.

La dérogation peut être annulée si les conditions de cette dérogation ne sont pas remplies ou si la condition préalable de la dérogation cesse d'exister.

Article 3(10). Intervention dirigée contre un comportement anticoncurrentiel

L'Autorité chargée de la concurrence peut intervenir en s'opposant à des conditions commerciales, des accords et des actes, là où cette Autorité constate qu'ils ont pour objectif ou pour effet de restreindre la concurrence ou qu'ils risquent de restreindre la concurrence contrairement à l'objectif de l'article 1(1) de la loi.

Le premier paragraphe vise également par exemple les conditions commerciales, les accords et les actes qui ;

a)   maintiennent ou renforcent une position dominante sur le marché à l'aide de méthodes anticoncurrentielles ou

b)   restreignent les choix de la clientèle, rendent la production, la distribution ou la vente plus onéreuse, excluent des concurrents, interdisent de traiter avec des associations d'entreprises ou de s'affilier à ces associations.

Il faut également entendre par le refus de traiter le fait qu'une entreprise n'est disposée à se livrer à des activités commerciales que sous certaines conditions.

Les décisions en matière d'intervention peuvent comporter l'établissement d'une interdiction ou d'une ordonnance, ainsi que l'octroi d'une autorisation conditionnelle. La décision peut comporter également une réglementation des prix des entreprises.

Les décisions destinées aux instances municipales ou aux instances des comtés sont arrêtées par le Roi.

Article 3(11). *Intervention dirigée contre les acquisitions d'entreprises*

L'Autorité chargée de la concurrence est autorisée à intervenir contre les acquisitions d'entreprises, là où elle constate que l'acquisition en cause créera ou renforcera une restriction sensible à la concurrence contrairement à l'objectif de l'article 1(1).

Par acquisition, il faut également entendre les fusions, les acquisitions d'actions ou de parts de capital et les acquisitions partielles d'entreprises.

Les décisions régissant l'intervention peuvent comporter l'établissement d'une interdiction ou d'une ordonnance, ainsi que l'octroi d'une autorisation sous condition. L'Autorité chargée de la concurrence peut notamment;

a) interdire l'acquisition de l'entreprise et arrêter les dispositions pouvant être nécessaires pour que l'objectif de l'interdiction soit atteint ;

b) ordonner la cession de parts de capital ou d'actions acquises à un stade de l'acquisition de l'entreprise, ou

c) prévoir les conditions pouvant être nécessaires pour contrecarrer l'acquisition de l'entreprise restreignant la concurrence contrairement à l'objectif de l'exploitation efficace des ressources (voir l'article 1(1)).

Avant d'exercer son intervention au titre du présent article, l'Autorité chargée de la concurrence doit s'être efforcée de parvenir à un accord amiable avec l'entreprise ou les entreprises en cause.

L'Autorité chargée de la concurrence est autorisée à intervenir contre l'acquisition d'entreprises dans les six mois de la conclusion d'un accord sur cette acquisition. Là où il existe des motifs spéciaux, elle peut intervenir dans l'année de cette conclusion.

Les entreprises qui tiennent à déterminer si une intervention est prévisible peuvent notifier l'accord définitif sur l'acquisition à l'Autorité chargée de la concurrence. Si, dans les trois mois de la réception de la notification, celle-ci n'informe pas l'entreprise que l'intervention risque d'avoir lieu, elle ne peut décider d'intervenir au titre du présent article. Si l'Autorité informe l'entreprise que l'intervention aura lieu, les délais prévus au cinquième paragraphe s'appliquent, sous les modalités ordinaires, à la procédure ultérieure conduite par cette autorité.

Les délais fixés au présent article ne sont pas applicables à la procédure relative aux plaintes. L'Autorité chargée de la concurrence peut arrêter des dispositions particulières concernant les arrangements de notification visés au sixième paragraphe.

Chapitre 4. Étiquetage des prix et information du public

Article 4(1). Étiquetage des prix, etc.

Les entreprises qui vendent des biens au détail aux consommateurs fourniront, au mieux de ce qui est faisable, des informations sur les prix de sorte que ceux-ci puissent être facilement vus par les clients. Il en est de même de la vente des services aux consommateurs.

Par la voie de décisions ou de réglementations particulières, l'Autorité chargée de la concurrence peut arrêter des dispositions spéciales en vue de l'exécution de l'obligation de fournir des informations sur les prix au titre du premier paragraphe et elle peut de même accorder des dérogations à cette obligation.

Afin de faciliter l'évaluation par la clientèle des prix et de la qualité des biens et des services, l'Autorité chargée de la concurrence peut aussi exiger des entreprises qu'elles prennent des mesures en plus de celles qui sont prévues au premier paragraphe. Les décisions concernant les mesures d'information peuvent par exemple concerner l'obligation de procéder à l'étiquetage, d'afficher des avis ou de fournir d'autres informations sur les prix, les conditions commerciales, les qualités et diverses caractéristiques. La décision peut également entraîner la fixation de conditions de classification et des dispositions relatives aux mesures et aux poids ainsi que des informations sur les prix par unité de mesure (prix unitaire) des articles proposés à la vente.

Article 4(2). Information au public au sujet des restrictions à la concurrence

Afin de s'acquitter de leurs obligations conformément à la présente loi, les autorités chargées de la concurrence peuvent, indépendamment des règles concernant la confidentialité figurant à l'article 13(2) de la loi sur l'administration publique, publier des informations sur les conditions commerciales et la coopération qui ont pour but ou pour effet de restreindre la concurrence. L'intérêt légitime de l'entreprise au respect de ses secrets commerciaux doit être pris en compte. L'information du public au titre des dispositions de la première phrase ne vise cependant pas l'information concernant les dispositifs et les procédés techniques.

Chapitre 5. Effets en ce qui concerne le droit civil

Article 5(1). Nullité

Les accords incompatibles avec les interdictions au titre de la présente loi sont nuls entre les parties.

Cette nullité ne s'applique que dans la mesure où les interdictions prévues à la présente loi sont violées, à moins qu'au titre de l'article 36 de la loi sur les obligations contractuelles, il ne soit déraisonnable de frapper de nullité les autres parties de l'accord.

Chapitre 6. L'obligation de communiquer des informations et les sanctions

Article 6(1). L'obligation de communiquer des informations et l'enquête

Tous sont tenus de donner aux autorités chargées de la concurrence les informations exigées par ces autorités en vue de l'accomplissement de leurs tâches conformément à la présente loi, y compris en ce qui concerne une enquête portant sur toute atteinte possible à la présente loi ou toute décision arrêtée conformément à cette loi, ou une enquête portant sur les conditions de prix et les conditions de la concurrence. Les autorités peuvent exiger que ces informations soient communiquées par écrit ou oralement dans un certain délai tant par les particuliers et les entreprises que par les groupements d'entreprises.

Sous les mêmes conditions que celles qui sont énoncées au premier paragraphe, les autorités chargées de la concurrence sont autorisées, aux fins d'enquête, d'exiger que tous les types de documents commerciaux, procès-verbaux de réunions et les divers documents écrits leur soient communiqués.

Les autorités chargées de la concurrence doivent avoir accès aux ordinateurs et autres dispositifs techniques afin de prendre connaissance des informations pouvant être recueillies à l'aide de ces dispositifs.

Les informations recherchées conformément au premier paragraphe peuvent être communiquées indépendamment de l'obligation au secret qui par ailleurs est imposée aux autorités chargées d'évaluer l'impôt, aux diverses autorités fiscales et aux autorités qui ont pour obligation de surveiller la réglementation publique de l'activité commerciale. L'obligation au secret de cette nature ne fait pas obstacle à ce que des documents en possession de ces autorités soient communiqués aux fins d'enquête.

L'obligation de fournir des informations et de se soumettre à une enquête doit être remplie, même si une décision visant à recueillir les preuves, conformément à l'article 6(2), a été arrêtée.

Le Roi peut arrêter des dispositions spéciales concernant l'obligation de fournir des informations et de procéder à une enquête.

Article 6(2). *La recherche des preuves*

Là où il existe des motifs raisonnables de supposer que la présente loi ou que des décisions arrêtées en application de la présente loi ont été violés, l'Autorité chargée de la concurrence peut demander l'accès aux biens immeubles, aux installations et autres biens mobiliers afin de rechercher des éléments de preuve. Les autorités chargées de la concurrence sont autorisées à confisquer ces éléments de preuve en vue de procéder à une enquête plus approfondie, si nécessaire.

Une demande d'autorisation de rechercher les éléments de preuve doit être présentée par l'Autorité chargée de la concurrence au tribunal chargé des examens et des référés. Elle sera introduite auprès du tribunal du lieu qui s'y prête le mieux du point de vue pratique. Le tribunal statue en référé. Il statue sans que la personne concernée par la décision ait le droit de faire une déclaration et sans qu'elle soit informée de la décision avant l'exécution des mesures visant à recueillir les éléments de preuve. Un recours contre la décision n'aura aucun effet suspensif sur son exécution. Les articles 200, 201(1), les articles 117 à 120, les articles 204, 207, 208, 209, 213 et le chapitre 26 de la loi sur la procédure pénale s'appliquent respectivement.

L'Autorité chargée de la concurrence peut demander l'assistance de la police pour l'exécution de la décision concernant la recherche des éléments de preuve.

Là où le temps est trop court pour attendre la décision judiciaire, l'Autorité chargée de la concurrence peut demander à la police de condamner l'accès des lieux dans lesquels les éléments de preuve peuvent se trouver, jusqu'à ce que le tribunal ait statué.

Le Roi peut arrêter des dispositions spéciales pour l'administration de la preuve et le traitement des informations complémentaires.

Article 6(3). *Examen des documents*

En ce qui concerne l'Autorité chargée de la concurrence, nul n'a droit de consulter les informations, les documents et les autres éléments de preuve dans des affaires concernant la violation de la présente loi ou des décisions arrêtées en application de cette loi, obtenus conformément à l'article 6(1) ou (2). Là où cette autorité a notifié la possibilité d'abandon des gains au titre de l'article 6(5), les dispositions de la loi sur l'administration publique concernant le droit des parties de prendre connaissance eux-mêmes des documents relatifs à l'affaire sont applicables.

Article 6(4). Paiement d'une pénalité provisoire

Afin de veiller au respect des décisions particulières arrêtées en application de la présente loi, l'Autorité chargée de la concurrence est autorisée à ordonner que l'entreprise contre laquelle la décision est arrêtée paiera une pénalité provisoire à l'Etat tant qu'il n'aura pas été remédié à la situation.

La pénalité ne prendra effet qu'à l'expiration du délai de recours. Si la décision fait l'objet d'un recours, aucune pénalité ne prend effet avant qu'il ne soit statué sur le recours.

La décision de fixer des pénalités provisoires constitue un motif de confiscation.

Article 6(5). Abandon des gains

Là où des gains ont été obtenus à la suite d'une violation de la présente loi ou de décisions arrêtées en application de la présente loi, l'entreprise qui a réalisé ces gains peut être tenue d'y renoncer en tout ou en partie. Il en est de même là où l'entreprise qui réalise les gains n'est pas le délinquant. Là où il est impossible d'établir l'importance des gains, son montant est fixé approximativement.

Là où l'entreprise est une société qui fait partie d'un groupe de sociétés, la société mère et la société mère du groupe de sociétés auquel la société appartient sont responsables subsidiairement pour le montant.

L'Autorité chargée de la concurrence peut notifier un acte par lequel elle donne la possibilité d'abandonner les gains conformément au présent article. La décision de notifier cet acte n'est pas tenue pour une décision particulière arrêtée en application de la loi sur l'administration publique. L'acte établira un délai de levée d'option pouvant atteindre deux mois. La levée de l'option constitue un motif de confiscation. Si l'option n'est pas levée, l'Autorité chargée de la concurrence peut dans les trois mois de l'expiration du délai de levée de l'option, engager une action contre l'entreprise dans le ressort de la juridiction devant laquelle l'entreprise peut être poursuivie. L'affaire sera examinée conformément à la loi relative à la procédure judiciaire dans les affaires civiles. La médiation du conseil de conciliation n'est pas nécessaire.

L'exercice du droit de réclamer l'abandon des gains est prescrit après 10 ans. En outre, les dispositions de la loi n° 18 du 18 mai 1979 relative à la conclusion sont applicables, le cas échéant.

Là où l'infraction est examinée par les autorités de poursuite ou le tribunal en application de la loi n° 25 du 22 mai 1981 relative à la procédure judiciaire dans les affaires pénales, la demande d'abandon de gains peut être incorporée dans la demande de confiscation au titre de l'article 34 du code pénal.

Article 6(6). *Dispositions pénales*

Est passible d'amende ou d'emprisonnement pour une période pouvant atteindre trois ans quiconque délibérément ou par négligence :

a) viole l'article 3(1) ou (2) ou (3) ou (4) ou l'article 4(1), premier alinéa ;

b) viole les décisions arrêtées en application de l'article 3(10) ou (11) ou de l'article 4(1), deuxième alinéa ;

c) manque à son obligation de se conformer aux ordonnances arrêtées en application de l'article 6(1) ou (2) ;

d) communique des informations soit inexactes soit incomplètes aux autorités chargées de la concurrence ;

e) contribue aux infractions visées aux litera a) à d) ci-dessus.

En cas de circonstances aggravantes, une peine d'emprisonnement pouvant atteindre six ans peut être prononcée. En statuant sur l'existence de circonstances aggravantes, il faut placer l'accent notamment sur le risque de dommages ou d'inconvénients importants, sur les gains attendus de l'infraction, son importance et sa durée, le degré de culpabilité avéré, le point de savoir s'il a été tenté de dissimuler l'infraction en utilisant des comptes ou des documents similaires falsifiés et si le délinquant a été antérieurement condamné du chef d'une infraction, quelle qu'elle soit, à la législation concernant la réglementation économique.

Article 6(7). *Force de choses jugée*

Lorsqu'une option a été levée ou lorsqu'une décision judiciaire exécutoire a été arrêtée au titre de l'article 6(5), aucune action ne peut être engagée au titre de l'article 6(6) pour la même infraction. De même, aucune action ne peut être engagée au titre de l'article 6(5), là où une décision juridiquement obligatoire existe au regard de l'article 6(6) ou de l'article 34 du code pénal.

Chapitre 7. Entrée en vigueur et dispositions transitoires, abrogation et modification d'autres actes

Article 7(1). Entrée en vigueur

La loi entre en vigueur à la date choisie par le Roi.

Article 7(2). Dispositions provisoires

Les dispositions réglementaires, règles et directives administratives arrêtées en application de lois, qui ont été abrogées en vertu de l'article 7(3), n° 2 et n° 3 restent applicables, dans la mesure où les circonstances le justifient, tant que le Roi ne les a pas abrogées ou modifiées en application de la présente loi, conformément à la la loi relative à la politique des prix ou par la voie d'une disposition spéciale.

Les décisions particulières arrêtées en application de la loi n° 4 du 26 juin 1953 relative au contrôle des prix, aux bénéfices et aux restrictions à la concurrence et de la loi n° 3 du 9 juillet 1948 relative à la réglementation des prix imposés et au rationnement, etc., restent en vigueur pour la période prévue dans la décision tant qu'elles ne sont pas amendées ou abrogées en application de la présente loi ou par voie d'une disposition spéciale arrêtée par le Roi.

En outre, le Roi peut arrêter les dispositions provisoires pouvant être nécessaires.

Article 7(3). Abrogation et modification d'autres lois

A l'entrée en vigueur de la présente loi, les lois suivantes sont abrogées ou amendées : ---

POLOGNE

(1992)

Introduction

1992 a été la troisième année d'activité de l'Office antimonopole. Les activités de l'Office sont fondées sur la loi du 24 février 1990 concernant la lutte contre les pratiques monopolistiques, dans sa version modifiée en 1991. En 1992, l'Office antimonopole a axé ses activités sur les missions suivantes qui lui sont assignées par la loi :

a) veiller au respect de la loi et des réglementations sur les pratiques monopolistiques anticoncurrentielles des entités économiques ;

b) examiner l'établissement des prix dans des conditions de concurrence restrictive ;

c) prendre, dans les affaires tombant sous le coup de la loi, des décisions visant

    -- à contrecarrer les pratiques monopolistiques,

    -- à mettre en place des structures dans l'organisation des entités économiques et

    -- à préciser la responsabilité des entreprises se livrant à des pratiques de cette nature ;

d) recenser les entités économiques détenant une position monopolistique sur le marché national ;

e) procéder à des enquêtes sur le degré de concentration de l'économie et présenter aux entités compétentes des conclusions sur les actions proposées pour parvenir à un marché équilibré ;

f) préparer des projets d'actions des pouvoirs publics en vue de stimuler la concurrence, de rédiger ou d'émettre des avis sur les actes juridiques en ce qui concerne les questions relevant de l'Office antimonopole.

Le choix de la voie à emprunter pour atteindre les objectifs susvisés découle directement d'une expérience de ce service vieille de plus de deux ans et des caractéristiques de la transformation de l'économie dans l'état actuel de la Pologne. Les facteurs déterminants de cette transformation sont les suivants :

-- une récession constante ;

-- une inflation stabilisée mais toujours à deux chiffres ;

-- un retard dans le processus de privatisation ;

-- l'instabilité de la situation politique (deux changements de gouvernement).

Les facteurs susvisés exercent une forte pression sur la protection du marché intérieur par le relèvement de droits de douane et de taxes frappant les échanges avec l'étranger, une ingérence directe de l'État dans l'économie (concessions et quotas), le soutien aux grosses entreprises étatisées (prix de la paix publique, nécessaire à l'introduction des réformes).

Dans une telle situation, la lutte contre la montée du protectionnisme -- montée stimulée par les intérêts privés des différents secteurs de l'économie et par les groupes de pression régionaux -- est devenue une mission supplémentaire mais importante de l'Office antimonopole. En s'acquittant de cette mission, l'Office s'est réclamé du projet gouvernemental de développement de la concurrence au cours de la période 1991 à 1993, qui a été adopté en mai 1991 ; et a participé activement à l'élaboration des décisions économiques (travaux de la commission économique du conseil des ministres et ceux des groupes élaborant des programmes gouvernementaux de restructuration de certains secteurs de l'économie et réglementation des monopoles naturels).

I.   Structure et organisation de l'Office antimonopole

L'Office a accompli sa mission en 1992 en employant en moyenne 104 personnes dont 70 experts (des économistes et des juristes) traitant de questions de fond. Le travail de ses autres agents concernait les tâches administratives, comptables et des fonctions variées. Les principaux services de l'Office traitant de questions de fond sont les suivants :

-- Le département de la politique de l'analyse et de la surveillance antimonopoles -- chargé d'élaborer la structure concurrentielle du marché,

-- Le département de jugements antimonopoles -- responsable de la lutte contre les pratiques monopolistiques,

-- Le groupe des décisions antimonopoles -- responsable de la lutte contre les pratiques antimonopolistiques et chargé de régir le domaine de monopole naturel ainsi que le secteur de l'économie locale,

-- Le groupe des services informatisés -- pour le recencement des entités économiques en position de monopole (détenant une part de marché supérieure à 80 pour cent) et la mise en place d'une base de données dans l'économie combinant less résultat des recherches de l'Office avec les statistiques étatiques,

-- Le groupe de la coopération internationale - travaille sur des thèmes relatifs à l'harmonisation de la législation polonaise sur la concurrence avec la législation communautaire en la matière et la mise en application des dispositions relatives aux règles de la concurrence inscrites dans l'accord provisoire avec la CEE (dans le cadre de l'accord européen concernant les échanges) et dans les contrats relatifs aux échanges conclus par la Pologne avec l'AELE et dans le cadre de l'Association européenne de libre-échange regroupant la Pologne, la République tchèque, la République slovaque et la Hongrie,

-- Le département juridique - émet des avis au sujet des textes de loi envoyés à l'Office, prépare tous les documents à usage interne de l'Office, représente au cours des procès l'Office antimonopole devant le Tribunal antimonopole et fournit une assistance juridique à tous les services de l'Office qui traitent de questions de fond,

-- Des bureaux régionaux de l'Office antimonopole implantés dans sept centres administratifs et industriels du pays (Gdansk, Katowice, Krakow, Lublin, Lodz, Poznan, Wroclaw) qui mettent en vigueur les décisions politiques de l'Office antimonopole en ce qui concerne les marchés locaux et les entités économiques implantées dans la région sous l'autorité d'un Office régional déterminé.

Les groupes d'experts désignés par le président de l'Office, composés de membres du personnel de l'Office et de spécialistes extérieurs (appartenant essentiellement à des cercles universitaires) ont joué un rôle capital dans le soutien des activités législatives de l'Office. Un groupe des rédacteurs a rédigé la loi sur la lutte contre la concurrence déloyale doit être mentionné ici -- ils ont rédigé cette loi et poursuivi leur action en vue de son adoption suite aux procédures en vigueur au niveau du gouvernement et du parlement. Il existe ensuite des groupes chargés de concilier la législation polonaise et la législation communautaire en ce qui concerne les accords horizontaux, les clauses contractuelles d'exclusivité, les contrats portant sur des concessions, des brevets et des connaissances techniques, les fusions d'entités économiques, les subventions et la législation sur l'énergie.

II. Lutte contre les pratiques monopolistiques

La lutte contre les pratiques monopolistiques est l'un des principaux objectifs de l'Office antimonopole. Cette lutte est menée par le département des jugements antimonopoles et les bureaux régionaux. Leur activité comprend la mise en route et la poursuite de procédures ainsi que la prise des décisions administratives et qui concernent des entités économiques se livrant à des pratiques monopolistiques, telles qu'elles sont définies au chapitre II de la loi.

En 1992, 94 procédures ont été engagées, dont 60 à la demande des parties en cause et 34 à l'initiative de l'Office. Au cours de la même année, l'Office a arrêté 113 décisions. Dans 42 de ces décisions, il a été constaté que les firmes en cause s'étaient livrées à des pratiques monopolistiques.

Le champ des pratiques monopolistiques tombe sous le coup de tous les cas prévus par les articles 4 et 5 de la loi sur la lutte contre les pratiques monopolistiques. La plus courante était une violation de l'article 4(1)(1) -- soit la fixation d'obligations contractuelles lourdes (50 pour cent des affaires), l'association de fonctions de gestion chez la même personne dans des entreprises concurrentes (4(1)(4), une concertation frauduleuse en matière de prix entre les concurrents (4(2)(1), les restrictions à l'accès au marché (4(2)(4) et de nombreuses formes d'exploitation abusive de position dominante sur un marché, au sens de l'article 5 de la loi sur la lutte contre les pratiques monopolistiques (25 pour cent des pratiques monopolistiques constatées).

En 1992, l'Office antimonopole a engagé 465 procédures à des fins d'explication. Des actions de cette nature étaient habituellement engagées à la suite de plaintes déposées par des particuliers (des consommateurs de biens et de services) à propos de l'exploitation abusive d'une position dominante de la part d'un producteur -- la plupart du temps un monopole naturel. Dans la majorité des affaires, l'intervention de l'Office antimonopole a débouché sur une solution favorisant le consommateur. D'autres sources importantes d'actions menées directement par l'Office antimonopole sont les lacunes de la législation en ce qui concerne les aspects relatifs aux échanges et aux entreprises en décalage par rapport à l'évolution de l'économie. Ces lacunes ont été fréquemment exploitées par des entités économiques au détriment des consommateurs. Tout en prenant des mesures afin de protéger les droits des consommateurs, l'Office antimonopole a demandé aux instances compétentes du gouvernement et du parlement d'apporter les modifications nécessaires à la législation.

Les questions examinées par l'Office antimonopole concernaient dans une large mesure les problèmes liés aux services municipaux. L'Office a procédé à une enquête et publié un avis sur les systèmes de distribution d'eau et d'évacuation des eaux usées, en précisant que les contrats devraient indiquer les règles de la responsabilité du fournisseur en cas d'infraction ou de manquement à l'exécution des obligations contractuelles et de fixation de clauses contractuelles onéreuses (4(1)(1) ou d'exploitation abusive d'une position dominante et du refus de fourniture d'eau (5(4). En outre, il recommande le choix de définitions précises quant à l'objet de l'accord et des modalités d'exécution afin d'éviter des pratiques monopolistiques pouvant découler de clauses contractuelles.

Compte tenu de la hausse des prix de certains articles, l'Office antimonopole a procédé à une enquête afin d'analyser la situation sur le marché en ce qui concerne le respect des règles de la concurrence. Par exemple, après la hausse rapide du prix du sucre au détail en août 1992, il a procédé à une analyse des prix sur le marché intérieur tout en menant des enquêtes sur les organismes opérant sur le marché du sucre. Lorsque l'entreprise de fabrication de voitures de faible capacité occupant une position dominante sur le marché polonais a augmenté ses prix, on a mis à l'étude le fait de savoir si les nouveaux prix étaient raisonnables. Cette analyse avait pour second objectif celui d'établir des liens entre les hausses de prix et la politique sociale de l'État (protection des emplois).

Affaires représentatives et importantes

Affaires "Ruch" S.A.

En 1992, une procédure a été engagée contre les pratiques monopolistiques constatées dans les filiales "Ruch". Jusqu'en 1992, "Ruch" était un monopole presque parfait sur le marché de la publication et de la distribution de la presse. Sa part de marché demeure importante (90 pour cent). En mars 1990, lors du vote de la loi de liquidation de RSW (anciennement Ruch), des contrats uniformes de distribution à la commission avec les distributeurs de la presse au détail ont été utilisés. A l'heure actuelle, en matière d'exploitation de chaque filiale régionale "Ruch, plusieurs types de contrats sont utilisés : location, représentation et franchisage.

L'accès à l'indépendance des filiales "Ruch" a entraîné la résiliation globale des contrats en vigueur et l'adoption de nouvelles conditions contractuelles, beaucoup moins avantageuses pour les distributeurs (exploitants des kiosques à journaux).

"Ruch" S.A., qui détient un monopole sur le marché intérieur de la distribution de la presse, a refusé de diffuser le journal d'un éditeur faute de moyens de transport. L'Office antimonopole a engagé une procédure sur requête de l'éditeur et constaté que "Ruch" exploitait abusivement sa position dominante en refusant de vendre et exerçait une discrimination à l'égard d'une entité économique article 5(4). Il a ordonné la cessation de cette pratique.

Les agents d'une filiale locale de "Ruch" S.A. ont saisi l'Office antimonopole d'une demande en vue d'une procédure au motif que "Ruch" aurait imposé des contrats de franchisage en menaçant de mettre fin au contrat de location de magasins et à leur approvisionnement en publications de presse. L'Office antimonopole a également constaté dans cette affaire une exploitation abusive d'une position dominante au détriment de la concurrence. Il a ordonné la cessation de la pratique en cause et infligé une amende.

L'affaire concernant la coopérative de logement "Slowianin"

Conformément aux conditions contractuelles, les firmes ne pouvaient acheter des appartements de construction récente (pour leurs travailleurs) de la cooperative de logement qu'a condition de contribuer par une "donation" à l'activité sociale, en sus du prix de construction. Au cours de la procédure, l'Office antimonopole a constaté que la coopérative s'adonnait à des pratiques monopolistiques, consistant à subordonner la conclusion d'un contrat à la fourniture par l'autre partie d'un autre service étranger à l'objet du contrat (4(1)(2)). A la suite de l'ordonnance de l'Office antimonopole, la coopérative a mis fin à la pratique incriminée.

Collusion entre concurrents

En 1992, de nombreuses procédures en matière de collusion entre concurrents ont été engagées par l'Office antimonopole. Le nombre de requêtes et de données relatives à la formation d'ententes nous autorisent à présumer un développement de ces pratiques dans le cadre de la formation d'une économie de marché. Dans le cadre de deux procédures engagées contre des ententes, l'Office antimonopole a été amené à arrêter des interdictions des pratiques en cause. La première décision concernait la collusion entre 31 sucreries, qui s'étaient entendues pour fixer un prix uniforme du sucre (article 4(2)(1)). L'Office antimonopole a ordonné de mettre fin à l'utilisation de ce prix du sucre imposé dans l'accord et de le remplacer par des prix négociés cas par cas par les sucreries et par les acheteurs.

Il a interdit une autre entente entre compagnies d'assurances. Une procédure a permis d'établir que les 13 plus grandes compagnies d'assurances en Pologne avaient conclu un accord de fixation du prix maximum pour les rémunérations sous forme de commissions dans les contrats avec les agents d'assurance et un prix minimum pour l'assurance automobile et l'assurance incendie (article 4(2)(5)). Dans ces deux affaires, l'Office antimonopole a refusé de condamner les firmes en cause à des amendes, compte tenu de la médiocre situation financière des participants à l'entente.

Activités de l'Office antimonopole dans le domaine des monopoles naturels

Les monopoles naturels polonais sont encore gérés par l'État. Les prix de l'énergie électrique et du chauffage de district, ainsi que des combustibles liquides, restent fixés par le ministère des Finances. D'autre part, il n'y a toujours pas de solution administrative et juridique de nature à régir cette partie de l'économie de marché. Compte tenu de cette situation, l'Office antimonopole a arrêté des mesures afin de mettre en place une réglementation juridique ultérieure de ces secteurs par la création d'agences et la formation d'un personnel futur. Une autre forme d'influence sur les monopoles naturels s'exerce du fait de la présence de représentants de l'Office antimonopole au sein des conseils de surveillance des firmes qui sont la propriété exclusive du ministère des Finances, telles que le réseau polonais de l'énergie (Polskie Sieci Energetyczne S.A.), ou encore les télécommunications polonaises et les plus grandes centrales thermiques. La participation des représentants de l'Office antimonopole au sein des conseils de surveillance permet dans certaines limites l'exercice d'un contrôle et d'une influence sur les activités des monopoles.

En 1992, l'Office antimonopole a engagé 34 procédures contre des entités exerçant leurs activités au sein d'une position de monopole naturel. 29 d'entre elles ont été engagées à l'initiative des parties et cinq par l'Office antimonopole. 25 de ces procédures se sont conclues par l'établissement de décisions. Les plus importantes dont l'Office antimonopole ait été saisi concernaient le financement de la construction et de l'exploitation des réseaux d'électricité, de gaz et de chauffage de même que la mise en place d'un réseau de télécommunications, y compris celui de la télévision câblée.

Une affaire importante

Le financement des frais d'installation de réseaux et de l'équipement pour l'approvisionnement en électricité et en gaz fait l'objet de nombreuses requêtes déposées auprès de l'Office antimonopole, principalement par les coopératives de logement et des associations municipales (zwiaski gmin). Une question connexe dans de nombreuses requêtes était celle de la nécessité de la prise en charge de ces investissements par les fournisseurs de sources énergétiques, c'est à dire la question de déterminer qui était tenu de prendre à sa charge les frais d'installation et d'exploitation des réseaux énergétiques.

Les requérants ont soutenu que les frais d'installation devaient être supportés par les fournisseurs d'énergie ou de gaz. Ces derniers ont répondu que le contrôle des prix du gaz et de l'énergie ne leur permettait pas de dégager et de mobiliser des capitaux pour cette mise de fonds en vue de l'approvisionnement de nouveaux logements et ils ont refusé de contribuer aux frais de construction. Selon les centrales énergétiques, les avoirs pour le financement de la mise en place de réseaux énergétiques dans le but d'investir dans le logement doivent être imputés sur les budgets municipaux (gmina).

La solution du problème susvisé n'a pas été trouvée dans les dispositions de la loi. La majorité des experts étaient d'avis que les distributeurs de gaz et d'énergie deviennent propriétaires de l'équipement relié au réseau et sont tenus de fournir des services d'assistance technique, de remplacement en cas de dommage et de maintenance.

Dans l'affaire coopérative de logement de Stalowa Wola c. Centrale électrique de Rzeszów, une pratique monopolistique a été constatée puisqu'elle consistait à exploiter abusivement sa position de monopole en tant que pourvoyeur d'énergie du fait de son refus de financer les exploitations du réseau et celles de l'équipement construit par la coopérative des logements. L'Office antimonopole a ordonné à la centrale énergétique de mettre fin à cette pratique. La centrale énergétique a formé un recours devant le Tribunal antimonopole, qui a confirmé la décision et a reconnu le bien-fondé de la motivation de l'Office antimonopole.

III. Création d'une structure d'économie de marché

La création d'une structure de marché répondant aux exigences d'une économie de marché moderne est au centre des activités de l'Office antimonopole. Dans le cadre des activités de l'Office antimonopole, le département de la politique antimonopole et les bureaux régionaux (Delegatury) se sont préoccupés de ces questions et à partir de 1992 ont été autorisés à rendre des décisions au sujet de la transformation et de la mise en place d'entités économiques conformément au chapitre III de la loi antimonopole.

Conformément au programme gouvernemental d'encouragement de la concurrence de 1991 à 1993, l'Office antimonopole a poursuivi ses activités en

1992 visant à prendre directement les mesures d'incitation visées dans la loi et à participer aux travaux des instances élaborant des plans de restructuration économique.

Les activités directes susvisées ont été axées sur la réalisation des objectifs définis aux articles 11 et 12 de la loi, y compris l'élaboration d'opinions sur l'évolution structurelle des entités économiques en vue de la protection de la concurrence et la modification des structures existantes dans un but d'amélioration de la concurrence ou de levée des obstacles à son développement.

Avis sur les projets de transformation, de création ou de fusion d'entités économiques (article 11)

En vertu de l'article 11 de la loi, un projet de transformation, d'établissement ou de fusion d'entités économiques doit être notifié à l'Office antimonopole qui, dans les deux mois, rend une décision autorisant (avec ou sans conditions supplémentaires) ou interdisant des modifications structurelles. Les notifications ont été prévues en raison de l'influence qu'elles exercent sur la concurrence.

Par ces actions, l'Office antimonopole vise à créer un environnement propice à l'évolution la plus rapide possible des structures monopolistiques existantes. Celles-ci sont apparues au cours de la période de planification centralisée de l'économie et faire obstacle à ce que afin de le marché engendre de nouveaux types de structures caractérisés par la concentration de capitaux. En 1992, l'Office antimonopole a arrêté 740 décisions concernant les transformations structurelles des entités économiques, dont 382 concernaient la transformation d'une entreprise d'État en une entreprise commerciale, 345 la création d'une entreprise commerciale et 13 seulement la fusion d'entreprises.

Examinant les cas de transformation d'entreprises d'État en sociétés propriété exclusive du ministère des finances et l'établissement d'entités économiques avec d'importantes opportunités de marché Sendzimir Aciéries, Bumar-Labedy, Polska Miedz (Cuivre) S.A.), l'Office antimonopole l'évalué de l'envergure et le caractère des programmes de restructuration de ces entités.

Un domaine qui a soulevé un intérêt particulier en 1992 était le secteur du bois, pour lequel 16 décisions ont été arrêtées, dont cinq étaient des interdictions de transformation. Toutes ces décisions concernaient des entreprises énumérées dans le programme national de privatisation ("privatisations massives"). Dans quatre affaires, les parties ont formé un recours devant le Tribunal antimonopole. L'Office antimonopole a engagé une procédure explicative au sujet de ce secteur et de ses perspectives de restructuration.

Activités concernant l'agriculture et les industries connexes

En ce qui concerne l'agriculture ou les industrie connexes, de nombreuses décisions touchant les problèmes structurels ont été arrêtées en 1991. L'Office antimonopole a été saisi de 23 requêtes dont la plupart concernaient la création de sociétés individuelles, en vue de la location d'une partie des actifs des firmes étatiques liquidées. Deux affaires de fusion concernaient deux petites firmes créées à la suite de la privatisation d'entreprises de commerce de semences et de petites entités dotées de moyens d'entreposage.

La majorité des requêtes concernait des entreprises de traitement de produits agricoles, en particulier leur projet de se transformer en sociétés commerciales dans le cadre du programme national de privatisation. Pour une large part, les transformations en cause ont été réalisées dans les secteurs du sucre et de la meunerie.

Démantèlement des entités économiques (article 12 de la loi)

En application de l'article 12 de la loi sur la lutte contre les pratiques monopolistiques, l'Office antimonopole est autorisé à démanteler ou à liquider les firmes en position dominante sur le marché si, en permanence, elles diminuent la concurrence ou les conditions permettant son apparition.

En 1992, trois procédures ont été engagées par l'Office antimonopole contre des sociétés exerçant leurs activités dans le secteur agricole et deux de ces procédures concernaient le commerce de semences, la troisième le traitement de la viande. L'Office antimonopole a arrêté trois décisions an ordonnant le démantèlement des trois firmes susvisées et d'une entreprise de meunerie (dans le cadre de la procédure engagée et suspendue en 1991).

Structures d'un marché concurrentiel

En 1992, l'Office antimonopole a entrepris une étude sur la structure des entreprises en position de monopole sur un marché. Un projet de questionnaire a été établi puis un projet de recherche pilote réalisé. Cette étude avait pour but d'analyser l'évolution du degré de concentration sur les marchés, d'identifier les entités économiques à restructurer à partir de leur démantèlement.

Le secteur du sucre

En 1992, l'Office antimonopole a reçu notification lui annonçant l'intention de créer des firmes exerçant leurs activités dans le secteur du sucre. La procédure a débouché sur une interdiction de créer un consortium de sucreries privées sous forme de sociétés par actions, à Wroclaw et comprenant 22 producteurs de sucre ainsi que deux personnes physiques.

Après avoir analysé le champ des activités du consortium projeté et la position sur le marché, des sucreries participant au projet, l'Office antimonopole a conclu que les entités tenant à établir ce consortium obtiendraient une position dominante sur le marché dans la plupart des voivodies dans lesquelles les usines étaient implantées. En outre, ce consortium restreindrait sensiblement la concurrence sur les marchés locaux pour l'achat de betteraves sucrières, ainsi que pour la production et la vente de sucre.

Le consortium a formé un recours devant le Tribunal antimonopole, qui s'est borné à examiner les aspects formels et juridiques de l'affaire (en inscrivant la firme dans le registre du commerce au cours de la procédure). La Cour a annulé la décision de l'Office antimonopole. Cette affaire fait l'objet d'une procédure rectificative devant le Tribunal de l'enregistrement.

IV. Mise en oeuvre de la politique de la concurrence

L'Office a encouragé la concurrence a plusieurs niveaux. Ses activités ont visé à améliorer le système juridique polonais en tenant compte des règles régissant la concurrence au sens le plus large et adopter des solutions favorables à la concurrence sous forme de mesures légales de natures variées.

La loi sur la lutte contre la concurrence déloyale

En 1992, l'Office a élaboré un projet de loi sur la lutte contre la concurrence déloyale. Ce projet a été préparé par une équipe d'experts, constituée à cette fin. Le travail de négociation interministériel et de présentation du projet de loi au Parlement incombait à l'Office. La nouvelle loi remplacera la loi de 1926, qui ne répond pas aux conditions de l'économie de marché actuelle. La loi concerne les mesures visant à faire obstacle à la concurrence déloyale et, dans l'intérêt général, dans celui des entrepreneurs, des clients et en particulier du consommateur, à contrecarrer ces actes de concurrence déloyale au sein de l'activité économique. La clause générale prévoit qu'il y a concurrence déloyale dans un acte contraire à la loi ou aux usages commerciaux normaux si cet acte menace ou lèse les intérêts d'un autre entrepreneur ou client.

Le projet énumère les infractions à la loi les plus graves et les plus courantes ainsi que les règles d'équité dans l'exercice d'activités commerciales, y compris la publicité. Ces infractions sont les suivantes : désignation fallacieuse d'une entreprise, d'un produit ou d'un service ; violation d'un secret commercial ; manoeuvres visant à amener une partie à mettre fin à un contrat ou à ne pas l'exécuter ; contrefaçons ; manoeuvres visant à empêcher l'accès à un marché ; calomnies et louanges sans fondement ainsi que publicité mensongère ou interdite.

En mai 1992, le projet a été déposé devant le Parlement de la République de Pologne et a été examiné par tous les comités du Sejm (chambre basse du Parlement polonais). En avril 1993, la loi a été votée par le Parlement et elle attend actuellement la signature du président (voir en annexe le texte de la loi).

Élaboration d'amendements à la loi polonaise antimonopole

En s'efforçant d'améliorer la loi polonaise antimonopole et de l'adapter aux conditions d'une économie de marché moderne, ainsi que de remplir les conditions découlant des accords internationaux conclus par la Pologne, l'Office a décidé de s'attaquer à l'amélioration du système juridique polonais dans le domaine des règles régissant la concurrence, au sens le plus large.

En 1992, cinq groupes de travail ont été constitués. Ils regroupaient des membres du personnel de l'Office et des théoriciens s'occupant des questions relatives au droit de la concurrence. Ces groupes de travail avaient pour objectif d'élaborer les projets de nouvelles dispositions légales en ce qui concernait :

-- les accords horizontaux ;

-- les accords verticaux, en particulier les accords d'exclusivité ;

-- contrats portant sur des licences exploitation, des brevets et des connaissances techniques ;

-- fusions ;

-- subventions.

Les projets susvisés ont fait l'objet de consultations approfondies, auxquelles ont participé des experts polonais étrangers -- principalement sur la recommandation de la DG IV de la Commission des Communautés européennes. En 1993, ils serviront de base à d'importants amendements de la loi sur la lutte contre les pratiques monopolistiques -- en premier lieu pour ce qui touche aux dispositions sur le contrôle des fusions grâce aux achats d'actions ou de parts de capital. A l'heure actuelle, les textes préparés sont des documents préliminaires à présenter au Parlement en 1994 au titre d'une nouvelle loi sur le progrès de la concurrence.

La participation à la création d'une politique économique publique

En 1992, l'Office a contribué à la création du fondement de la politique économique de l'État. L'Office a participé à des travaux de mise en place de conditions compétitives d'exploitation au sein du marché polonais et a coopéré à l'élaboration de projets de restructuration favorables au marché en ce qui concerne les industries en jeu dans l'économie polonaise et à la création des instruments juridiques privilégiant les solutions favorables à la concurrence.

Libéralisation des échanges avec l'étranger

L'expérience des années précédentes a montré que la libéralisation des échanges commerciaux avec l'étranger et la pression concurrentielle imposée à l'économie polonaise immédiatement après cette libéralisation constitue, dans la mise en place des rouages et comportements du marché, un instrument plus efficace que les directives administratives. Pour ce motif, l'Office a déployé d'énormes efforts pour s'opposer aux pressions croissantes en faveur de la protection du marché national en 1992.

Des représentants de l'Office ont participé aux travaux de la commission interministérielle pour la mise à jour et les modifications du tarif douanier touchant les importations et des groupes de travail élaborant les critères et les règles d'établissement de quotas et de licences concernant les échanges avec l'étranger. Les representants de l'Office se sont opposés systématiquement aux tentatives qui visaient à renforcer ces instruments de protection d'une manière excessive.

Projets de restructuration, et de privatisation et amendements à la législation économique

Des représentants de l'Office ont participé aux travaux des groupes de travail dans leur élaboration de projets de restructuration et de privatisation au sein de secteurs industriels importants de l'économie nationale :

-- l'industrie sidérurgique ;

-- l'industrie pétrolière ;

-- exploitation de noir de carbone ;

-- chantiers navals ;

-- société nationale des chemins de fer polonais (PKP).

L'Office antimonopole s'est efforcé de faire adopter les dispositions garantissant la mise en place d'une structure compétitive au sein de l'industrie (restructuration) ou de décourager un excès de concentration à la suite de la privatisation. Il est fréquent que dans le cadre de ces efforts, les nécessités d'une politique de la concurrence aiet dû céder le pas à la nécessité d'injecter du capital dans l'industrie ou aux exigences de la politique sociale (récession, chômage).

Tout en élaborant seul ou conjointement de nouvelles dispositions dans ce domaine, l'Office émettait des avis sur tous les projets d'instruments juridiques présentant quelque importance pour l'évolution de la concurrence et la protection du consommateur. Il a proposé des dispositions modificatives et complémentaires pertinentes pour de nombreuses lois au sujet desquelles il émettait un avis. Les modifications concernaient essentiellement les solutions de nature à freiner le progrès de la concurrence, portant atteinte à l'égalité des entités économiques ou réglementant l'activité économique d'une manière excessive.

Les plus importants instruments juridiques au sujet desquels l'Office a exprimé un avis sont les suivants :

-- Loi sur le fond de restructuration et sur la liquidation du passif dans l'agriculture (réduction du passif de l'agriculture) ;

-- Loi sur la radiotélédiffusion ;

-- Loi sur la privatisation massive ;

-- Loi sur l'énergie ;

-- Loi sur le monopole public des boissons alcoolisées et du tabac ;

-- Loi sur la protection du consommateur ;

-- Loi sur les taux de péréquation pour certains produits agricoles et alimentaires importés.

V. Examen par le Tribunal antimonopole des recours dirigés contre les décisions de l'Office antimonopole

Le Tribunal antimonopole examine les décisions de l'Office antimonopole. En 1992, il a été interjeté appel de 47 décisions devant l'Office, deux recours ayant été reportés de 1991 à l'exercice suivant. L'Office a examiné 45 recours et en a ensuite saisi le Tribunal antimonopole; la Cour a examiné 28 de ces recours. Il en est résulté que 16 décisions de l'Office ont été confirmées, 11 décisions infirmées ou réformées à la suite d'un désistement et il a été sursis à statuer dans une procédure ; 17 recours formés en 1992 doivent être encore examinés par le Tribunal.

VI. Analyse de l'économie

L'Office antimonopole a procédé à une analyse des petites et moyennes entreprises ainsi qu'à l'établissement d'un rapport sur la mise en oeuvre du programme gouvernemental pour la stimulation de la concurrence en 1991 et 1992.

Un registre des entités économiques en position de monopole est maintenu. Les firmes inscrites sur ce registre et qui tiennent à relever les prix contractuels sont tenues de le notifier au département financier du ministère des finances. En 1992, 19 entités ont été retirées du registre, 16 nouvelles entités y étant ajoutées. A l'heure actuelle, le registre regroupe 97 entités économiques.

En outre, l'Office a amélioré une base de données déjà existante et il l'a analysée dans le contexte des procédures qu'elle a engagées.

Informatisation de l'Office

En 1992, l'utilisation des subventions PHARE a permis l'informatisation de l'Office. Sept ordinateurs ont été achetés pour les Offices régionaux et huit pour les unités organiques de l'Office. En outre, un système de réseaux informatisé (Novell 3.11) pour 50 utilisateurs a été mis en place. Sa mise en place a permis à l'Office, en passant par le réseau connecté, d'avoir accès aux décisions antérieures et aux données concernant des entités économiques dont il s'était occupé au cours des procédures qui avaient été menées.

L'acquisition de matériel informatique pour les bureaux régionaux leur a permis d'accéder à la base de données sur les entreprises et d'améliorer leur capacité d'évaluer la part de marché d'une entité à l'examen.

VII. Accords internationaux

Mise en oeuvre de l'accord intérimaire avec la CEE

1992 a été la première année de mise en oeuvre de l'accord intérimaire, s'inscrivant dans l'accord européen avec les Communautés européennes au sujet des échanges. L'accord intérimaire est entré en vigueur le 1er mars 1992 et, depuis lors, les règles régissant la concurrence qui y sont incorporées sont en vigueur (article 33). Ces règles ont été négociées par le personnel de l'Office. L'article 33 (c'est-à--dire l'article 63 de l'accord européen) régit le champ d'application, les principes et les procédures de la protection de la concurrence contre les restrictions aux échanges entre la Communauté et la Pologne. Cet article intègre l'ensemble des dispositions des articles 85, 86 et 92 du traité de Rome.

Le 29 juillet 1992, à l'initiative de l'Office antimonopole et de la direction générale de la concurrence de la Commission des Communautés européennes (DG IV), un sous-comité de la concurrence a été mis en place. Il a pour objectif de veiller à l'application correcte de l'accord en ce qui concerne la législation sur la concurrence, et d'élaborer également des règles d'application de l'article 33.

Les 29 et 30 juillet 1992, la première réunion de travail a eu lieu. Au cours de cette réunion, la forme et l'étendue de la coopération entre les parties ont été examinés. Une coopération a été décidée en application notamment de la Recommandation de 1986 du Conseil de l'OCDE sur la Coopération entre Pays Membres dans le Domaine des Pratiques Commerciales Restrictives Affectant les Échanges Internationaux et de l'article 5 de l'accord entre la Commission des Communautés européennes et le gouvernement des États-Unis d'Amérique concernant l'application de leur droit de la concurrence ("courtoisie internationale active").

Bien que l'accord européen ne soit pas encore en vigueur, l'Office antimonopole a pris des mesures afin de satisfaire aux exigences visées aux articles 68 et 69, qui concernent l'adaptation des dispositions légales polonaises aux normes européennes.

Le président de l'Office antimonopole a mis en place cinq groupes de travail en vue de l'harmonisation de la législation polonaise sur la concurrence, sous les aspects ci-après, avec les solutions adoptées au sein de la CEE :

-- contrôle des fusions ;

-- accords horizontaux ;

-- contrats ayant pour objet des licences d'exploitation des brevets et des connaissances techniques ;

-- accords verticaux ;

-- subventions constituant des violations des règles régissant la concurrence.

Les travaux du groupe de travail ont débouché sur l'élaboration de nouveaux projets de réglementations, dont certaines entreront en vigueur en 1993 et d'autres en 1994.

Accord avec l'AELE et association de libre-échange entre la Pologne, les Républiques tchèque et slovaque et la Hongrie (CEFTA)

A la fin de 1992, deux accords importants, du point de vue des intérêts polonais, sur les échanges ont été signés. Le premier conclu avec les pays membres de l'AELE a mis en place une zone de libre-échange entre ces pays et la Pologne. L'autre a jeté les bases d'une zone de libre-échange groupant la Pologne, les Républiques tchèque et slovaque et la Hongrie (CEFTA). De même, comme dans le cas de l'accord européen, l'Office a participé activement à la conclusion de ces accords en négociant des dispositions relatives aux règles régissant la concurrence.

Les accords susvisés constituent un facteur important de développement des échanges entre les pays qui y sont parties et en complément important des accords conclus par ces pays avec la CEE en contribuant au progrès de l'intégration européenne.

VIII.   Coopération internationale

La coopération internationale engagée par l'Office poursuit trois objectifs.

Présentation aux cercles internationaux de l'état actuel du système juridique polonais antimonopole et des réalisations de l'Office dans la mise en oeuvre de ce système

Cet objectif a été atteint grâce à la participation du personnel de l'Office à des conférences et à des séminaires consacrés à ces questions. Des exposés et des allocations des représentants de l'Office ont été présentés à la conférence annuelle du Fordham Corporate Institute à New York ainsi qu'à des conférences à Budapest et à Londres au sujet de la législation régissant la concurrence en Europe centrale et orientale ; au cours des travaux de groupes de travail des comités pour la concurrence et de sous-groupes de travail à l'OCDE à Paris et à la conférence annuelle de la CNUCED. L'Office a organisé une conférence internationale à Varsovie lors du deuxième anniversaire de sa mise en place avec la participation de la plupart des grands organismes antitrust du monde entier et de toutes les instances d'Europe centrale et orientale de création récente qui poursuivent une mission analogue à celle de l'Office polonais antimonopole.

Mise en valeur de l'expérience acquise par les agences de protection de la concurrence dans les pays à économie de marché avancée

La multiplication de contacts suivis avec les organismes chargés de la concurrence à l'étranger a permis à l'Office de résoudre un problème essentiel -- la formation du personnel. Au total 36 membres du personnel de l'Office antimonopole ont eu la possibilité de se familiariser avec les questions de concurrence et de recevoir une formation à partir d'une grande variété de sources : des stages de plusieurs semaines à la commission fédérale des échanges et à la division antitrust du ministère de la justice des États-Unis d'Amérique, à la DG IV de la Commission des Communautés européennes, au Bundeskartellamt en Allemagne, à des organismes de protection de la concurrence au Royaume-Uni ; des stages de formation de trois à quatre jours sur des thèmes précis (définition du marché, exploitation de position dominante, accords horizontaux), organisés par l'OCDE à Vienne.

Des stages de formation ont été organisés par l'Office en Pologne. La coopération avec la commission fédérale des échanges et la division antitrust du ministère de la justice a débouché notamment sur l'organisation d'un séminaire de deux semaines au sujet des techniques d'enquête dans les affaires d'entente. Ce séminaire était destiné non seulement au personnel de l'Office antimonopole mais également aux représentants du directeur du conseil de surveillance (médiateurs) et de la fédération pour la protection du consommateur. Des experts américains ont également dirigé un programme de formation de quelques jours au sujet de la réglementation des fusions et des contrats de franchisage. Dans le cadre de ses travaux en cours, l'Office antimonopole bénéficie du concours de deux conseillers américains qui lui sont affectés à long terme. Une coopération similaire avec la Communauté européenne s'est traduite notamment par l'organisation d'un séminaire par des spécialistes renommés de la Communauté européenne au sujet des secteurs détenteurs un monopole naturel, tels les monopoles naturels du gaz et de l'électricité, et destiné au personnel de l'Office et à celui de ces secteurs. Des experts européens ont également fourni une formation pour le personnel de l'Office dans le domaine de la réglementation des fusions.

Grâce à la coopération susvisée, le personnel de l'Office antimonopole et les chercheurs ont accès à la documentation et à la jurisprudence mondiale récente dans le domaine de la protection de la concurrence. Il faut souligner que sous cet aspect notre coopération est financée presque exclusivement grâce aux ressources fournies par l'agence du développement international, le fonds PHARE et le British Know-How Fund.

Coopération avec les pays d'Europe centrale et orientale ; transfert de connaissances et d'expérience de l'Office antimonopole aux pays qui se sont constitués après la désintégration de l'Union soviétique

Une étroite relation de partenariat et un échange d'informations continu (au sens journalier, non officiel) en particulier dans le domaine des investissements étrangers se sont instaurés avec les organismes compétents en matière de concurrence des Républiques tchèque et slovaque, de la Hongrie et de la Russie. Des représentants des Républiques tchèque et slovaque, de la Hongrie, de la Lituanie, de l'Estonie et la Russie ont participé à des séminaires organisés par des consultants de la DG IV de la Commission des Communautés européennes. Le bureau régional de Gdansk et la division territoriale du comité antimonopole de la fédération de Russie à Kaliningrad ont signé un accord en vue de l'établissement immédiat d'une coopération d'échange d'informations et de formation. Ce type de coopération facilitera la reconstruction et le resserrement de la coopération économique avec les pays voisins de la Pologne dans un avenir proche, ainsi que l'intégration européenne.

Annexe 1

STATISTIQUES DES PROCÉDURES JUDICIAIRES CONCERNANT DES DÉCISIONS DE L'OFFICE ANTIMONOPOLE PORTÉES DEVANT LE TRIBUNAL ANTIMONOPOLE
(avril 1990 à décembre 1992)

Nombre total de recours formés contre les décisions
de l'Office antimonopole :   85

  --   y compris les recours dont a été saisi le Tribunal antimonopole :   74

  --   y compris les recours examinés par le Tribunal antimonopole :   53

Sur les 53 recours examinés :

  34   décisions ont été confirmées par le Tribunal antimonopole

  17   décisions ont été déclarées nulles et non avenues par le Tribunal antimonopole

  1   décision a été modifiée partiellement par le Tribunal antimonopole

  1   décision -- il a été sursis à statuer par le Tribunal antimonopole tant que le Tribunal constitutionnel n'aurait pas statué

Annexe 2

STATISTIQUES DES DÉCISIONS DE L'OFFICE ANTIMONOPOLE
(avril 1990 - décembre 1992)

Décisions sur les pratiques antimonopolistiques (art. 4, 5, et 7 de la loi antimonopole)			Décisions sur des questions structurelles (art. 11 et 12 de la loi antimonopole)			
Année	Total	Coustations de l'existence de pratiques monopolistiques	Total	Approbation conditionnel le d'une trans-formation	Interdiction d'une trans-formation	Division
1990	70	32	192	17	8	--
1991	116	17	974	63	4	12
1992	113	42	740	9	9	4
Total	91	91	1 964	89	21	16

Annexe 3

LOI
DU 16 AVRIL 1993
SUR LA LUTTE CONTRE LA CONCURRENCE DÉLOYALE

Chapitre 1
Dispositions générales

Article 1

La présente loi régit la prévention de la concurrence déloyale dans l'activité économique et la lutte contre cette concurrence déloyale, en particulier dans les domaines suivants : production industrielle et agricole, construction, échanges et services, dans l'intérêt du public, des entrepreneurs et de la clientèle et, 0principalement, des consommateurs.

Article 2

Au sens de la présente loi, les entrepreneurs sont des particuliers ou des personnes morales et des organisations non dotées de la personnalité juridique, qui participent à l'activité économique, en exécutant des opérations commerciales ou professionnelles, même par intermittence.

Article 3

1. Exercer une concurrence déloyale est agir contrairement à la loi et aux bonnes pratiques commerciales, si son exercice menace ou lèse les intérêts d'un autre entrepreneur ou d'un client.

2. En particulier, les actes de concurrence déloyale sont les suivants :

    -- identification d'entreprises sous une forme fallacieuse,

    -- indication fausse ou trompeuse de l'origine géographique de produits ou de services,

    -- identification de produits ou de services sous une forme fallacieuse,

    -- violation d'un secret commercial d'une entreprise,

    -- manoeuvre visant à amener quelqu'un à résilier ou à ne pas exécuter un contrat,

    -- contrefaçons,

    -- mesures faisant obstacle à l'accès à un marché,

    -- calomnies ou louanges sans fondement, ainsi que publicité malhonnête ou interdite.

Article 4

Les non-nationaux et les personnes morales étrangères peuvent exercer des droits résultant des dispositions de la présente loi, conformément aux accords internationaux liant la République de Pologne ou à titre de réciprocité.

Chapitre 2

Actes de concurrence déloyale

Article 5

C'est exercer une concurrence déloyale que de désigner une entreprise sous une forme risquant de tromper les consommateurs en ce qui concerne son identité, en utilisant une marque, une dénomination, un emblème, un signe ou tout autre symbole caractéristique servant auparavant légalement à désigner une autre entreprise.

Article 6

1. Si la désignation d'une entreprise par le nom d'un entrepreneur risque de tromper des consommateurs qui peuvent confondre son identité avec celle d'une autre entreprise, qui utilisait auparavant une marque similaire, les entrepreneurs prennent des mesures afin d'éviter le risque d'induire des tiers en erreur.

2. Sur la demande d'une partie excipant d'un intérêt, le Tribunal ordonne à un entrepreneur, qui a commencé à utiliser cette marque plus tardivement, de prendre les mesures préventives requises, y compris notamment en modifiant la désignation de son entreprise, en délimitant le territoire de la marque en cause utilisée ou en l'utilisant d'une manière déterminée.

Article 7

1. Si, à la suite d'une liquidation, d'un démantèlement ou de la transformation d'une entreprise, la question se pose de savoir laquelle des entreprises est en droit d'utiliser une marque d'une entreprise liquidée, démantelée ou transformée, il est obligatoire d'établir ces marques de manière à ne pas induire en erreur d'autres parties.

2. En cas de litige, le Tribunal, sur la demande d'un entrepreneur en cause, détermine les marques des entreprises, en tenant compte des intérêts des parties et des diverses circonstances de l'affaire.

Article 8

C'est exercer une concurrence déloyale que de donner à des produits ou à des services une désignation géographique inexacte ou trompeuse directement ou indirectement en indiquant le pays, la région ou le lieu de leur origine, ou d'utiliser cette désignation dans des opérations commerciales, la publicité, les lettres d'affaires, les reçus (factures) et documents divers.

Article 9

Si un produit ou un service est protégé au lieu de son origine, et si, du fait qu'il a pour origine une région ou un lieu déterminé, il se rattache à des particularités et des qualités spécifiques de produits et de services, c'est exercer une concurrence déloyale que d'utiliser sous des modalités fausses ou trompeuses des désignations régionales géographiques de cette nature, même en ajoutant des mots comme "genre", "type" ou "méthode" ou des mots de signification équivalente.

Article 10

1. C'est exercer une concurrence déloyale que d'apposer ou s'abstenir d'apposer des marques sur des produits ou des services sous une forme qui risque de tromper le consommateur en ce qui concerne l'origine, la quantité, la qualité, les ingrédients, les modalités de fabrication, l'utilité, l'usage possible, la réparation, l'entretien ou diverses caractéristiques spécifiques des produits ou des services, ainsi que de dissimuler un risque lié à leur utilisation.

2. C'est exercer une concurrence déloyale que de mettre sur le marché, en vue de la vente, des produits dans un emballage qui risque d'avoir les conséquences visées à l'alinéa 1., à moins que l'utilisation de cet emballage ne soit justifiée par des raisons techniques.

Article 11

1. C'est exercer une concurrence déloyale que de transférer, de divulguer ou d'utiliser des informations qui constituent un secret d'une entreprise, ou de se les procurer auprès d'une personne non agréée, si c'est là faire courir un risque grave à l'entrepreneur.

2. Le paragraphe 1 s'applique également à une personne livrant son ouvrage travail au titre d'une relation d'emploi ou d'une autre relation juridique pendant une période de trois ans courant dès la date de l'expiration de cette relation, à moins qu'un contrat d'emploi n'en dispose autrement ou que le secret ne soit pas conservé.

3. Le paragraphe 1 ne s'applique pas à une personne qui, dans le cadre d'une transaction légale, a procédé à un achat de bonne foi d'informations qui sont le secret d'une entreprise. Le Tribunal peut contraindre l'acquéreur à payer une rémunération appropriée pour l'utilisation de ces informations, tant que le secret de ces informations est conservé.

4. Par secret d'une entreprise, il faut entendre les données techniques, technologiques, commerciales ou organisationnelles d'une entreprise non divulguées au public, pour lesquelles un entrepreneur a pris les mesures nécessaires afin d'en protéger le caractère confidentiel.

Article 12

1. C'est exercer une concurrence déloyale que d'amener un salarié à ne pas exécuter son travail ou à l'exécuter incorrectement, dans son propre intérêt, dans l'intérêt de tiers ou au détriment d'un employeur.

2. C'est exercer une concurrence déloyale que d'inciter la clientèle d'un entrepreneur à ne pas conclure un accord ou à exécuter incorrectement un accord conclu avec cet entrepreneur dans son propre intérêt, dans l'intérêt de tiers ou au détriment de l'entrepreneur.

3. Les paragraphes 1 et 2 ne s'appliquent pas aux mesures prises par les syndicats, conformément aux dispositions sur le règlement des conflits du travail.

Article 13

1. C'est exercer une concurrence déloyale que d'imiter un produit final en utilisant des procédés techniques de reproduction afin de reproduire l'apparence extérieure d'un produit, si les consommateurs risquent de ce fait de se méprendre sur l'identité d'un producteur ou d'un produit.

2. Ce n'est pas exercer une concurrence déloyale que d'imiter les caractéristiques fonctionnelles d'un produit, en particulier sa construction, sa structure et sa forme, qui assurent l'utilité d'un produit. Si l'imitation des caractéristiques fonctionnelles d'un produit final requiert une forme caractéristique qui risque d'être trompeuse pour les consommateurs en ce qui concerne l'identité du producteur ou du produit, l'imitateur apposera une marque appropriée sur le produit.

Article 14

1. C'est exercer une concurrence déloyale que de diffuser des données inexactes ou fallacieuses au sujet de sa propre entreprise ou d'un autre entrepreneur ou entreprise dans l'intérêt de quiconque ou délibérément au détriment de quiconque.

2. Les informations visées au paragraphe 1 sont inexactes ou fallacieuses en particulier si elles concernent

    1. les personnes gérant une entreprise,

    2. les produits manufacturés ou les services livrés,

    3. les prix demandés,

4. la situation économique ou juridique d'une entreprise.

3. La diffusion de l'information visée au paragraphe 1. concerne également :

1. les titres et les grades non acquis ou inexacts ou divers éléments d'information inexacts au sujet des qualifications des salariés,

2. les faux certificats,

3. les résultats douteux de travaux de recherche,

4. les informations douteuses au sujet des distinctions attribuées à des produits ou à des services ou des marques de produits ou de services.

Article 15

C'est exercer une concurrence déloyale que de faire obstacle à l'accès au marché par d'autres entrepreneurs, en particulier :

1. en vendant des produits ou des services à des prix inférieurs aux coûts de production ou de livraison, ou en les revendant à des prix inférieurs aux prix d'achat afin d'éliminer d'autres entrepreneurs,

2. en persuadant d'autres personnes de refuser de vendre à d'autres entrepreneurs, ou d'acheter à d'autres entrepreneurs des produits ou des services,

3. en soumettant indûment certains clients à un traitement inégal.

Article 16

1. Les pratiques suivantes sont des actes de concurrence déloyale en ce qui concerne la publicité :

1. publicité contraire aux dispositions légales ou aux bons usages, ou offensante pour la dignité humaine,

2. publicité trompant les consommateurs et capable de peser sur leurs décisions d'achat d'un produit ou d'un service,

3. publicité faisant appel à l'émotivité des consommateurs en inspirant la crainte et en exploitant la superstition ou la crédulité des enfants,

4. déclaration encourageant l'achat des produits ou des services en créant une impression d'information objective,

5. publicité constituant essentiellement une ingérence dans la vie privée, en particulier en importunant la clientèle dans les lieux publics, en

envoyant des produits non sollicités aux frais du client ou en exploitant abusivement les moyens techniques de diffusion de l'information,

6. publicité par comparaison, à moins qu'elle ne contienne des informations exactes et utiles à la clientèle.

2. Tous les éléments de la publicité trompeuse à évaluer seront pris en considération, en particulier en ce qui concerne la quantité, la qualité, les ingrédients, la technique de fabrication, l'utilité, les possibilités d'usage, la réparation et l'entretien du produit ou du service faisant l'objet de la publicité ainsi que le comportement d'un client.

Article 17

Un acte de concurrence déloyale au sens de l'article 16 peut être également commis par une agence de publicité ou un autre entrepreneur qui a élaboré un message publicitaire.

Chapitre 3
Responsabilité civile

Article 18

1. Là où un acte de concurrence déloyale a été commis, un entrepreneur, dont l'intérêt a été menacé ou lésé, peut demander

    1. la cessation des pratiques illégales,

    2. des mesures de nature à faire disparaître les résultats des pratiques illégales,

    3. l'établissement d'une déclaration unique ou renouvelée d'une teneur appropriée et sous la forme appropriée,

    4. la réparation du préjudice, en application des règles généralement applicables,

    5. le remboursement des gains indûment acquis, conformément aux règles généralement applicables.

2. Sur la demande d'un ayant droit, le Tribunal peut également statuer en ce qui concerne les biens, leurs emballages, les supports publicitaires et divers

postes directement liés aux actes de concurrence déloyale. En particulier, le Tribunal peut en ordonner la destruction ou le repérage à titre de réparation.

Article 19

1. Les demandes énumérées à l'article 18(1) alinéa 1.3. peuvent être introduites par :

    1. les organisations nationales ou régionales ayant pour objectif prévu dans leur acte constitutif la protection des intérêts des consommateurs,

    2. les organisations nationales ou régionales ayant pour objectif prévu dans leur acte constitutif la protection des intérêts des entrepreneurs.

2. Le paragraphe 1 ne s'applique pas aux actes de concurrence déloyale visés aux articles 5 à 7, 11 et 14, et dans le cas des organisations visées au paragraphe 1, alinéa 1, elle ne s'applique pas non plus aux actes visés à l'article 12.

Article 20

Les demandes introduites en raison d'actes de concurrence déloyale sont irrecevables si elles sont présentées après l'expiration d'une période de trois ans. Pour chaque dommage, le délai d'expiration s'applique séparément. La disposition de l'article 442 du code civil s'applique à chacun des dommages.

Article 21

1. Dans les affaires concernant la lutte contre la concurrence déloyale, un entrepreneur, dont l'intérêt est menacé ou lésé, peut demander une ordonnance provisoire à une juridiction, dans le ressort de laquelle un bien d'une personne qui a commis un acte de concurrence déloyale est situé ou dans laquelle un acte de concurrence déloyale a été commis. Les organisations nationales ou régionales dont l'objectif prévu dans leur acte constitutif est la protection des consommateurs ou des entrepreneurs peuvent également introduire une demande d'ordonnance provisoire.

2. Par cette ordonnance provisoire, le Tribunal peut interdire la mise sur le marché de certains biens, ainsi que l'établissement de messages publicitaires d'une teneur déterminée.

3. La juridiction saisie statue sans délai sur une demande de saisie des biens

d'une partie défenderesse. Elle statue au cours d'une audience menée par un seul juge et à huis clos.

Article 22

1. Si une demande concernant des actes de concurrence déloyale est manifestement non fondée, la juridiction saisie peut ordonner à un plaignant d'établir une déclaration unique ou renouvelée sous la forme requise et d'une teneur appropriée.

2. Une partie défenderesse qui a subi un préjudice en raison de la demande visée au paragraphe 1, peut demander réparation du préjudice, conformément aux règles généralement applicables.

Chapitre 4
Dispositions pénales

Article 23

1. Quiconque, nonobstant l'obligation qui lui incombe envers son employeur, donne à un autre entrepreneur, révèle à une autre personne ou utilise aux fins de ses propres opérations économiques des données qui sont un secret de l'entreprise, dont il en résultera un dommage pour l'entrepreneur, est passible d'une peine d'emprisonnement pouvant atteindre deux ans, d'une condamnation avec sursis ou d'une amende.

2. Quiconque possède illégalement des informations, qui constituent le secret d'une entreprise, et les communique à une autre entreprise, les révèle à une autre personne ou les utilise aux fins de ses propres opérations économiques est passible des mêmes peines.

Article 24

Quiconque reproduit l'apparence extérieure d'un produit en utilisant des techniques de reproduction et en créant de ce fait la possibilité que les consommateurs se méprennent sur l'identité d'un producteur ou d'un produit ou introduit sur le marché un produit reproduit de cette manière et, de ce fait, cause un préjudice grave à un entrepreneur, est passible d'une peine d'emprisonnement pouvant atteindre deux ans, d'une condamnation avec sursis ou d'une amende.

Article 25

Quiconque trompe délibérément la clientèle en ce qui concerne l'origine, la quantité, la qualité, les ingrédients, le mode de fabrication, l'utilité, les possibilités d'usage, la réparation et l'entretien et diverses caractéristiques importantes des produits ou des services en apposant un marquage (ou en omettant d'apposer le marquage requis) sur des produits ou sur des services, et dissimule également un risque lié à leur utilisation et de ce fait cause un préjudice sensible à un client est passible d'une peine d'emprisonnement ou d'une amende.

Article 26

1. Quiconque diffuse des données inexactes ou fallacieuses au sujet d'une entreprise, en particulier au sujet de personnes gérant une entreprise, de produits manufacturés, de services livrés ou de prix demandés, ou au sujet de la situation juridique ou économique d'une entreprise, afin de porter préjudice à une entreprise ou à un entrepreneur est passible d'une peine d'emprisonnement ou d'une amende.

2. Les mêmes peines sont encourues par quiconque, afin d'acquérir un bien ou un avantage personnel, diffuse des informations fallacieuses au sujet d'une entreprise ou d'un entrepreneur, en particulier au sujet de personnes gérant une entreprise, de produits manufacturés, de services livrés ou de prix demandés ou au sujet de la situation économique ou juridique d'une entreprise ou d'un entrepreneur.

Article 27

1. La poursuite des délits visés dans la présente loi est engagée sur lademande des parties lésées; la poursuite des infractions est engagée sur la demande des parties lésées.

2. Les organisations visées à l'article 19(1), peuvent également déposer une demande de poursuites pour une infraction visée à l'article 25.

Chapitre 5

Modifications aux dispositions en vigueur

Article 28

Dans le décret du 24 juin 1953 sur la culture du tabac et sur la fabrication des produits dérivés du tabac (Dz.U.[1] n° 34, pos. 144 et n° 44 et en 1988, pos 324), l'article 9 est suivi de l'article 9a suivant :

"Article9a. 1. Il est interdit de faire la publicité des produits dérivés du tabac à la télévision et à la radio. C'est là une interdiction qui s'applique également aux publications destinées aux enfants et aux adolescents. La publicité des produits dérivés du tabac sous une forme graphique n'est autorisée que si elle complétée par une information captant l'attention et lisible au sujet du caractère nocif de ces produits.

2. Une personne enfreignant l'interdiction ou ne respectant pas l'obligation prévue au paragraphe 1. est passible d'une peine d'emprisonnement ou d'une amende.

3. Dans une entreprise, la personne inculpée au titre du paragraphe 2 est le directeur de l'entreprise ou éventuellement une personne à laquelle est confiée la responsabilité de la publicité.

4. Le ministre de la santé et de la sécurité sociale indique par voie d'ordonnance les types d'information visés au paragraphe 1.

Article 29

La loi du 10 octobre 1991 sur la surveillance des produits pharmaceutiques, des équipements médicaux, des pharmacies et des entrepôts et de l'activité pharmaceutique (Dz.U. n° 105, pos. 452 et, en 1993, n° 16, pos. 68), est modifiée comme suit :

---

1. Dzinnik Ustaw - Gazette des règlements gouvernementaux et des lois.

1. L'article 4 est modifié comme suit :

   a) Au paragraphe 1, le terme "information" est remplacé par les termes "publicité et information".

   b) Le paragraphe 2 est modifié comme suit

   "Il est interdit de faire la publicité, en utilisant les médias, de produits pharmaceutiques qui ne peuvent être délivrés que sur ordonnance d'un médecin. Cette disposition ne s'applique pas aux périodiques médicaux spécialisés."

2. Le texte de l'art. 68 est remplacé par le texte suivant :

   "1. Quiconque enfreint l'interdiction visée à l'article 4(1) est passible d'une peine d'emprisonnement ou d'une amende.

   2. Dans une entreprise, la personne inculpée au titre du paragraphe 1 est le directeur de l'entreprise ou, éventuellement, une personne à laquelle est confiée la responsabilité de la publicité d'une entreprise."

Chapitre 6

Dispositions finales

Article 30

La loi du 2 septembre 1926 sur la lutte contre la concurrence déloyale est abrogée (DZ.U. 1930 n° 56, pos. 467).

Article 31

La loi entre en vigueur six mois à compter de sa proclamation, à l'exception de l'article 28 qui entrera en vigueur le 1er janvier 1995.

PORTUGAL

(juillet 1992 - juin 1993)

I. Nouvelles dispositions légales en matière de droit de la concurrence

Comme il a été indiqué dans le précédent rapport, la législation portugaise en matière de concurrence a été révisée.

Le nouvel instrument juridique a déjà été approuvé par le Conseil des ministres et on n'attend maintenant que sa publication dans le bulletin officiel du gouvernement. Il devrait entrer en vigueur le 1er janvier 1994.

La nouvelle législation a pour objectif de répondre à l'évolution profonde qui s'est produite dans la structure et le fonctionnement de l'économie portugaise à la suite de la libéralisation, de la déréglementation et de la privatisation d'importants secteurs de l'activité économique tenant aux avances de l'intégration européenne et à l'interpénétration accrue des économies. Cette législation a pour but d'intégrer dans un cadre juridique les principaux instruments visant à défendre et à stimuler la concurrence et à lui conférer une plus grande efficacité.

Les principales modifications envisagées dans la nouvelle loi sur la concurrence peuvent être résumées comme suit :

Intégration de la législation fondamentale régissant la concurrence dans un instrument juridique unique

Jusqu'à présent, les règles régissant la concurrence étaient réparties pour l'essentiel entre deux instruments juridiques : le décret-loi n° 422/83, qui établit les règles relatives à la défense de la concurrence et le décret-loi n° 428/88 relatif au contrôle préalable des concentrations (fusions et acquisitions).

La nouvelle loi rassemblera désormais dans un instrument unique tant les règles relatives à la conduite des entreprises que les règles régissant les adaptations structurelles au marché.

Adaptation aux principes et aux concepts de la Communauté

En ce qui concerne les règles de la concurrence, les pratiques particulières qualifiées de restrictives, qui faisaient l'objet de l'interdiction, même lorsqu'elles étaient exercées par des firmes qui n'étaient pas en position dominante sur le marché, ne tombent plus dans le champ d'application de la législation sur la concurrence.

De même que dans la législation communautaire et dans la législation nationale des autres pays en général, la nouvelle loi portugaise ne concerne que les pratiques collectives et les exploitations abusives d'une position dominante qui sont soumises aux critères de l'équilibre économique.

Les règles relatives aux fusions de sociétés, ont été reformulées conformément aux principes et concepts définis par le règlement n° 4064/89 du Conseil des Communautés européennes sur le contrôle des concentrations.

Adoption de la disposition relative à l'exploitation abusive de l'état de dépendance économique

Dans la législation antérieure, l'exploitation abusive de l'état de dépendance économique n'était tenu pour restrictif que si elle était le fait de sociétés en position dominante sur le marché d'un bien ou d'un service déterminé, ce qui faisait obstacle à ce qu'elle soit sanctionnée lorsqu'elle était le fait de sociétés détenant une position de force sur le marché, sans être en position dominante.

Cette question est devenue préoccupante à la suite de l'évolution récente de la structure des entreprises portugaises, qui a amené d'importants changements dans les rapports de force des divers acteurs économiques sur le marché. En fait, l'émergence de firmes de distribution et de centrales d'achat puissantes a nécessité la mise en place d'un mécanisme de réglementation dans le contexte des relations entre les nouvelles forces qui s'étaient créées.

Les fonctions de l'autorité nationale responsable de la concurrence

Les compétences attribuées aux autorités des tats membres, dans le cadre des dispositions prévues par l'article 87 du traité instituant la Communauté économique européenne sont expressément confiées à la Direction générale de la concurrence et des prix par l'instrument juridique susvisé.

Le représentant national est également doté des pouvoirs nécessaires en ce qui concerne les activités exercées par les organisations et les institutions internationales en matière de concurrence.

II. Questions de déréglementation examinées

Il faut mentionner spécialement la publication en 1992 du "Nouveau régime des institutions de crédit et des sociétés financières" qui, au titre de la nouvelle législation, continuent à être soumises au régime général de la défense de la concurrence.

Le régime des prix des divers biens et services a été modifié au cours de cette période. Le régime de contrôle des prix portait sur la commercialisation de la banane, du sucre, des engrais simples et complexes ainsi que de l'alcool éthylique et sur la production et l'importation du ciment, du gaz et des engrais industriels, de l'alcool éthylique et des bananes. D'autre part, les services des postes et des télécommunications, la production et l'importation de gaz médicinaux et la fabrication et le raffinage de sucre relevaient d'un régime spécial de prix convenus. Toutes ces modifications s'inscrivent dans l'effort visant à libérer les prix des produits et des services.

III. Privatisations

Le gouvernement portugais a poursuivi les travaux de privatisation des activités économiques, qu'il avait entamés en 1990. C'est ainsi que de grandes décisions ont été arrêtées au cours de cette période, lesquelles ont conduit non seulement à la privatisation des activités, mais ont également mis en place le cadre de la privatisation d'importantes activités économiques relevant de l'État.

En conséquence, la privatisation partielle de quatre firmes s'occupant de l'abattage de bétail et de la commercialisation de produits carnés, a été effectuée.

Les conditions de la privatisation de deux cimenteries nationales, dont une était la propriété exclusive de l'État et dont l'autre appartenait majoritairement à l'État, ont également été établies. Dans le secteur de la pâte à papier, les mesures requises ont été prises en vue de la privatisation du groupe dans lequel l'État détenait la majorité du capital et la vente sous la forme d'un appel d'offres a été également autorisée pour la participation minoritaire que l'État détenait dans une des autres entreprises de pâte à papier. De même, les conditions de privatisation des aciéries nationales en propriété exclusive de l'État ont été approuvées. L'État qui détenait également des participations dans l'industrie chimique a privatisé plusieurs firmes de ce secteur. C'est ainsi qu'il a cédé une firme de transformation des matières plastiques, une firme produisant de l'aniline et une troisième firme du secteur des services, du commerce et des produits chimiques. L'État a également entrepris de vendre 25 pour cent de sa participation dans une grande banque. De même, le gouvernement portugais a fixé les conditions de cession des participations de l'État dans une entreprise de transport de carburant liquide, ainsi que dans diverses entreprises de transport par route. Une station de radio commerciale et une firme de services de transitaires ont également été privatisées.

IV. Activité de la Direction générale de la concurrence et des prix

Au cours de la période examinée, la Direction générale de la concurrence et des prix, en sa qualité d'autorité chargée d'enquêter sur les questions des pratiques anticoncurrentielles, a achevé les enquêtes au sujet de 12 affaires, dont le Conseil de la concurrence a ensuite été saisi aux fins d'une prise de décision au titre de l'article 31 du décret-loi n° 442/83 du 3 décembre 1983.

Cinq des affaires susvisées concernaient le refus de vendre, trois des accords de distribution sélective et trois des accords de distribution exclusive. La dernière affaire concernait une décision arrêtée par une association de firmes en vue de la fixation de prix par l'établissement d'une liste de prix commune. Les affaires se répartissaient entre diverses branches de l'activité économique : fourniture de matières premières pour les industries de fabrication du ciment et d'élaboration du béton, cabinets de cristal, commercialisation des vins, produits de beauté, distribution d'appareils électroménagers et agences de voyages.

La Direction générale de la concurrence et des prix a réalisé également une étude des secteurs économiques à considérer afin d'obtenir les informations essentielles dont elle a besoin pour motiver ses avis en connaissance de cause et pour déceler des anomalies possibles en ce qui concerne la compétitivité des activités de production et les circuits économiques.

V. Activité du Conseil de la concurrence

Du 1er juillet 1991 au 30 juin 1993, le Conseil de la concurrence, qui est l'instance qui statue sur les questions relatives à la défense de la concurrence, a arrêté cinq décisions relatives à des affaires de concurrence dont elle avait été saisie par la Direction générale de la concurrence et des prix.

Conformément au décret-loi n° 422/83, les tribunaux de l'ordre judiciaire peuvent être saisis d'un appel interjeté contre les décisions du Conseil de la concurrence. Au cours de la période considérée, trois recours ont ainsi été introduits.

Le Tribunal de première instance a fait droit à deux de ces recours, en annulant les sanctions appliquées par le Conseil de la concurrence. Une des affaires concernait un refus de vendre et l'autre affaire un accord de distribution contenant une clause d'exclusivité, les parties défenderesses ayant été condamnées dans ces affaires par le Conseil de la concurrence à des amendes respectives de 500 000 et 1 million d'escudos.

Le troisième recours, a été rejeté au motif qu'il avait été présenté en dehors du délai légal. L'amende infligée dans cette affaire s'élevait à un million d'escudos.

VI. L'application des règles relatives au contrôle des concentrations

Au cours de la période considérée, 22 opérations de fusions de sociétés ont été notifiées au Ministre du commerce et du tourisme et ont fait l'objet d'un avis présenté par la Direction générale de la concurrence et des prix, en sa qualité d'instance consultative prévue par la loi.

Les opérations susvisées étaient réparties entre des secteurs très divers de l'activité économique, à savoir:

Industrie de transformation	12
Alimentation et boissons	4
Fabrication de produits chimiques	2
Fabrication de machines et d'équipement	4
Fabrication d'ascenseurs	1
Fabrication d'appareils électroménagers	1
Commerce de gros	8
Produits pharmaceutiques	2
Biens de consommation	4
Papier	1
Tabac	1

Commerce des biens de consommation (gros et détail)   2

En ce qui concerne les modalités de réalisation des concentrations, les projets suivants ont été examinés :

Acquisition d'actifs   1

Acquisitions de parts de capital   16

Créations d'une entreprise commune   1

Fusions   4

Quant à la nationalité des parties en cause, les situations suivantes ont été constatées :

Firmes nationales exclusivement   9

Sociétés nationales avec la participation

directe de sociétés étrangères   4

Sociétés nationales avec la participation

indirecte de sociétés étrangères   5

Sociétés étrangères exclusivement   4

VII. Bibliographie

La Direction générale pour la concurrence et les prix a publié les études suivantes, dans la collection "carnets" qui toutes concernaient directement la défense de la concurrence :

n° 16 - Assurance et concurrence

n° 17 - Décisions de la Commission des Communautés européennes en matière de concurrence - 1964 - 1982, Vol. 1

n° 18 - Décisions de la Commission des Communautés européennes en matière de concurrence - 1983 - 1992, Vol. 2

n° 19 - Législation nationale régissant la concurrence (Allemagne) Vol. 2.

LA RÉPUBLIQUE SLOVAQUE

(1993)

I.   Introduction

L'Office de lutte contre les monopoles de la République slovaque est l'instance publique chargée d'élaborer la politique de la concurrence. Aux termes de la loi sur la protection de la concurrence, n° 63/1991, Recueil des lois, l'Office applique directement le droit de la concurrence au moyen de décisions rendues en première instance et en appel. Toutes ses décisions peuvent donner lieu à une révision par la Cour suprême de la République slovaque.

Hormis les tâches étroitement liées à la mise en oeuvre et à l'application de la loi sur la concurrence, l'Office consacre ses activités à l'amélioration du système juridique slovaque au regard des règles de concurrence au sens le plus large du terme : introduction de dispositions favorables à la concurrence dans divers actes juridiques dans le cadre de la procédure législative. L'Office de lutte contre les monopoles a également l'initiative des lois. Il est chargé d'élaborer les propositions de loi et également certains textes juridiques. Durant le premier semestre de 1993, des groupes de travail ont été créés pour établir les projets de nouvelles réglementations sur les points suivants :

-- réglementation des monopoles naturels (électricité, eau, gaz, télécommunications),

-- suppression du monopole de l'État sur le tabac, le sel et l'alcool,

-- réformes de la loi slovaque sur la protection de la concurrence.

L'activité de l'Office a été axée principalement sur les projets d'amendement de la loi sur la concurrence. L'objectif était de mettre cette loi en conformité avec les objectifs de l'Accord intérimaire. A cette fin, il a été tenu compte des éléments modernes et progressistes des lois nationales sur la concurrence, en particulier celles de la France, des États-Unis et du Royaume-Uni. Les projets ont fait l'objet de consultations approfondies avec des experts étrangers, des autorités étrangères, la CEE, ainsi que l'OCDE.

Pour le projet d'amendement à la loi, de nouveaux principes ont été établis, à savoir :

-- de nouveaux objectifs visant à protéger la concurrence économique sur les marchés de produits contre tout acte tendant à empêcher, limiter ou fausser la concurrence, et créer par ailleurs des conditions permettant d'en élargir le champ d'application en vue de soutenir le progrès économique pour le bénéfice des consommateurs,

-- extension des dispositions de la loi aux groupements de chefs d'entreprise,

-- nouvelle définition des accords verticaux et horizontaux au regard de l'article 85 du traité,

-- mise en oeuvre d'un nouveau système de contrôle permettant d'évaluer les accords qui limitent la concurrence au regard de l'article 85(3) du traité,

-- mise en oeuvre de la "règle de raison" lorsque sont évaluées les pratiques anticoncurrentielles,

-- nouvelle définition de la concentration et nouveau système d'évaluation de la concentration,

-- nouvelle définition de la domination économique, laquelle sera utilisée pour réglementer la concurrence et pour évaluer les abus de position dominante auxquels se livre une entreprise sur le marché,

-- accroissement des pouvoirs de l'Office et indépendance accrue,

-- droit de l'Office de participer à l'élaboration de la politique d'aide publique et au processus de privatisation.

Ces diverses propositions ont été soumises au gouvernement de la République slovaque ; elles devraient être acceptées avant d'être soumises au Parlement pour approbation pendant le deuxième semestre de 1993.

Pendant les six premiers mois de 1993, l'Office a ouvert une enquête sur 44 affaires dont 27 affaires de monopole et de position dominante, sept affaires liées à des accords d'entente et huit affaires de fusions. Actuellement, la situation est la même que pendant la période correspondante de l'année 1992.

II. Abus de monopole et de position dominante

On notera un phénomène nouveau, à savoir qu'actuellement la plupart des plaintes pour abus de monopole et de position dominante dont est saisi l'Office n'émanent pas toutes de ses propres services.

Pour enquêter sur les abus de monopole et de position dominante, l'Office applique les méthodes suivantes :

-- définition du marché à prendre en considération,

-- définition de la position des chefs d'entreprise sur le marché à prendre en considération,

-- décision portant sur les activités des chefs d'entreprise pour des comportements contraires   à la concurrence.

L'affaire Incheba Ltd est l'une des plus intéressantes dans le domaine des abus de position dominante. Incheba exigeait des exposants qu'ils fassent appel à ses services d'assistance technique lorsqu'ils souhaitaient participer aux expositions qu'elle organisait. Cette condition avait pour effet d'empêcher Exposervice Company, concurrent d'Incheba dans le secteur des services techniques, d'accéder au marché. Après avoir examiné toutes les preuves disponibles concernant les activités d'Incheba Ltd., l'Office a rendu une décision concluant à une infraction à la règle de l'article 9(3)(c) de la Loi n° 63/1991 sur la concurrence, qui interdit les abus de position de monopole sur le marché considéré, et il a infligé une amende à la société incriminée. Celle-ci a fait appel de cette décision devant la Cour Suprême de la République slovaque, laquelle a jugé l'appel non recevable et a confirmé la décision de l'Office antimonopole.

Nombre d'affaires

	1991	1992	1er semestre 1993
Abus de monopole et de position dominante	44	18	29

III. Accords d'entente

Une entente est un accord entre entreprises, qui les soumet à certaines restrictions ou leur interdit de prendre librement des décisions, ce qui peut avoir pour effet de restreindre la concurrence. Les ententes constituent l'un des moyens utilisés par les chefs d'entreprise qui souhaitent se réserver certains marchés.

Par rapport à l'année précédente, les affaires examinées visent les mêmes pratiques. Dans la plupart des cas il s'agissait de concertation en matière de fixation de prix.

L'entente sur les prix des combustibles, conclue entre Slovnaft et Benzinol, est représentative des affaires ayant fait l'objet d'une enquête pour ce motif.

L'Office de lutte contre les monopoles a engagé la procédure afin de faire échec à un accord d'entente entre ces distributeurs de combustible, car selon des informations qu'il avait obtenues, les parties en cause s'étaient mises d'accord sur une marge commerciale élevée et indirectement sur le prix à pratiquer. L'Office a prouvé que les défenseurs s'étaient rencontrés pour procéder à un échange d'informations sur les prix futurs du combustible.

En général, le marché fonctionnera d'autant plus efficacement que les vendeurs auront davantage d'informations sur les prix et les produits offerts. Les intervenants sur le marché ont intérêt à coordonner le système de fixation des prix car le prix est déterminé d'une part par les coûts, d'autre part par la concurrence. Cette procédure n'est pas interdite tant que l'échange d'informations entre les intervenants ne supprime pas le mécanisme de la concurrence. Le principal élément à prendre en considération, c'est de savoir si l'échange d'informations porte sur les prix pratiqués actuellement ou sur ceux qu'envisagent de pratiquer à l'avenir les intervenants sur le marché. Par conséquent, l'échange d'informations sur les prix présents ou futurs prouve l'existence d'une entente si cette preuve est corroborée par d'autres faits.

Au vu des résultats de l'enquête, l'Office de lutte contre les monopoles interdit cette procédure car l'échange d'informations a déterminé le comportement des entreprises lors de l'application de prix unifiés, ce qui a supprimé les possibilités de fixation de prix grâce aux mécanismes de la concurrence. L'Office a pour principal objectif de protéger la concurrence. Il a décidé d'interdire l'accord d'entente entre les parties.

	Nombre d'affaires		
	1991	1992	1er semestre 1993
Accords d'entente	6	48	7

IV. Fusions

Aux termes de la loi sur la concurrence, les fusions sont des accords par lesquels des dirigeants de sociétés décident de regrouper leurs entreprises. Les fusions sont soumises à un contrôle des pouvoirs publics si elles entraînent ou risquent d'entraîner une restriction de la concurrence. Une fusion est également définie comme étant un accord par lequel un chef d'entreprise acquiert la possibilité juridique ou pratique de contrôler totalement ou partiellement la société d'un autre chef d'entreprise.

Pour évaluer les fusions, l'Office procède de la façon suivante :

--   il détermine si une transaction donnée est une fusion au sens de la loi,

--   il évalue si la fusion atteint le seuil au-delà duquel elle est soumise à contrôle,

--   il analyse si les restrictions de la concurrence sont suffisamment compensées par les avantages économiques qui en résultent.

Au cours des six premiers mois de l'année, l'Office a examiné huit projets de fusion. Pour la plupart il s'agissait de création d'entreprises communes avec apports de capitaux étrangers.

Nombre d'affaires

	1991	1992	1er semestre 1993
Fusions	11	8	8

V.   Activités internationales de l'Office

Le développement de la collaboration internationale vise à déterminer, dès lors que la République slovaque fait son entrée dans la communauté internationale, quelles sont les meilleures façons d'harmoniser les lois et les pratiques antimonopoles du pays avec celles des pays développés de la CE, de l'AELE et des Nations Unies. A cette fin, les personnels de l'Office rencontrent leurs homologues lors de réunions bilatérales organisées à l'étranger ainsi que dans ses propres locaux. L'objectif n'est pas seulement de créer des contacts, mais d'améliorer par ces activités les relations de travail, d'accélérer les consultations et de mettre en place la collaboration nécessaire surtout lorsqu'il s'agit d'élaborer la législation de la République slovaque en matière de concurrence.

L'Office collabore très activement avec l'OCDE, ainsi qu'avec les instances correspondantes des États-Unis, d'Allemagne, de France, de Grande-Bretagne et les pays de la CEFTA.

Bien que l'Accord d'association n'ait pas encore été ratifié, l'Office étudie très attentivement les engagements qui lieront la République slovaque dans le domaine de la concurrence.

Rappel des activités internationales de l'Office au cours du premier semestre 1993 :

-- participation aux conférences et aux séminaires internationaux organisés par l'OCDE, la Banque mondiale, le USEA, le USAID et axés sur l'application de la politique antitrust, la réglementation des monopoles naturels, etc;

-- séjours d'études à l'Université de Princeton, Université de Georgetown, États-Unis;

-- formation à Bruxelles (DG-4 de la CE) et en France (Conseil de la Concurrence);

-- coopération internationale élargie pour l'élaboration du nouvel amendement à la loi sur la concurrence dans le cadre du rapprochement de la législation nationale à la législation communautaire et de sa mise en oeuvre.

ESPAGNE

(1992)

Ce rapport concerne la mise en oeuvre de la politique de la concurrence en Espagne en 1992 et comporte une mise à jour du 1er janvier au 30 septembre 1993.

I.   Règlements récents relatifs à la politique de la concurrence

La loi 16/1989 de la Protection de la concurrence a été complétée par des règlements particuliers dont les plus récents sont les décrets royaux portant les n° 157/1992 et 1 080/1992.

Le décret royal n° 157/1992 complète la loi 16/89 en ce qui concerne les dérogations collectives, les dérogations uniques et le registre de la protection de la concurrence.

C'est ainsi qu'il sera dérogé en faveur des accords entre sociétés ne concernant que le marché national et remplissant les conditions prévues dans les règlements de la Commission des Communautés Européennes suivants : le règlement n° 1 983/83 sur la distribution exclusive; le règlement n° 1 984/83 sur les achats en exclusivité; le règlement n° 2 349/84 sur les licences d'exploitation de brevets; le règlement n° 123/85 sur les concessions de ventes de voitures; le règlement n° 408/88 sur le franchisage; le règlement n° 556/89 sur le savoir-faire; le règlement n° 417/85 sur la spécialisation et le règlement n° 418/85 sur la recherche et le développement.

D'autre part, le décret royal a établi la procédure à suivre et un formulaire type des demandes d'autorisations uniques pour des accords, des décisions et des pratiques concertées au titre de l'article 3 de la loi 16/89, à adresser au service de défense de la concurrence. En outre, il régit le registre de la protection de la concurrence créé par la loi 16/89 qui vise les accords, les décisions, les recommandations et les pratiques concertées déjà autorisées ou interdites par le Tribunal de défense de la concurrence. Le registre concerne également les fusions qui tombent dans le champ d'application de la loi 16/89.

Le décret royal n° 1 080/1992 expose la procédure à appliquer par le service de défense de la concurrence et le Tribunal de défense de la concurrence pour les affaires de fusions et d'acquisitions. Ce décret précise également une procédure officielle pour la présentation des notifications. Cette notification doit préciser l'identité des parties, la situation des parties sur le marché avant l'accord, les comptes annuels, le chiffre d'affaires, les parts de marché, un exposé de l'accord, les conséquences favorables et préjudiciables à la concurrence, etc. La notification sera présentée au service de défense de la concurrence et tenue pour approuvée si, dans le délai d'un mois, le ministère de l'économie et des finances ne la fait pas parvenir au service de la défense de la concurrence. Les accords tenus pour restrictifs de la concurrence sont communiqués au Tribunal de la défense de la concurrence, qui émet un avis dans un délai de trois mois. Si ce Tribunal n'émet pas son avis dans ce délai, l'accord en cause est tenu pour approuvé. Le ministre soumet son rapport au gouvernement, qui statue dans un délai de trois mois.

La notification est facultative et est tenue pour une information confidentielle. Elle peut avoir lieu avant la mise en oeuvre des accords en cause ou dans les trois mois de cette mise en oeuvre. Les autorisations visées au paragraphe ci-dessus ne sont délivrées que si les accords sont notifiés. Le pouvoir de contrôle administratif sur les accords non notifiés peut être exercée dans les cinq années suivant la conclusion de l'accord.

Aucun autre règlement ne devrait compléter la loi 16/89 sur la protection de la concurrence.

II. Activités exercées par le service de défense de la concurrence (SDC)

Activités antitrust

Affaires

1. Affaires traitées en 1992 :

-- 104 affaires étaient en instance le 1er janvier 1992.

-- 119 nouvelles procédures ont été engagées :

    95 à la suite d'une plainte

11   à l'initiative de la direction générale

13   demandes de dérogation

--   111   affaires ont été réglées au SDC, sur lesquelles :

39   ont été radiées

20   ont été jointes à d'autres affaires similaires

21   ont fait l'objet d'un rejet

31   ont été soumises au TDC pour décision.

Classification des affaires dont le SDC a été saisi

--   Par secteurs :

7   pêche, alimentation et boissons, et tabac,

12   construction, industries diverses,

99   Echanges et services.

--   Par type d'infraction :

23   accords de fraude sur les prix, manquement à l'équité des conditions commerciales et des conditions de service,

2   restrictions à la production, aux investissements, aux accords de distribution ou aux accords d'aménagement technique,

4   partages   du   marché   ou   répartition   des   sources d'approvisionnement,

5   accords visant à éliminer la concurrence,

9   cas d'abus en matière de fixation de prix, conditions commerciales et de services contraires à l'équité,

9   exploitations abusives de position dominante en matière de restriction aux aménagements techniques,

18   cas d'abus en matière de refus de fournir,

8   fixations de conditions discriminatoires,

2   cas d'abus concernant des services auxiliaires inutiles,

25 affaires de concurrence déloyale,

1 demande de modifications réglementaires,

13 demandes d'autorisations uniques.

119 affaires reçues au total.

Classification des affaires réglées

-- Par secteurs :

4 pêche, agriculture, alimentation et boissons et tabac,

16 industrie du bâtiment, industries diverses,

91 echanges et services.

-- Par type d'infraction :

12 accords de fraude sur les prix, conditions commerciales et de service contraires à l'équité,

3 Restrictions à la production, aux investissements, à la distribution ou à des accords sur les aménagements techniques,

4 accords sur le partage du marché et sur la répartition des sources d'approvisionnement,

5 accords visant à éliminer la concurrence,

14 fixation de prix contraires à l'équité, de conditions commerciales déloyales et de services déloyaux,

7 restrictions à la production, à la distribution ou à l'évolution technique,

18 refus d'approvisionnement,

9 fixation de conditions discriminatoires,

4 abus relatifs à des services auxiliaires inutiles,

21 concurrence déloyale,

1 demande de modifications à la réglementation,

13   demandes d'autorisation unique.

111   affaires réglées au total.

Les procédures les plus importantes engagées en 1992 ont été les suivantes :

--   Les hausses des prix des services de pompes funèbres exploités par les monopoles légaux à Vigo et à Madrid ;

--   a l'initiative de la direction générale, une procédure a été engagée contre une association d'hôtels concernant l'établissement d'une recommandation collective de hausse des prix;

--   a la suite d'une plainte, une action a été engagée contre un fabricant d'équipements de chauffage au motif qu'il avait exploité abusivement une position dominante en imposant des conditions commerciales à ses distributeurs;

--   a l'initiative de la direction générale, une action a été engagée contre des fournisseurs de matériel orthopédique en raison d'accords de fixation des prix pour les offres pour les hôpitaux publics.

Au nombre de procédures dont le Tribunal de la concurrence a été saisi, les affaires suivantes peuvent être signalées :

--   Une procédure dirigée contre des courtiers : une association de courtiers avait recommandé des honoraires minimums que le service de la concurrence a tenus pour une violation de l'article 1er de la loi n° 16/1989. La violation aurait pu présenter une importance capitale, mais la recommandation n'a guère été mise en oeuvre, elle n'était valable que pour une très courte période et a été précédée par une réglementation sur les honoraires. Ce sont là les facteurs qui ont été pris en compte en statuant au sujet de cette affaire.

--   Une procédure dirigée contre une association professionnelle régionale d'architectes en Espagne, au motif qu'elle avait interdit aux architectes non membres de cette association de proposer leurs projets en vue d'une offre déterminée relative à la construction d'un centre sportif.

Dans son rapport, le SDC a considéré cette pratique comme contraire aux articles 1 et 6 de la loi 16/1989 et préjudiciable aux jeunes architectes dans l'ensemble de l'Espagne.

--   La télédiffusion de matchs de football ou d'extraits de ces matchs : infraction éventuelle à la loi 16/1989 et aux articles 85 et 86 du traité de Rome. Le SDC a proposé au Tribunal de constater l'existence d'un comportement illégal en vertu de l'article 1er de la loi 16/1989 et a proposé la condamnation à des amendes conformément à l'article 10.

-- Fédération des distributeurs de voitures : le SDC a estimé que la fédération avait violé l'article 1er de la loi 16/1989 en raison d'une recommandation de hausse des prix des réparations, des prix des voitures d'occasion et de diverses conditions commerciales.

2. Affaires traitées en 1993

Au cours des neuf premiers mois de 1993, le nombre de procédures engagées à la suite de pratiques illégales a augmenté sensiblement par rapport à la même période pour 1992. Alors qu'au cours des neuf premiers mois de 1992, 82 procédures ont été engagées, dont 65 découlaient de plaintes de tiers, 91 procédures ont été engagées au cours de la même période pour 1993, dont 82 l'ont été à la suite d'une plainte d'un tiers.

Le nombre d'affaires réglées au cours des neuf premiers mois de 1993 a augmenté de 55 pour cent par rapport au nombre d'affaires réglées au cours de la même période en 1992, en passant de 71 à 110.

Entre janvier et octobre 1992, le Tribunal a été saisi de 23 affaires, alors qu'en 1993, il avait déjà été saisi de 29 affaires.

Les plus importantes de ces affaires ont été les suivantes :

-- Accord éventuel de fixation des prix de l'essence ;

-- Accord éventuel au sein d'associations implantées dans différentes provinces pour la fixation des prix des services d'utilisation de grues ;

-- Exploitation abusive éventuelle de positions dominantes, concurrence déloyale et collusions sur le marché de la radiotélédiffusion.

Inspections nationales

Deux fonctionnaires du SDC se sont rendus au siège d'une association hôtelière afin d'enquêter au sujet d'une recommandation de hausse collective des prix publiée dans la presse.

Une autre enquête a eu lieu à l'association espagnole du marché des valeurs au sujet de l'existence d'une recommandation de commissions minimales pour les opérations boursières.

Au cours des neuf premiers mois de 1993, 12 inspections au total ont eu lieu à Séville, Madrid, Burgos, Salamanque et Valladolid.

Inspections de la Commission des Communautés européennes

En application du règlement n° 17/62, deux fonctionnaires du service de défense de la concurrence ont participé, avec des fonctionnaires de la Commission des Communautés européennes, à une inspection concernant trois sociétés à Barcelone, sans avertissement.

Les fonctionnaires du service de défense de la concurrence ont participé avec des fonctionnaires de la Commission des Communautés européennes à six inspections à Saint-Sebastien, à Barcelone, à Murcie et à Madrid.

Surveillance

En application de l'article 31 de la loi 16/1989, un plan systématique de surveillance a été élaboré. Ce plan tient compte de toutes les résolutions arrêtées par le Tribunal de défense de la concurrence depuis janvier 1989. En particulier, ce plan prévoit ce qui suit :

1. Mesures d'application :

-- Mesures provisoires : vérification de l'application des décisions du tribunal telles que la constitution de caution.

-- Décisions d'autorisation : vérification des nouveaux contrats et de leur date limite.

-- Mesures diverses telles qu'obligation en matière de publication, modification des tarifs, etc.

2. Surveillance des comportements :

-- Vérification du point de savoir si les comportements anticoncurrentiels interdits par des décisions du Tribunal ont pris fin.

-- Vérification de l'application des conditions dans les autorisations uniques.

Un inventaire des décisions dont l'application doit être surveillée a été établi. Compte tenu de cet inventaire, 55 procédures de surveillance avaient été engagées à la fin de 1992. Au cours des neuf premiers mois de 1993, 25 procédures ont été engagées et 26 autres clôturées, de sorte que 54 affaires étaient toujours en instance.

Contrôle des fusions

Notifications de fusions nationales

En 1992, en application de l'article 15 de la loi 16/1989, il y a eu 18 cas de notifications volontaires de fusions. Ce chiffre est sensiblement supérieur au nombre des affaires de ce type notifiées en 1991 (11 affaires) et en 1990 (huit affaires).

Sept affaires notifiées en 1992 ont été soumises au Tribunal en raison d'effets anticoncurrentiels éventuels. Aucune affaire n'a été soumise en 1991 et seulement trois affaires en 1990. Dans trois affaires, le gouvernement a subordonné l'autorisation de la fusion à l'application de plusieurs conditions visant à atténuer certains effets préjudiciables.

Comme dans les récentes années, en 1992, les autorités ont procédé à un suivi minutieux de ces fusions risquant de tomber sous le coup de la loi 16/89 et, par conséquent, de donner lieu à l'ouverture d'office d'une procédure conformément à l'article 9 du décret royal n° 1 080/92.

Le décret royal n° 1 080/92 sanctionnait la procédure en matière d'affaires de contrôle des fusions ainsi que la teneur et la forme de la notification volontaire préalable aux fusions ; en conséquence, les notifications sont mieux connues et leur nombre s'est accru.

Il y a eu 11 notifications volontaires de fusion au cours des neuf premiers mois de 1993.

Affaires de fusions relevant de la réglementation communautaire

En 1992, 59 affaires de fusion relevant de la Commission des Communautés européennes ont été analysées par le service de défense de la concurrence, en application du règlement du Conseil des Communautés européennes n° 4 064/89. Dans sept affaires, des sociétés espagnoles étaient en cause.

Dans quatre procédures engagées par la Commission, le service de défense de la concurrence a participé à quatre auditions et aux séances de six comités consultatifs qui se sont tenues à Bruxelles.

Au cours des neuf premiers mois de 1993, 55 affaires de fusion relevant de la Commission des Communautés européennes ont été reçues.

Études importantes concernant la concurrence

Parmi les études qui ont été réalisées et terminées, figurait une analyse des secteurs économiques dans laquelle la concurrence est faible en raison de contraintes administratives ; cette analyse a ultérieurement été approfondie et développée et a été à l'origine, d'une partie du plan dit de "convergence" de l'économie espagnole avec la Communauté économique européenne, ainsi que de certains rapports établis par le tribunal.

Le nombre d'enquêtes est passé d'un en 1988 à 39 en 1992, soit sept enquêtes dans le domaine de l'agriculture et de l'industrie alimentaire, 13 enquêtes dans des secteurs industriels et 19 dans le secteur des services.

En 1993, le nombre d'études et d'enquêtes a continué à s'accroître, tant aux fins de l'élucidation des affaires que de l'élaboration des rapports mentionnés dans le plan de convergence, qui vise essentiellement les services pour lesquels la concurrence était inexistante, ou assujettis à des règlements restrictifs.

Les principales études et les enquêtes porté sur les secteurs suivants :

-- Le marché des oléagineux

-- Le secteur laitier

-- Droits de reproduction en Espagne, dans le cadre des rapports avec d'autres pays européens

-- Mise en place et entretien des ascenseurs, des installations de gaz et d'électricité

-- Notaires publics

-- Pharmacies et distribution

-- Edition

-- Média

-- Télécommunications en Espagne et dans d'autres pays, principalement les États-Unis et le Royaume-Uni

-- Prix des livres

-- Vente d'essence au détail

-- Sociétés de construction.

Rapports sur des projets de loi et propositions de modification des règles et de la réglementation

Rapports relatifs à des projets de loi et à des propositions de règlements

Le SDC a établi des rapports sur des projets et propositions de loi suivants :

-- Une requête pour incompétence émanant du gouvernement régional de la Catalogne dans le cadre de deux ordonnances du ministère du commerce et du tourisme prévoyant des mesures incitatives afin d'améliorer la compétitivité des entreprises petites et moyennes dans le secteur du tourism.

-- Adaptation des procédures judiciaires à une nouvelle loi.

-- Projet de loi sur les contributions indirectes.

-- Projet de loi sur l'accès des ressortissants des pays de la Communauté européenne à certains postes de l'administration publique.

-- Projet de loi sur les loyers urbains.

-- Projet de décret royal sur les droits de propriété intellectuelle.

-- Projet de loi sur la réforme des procédures judiciaires.

-- Projet de loi sur le régime économique et fiscal des îles Canaries.

-- Projet de loi sur les contrats et les marchés publics.

-- Projet de loi sur le code pénal.

Propositions de modification de la réglementation

A côté des propositions susvisées du Tribunal de la concurrence, le service de défense de la concurrence a saisi ce tribunal de trois affaires dans lesquelles l'article 2 de la loi 16/1989 pouvait être applicable de sorte que le tribunal puisse proposer des modifications à certains règlements. Ces affaires concernaient :

-- les courtiers,

-- un règlement de la municipalité de Madrid fixant le prix des oeufs sur un marché local

-- un règlement de la municipalité de Madrid sur le commerce de détail.

Activités internationales

Le service de défense de la concurrence a participé aux activités relatives à la concurrence organisées par des organisations internationales telles que les Communautés européennes, l'OCDE et la CNUCED.

En ce qui concerne les relations bilatérales, les activités les plus importantes ont été les suivantes :

--   Service consultatif pour la préparation d'une loi mexicaine sur la concurrence.

--   Rapport aux autorités tchèques sur la distribution de l'électricité en Espagne et sur la politique de la concurrence.

--   Informations aux fonctionnaires du Venezuela sur la politique de la concurrence en Espagne et sur l'organisation et les activités du service de défense de la concurrence et du tribunal de défense de la concurrence.

III.   Activités exercées par le tribunal de défense de la concurrence

Décisions concernant des affaires antitrust

En 1992, le tribunal a arrêté des décisions définitives dans 20 affaire antitrust, sur sept cade dérogation et sur 21 affaires de procédure. Le tableau suivant présente une ventilation des affaires par principales catégories (permettant des entrées multiples) et suivant la teneur de la décision.

Tableau 1

Catégorie	Violations de la législation antitrust	
	Non constatées	Constatées
Pratiques horizontales	1	10
Exploitations abusives de positions dominantes	5	3
Concurrence déloyale	2	3
Total affaires antitrust	6	14
-- Condamnation à des amendes	0	12
-- Absence de condamnation à des amendes	6	2
Montant des amendes	0	520 185 474 Ptas
Nombre de firmes condamnées à des amendes	0	39

Pour la période du 1er janvier au 21 septembre 1993, les chiffres relatifs aux affaires antitrust ont été les suivants :

Tableau 2

Catégorie	Violations de la législation antitrust	
	Non constatées	Constatées
Total affaires antitrust	4	9
-- Entrainant des amendes	0	8
-- N'entrainant pas d'amendes	4	1
Montant des amendes	0	248 540 000 Ptas
Nombre de firmes condamnées à des amendes		26

Les chiffres relatifs aux affaires de dérogation unique sont les suivants :

Tableau 3

Catégorie	Violations de la législation antitrust	
Affaires de dérogation unique	1992	1993 (du 1er janv. au 21 sept.)
Nombre d'affaires total	7	16
-- Dérogations accordées	3	8
-- Dérogations refusées	2	2
-- Dérogations révoquées	0	3
-- Aucune dérogation nécessaire	2	3

En outre, 19 décisions en matière de procédure ont été arrêtées au cours de la période susvisée de 1993.

Décisions du tribunal dans des affaires traitées en 1992 :

-- Concessionnaires de voitures et compagnies d'assurances : des accords entre concessionnaires de voitures visant à imposer aux compagnies d'assurances des taux minimaux pour les réparations ont été tenus pour une violation de la législation;

-- Association d'entreprises de pompes funèbres : un accord entre entrepreneurs de pompes funèbres visant à déclarer un concurrent non qualifié pour la fourniture de services de pompes funèbres a été jugé illégal;

-- Marchands d'huile d'olive : deux groupes de marchands d'huile d'olive (un étranger et un espagnol) ont été jugés coupables de soumission frauduleuse dans le cadre d'une vente publique aux enchères d'huile d'olive faisant l'objet d'une réglementation communautaire. Le groupe étranger a été déclaré coupable de constitution clandestine de stocks et le groupe espagnol de tentative de fixation des prix et de partage des approvisionnements à titre réciproque.

-- Courtiers : des tentatives (manquées) de fixation de commissions minimales ont été jugées contraires à la loi sur la concurrence.

-- Architectes : une décision d'une association professionnelle régionale interdisant à ses membres de soumissionner pour une offre de construction d'un certain pavillon sportif a été jugée malhonnête et déclarée illégale.

-- Couches jetables pour nourrissons: un marché couches jetables a été identifié, la position dominante commune de deux firmes constatée et une exploitation abusive illégale consistant dans une pratique de prix de bradage pour les ventes aux hôpitaux a été établie.

-- Assurances médicales mutuelles : la position dominante d'une firme déterminée dans un certain territoire a été constatée et la disposition statutaire en vertu de laquelle seuls les actionnaires de la société réunissaient les conditions requises pour être agréés en tant que praticiens a été suspendue, au motif que compte tenu des circonstances, cette disposition impliquait l'interdiction aux médecins non actionnaires de pratiquer leur profession dans ce territoire.

Décisions du tribunal dans des affaires traitées en 1993 :

-- Concessionnaires de voitures : des accords entre distributeurs de voitures visant à imposer des taux fixes d'augmentation des prix des réparations et des prix fixes proposés pour les voitures d'occasion ont été jugés contraires à la loi sur la concurrence.

-- Télédiffusion de matchs de football : cette affaire mérite une attention particulière, s'agissant d'une affaire complexe de monopolisation. Deux chaînes de télévision privées, Antena 3 et Telecinco, ont fait grief de ce qu'il leur était interdit de diffuser des matchs de football (ou même des extraits de ces matchs) en vertu de contrats à long terme préexistants[1] qui attribuaient des droits exclusifs aux autres chaînes. Après une étude approfondie, le Tribunal a statué comme suit :

La ligue nationale du football professionnel avait exploité abusivement sa position dominante en tant qu'organisatrice de la ligue et de titulaire exclusif des droits de radiotélévision publique, en bloquant effectivement l'accès aux chaînes privées susmentionnées à l'exploitation des images de matchs de football.

Tous les contrats (entre parties distinctes) en vertu desquels les droits de radiotélédiffusion étaient attribués à différentes stations de télédiffusion publiques et à Canal + (une chaîne privée de télédiffusion payante) ont été déclarés contraires à la loi espagnole sur la concurrence (et l'un d'eux également contraire à l'article 85 du traité de Rome), les dérogations demandées en faveur de ces accords ont été refusées et une ordonnance de ne pas faire exécutoire à la fin de la saison a été délivrée.

Le syndicat de stations régionales publiques (licenciés primaires de droits sur la diffusion des matchs de la ligue) ne pouvait refuser de négocier, en contrepartie d'un prix, l'autorisation ultérieure de diffuser des extraits des matchs de football aux autres stations de télédiffusion.

Une amende de 147 500 000 Ptas a été infligée à la ligue nationale du football professionnel.

Grandes banques : six grandes banques espagnoles ont été convaincues d'avoir déclaré à la Banque d'Espagne des commissions maximales similaires pour les services qui n'étaient pas nécessairement conformes aux commissions appliquées à leur clientèle. Une amende n'a pas été proposée, compte tenu de certaines circonstances en matière de procédure.

Telefónica a été convaincue d'avoir exploité abusivement sa position dominante en liant un contrat de leasing autorisé par l'instance de réglementation à l'achat effectif et au paiement de l'équipement alors qu'elle en détenait le monopole sur le marché.

Avis sur des affaires de fusion

Le Tribunal n'a pas compétence directe pour les affaires de contrôle de fusion, mais il présente un avis chaque fois que le ministre des finances le lui demande en temps voulu.

Au cours de l'exercice 1992, le Tribunal a rendu cinq avis sur des affaires de fusion, tous avis dans lesquels elle ne s'opposait pas à la fusion. Le gouvernement s'est rallié aux avis du tribunal dans toutes ces affaires. Au cours des neuf premiers mois de 1993, le tribunal a étudié trois affaires de fusion. Dans deux de ces affaires, le tribunal, dans son avis, et le ministère, dans sa décision ultérieure, ne se sont pas opposés à la fusion.

L'autre affaire concernait les effets sur les filiales espagnoles de la co-entreprise constituée entre Procter et Gamble et FINAF (Italie)[2] pour certains articles hygiéniques. Cette affaire avait été au préalable examinée par le groupe de travail sur les fusions de la Commission des Communautés européennes. Celle-ci a approuvé la fusion, à condition que les couches jetables de FINAF soient vendues à des exploitants indépendants en permettant ainsi de concurrencer efficacement la marque Pampers de Procter & Gamble.

En Espagne, le tribunal, dans son avis, et le conseil des ministres, dans sa décision ultérieure, ont subordonné l'approbation non seulement au dessaisissement de l'entreprise de production de couches jetables, mais également à l'élimination de la clause d'exclusivité dans le contrat conclu entre Tambrands et Arbora pour la distribution de la marque Tampax de Procter & Gamble.

Rapports sur des questions de libéralisation (stimulation de la concurrence)

Introduction

En juin 1992, le tribunal a présenté son rapport sur l'exercice des professions. Dans son rapport, il proposait une réforme modérée de la loi de 1974 sur les associations professionnelles, en en modifiant les dispositions les plus manifestement anticoncurrentielles. Le conseil des ministres a adopté les propositions en la matière et déposé un projet de loi devant le Parlement. Néanmoins, en printemps 1993, l'organisation d'élections générales a entraîné une dissolution prématurée des chambres, ce qui a eu pour conséquence que le projet de loi non effectivement adopté est retourné devant le pouvoir exécutif. Le tribunal se tiendra informé de l'évolution future de ce projet.

A la fin de 1992 et en 1993, le tribunal s'est employé à élaborer un rapport d'ensemble sur les décisions politiques nécessaires pour encourager la concurrence dans le secteur des services. Il a décidé de présenter un premier rapport sur les secteurs des services passant pour avoir une importance capitale pour la compétitivité générale de l'économie, tels que les transports, l'électricité, les communications, les monopoles locaux et l'urbanisme.

D'autres secteurs des services ont retenu l'attention et doivent faire l'objet de rapports futurs : distribution de l'eau et du gaz, services de messageries, services portuaires, pharmacies et diffusion des publications.

Le rapport sur la concurrence dans le secteur des services

1. Analyse générale

Ce rapport comprenait plusieurs propositions concrètes, précédées d'une analyse approfondie des thèmes suivants :

a) Les raisons de l'importance pour l'ensemble de l'économie de la liberté de la concurrence dans le secteur des activités non manufacturières et le préjudice porté par les monopoles.

b) Les raisons du peu d'enthousiasme pour les réformes structurelles de la part du grand public ainsi que de l'opposition forcenée à ces réformes de la part de certains groupes.

c) La manière dont le grand public est désorienté par les arguments suivants :

-- la concurrence ne génère que des bénéfices privés ;

-- la concurrence implique une déréglementation sans discrimination ;

-- les monopoles défendent prétendument l'intérêt général ;

-- la concurrence implique la privatisation de toutes les entreprises;

d) Comment faire prendre conscience à la société des avantages de la liberté de la concurrence :

-- animer le débat sur les questions de concurrence,

-- faire connaître l'expérience d'autres pays,

-- expliciter les coûts afférents à l'absence de concurrence,

-- expliquer que la concurrence est un moyen de lutte contre les privilèges injustes,

-- expliquer que la concurrence peut être instaurée progressivement et ne provoque pas nécessairement des troubles sociaux,

-- souligner que les mesures proposées se sont avérées efficaces dans d'autres pays,

e) Les normes visant à assurer une transition sans à-coups dans la voie d'une renforcement de la concurrence,

f) Les moyens d'en finir avec l'enchevêtrement des intérêts des instances de réglementation et des secteurs réglementés ;

g) Les moyens de procéder au moins à une évaluation explicite des privilèges, si des mesures favorables à la concurrence sont politiquement bloquées.

A la suite de cette analyse, le Tribunal a établi certaines directives générales sur la manière de procéder aux réformes structurelles :

-- Les instances de réglementation doivent être absolument indépendantes des entreprises réglementées.

-- Le pouvoir exécutif doit recevoir un mandat général lui permettant d'arrêter des règlements si les réformes doivent se poursuivre à une cadence normale.

-- Les objectifs de politique sociale ne doivent pas être compromis par les politiques de la concurrence.

-- Les monopoles ne doivent pas faire partie de holdings publiques.

-- Il faut procéder à un examen approfondi des nouvelles dispositions législatives et réglementaires afin d'empêcher de nouvelles restrictions à la concurrence.

-- Les contrôles de prix concernant les monopoles doivent être renforcés au cours de la phase de transition conduisant à la concurrence.

-- La politique de l'Espagne en matière de concurrence doit être harmonisé avec la politique de la Communauté européenne en la matière.

Le Tribunal a élaboré une méthode d'évaluation du coût afférent à l'absence de concurrence, dénommée "budget des restrictions à la concurrence". Cette méthode assimile des prix excédentaires versés aux monopoles à des impôts.

Pour chaque secteur examiné, il est procédé à une estimation du revenu annuel théorique qui serait perçu si les prix étaient ceux d'un marché concurrentiel. Cette estimation est fondée sur la production effective (c'est-à-dire compte non tenu de la demande accrue de prix moins élevés).

L'écart entre l'estimation susvisée et le revenu effectif constitue le coût économique des restrictions existantes à la concurrence. Si une partie du coût est tenue pour le prix à payer pour satisfaire à certains besoins publics, le solde éventuel constitue le coût social afférent aux restrictions.

2. Exposé succinct des constatations et des recommandations

a) Télécommunications

Il faut accorder un rôle prioritaire aux mesure de libéralisation dans le secteur des télécommunications pour les motifs suivants :

-- les télécommunications sont une des clés de la compétitivité dans l'ensemble de l'économie ;

-- la libéralisation a été entreprise avec succès dans d'autres pays, ce qui permet aux décideurs espagnols de fonder leur action sur des orientations éprouvées ;

-- la libéralisation est plus aisément réalisée dans un secteur qui bénéficie d'une demande accrue et d'une accélération de l'innovation technique ;

-- les firmes exerçant actuellement leurs activités dans le secteur en cause sont suffisamment fortes pour affronter la libéralisation sans encourir de pertes importantes ;

-- même si elle n'est pas entreprise volontairement, la libéralisation de ce secteur sera prescrite par les Communautés européennes.

Le Tribunal a établi un programme détaillé qui prévoit :

-- L'élaboration d'une nouvelle loi permettant la concurrence dans le secteur de la diffusion d'émissions télédiffusées par câble ;

-- l'élaboration d'une législation d'habilitation prévoyant une modification progressive de la loi actuelle[3], en application des directives communautaires. Les objectifs doivent être les suivants :

   -- permettre à de nouveaux concurrents d'accéder au secteur des télécommunications par téléphone mobile ;

-- lever les obstacles à l'accès au marché des réseaux de transmission des données ;

-- adopter la directive 92/44 de la Commission des Communautés européennes sur les réseaux ouverts pour les lignes louées ;

-- libéraliser les services de télécommunications entre les satellites et les stations terrestres.

-- Mesures allant de l'avant dans l'application des directives communautaires et permettant des réseaux concurrents pour l'acheminement les appels téléphoniques sur longue distance.

Dans ses recommandations de politique générale, le Tribunal estime que la meilleure formule de révision annuelle des taux d'appels téléphoniques est, comme au Royaume-Uni, l'application du taux annuel d'inflation (en fonction de l'IPC : indice des prix la consommation) déduction faite d'un pourcentage donné[4], ce qui a une fonction incitative dans le sens d'une amélioration de la gestion.

b) Transports

i) Transport aérien

En ce qui concerne les itinéraires et les tarifs, des mesures de libéralisation ont été arrêtées au début de 1993, conformément aux programmes communautaires, et aucune nouvelle mesure n'est tenue pour opportune au stade actual. Néanmoins, il semblerait que les services d'escale, la répartition des créneaux horaires et les systèmes de réservation informatisée doivent rester indépendants des compagnies aériennes.

ii) Roulage

Des mesures de libéralisation importantes sont recommandées pour ce secteur, y compris la liberté des tarifs, la levée des obstacles à l'entrée et l'élimination des contraintes administratives existantes.

iii) Lignes d'exploitation d'autobus

Le Tribunal est favorable au maintien du système actuel de concessions administratives de l'exploitation des lignes d'autobus, parce qu'il est avéré que ce système a donné de bons résultats et qu'il offre de bas tarifs et des services de bonne qualité. Néanmoins, il propose certaines mesures complémentaires visant à veiller à l'existence d'une concurrence effective.

iv) Chemins de fer

Le Tribunal accepte la recommandation de la Commission des Communautés européennes, en faveur d'une gestion séparée de l'infrastructure des chemins de fer et des services de transport par chemins de fer. En vue de l'établissement progressif de la concurrence entre les exploitants, il propose de mettre à l'épreuve des exploitants concurrents sur deux lignes expérimentales : la première, une ligne à longue distance, et la deuxième, une ligne de grande banlieue.

v) Transport maritime

Une libéralisation sensible de ce secteur résultera de l'adoption de la loi récente (la loi 27/1992) dans ce domaine. Le Tribunal propose quelques mesures complémentaires.

c) Electricité

A l'époque de l'établissement du présent rapport, un règlement entièrement inédit était en cours d'élaboration, le ministère de l'industrie et de l'énergie s'employant à mettre au point une nouvelle loi. Le projet de loi constituerait peut-être un progrès sensible vers l'établissement de la concurrence dans le nouveau secteur de la production d'électricité et pourrait également contribuer à la mise en place d'un réseau électrique véritablement indépendant. Quant à la possibilité d'établir une concurrence entre les entreprises de distribution directe d'électricité aux usagers, le Tribunal estime qu'une concurrence effective sera largement tributaire des critères concrets utilisés pour l'attribution de licences à ces futures firmes de commercialisation d'électricité et pour la réglementation de leurs conditions d'exploitation.

En ce qui concerne les futurs tarifs moins élevés de l'énergie électrique, il faut cependant tenir compte d'autres facteurs essentiels qui sont les suivants :

-- les prix accordés à la production locale de charbon ;

-- les subventions bénéficiant actuellement à certains usagers ;

-- les critères objectifs de contrôle des prix des services non soumis à la concurrence.

Dans ce cas également, l'organisation d'élections législatives et des changements politiques découlant de l'issue de ces élections risquent de modifier l'attitude du gouvernement en ce qui concerne la nécessité et l'opportunité de déposer un projet de loi devant le Parlement. Ainsi le Tribunal consacrera son attention à la nouvelle réglementation éventuelle ou aux conditions effectives de la concurrence dans ce secteur, si le projet d'une nouvelle réglementation est abandonné par le ministère de l'énergie.

d) Monopoles locaux

Le Tribunal constate qu'il n'existe aucune raison convaincante en faveur de monopoles locaux de services de pompes funèbres et propose de modifier la loi fondamentale sur l'administration municipale en rayant les services de pompes funèbres dans la liste des activités susceptibles de faire l'objet d'un monopole municipal.

En ce qui concerne les transports locaux, le Tribunal n'a pas d'objections à formuler au présent système d'organisation et d'exploitation municipale par une société publique unique ou par des firmes privées concessionnaires. Néanmoins, dans ce dernier cas, il recommande de ne pas accorder de concessions aux sociétés concurrentes pour des périodes dépassant dix années.

Le Tribunal étudie actuellement une autre activité locale importante : les services de voirie, et ses constatations seront incorporées dans un futur rapport.

e) Urbanisme

Le Tribunal a abouti à la conclusion que des spécifications extrêmement précises en matière d'urbanisme constituent une cause fréquente de restrictions à la concurrence dans d'autres secteurs et une cause certaine de relèvement des prix du terrain et du logement. Néanmoins, une certaine réglementation du zonage et de la construction est absolument nécessaire. La difficulté tient à la fixation d'une limite entre le marché et l'intérêt général.

Le régime espagnol actuel constitue un cas extrême de réglementation administrative et nécessite une réforme en profondeur. Le Tribunal ne s'efforce pas de proposer des mesures concrètes mais recommande l'adoption de certains principes généraux et la création d'une commission gouvernementale spéciale chargée d'étudier la législation en matière d'urbanisme.

Les principes essentiels sont les suivants :

-- l'utilisation des sols urbains doit être définie dans toute la mesure du possible sous la forme de règles générales et aussi peu que possible par les pouvoirs discrétionnaires des autorités régionales et municipales ;

-- il faut s'en remettre davantage aux utilisations proposées par les propriétaires et les promoteurs ; les refus des utilisations proposées doivent être suffisamment motivés ;

-- il faut désigner avec précision les terrains non constructibles réservés à des fins précises en permettant l'exploitation à des fins d'urbanisme de tout lot non spécifiquement désigné ;

-- il faut procéder à une réforme des finances municipales fondée plus sur la fiscalité et moins sur la possibilité de négocier les utilisations des sols afin de dégager des recettes.

Notes

1. Les contrats avaient été signés avant qu'Antena 3 et Telecinco ne commencent leurs activités.

2. Arbora, S.A.S. en C. (50 pour cent du capital appartenant à Procter & Gamble) et Laboratorios Ausonia, S.A. (en propriété exclusive de FINAF).

3. Ley de Ordenación de las Telecomunicaciones.

4. Au Royaume-Uni, la hausse annuelle tolérable maximum des taux téléphoniques moyens est l'IPC-6.5.

SUÈDE

(1992)

La nouvelle loi suédoise sur la concurrence (1993:20) a été promulguée 14 janvier 1993 pour entrer en vigueur le 1er juillet 1993. La loi actuelle sur la concurrence est fondée essentiellement sur le principe de la lutte contre les exploitations abusives de position dominante. En revanche, la nouvelle loi est fondée sur le principe de l'interdiction.

L'Administration suédoise chargée de la concurrence a été mise en place le 1er juillet 1992 en remplacement du Conseil national des prix et de la concurrence (SPK) et de l'Office du médiateur en matière de concurrence (NO). Elle a pour tâches essentielles :

-- de faire appliquer la loi sur la concurrence. Cette tâche comporte notamment la surveillance des opérations de concentration des entreprises, une attention toute spéciale étant portée au comportement anticoncurrentiel des entreprises en position dominante ;

-- d'examiner les restrictions à la concurrence pouvant présenter un intérêt particulier pour les consommateurs ou influant sur les conditions de la concurrence dans l'ensemble d'un secteur ;

-- d'analyser les effets sur la concurrence des règlements existants et nouveaux, et de proposer des modifications destinées à stimuler la concurrence dans le secteur tant privé que public ;

-- de diffuser les informations appropriées concernant des décisions en matière de concurrence dans l'intérêt des agents économiques et des diverses parties concernées. L'Autorité chargée de la concurrence fournit également des informations sur l'application des règles communautaires en matière de concurrence et des règles adoptées au titre de l'accord sur l'Espace Économique Européen, et favorise la prise de conscience de l'importance de la concurrence.

I. Droits et politiques de la concurrence -- modifications adoptées ou envisagées

La nouvelle loi suédoise sur la concurrence

La nouvelle loi suédoise en matière de concurrence est calquée sur les articles 85 et 86 du traité de Rome. Cette loi prévoit deux interdictions :

-- une interdiction frappant la coopération anticoncurrentielle ;

-- une interdiction frappant l'abus de position dominante.

L'interdiction frappant la coopération anticoncurrentielle ne s'applique que là où la coopération exerce un effet sensible sur le marché suédois. Il est fréquent de voir la coopération entre les petites entreprises ne pas tomber dans le champ d'application de cette interdiction. En principe, les petites entreprises ne sont pas soumises à l'interdiction qui frappe la coopération anticoncurrentielle si leur part de marché est inférieure à environ dix pour cent. Si leur chiffre d'affaires annuel est inférieur à dix millions de couronnes suédoises, la part de marché peut être quelque peu plus importante.

Les entreprises ont la latitude de demander des dérogations particulières à l'interdiction frappant la coopération anticoncurrentielle. Ces dérogations peuvent être accordées par l'Autorité chargée de la concurrence sur la demande des entreprises intéressées. Cette autorité ne dispose en général que d'un délai ne pouvant excéder trois mois pour statuer en matière de dérogations. Aucune dérogation à l'interdiction frappant l'abus de position dominante ne sera accordée. Un pourcentage important des accords réunissant les conditions requises pour une dérogation sera visé par les dérogations par catégorie. Les dispositions suédoises en matière de concurrence prévoient des dérogations par catégorie en faveur d'accords passés dans les domaines suivants : spécialisation, recherche et développement, distribution exclusive, achats en exclusivité, distribution, réparation et entretien de véhicules automobiles, licences d'exploitation de brevets, licences d'exploitation de connaissances techniques et franchisage. Ces dérogations par catégorie sont calquées sur celles qui sont en vigueur à l'intérieur de la Communauté économique européenne.

Les règles suédoises régissant la concurrence prévoient également une dérogation par catégorie en faveur de certaines formes de coopération au sein des chaînes de vente de détaillants. Cette mesure s'appliquera essentiellement à la coopération exerçant des effets avantageux, en rendant possible aux petites entreprises de concurrencer effectivement les grandes entreprises.

Il sera possible d'obtenir, à la demande de l'Autorité chargée de la concurrence, une déclaration aux termes de laquelle un accord ou une pratique n'a pas à être soumis aux interdictions -- soit une "attestation négative".

L'Autorité chargée de la concurrence peut ordonner à une entreprise de mettre fin à une violation sous peine d'amende.

Le tribunal municipal de Stockholm peut, à la demande de l'Autorité chargée de la concurrence, ordonner à une entreprise de payer une amende spéciale pour comportement anticoncurrentiel de manière à dissuader d'une façon frappante les entreprises d'enfreindre les interdictions. L'amende maximale s'élève àcinq millions de couronnes suédoises ou à un montant qui peut être plus élevé, mais qui ne peut excéder dix pour cent du chiffre d'affaires annuel.

La nouvelle loi sur la concurrence contient aussi des dispositions fixant des sanctions de droit civil destinées à dissuader les entreprises d'enfreindre les interdictions. Tout accord visé par les interdictions frappant les comportements anticoncurrentiels sera nul. De même, une entreprise pourrait se voir ordonner de verser des dommages-intérêts à une partie lésée, si elle enfreignait l'interdiction de la coopération anticoncurrentielle ou exploitait abusivement une position dominante.

La nouvelle loi sur la concurrence contient également des dispositions relatives au contrôle des fusions. Là où les parties ayant fusionné auraient un chiffre d'affaires global dépassant quatre milliards de couronnes suédoises, la fusion devrait être notifiée à l'Autorité chargée de la concurrence. Des mesures visant à faire obstacle à la fusion peuvent être prises si cette dernière risque d'exercer à long terme des effets manifestement préjudiciables. Dans le cadre du système de contrôle, une interdiction est également applicable à une seule des parties à un accord de fusion.

Les entreprises doivent fournir à l'Autorité chargée de la concurrence les éléments nécessaires pour lui permettre de procéder à ses enquêtes. Cette Autorité peut également demander aux municipalités et aux conseils des Comtés de lui fournir des informations au sujet des prix de revient et des recettes.

L'Autorité chargée de la concurrence a toute latitude, après une décision du Tribunal municipal de Stockholm, pour procéder à des enquêtes dans les locaux des entreprises et, le cas échéant, pour recevoir une assistance des organes d'application.

La procédure judiciaire s'établira sur deux échelons, y compris celui des juridictions spécialisées. Le Tribunal municipal de Stockholm sera la juridiction de première instance pour les affaires de fusion et concernant des comportements anticoncurrentiels. Des recours contre les décisions de l'Autorité chargée de la concurrence relatives aux dérogations, à l'attestation négative et la condamnation à des amendes peuvent être formés auprès du Tribunal municipal de Stockholm. Il est possible de se pourvoir contre les décisions de ce Tribunal devant la Cour du marché qui statuera en dernière instance. La composition de la Cour du marché a été récemment modifiée. Cette Cour ne comprendra plus de membres représentant des intérêts sectoriels et la Cour du marché et le Tribunal municipal de Stockholm seront composés de juges ayant une formation juridique et d'experts économiques.

Les affaires impliquant les dommages-intérêts, la nullité d'accords et la fixation d'amendes seront jugées par les juridictions de droit commun. Néanmoins, le Tribunal municipal de Stockholm restera toujours compétent pour juger des affaires relatives au dédommagement et à la fixation d'amendes.

Nouvelle loi suédoise sur l'aviation civile

L'accord sur l'aviation civile entre la CEE, la Suède et la Norvège est entré en vigueur le 1er juillet 1992. Dans ces conditions, les règles communautaires en matière de concurrence relatives au secteur du transport aérien sont applicables dans ces deux pays. Cet accord constituera l'un des éléments de l'Espace Économique Européen dès son entrée en vigueur.

L'accord sur l'Espace Économique Européen

La partie essentielle de l'accord sur l'Espace Économique Européen sera incorporée dans le droit suédois par la loi sur l'Espace Économique Européen. La loi a été adoptée par le Parlement suédois en novembre 1992. Lors de son entrée en vigueur, des dispositions calquées sur les dispositions communautaires relatives à la concurrence seront appliquées aux échanges entre la Suède et un pays membre de l'AELE ou un pays membre de la Communauté européenne.

II. Application de la législation et des politiques de la concurrence

Les affaires réglées par les autorités chargées de la concurrence comprennent les éléments suivants.

Abus de position dominante

L'Autorité suédoise chargée de la concurrence a examiné certaines clauses d'exclusivité dans des accords appliqués par l'administration postale nationale

(Postverket). Ces clauses d'exclusivité ont contraint la clientèle ayant besoin de diffuser ses messages à l'échelle du pays à faire appel à Postverket pour la distribution de l'ensemble de ses envois postaux.

L'ensemble de règles régissant les services postaux à droits réservés, qui autrefois accordaient certains droits exclusifs à Postverket, identiques aux conditions actuelles pour toutes les administrations postales nationales au sein de la CEE, n'existent plus en Suède. Il en résulte qu'une certaine concurrence de nouveaux entrepreneurs s'exerce sur certains marchés géographiques locaux. Cette nouvelle concurrence est apparue au coeur même du secteur traditionnel des services postaux, à savoir la distribution des lettres adressées aux entreprises et aux ménages.

L'utilisation des clauses d'exclusivité par Postverket a débouché sur une situation dans laquelle la clientèle n'a guère la possibilité de s'adresser à un nouvel entrepreneur sur un marché local déterminé. L'Autorité chargée de la concurrence a tenu ces clauses d'exclusivité pour une exploitation abusive d'une position dominante au sens de la loi suédoise sur la concurrence.

Après avoir négocié avec l'Autorité chargée de la concurrence, Postverket s'est engagée à supprimer toutes les clauses d'exclusivité dans les accords avec sa clientèle. Il en résulte que, si un client le demande, Postverket présentera une offre pour la diffusion à l'échelle du pays et une autre offre pour la diffusion toujours à l'échelle du pays mais à l'exclusion de certaines régions où une firme locale exerce ses activités. C'est ainsi qu'un client ayant besoin d'un réseau de diffusion à l'échelle du pays se voit octroyer la possibilité de faire appel à un nouvel entrepreneur dans une certaine région, tout en faisant appel à Postverket pour les autres régions du pays.

Fusions et concentrations

Fusion entre SAS et Linjeflyg

Au printemps de 1992, le consortium des lignes aériennes scandinaves Scandinavian Airlines System (SAS) a annoncé son intention d'acquérir une majorité de contrôle dans la compagnie aérienne intérieure suédoise Linjefly AB (LIN). LIN appartenait à ce moment là pour moitié à Bilspedition AB et pour moitié à AB Aerotransport (ABA). SAS devait acquérir la totalité du portefeuille d'actions de Bilspedition ainsi qu'une participation de un pour cent à ABA. En sa qualité de société suédoise et de société-mère de SAS, ABA conserverait sa participation correspondant aux 3/7èmes du capital de SAS tout en réduisant sa participation dans le capital de LIN à 49 pour cent.

Un programme de déréglementation, garantissant essentiellement à toute compagnie aérienne suédoise l'accès à toutes les lignes du marché national, a été annoncé par le gouvernement suédois et son application était prévue pour le 1er juillet 1992. Faute de déréglementation SAS et LIN auraient vraisemblablement obtenu, après la fusion, une part du marché de l'aviation civile intérieure correspondant à environ 95 pour cent.

Compte tenu des liens existant dans ce partenariat entre SAS et LIN, par l'intermédiaire de ABA, une fusion ne modifierait nullement les conditions actuelles de la concurrence à court terme. Selon les dispositions en vigueur pour les actionnaires de LIN, une unité de vues s'avérait nécessaire pour les décisions d'ordre stratégique et celles qui risquaient de modifier l'activité de l'entreprise. ABA déclara clairement qu'elle ne tolèrerait pas de concurrence entre SAS et LIN, et qu'elle ne vendrait pas sa participation de LIN à qui que ce soit ayant de telles intentions.

A l'époque de la fusion, LIN connaissait des difficultés de trésorerie imputables à son obligation de financer le renouvellement de sa flotte aérienne. Les propriétaires déclarèrent qu'ils n'étaient pas disposés à injecter un supplément de capital dans LIN si la fusion devait être annulée. En outre, les possibilités d'obtention d'une prorogation de crédit auprès d'organismes financiers extérieurs étaient limitées en raison de l'incertitude de la situation. LIN semblait donc être confrontée à de graves difficultés financières. En pareil cas, SAS étant l'agent économique le plus puissant sur le marché, serait le candidat le plus probable à la prise de contrôle des ressources et du réseau de LIN. Elle obtiendrait dès lors une position aussi dominante sur le marché qu'après une fusion avec LIN, mais à un coût social plus élevé.

L'affaire n'a pas été soumise à la Cour du marché. En revanche, SAS a accepté de souscrire à certains engagements, par exemple en ce qui concerne la répartition des créneaux horaires, afin d'améliorer les conditions des nouvelles entreprises et d'assurer qu'elle n'exploite pas abusivement sa position dominante sur le marché de l'aviation civile internationale dans la perspective de la déréglementation future.

Sucre

En septembre 1992, Procordia AB a signé un accord au sujet de la vente de sa filiale Sockerbolager AB à la société danoise Danisco A/S. L'autorité suédoise chargée de la concurrence a procédé à une étude approfondie de l'acquisition.

Tant Sockerbolaget que Danisco dominent leurs marchés nationaux respectifs. A la suite de l'acquisition, Danisco acquiert la position dominante de

Sockerbolaget sur le marché suédois. L'accord sur l'Espace Économique Européen ne porte pas en principe sur les produits agricoles, dont le sucre. La politique agricole suédoise sera par conséquent le facteur décisif des conditions de la concurrence sur le marché suédois du sucre. Le niveau de prix suédois est essentiellement subordonné au système tarifaire de protection des frontières en vigueur pour les produits agricoles et ne concerne pas en principe la propriété de Sockerbolaget. En réduisant la marge de protection, les gains de productivité peuvent bénéficier aux consommateurs.

Aux termes de la clause de concurrence figurant à l'accord, il était fait obstacle à ce que Procordia soit en compétition pendant une période de 15 ans avec Sockerbolaget et Danisco sur les principaux marchés géographiques et ceux spécifiques à ces deux firmes. A l'issue des négociations intervenues entre les sociétés concernées et l'autorité suédoise chargée de la concurrence, la durée de validité de la clause en matière de concurrence a été réduite à cinq ans. Il ne s'agit pas d'affaiblir en soi la position dominante de Sockerbolaget sur le marché suédois. Il en résultera cependant un certain abaissement des barrières à l'entrée.

L'Autorité suédoise chargée de la concurrence a constaté dans son évaluation que l'acquisition n'exerçait pas d'effet préjudiciable au sens de la loi sur la concurrence.

Acier inoxydable

En juin 1992, Avesta AB (Suède) et British Steel plc (Royaume-Uni) ont annoncé leur intention de former une nouvelle entreprise Avesta Sheffield AB, qui intégrerait l'ensemble d'Avesta AB et la division de production d'acier inoxydable de British Steel plc. Cette dernière firme ferait l'acquisition de 40 pour cent du capital et les firmes suédoises NCC AB, Axel Johnson HAB et AGA AB à elles trois d'environ 40 pour cent de ce capital.

La fusion avait une dimension communautaire et a été évaluée conformément au traité CECA ainsi qu'à la réglementation communautaire régissant les concentrations. La Commission a constaté que la concentration ne créait pas de position dominante et a déclaré la création de la nouvelle société compatible avec les règles du marché commun.

L'Autorité suédoise chargée de la concurrence a constaté que le marché en question était le marché suédois de l'acier inoxydable, dont Avesta AB avait une part de 54 pour cent et British Steel plc moins d'un pour cent. Bien que la création de la nouvelle firme entraînait la disparition d'un concurrent potentiel d'Avesta (British Steel), la part du marché de cette société nouvelle n'augmenterait pas sensiblement, en comparaison de la position déjà détenue par

Avesta. Sur le marché suédois, il n'existe pas de restrictions aux importations d'acier et plusieurs concurrents étrangers sont déjà en place sur ce marché. La nouvelle firme affrontera également une forte concurrence sur les marchés extérieurs à la Suède, ce qui favorisera une exploitation efficace des ressources.

Pour les motifs susvisés, l'autorité suédoise chargée de la concurrence a constaté que la création d'Avesta Sheffield AB n'exercerait pas d'effet préjudiciable au sens de la loi sur la concurrence et elle ne s'est pas opposée à la création de cette nouvelle firme.

Effets de la nouvelle loi sur la concurrence

Certains effets de la nouvelle loi sur la concurrence entrant en vigueur au 1er juillet 1993 ont déjà été constatés au cours du deuxième semestre de 1992. Dans plusieurs cas, les entreprises ont souscrit à des engagements ou à des modifications d'accords et même ont résilié des accords de nature à enfreindre les nouvelles règles de la concurrence.

Un exemple en est le cas de Airtime en ce qui concerne la coopération en matière de vente de messages publicitaires entre deux chaînes de télévision suédoises. L'Autorité chargée de la concurrence avait saisi de cette affaire la Cour du marché et demandé l'interdiction de cette action commune. Elle a par la suite sursis à statuer, les parties s'étant engagées à cesser leur coopération conformément à la nouvelle législation.

Une affaire concernait un accord entre vendeurs de camions au détail. Les détaillants avaient accepté de payer un certain montant en dédommagement à un détaillant d'un autre district lorsqu'ils vendaient un camion dans ce même district. L'accord en question réduisait la concurrence entre les vendeurs de camions au détail. Dans une autre affaire, un groupe de vendeurs de voitures à Stockholm s'était entendu pour l'application d'un système de remises sur les ventes de pièces détachées par des membres de ce groupe. Le fait que les remises étaient calculées en fonction du chiffre d'affaires de l'ensemble du groupe qui détenait une position dominante rendait difficile aux autres fournisseurs de lui faire concurrence sur le marché.

III. Déréglementation

L'Autorité chargée de la concurrence a analysé les effets sur la concurrence des déréglementations dans les secteurs suivants:

Secteur des taxis

Le marché suédois des transports par taxi a été déréglementé le 1er juillet 1990. Aucun régime de déréglementation aussi radical que celui-là n'avait été antérieurement mis en oeuvre dans aucun autre pays, sauf en Nouvelle-Zélande et dans une quinzaine de villes des États-Unis. Le système suédois prévoyait parmi ses principaux éléments la déréglementation de tous les prix et la suppression de règlements antérieurs faisant obstacle aux entreprises d'exploitation de taxis. A l'heure actuelle, le seul règlement existant consiste dans des dispositions gouvernementales auxquelles toutes les entreprises et tous les conducteurs doivent se conformer, afin de veiller au respect de la loi, à la sécurité et normes de compétence professionnelle dans ce secteur.

En décembre 1989, le nombre total de taxis en Suède s'élevait à environ 11 400. Essentiellement à la suite de la nouvelle situation tenant à la déréglementation du marché, ce chiffre a augmenté d'environ 26 pour cent en passant à 14 400 en décembre 1991. Les régions métropolitaines -- Stockholm, Göteborg et Malmö -- correspondaient à près de 50 pour cent de l'augmentation. Le nombre de taxis dans ces régions a accusé une hausse en passant de 5 300 à 6 700.

Au cours du deuxième semestre de 1990 -- soit la période initiale du régime de déréglementation -- une hausse des prix des transports privés par taxi a été constatée. Néanmoins, depuis 1991, une baisse des prix a été enregistrée.

Il est évident que le passage de la réglementation centralisée du marché à un marché axé sur la concurrence et sur la décentralisation des décisions implique un long processus d'ajustement en matière de comportement et d'organisation tant chez les vendeurs que chez les usagers de services de taxis. A cet égard, plusieurs difficultés ont été rencontrées. Néanmoins, on constate d'une manière générale que ces difficultés ont un caractère provisoire. Jusqu'à présent, les résultats obtenus dans les conditions de déréglementation doivent être considérés en tout point conformes aux intentions initiales.

Marché de l'électricité

Au printemps de 1992, le Parlement suédois a adopté des directives de déréglementation du marché de l'électricité. Le projet de réforme a pour objectif, par l'accroissement de la concurrence, de parvenir à une utilisation plus rationnelle des ressources et de veiller à ce que la clientèle obtienne un assouplissement des conditions contractuelles allant de pair avec des prix aussi peu élevés que possible. Une commission gouvernementale travaille à l'élaboration d'une proposition de loi nouvelle en ce qui concerne le secteur de l'électricité, visant à créer des conditions de concurrence. De manière générale, la réforme vise essentiellement à veiller à ce que toutes les grilles de tranmission et de distribution soient accessibles à tous les participants et à ce que les ventes et les achats d'énergie électrique soient séparés du réseau électrique national.

La Commission devrait présenter son rapport en juin 1993. Dans ce cas, la réforme pourrait être ensuite réalisée pour juillet 1994, ou plus probablement en janvier 1995.

L'Autorité suédoise chargée de la concurrence est favorable à l'évolution actuelle. Elle a également aidé la Commission à élaborer un rapport succinct sur les domaines d'application de la nouvelle loi sur la concurrence au sein d'un marché déréglementé. Elle conclut également que, indépendamment du planning de la déréglementation, plusieurs pratiques sur le marché actuel de l'électricité seront probablement interdites au titre de la nouvelle loi sur la concurrence. Au nombre de ces pratiques figurent les accords sur l'optimisation de la production, les règles régissant l'accès au réseau électrique national pour les différents participants, etc.

Secteur du textile et du vêtement

L'Autorité suédoise chargée de la concurrence a notamment pour mission d'analyser les effets sur la concurrence en cas de déréglementation d'un secteur de l'économie suédoise antérieurement réglementé. En février 1993, un rapport demandé par le gouvernement a été achevé au sujet des effets sur les prix et sur la concurrence de la déréglementation des importations de textiles et de vêtements, qui était entrée en vigueur le 1er août 1991. Avant cette date, il existait des restrictions quantitatives aux importations sous forme de quotas, limitant le volume des exportations en Suède à partir de certains pays, principalement du sud-est asiatique et de l'Europe centrale et orientale. Dans son rapport, l'Autorité chargée de la concurrence précise que la déréglementation a exercé des effets positifs considérables pour les consommateurs.

En sélectionnant tant les fournisseurs que les produits à importer en Suède, les importateurs suédois ont désormais des possibilités de choix plus larges qu'auparavant, ce qui donne également aux consommateurs suédois un plus large éventail de choix. Le nombre d'importateurs a également accusé une légère augmentation. En outre, les échanges commerciaux ont été réaménagés dans l'intérêt des pays à "bas prix" en faveur desquels les échanges ont été déréglementés. Il est à prévoir que ce réaménagement se poursuivra.

Un autre effet positif pour les consommateurs est une évolution des prix plus favorable en ce qui concerne la branche déréglementée de l'habillement dont on s'était préoccupé par rapport à l'importation d'autres vêtements. Selon les calculs, les prix à la consommation ont baissé dans leur ensemble pour les vêtements importés des pays visés aujourd'hui par la déréglementation. Les calculs de l'Autorité chargée de la concurrence font apparaître que la déréglementation a entraîné en une seule année des économies pour les consommateurs suédois de l'ordre de 3 milliards de couronnes suédoises, soit approximativement 350 couronnes suédoises par personne.

L'Autorité chargée de la concurrence estime que, sous l'angle de la concurrence et de la consommation, il est très important que la déréglementation entreprise se poursuive et elle déconseille nettement tout retour à la réglementation des importations.

IV. Études ayant trait à la politique de concurrence

Accords horizontaux sur les prix et partage du marché

L'enquête avait pour but d'exposer les conditions préalables et les motifs d'accords horizontaux, en particulier ceux qui concernaient les prix, et d'analyser les effets économiques des mesures prises en ce sens. Les enquêteurs ont également examiné la loi suédoise sur la concurrence dans un contexte législatif analogue dans d'autres pays.

La conclusion selon laquelle les accords horizontaux sur les prix entraînent des pertes de bien-être est fortement étayée au niveau de la théorie. Là où la concurrence au niveau des prix diminue ou disparaît complètement, le marché accuse une perte proportionnelle en termes d'efficience. Les pertes pour le bien-être qui en résultent tiennent à ce que la consommation s'établit à un niveau moins élevé que pourrait atteindre ce même niveau dans des circonstances plus favorables à la concurrence. Ces pertes risquent d'être sensibles, bien que, dans une certaine mesure, elles puissent être compensées par des réductions éventuelles des coûts administratifs des firmes en cause.

Afin de dégager l'importance des accords horizontaux sur les prix et celle du partage du marché au sein de l'économie suédoise, l'opportunité des comportements de cette nature a également été mise à l'étude en ce sens sur une base sectorielle. Les descriptions qui en découlent sont fondées sur les statistiques et les données disponibles recueillies grâce aux activités de surveillance du marché et du recensement des ententes exercés par le Conseil national des prix et de la concurrence (SPK) ainsi que sur des données émanant des entreprises particulières, des associations professionnelles et de diverses sources. L'exposé vise les conditions du marché qui ont prévalu en 1991 et les statistiques concernant les activités économiques en 1989.

Selon les estimations du SPK, les pratiques restrictives, sous la forme d'accords horizontaux sur les prix et de ceux touchant au partage des marchés, ont affecté environ 15 pour cent des ventes totales de marchandises et de services en Suède en 1989. En d'autres termes, un montant d'environ 400 milliards de couronnes suédoises sur un chiffre d'affaires total de 2 600 milliards de couronnes suédoises a été touché par ces pratiques.

Sur un chiffre d'affaires total à rattacher aux accords horizontaux sur les prix, environ 70 pour cent ont concerné des pratiques qui se rapportaient essentiellement aux accords sur les prix alors que les 30 pour cent restants concernaient des pratiques qui, dans le principe, touchaient aux accords de partage des marchés. Diverses combinaisons d'ententes sur les prix et de partage du marché ont été constatées pour environ 15 pour cent du chiffre de vente global imputable à des accords horizontaux sur les prix.

Plus de 90 secteurs ont fait l'objet de l'étude en cause. Pour environ 35 d'entre eux, la formation des prix est fortement influencée par l'établissement de listes de prix ou par des formules de calcul qui sont élaborées et diffusées par les associations professionnelles. Le nombre de firmes varie sensiblement pour chacun des 35 secteurs, les chiffres maximaux et minimaux atteignant respectivement 2 700 et 4 ou 5. L'étude fait apparaître qu'une association professionnelle peut jouer un rôle prédominant en tant que centre d'échange d'informations, indépendamment du nombre d'agents économiques en cause. Selon une observation générale, lorsqu'un grand nombre de ces firmes exerce ses activités dans un même secteur, un nombre considérable des firmes concentrent normalement leurs opérations sur des marchés locaux relativement réduits.

Conditions de la concurrence dans le secteur brassicole suédois

Dans une récente étude, l'Autorité suédoise chargée de la concurrence est parvenue à la conclusion que le marché suédois de la bière est caractérisé par plusieurs pratiques restrictives de la concurrence. Il se distingue par un fort degré de concentration, les brasseries actives sur le marché n'étant qu'en nombre très restreint. Un des importants secteurs d'achat, soit le secteur des biens de consommation courante, est également fortement concentré vu le nombre limité d'agents actifs sur le marché.

Dans une étude, l'autorité suédoise chargée de la concurrence précise que, si le projet de législation sur les récipients en plastique récupérables est mis en application, il en résultera des contraintes graves pour la concurrence en ce qui concerne les boissons non alcoolisées. Les effets seront favorables aux grandes firmes et défavorables aux petites firmes. La législation sur ces récipients pourrait avoir pour conséquence pratique d'exclure les importations.

Les importations, la production et la commercialisation de bière sont soumises à divers règlements tenant à la politique nationale sur l'alcool. A maints égards, ces règlements exercent un effet négatif sur le marché, par exemple, ils faussent la concurrence des importations. C'est là un effet imputable aux règlements régissant le système de distribution et la classification de la bière d'après le titrage en alcool notamment.

L'adaptation de la Suède à l'accord sur l'Espace Économique Européen impliquera un ajustement à des règles applicables dans la Communauté économique européenne. Dans son étude, l'autorité suédoise chargée de la concurrence propose plusieurs mesures visant à éliminer les effets discriminatoires des présents règlements. Au nombre de ces mesures figurent des modifications de la législation sur les récipients en plastique récupérables et sur le système de distribution de la bière en Suède.

Les effets de l'accord relatif à l'Espace Économique Européen sur la concurrence en Suède

L'Autorité chargée de la concurrence a étudié les conséquences à prévoir sur la concurrence, à la suite de l'entrée en vigueur de l'accord sur l'Espace Économique Européen. Une discussion générale est présentée au sujet des nouvelles conditions de la concurrence qui s'établiront en raison des règles et principes prescrits au sein de l'accord. Des données sectorielles relatives aux effets de l'accord sur l'Espace Économique Européen sont fournies pour les industries/secteurs suivants : alimentation, construction, énergie, transport, services des postes et des télécommunications, biens de consommation et biens intermédiaires. Ces industries/secteurs présentent un intérêt particulier en raison, soit des restrictions existantes à la concurrence, soit par leur importance au niveau des consommateurs.

Les principes de la libre circulation des biens, des services, des capitaux et des personnes seront applicables dans l'Espace Économique Européen. La libre circulation sera réalisée par l'application d'un système de règles communes. Dans ce contexte, les réglementations communautaires des marchés publics et les règles communautaires régissant la concurrence présenteront une importance particulière. Les règlements régissant les marchés publics accroissent la possibilité pour les entreprises ayant leur siège au sein de la CEE de se voir attribuer des contrats qui étaient antérieurement réservés aux entreprises nationales, par exemple dans les secteurs suivants : construction, télécommunications, eau ou énergie ainsi que services fournis par les municipalités.

Un accroissement de la concurrence par l'amélioration des conditions des importations est à prévoir à la suite de l'harmonisation des normes techniques et de l'établissement de règles communes pour les essais et le contrôle s'exerçant dans le cadre de l'Espace Économique Européen. Par conséquent, la stabilité des prix sur les marchés en cause en sera renforcée. L'application des principes de la libre circulation dans l'industrie alimentaire, qui, traditionnellement, est fortement réglementée au niveau national, entraînera probablement à long terme une levée de ces obstacles aux échanges commerciaux.

L'accord sur l'Espace Économique Européen n'aura probablement qu'une incidence marginale sur la concurrence dans certains secteurs de l'économie suédoise. Néanmoins, dans d'autres secteurs, il exercera des effets considérables. Par exemple il entraînera probablement une diminution des coûts des transports internationaux, laquelle, ultérieurement, exercera un effet positif sur les coûts des industries afférents aux transports. L'amélioration des conditions pour les importations parallèles devrait également accroître la pression sur les prix dans de nombreux secteurs, en particulier ceux des biens de consommation.

En conclusion, la concurrence accrue imputable à l'importation de produits et un renforcement général des conditions de la concurrence sont des plus probables dans les secteurs aux prises actuellement avec les règlements nationaux exerçant une discrimination ou des contraintes au détriment des échanges. Il est vraisemblable qu'ils seront tout d'abord constatés dans les secteurs au sein desquels l'application des règles communes est de rigueur, par exemple dans le secteur des marchés publics.

SUISSE

(janvier 1992 - octobre 1993)

I. Législation et politique de la concurrence

Réforme de la loi : contexte et procédure

La réforme de la législation des cartels s'inscrit dans le cadre d'un large mouvement de "revitalisation" de l'économie suisse. Ce programme repose sur la conviction qu'une amélioration de la compétitivité internationale de l'économie suisse passe avant tout par un sérieux renforcement de la concurrence à l'intérieur du pays. Le gouvernement a donc prévu un premier train de mesures comprenant notamment, outre la révision de la loi sur les cartels, l'élavoration d'une loi sur l'élimination des obstacles techniques au commerce transfrontière, ainsi qu'une loi, dite loi sur le marché intérieur, concernant la suppression des entraves publiques internes aux échanges économiques.

Au début de 1993, une Commission d'étude a été chargée d'élaborer un projet de révision de la loi sur les cartels. En septembre, cette Commission a soumis au gouvernement un projet de réforme radicale de la politique suisse de la concurrence. En octobre, le gouvernement a décidé l'ouverture d'une procédure de consultation des partis politiques et des organisations économiques sur ce projet. Cette forme de consultation est prévue par le droit suisse pour tous les projets de lois fédérales. La procédure parlementaire débutera probablement au printemps 1994.

Principales caractéristiques du projet de loi

Par rapport à la loi actuelle sur les cartels, le projet prévoit notamment les nouveautés suivantes.

Cartels : le projet de loi présume que les cartels portant sur les prix, la répartition territoriale ou les quantités éliminent la concurrence efficace et sont donc illicites. Les cartels et les accords verticaux qui n'éliminent pas la concurrence efficace sont licites pour autant que l'examen du cas établisse qu'ils améliorent l'efficacité économique.

Abus de position dominante : le projet prévoit une disposition spécifique de droit administratif comprenant une liste détaillée d'exemples concrets d'abus. Cette disposition s'applique aux situations de puissance tant du côté de l'offre que de celui de la demande, y compris pour les entreprises publiques.

Contrôle des fusions : le projet fixe pour obligation de faire approuver les projets de fusions à partir des seuils suivants : un milliard de francs suisses de chiffre d'affaires réalisé au niveau mondial, dont 300 millions en Suisse, ou une part de marché de plus de 30 pour cent. Devront être empêchées les fusions qui ont pour effet d'éliminer la concurrence efficace.

Entreprises publiques : les entreprises chargées de l'exécution de tâches publiques et auxquelles des autorités étatiques accordent des droits spéciaux sont soumises aux dispositions de la loi dans la mesure où l'application de celles-ci est compatible avec l'exécution des tâches qui leur sont confiées.

Structure institutionnelle : le projet propose la création d'un office fédéral de la concurrence, chargé essentiellement des enquêtes, et d'un conseil de la concurrence, indépendant sur le plan administratif et compétent pour prendre des décisions. Ce dernier doit succéder à la Commission des cartels.

Procédures et sanctions : les procédures ont été complètement révisées afin de les rendre plus efficaces et, en même temps, de mieux répondre aux exigences de l'Etat de droit. Le projet prévoit des sanctions sévères afin d'assurer l'exécution des décisions.

II. Mise en oeuvre de la législation et de la politique de la concurrence

Activité de la Commission des cartels

Enquêtes

Les rapports d'enquêtes publiés portent sur les marchés ou problèmes suivants :

-- appareils auditifs (conclusions déjà présentées dans le précédent rapport) ;

-- articles de ski et fournitures d'autres articles de sport ;

-- boycott d'annonces ;

-- caisses-maladie et conventions tarifaires conclues entre les organisations de caisses-maladie et celles de médecins ;

-- concentration dans la presse suisse ;

-- concentration dans l'industrie des wagons (Schindler/FFA) ;

-- heures d'ouverture des magasins ;

-- lait ;

-- physiothérapeutes indépendants ;

-- tabac.

Les enquêtes suivantes méritent un commentaire particulier :

a) Caisses-maladie

Cette enquête est étroitement liée à la révision complète de la loi sur l'assurance-maladie. Bien que la concurrence ne joue qu'un rôle limité sur le marché de la santé, en raison des particularités de son fonctionnement (marché de l'offre, priorité donnée aux objectifs théapeutiques, indemnisation par l'assurance), la Commission des cartels a proposé au législateur des modifications et compléments afin de mieux exploiter les possibilités existantes.

De l'avis de la Commission, l'orientation pro-concurrentielle de la loi ne peut réellement se concrétiser que si les cartels privés actuellement en place sont démantelés par les intéressés eux-mêmes ou sont déclarés illicites par la loi. Ces cartels limitent la concurrence non seulement au niveau des prestataires, comme par exemple les médecins ou les physiothérapeutes, mais aussi au niveau des caisses-maladie. Leur suppression devrait permettre aux caisses et aux prestataires de soins innovateurs d'élaborer des contrats tarifaires plus favorables.

Il convient, de l'avis de la Commission, de prendre des mesures visant à renforcer la position des caisses-maladie en leur donnant le pouvoir de choisir librement leurs partenaires contractuels. Actuellement, les caisses-maladie doivent prendre en charge les soins de tous les prestataires, ceux-ci ayant le droit de s'affilier quels que soient les accords tarifaires. Si l'on veut que des accords présentant un meilleur rapport prix/prestations puissent s'imposer sur la marché, il faut garantir aux caisses-maladie une plus grande liberté en matière de primes que celle prévue dans le projet de loi. Le même projet de loi autorisant tous les assurés à changer de caisse sans désavantage, ceux-ci pourront profiter des conditions tarifaires et des modalités d'assurance les plus favorables.

Si les prestataires et les caisses-maladie ne peuvent se mettre d'accord sur un nouveau contrat tarifaire, la Commission des cartels propose que le contrat en vigueur soit prolongé d'une année. En l'absence d'un nouveau contrat, les tarifs ne devraient pas être fixés, comme c'est le cas actuellement, par les gouvernments cantonaux mais par une instance indépendante composée de représentants de tous les milieux intéressés, y compris les organisations de patients et de consommateurs, ainsi que d'experts du domaine actuariel. De la sorte, on évitera que les cantons ne soient juges et parties et que les médecins pratiquant de manière indépendante tirent avantage de l'absence de contrat (les tarifs-cadres cantonaux admettant des honoraires jusqu'à dix pour cent plus élevés).

Il a été tenu compte des recommandations de la Commission des cartels dans les travaux sur la révision de l'assurance-maladie.

b) Concentration dans la presse suisse

Dans son nouveau rapport, la Commission a constaté que le noeud du problème se trouve au niveau de l'information locale et régionale. Dans plusieurs régions de Suisse, il n'existe plus qu'un seul quotidien disposant d'un monopole de fait limité à l'information spécifique à la zone de diffusion. Pour l'information nationale et internationale, ces quotidiens se trouvent par contre en concurrence avec la presse d'autres régions, avec des hebdomadaires, ainsi qu'avec la radio et la télévision. Vu que la loi sur les cartels en vigueur ne prévoit pas de véritable contrôle des fusions, il y a lieu d'envisager des mesures permettant d'éviter les effets négatifs sur la formation de l'opinion publique. C'est pourquoi la Commission souhaite être informée à l'avance de toutes les opérations de fusion envisagées dans la presse suisse et entre entreprises de médias. Une telle information permet d'avoir une vue claire et actualisée du mouvement de concentration dans la presse suisse, ainsi que d'ouvrir une enquête permettant d'imposer aux entreprises certaines obligations quant aux comportements qu'elles devront avoir à l'avenir. Par ailleurs, la Commission insiste pour que le principe de l'égalité de traitement soit respecté lorsque des entreprises dominent le marché ou sont intégrées verticalement.

c) Concentration dans l'industrie suisse des wagons

La fusion Schindler/FFA a déjà été décrite dans notre rapport précédent. En fin d'enquête, la Commission a constaté que le jeu de la concurrence dépend pour une grande part de l'attitude des CFF (Chemins de fer fédéraux suisses) envers leurs fournisseurs. C'est pourquoi la Commission les a invités à tenir compte des offres étrangères, à adopter les normes techniques en vigueur au niveau international, ainsi qu'à consulter les calculs de Schindler lorsqu'il n'existe pas d'offres étrangères. En fin d'enquête, la Commission a constaté que les CFF ont modifié leur attitude en se montrant beaucoup plus ouverts à l'aspect de la concurrence.

d) Heures d'ouverture des magasins

Au terme de son enquête, la Commission recommande la suppression des prescriptions en matière d'heures de fermeture des magasins. Les intérêts justifiés, protégés jusqu'à présent par les lois cantonales et communales sur les heures d'ouverture, doivent être défendus par des lois *ad hoc*. La loi sur le travail et les lois réglant les questions de trafic, de bruit et de tapage nocturne doivent être aménagées de sorte à ne pas influencer l'état de concurrence. La Commission invite donc la confédération, les cantons et les communes à modifier leurs prescriptions dans ce sens.

e) Marché laitier

Le marché de l'attribution et de la transformation du lait est fortement réglementé. Considérant les effets négatifs qui en résultent, la Commission a recommandé au gouvernement de procéder à une refonte du marché du lait en deux étapes. Dans un premier temps, il convient de renoncer au double rôle assumé par les fédérations laitières, qui sont à la fois des entreprises commerciales et les autorités chargées d'exécuter la politique laitière de la Confédération. Il s'agit également d'améliorer la transparence dans le domaine de la transformation du lait. Dans un deuxième temps, la Commission des cartels recommande au gouvernement de libéraliser le régime étatique prévalant sur le marché du lait. Il faut supprimer l'approbation des contrats d'achat de lait par les fédérations laitières et mettre fin au prix de base garanti. Ce dernier doit être remplacé par un système de prix de référence et de prix d'intervention pour les produits insuffisamment rentables et jouissant d'avantages préférentiels pour l'exportation. Le contingentement laitier doit être réaménagé et la rémunération paysanne dépendre davantage du marché conforme au jeu de la libre concurrence, tout en tenant compte des objectifs fondamentaux de la politique agricole suisse.

Les fédérations laitières ont accepté les recommandations qui leur ont été adressées. C'est ainsi qu'une entente de prix sur le marché du lait UHT a été levée au 1er janvier 1993 et que les droits de préemption entre coopératives et fédérations laitières le seront au 1er mars 1994.

f) Ciment

L'enquête est arrivée à son terme, après plusieurs années d'investigations poussées et de dures négociations avec les intéressés. Le rapport sera publié fin 1993. En fin d'enquête, des discussions ont porté sur la création d'une nouvelle organisation des transports qui soit plus écologique.

La Commission a, d'autre part, poursuivi ses investigations dans les domaines suivants :

-- sable, gravier également et béton prêt à l'emploi (complément d'enquête demandé par le gouvernement) ;

-- farine panifiable ;

-- automobile ;

-- installations de télécommunications.

Deux enquêtes ont été ouvertes :

-- marché du fromage (en prolongement de l'enquête sur le lait) ;

-- recyclage des déchets (en vue de la sensibilisation croissante de la population aux aspects écologiques).

Enquêtes préalables

Quatre enquêtes ont été terminées. Deux portaient sur l'activité de psychologue (admission dans l'association et indemnisation par les caisses-maladie). Les deux autres concernaient le secteur de l'horlogerie (foire de l'horlogerie et problème d'approvisionnement). La Commission n'a pas poursuivi l'examen de ces cas, soit parce qu'il s'agissait de problèmes particuliers relevant du juge civil, soit parce qu'il n'y avait pas matière.

Fusions et concentrations

Lors de l'examen du cas Schindler/FFA, la Commission a posé le principe selon lequel elle peut recommander à des entreprises de lui soumettre à l'avance des projets de fusions, dans les cas où une intention de fusionner est manifeste. Ce principe a été repris dans le rapport sur la concentration dans la presse.

La Commission s'est intéressée à trois cas de fusions sous forme d'enquêtes préalables. Ces cas concernaient le commerce de détail et la presse. Le but de telles enquêtes est principalement de rendre les intéressés attentifs aux effets nuisibles pouvant découler d'une position dominante.

Examen de projets législatifs

La Commission a donné son avis sur les projets de lois et d'ordonnances suivants :

-- deux arrêtés en matière d'économie laitière ;

-- ordonnance d'exécution sur le cinéma ;

-- ordonnance pour le traitement de déchets animaux ;

-- loi pour la suppression des barrières non tarifaires;

-- mesures temporaires contre l'augmentation des coûts dans le domaine de la santé ;

-- ordonnance sur la répartition des risques entre caisses-maladie ;

-- loi sur les bourses ;

-- divers textes de lois dans le domaine des assurances.

Les considérations les plus marquantes sont les suivantes :

-- Cinéma : la Commission doit être consultée par l'autorité compétente pour tout ce qui relève de la concurrence, comme par exemple les restrictions d'approvisionnement et les positions dominantes dans ce secteur.

-- Fonds de placement : la Commission recommande que le cadre légal soit aménagé de manière aussi ouverte que possible; cela concerne autant les catégories de fonds autorisés que les diverses formes juridiques. En effet, seule une loi suffisamment large permettra non seulement de couvrir les besoins actuels, mais aussi de répondre à l'évolution future dans le domaine.

Relations économiques internationales

Communauté Européenne

Le 6 décembre 1992, la peuple suisse et les cantons ont refusé le traité instituant l'Espace Économique Européen. Les relations avec la CE continuent d'être régies par l'Accord de libre échange de 1972. Cet accord contient des dispositions relatives aux problèmes de concurrence pouvant surgir entre les deux parties. En cours d'exercice, le Comité mixte n'a pas été saisi de tels problèmes bilatéraux.

Conseil de l'Europe

Le Secrétariat de la Commission a poursuivi sa collaboration aux travaux relatifs à la concentration dans les médias. Elle a en particulier proposé une définition de la pluralité dans les médias.

Organisation de la Commission des cartels

En été 1993, M.B. Schmidhauser, Directeur du Secrétariat de la Commission, a fait valoir ses droits à la retraite. M.R. Dähler, son adjoint, lui a succédé.

Surveillance des prix

A côté de la loi sur les cartels, il existe en Suisse une loi sur la surveillance des prix. La surveillance des prix est exercée par un "préposé" désigné par le gouvernement. La loi présente un caractère complémentaire à la politique de concurrence, en ce sens qu'elle prévoit l'examen de la formation des prix dans les secteurs où il existe des monopoles. Les compétences du préposé s'étendent aussi aux activités économiques qui sont réglementées par l'Etat.

Durant l'exercice, la surveillance des prix s'est intéressée aux domaines suivants :

-- circuits de télécommunications loués ;

-- assurance responsabilité civile pour véhicules à moteur ;

-- cigarettes ;

-- assurances accidents ;

-- redevances radio-télévision ;

-- prix des médicaments.

III. Nouvelles études sur la politique de la concurrence

La Commission des cartels publie ses enquêtes, ses avis et ses rapports annuels dans les "Publications de la Commission suisse des cartels et du préposé à la Surveillance des prix" (Publ. CCSPr). Ces publications contiennent également les décisions du ministre de l'Économie relatives à l'application des recommandations et les jugements de tribunaux rendus en vertu de la loi sur les cartels. Pour 1992, leur contenu est le suivant :

Fascicule 1a/1992   Commission des cartels: Rapport annuel 1991

Fascicule 1b/1992   Surveillance des prix: Rapport annuel 1991

Fascicule 2/1992   Voitures de chemin de fer (Fusion Schindler/FFA) Heures d'ouverture des magasins.

Les principaux ouvrages et articles en matière de concurrence publiés en Suisse en 1992 sont les suivants:

ALTENPOHL, M. (1992), "Die Durchsetzbarkeit selektiver Vertriebsbindungssysteme gegenüber Aussenseitern nach schweizerischem Recht". *Aktuelle juristische Praxis*, H.2, 189-195.

MICHEL, N. (1992), *Aspects du droit des marchés publics - Droit suisse, droit européen et droit comparé.* Collection: Enseignement de 3e cycle de droit, Universités de Berne, Fribourg, Genève, Lausanne et Neuchâtel, Fribourg.

PFUND, P. (1992), "Liberalisierung der Versicherungsmärkte: Rechtliche und wirtschaftliche Aspekte - Auswirkungen der liberalisierung auf die schweizerische Versicherungsaufsicht". *Zeitschrift des bernischen Juristenvereins* 128, H. 6, 319-330.

SUTTER-SOMM, K. (1992), "Auswirkungen eines Beitritts der Schweiz zum europäischen Wirtschaftsraum (EWR) oder zur Europäischen Gemeinschaft (EG) auf die öffentlich-rechtlichen Monopole des Bundes, der Kantone und Gemeinden". *Aktuelle juristische Praxis*, H. 2, 214-234.

STOFFEL, W. A. (1992), "L'application de la nouvelle LCart par la Commission des cartels: un premier bilan". *Revue suisse de droit des affairs* 64, no. 3, 93-105

TERCIER, P. (1993), "La revitalisation par la concurrence, l'apport du droit des cartels au programme de revitalisation de la Confédération". *La vie économique* 9/93, 85 ff.

WEBER, S. (1992), "Preisüberwachung und Versicherungsaufsicht". *Schweizerische Versicherungs-Zeitschrift* 60, H.3.4, 75-83.

ZACH, R. (1992), "Schweizerisches Wettbewerbsrecht wohin?" *Aktuelle juristische Praxis, H. 7, 857-866.*

ZWEIFEL, P/EICHENBERGER, R. (1992), *The political economy of corporaism in medicine: self-regulation or cartel management?* Sonderdrucke des Instituts für empirische Wirtschaftsforschung, Universität Zürich, Nr. 127.

ROYAUME-UNI

(1992)

I. Modifications ou projets de modification des lois et des politiques relatives à la concurrence

Exposé succinct des nouvelles dispositions législatives et réglementaires en matière de droit de la concurrence et de la législation connexe

Aucune modification à la législation existante en matière de concurrence n'a été apportée. Néanmoins, le gouvernement a réaffirmé son intention d'adopter une nouvelle législation renforçant les pouvoirs à l'égard des ententes dès que le calendrier des assemblées législatives l'aura permis.

Abus de puissance sur le marché

Le gouvernement a publié un document de caractère consultatif sur les abus de puissance sur le marché en novembre 1992. Les auteurs de ce document ont examiné l'opportunité de modifier les passages de la législation du Royaume-Uni sur la concurrence traitant des pratiques anticoncurrentielles et des situations de monopole. Ils ont esquissé diverses options, y compris l'interdiction de comportements constituant une exploitation abusive d'une position de force sur le marché. Cette dernière option serait parallèle aux propositions d'interdiction des accords anticoncurrentiels conformes à l'article 85 du traité de Rome. Les résultats de la consultation n'ont pas encore été communiqués.

Loi de 1992 sur la concurrence et les services publics

Cette loi a pour objectif essentiel de renforcer les pouvoirs de toutes les instances de réglementation des services publics privatisés jusqu'au niveau des pouvoirs de l'instance la plus forte. Les principaux chapitres fondamentaux de la loi ont été élaborés progressivement. La loi dote également les instances de réglementation des services publics du pouvoir légal de fixer les critères pour les entreprises des services publics et d'en surveiller l'application et d'aplanir les différents entre la clientèle et les services publics.

La loi contient des dispositions destinées à renforcer la concurrence dans le secteur de l'approvisionnement en gaz et dans le secteur des services de distribution d'eau et d'évacuation des eaux.

Modifications des dispositions législatives et réglementaires, des politiques ou des directives en matière de concurrence

Guide relatif aux dispositions de la loi sur les pratiques commerciales restrictives (RTPA)

Une nouvelle brochure ("Restrictive Agreements") a été publiée en juin 1992. Elle était destinée à fournir aux entreprises de toute catégorie un guide général de la loi au sujet des accords commerciaux restrictifs, en expliquant l'incidence qu'elle pouvait avoir sur la conduite de leurs activités. Une brochure complète la brochure existante donnant des conseils plus précis ("Restrictive Trading Practices"), destinée aux conseillers professionnels.

II. Application des lois et des politiques de la concurrence

Action des autorités et des juridictions compétentes en matière de concurrence contre les pratiques anticoncurrentielles

Accords restrictifs (lois de 1976 et de 1977 sur les pratiques commerciales restrictives)

Les lois de 1976 et de 1977 sur les pratiques commerciales restrictives donnent les moyens d'évaluer l'effet de certains accords et arrangements commerciaux et de faire obstacle à l'application de ceux qui sont sensiblement anticoncurrentiels. Des précisions sur tous les accords et arrangements en cause doivent être envoyées à l'Office de la loyauté dans le commerce (OFT) en vue de leur inscription dans le registre des accords commerciaux restrictifs tenu par l'Office. Le registre est accessible au public à des fins d'examen, à l'exception de certaines données délicates sur le plan commercial.

L'OFT a deux principales missions au titre des lois sur les pratiques commerciales restrictives. En premier lieu, il évalue les accords dont les particularités ont été communiquées aux fins d'enregistrement en temps voulu et, le cas échéant, il saisit le Tribunal des pratiques restrictives (ci-après dénommé "le Tribunal"). Ces accords sont légaux à moins que le Tribunal ne les annule et tant qu'ils ne sont pas annulés par le Tribunal. En deuxième lieu, l'Office identifie, examine et évalue les accords qui ont été conclus secrètement et dont l'application est illégale, et en saisit le Tribunal.

Nouveaux accords enregistrés

Des précisions relatives à 1 249 accords ont été communiquées à l'OFT en 1992, soit environ six pour cent de moins qu'en 1991, année au cours de laquelle 1 327 accords ont été communiqués. Les accords ne s'avèrent pas tous susceptibles d'enregistrement. En 1992, 589 accords ont été ajoutés au registre (près de quatre pour cent de moins qu'en 1991), ce qui porte le nombre total d'accords enregistrés depuis la constitution du registre en 1956 à environ 10 600.

L'augmentation régulière au cours des récentes années du nombre d'accords présentés (par rapport à la réduction radicale et exceptionnelle constatée en 1990, qui était directement imputable à la dérogation à l'obligation d'enregistrement pour certains types d'accords de vente et d'achat et de souscriptions de capital) s'est arrêtée, bien qu'elle pourrait reprendre parallèlement à la relance de l'activité économique.

Restrictions légales

La plupart des accords inscrits au registre public ne prévoient pas de restrictions graves sous l'angle de la concurrence, au point qu'ils nécessitent une enquête du Tribunal. Dans certains autres cas, l'Office est en mesure de négocier des modifications afin d'éliminer l'effet anticoncurrentiel des restrictions. En pareil cas -- au titre de l'article 21(2) de la loi de 1976 -- le ministre peut, sur le conseil du Directeur général pour la loyauté dans le commerce, décider que la saisine du Tribunal est inutile. En 1992, le Directeur général a pu informer le ministre que 534 accords ne restreignaient pas sensiblement la concurrence ; le ministre a émis 503 directives. Dans plusieurs autres affaires, le Directeur général a été en mesure d'exercer son pouvoir -- au titre de l'article 21(1) de la loi de 1976 -- de ne pas saisir le Tribunal d'accords qui avaient expiré ou dont toutes les restrictions avaient été éliminées.

Restrictions illégales

Bien qu'un grand nombre d'accords prévoyant des restrictions soient présentés en vue de leur enregistrement, conformément à ce que prévoit la loi sur les pratiques commerciales restrictives, l'OFT continue à découvrir des accords qui n'ont pas été notifiés. Lorsque le Directeur général a des motifs légitimes de croire que des personnes sont peut-être parties à un accord non notifié mais susceptible d'enregistrement, il peut, au titre de l'article 36 de la loi, les sommer légalement de fournir des précisions. En 1992, 50 nouvelles enquêtes ont été engagées, des avis au titre de l'article 36 ont été notifiés dans le cadre de 15 enquêtes et plusieurs lettres d'enquête d'un caractère moins formel ont également été envoyées.

Le Directeur général saisit presque immanquablement le Tribunal de tout accord illégal dont il estime qu'il a été tenu secret délibérément. Au titre de l'article 35, le Tribunal peut alors rendre des ordonnances obligeant les parties à ne pas appliquer les restrictions prévues aux accords et à ne conclure aucun autre accord susceptible d'enregistrement sans l'avoir envoyé au préalable à l'OFT. Le Directeur général peut également demander à la Cour de rendre des ordonnances, au titre de l'article 2, en vertu desquelles les parties sont obligées de ne conclure aucun accord restrictif similaire. Le non-respect des ordonnances ou des engagements donnés en l'absence d'ordonnances est tenu pour une offense au Tribunal et peut être sanctionné par des amendes. Les particuliers convaincus d'offense au Tribunal peuvent également être passibles d'emprisonnement.

Affaires sur lesquelles le Tribunal a statué en 1992

Au cours d'une audience qui s'est tenue devant le Tribunal le 27 juillet, deux exploitants, Plymouth Citybus Ltd et Western National Ltd., ont reconnu l'existence d'un accord sur l'exploitation de services d'autobus dans la région de Plymouth entre novembre 1988 et juin 1989. Aux termes de l'accord, les parties s'étaient entendues pour ne pas se faire concurrence sur certains itinéraires d'autobus et pour fixer des tarifs et des horaires pour un itinéraire. Les deux firmes se sont engagées envers le Tribunal à résilier l'accord et à ne conclure aucun accord en ce sens à l'avenir.

Engagements remplaçant des procédures judiciaires

Le 11 juin, il a été annoncé que plusieurs détaillants importants de lait s'étaient engagés envers le Directeur général à ne conclure aucun accord de fixation du prix du lait et de divers produits vendus par les livreurs de lait et à ne pas se concerter pour l'offre d'approvisionnement en lait. Des engagements remplaçant des ordonnances du Tribunal ont été donnés à la suite de la découverte au cours des années 80 d'un grand nombre d'accords illégaux de fixation des prix et de soumissions frauduleuses. Tous les accords ont été résiliés (plusieurs changements dans la propriété des entreprises de vente de lait au détail et en gros sont intervenus depuis la conclusion des accords et certaines des firmes qui ont souscrit aux engagements n'étaient pas parties aux accords illégaux).

Aux termes des engagements, les parties ne peuvent conclure aucun accord susceptible d'enregistrement au titre de la loi sur les pratiques commerciales restrictives, restreignant les prix à exiger pour le lait liquide ou divers produits vendus par les livreurs de lait ou constituant des soumissions concertées pour l'approvisionnement en lait liquide ou divers produits par les livreurs de lait. Elles s'engagent à ne conclure aucun accord susceptible d'enregistrement en ce qui concerne le lait ou les autres produits vendus par l'intermédiaire de livreurs de lait sans avoir au préalable communiqué des précisions au Directeur général, et à adopter un programme d'application à présenter pour observations au Directeur général.

Affaires judiciaires en préparation

i) Sucre - Des préparatifs se sont poursuivis en vue d'une action judiciaire menée contre British Sugar plc et Tate and Lyle Industries Ltd concernant des accords sur les prix et le partage des marchés notamment celui du sucre au détail entre juin 1986 et juillet 1990. Il devrait être statué sur cette affaire en 1993.

ii) Distribution de journaux - Une procédure a été engagée contre W H Smith Ltd et G R & J Pemberton and Sons, au motif que ces firmes avaient manqué à leur obligation de communiquer des précisions au sujet d'un accord relatif à la rationalisation de la distribution en gros des journaux, des magazines et des périodiques dans la région de Preston et dans la région voisine.

iii) Béton - Le Directeur a poursuivi son enquête sur plus de 60 accords entre fournisseurs de béton pré-mélangé, accords inscrits au registre public. Ces accords prévoyaient des restrictions en matière de partage des marchés et de fixation des prix et concernent certaines firmes qui ont déjà fait l'objet d'ordonnances judiciaires ou d'engagements antérieurs souscrits envers le Tribunal, leur interdisant d'être parties à des engagements similaires. L'enquête en cours est menée en vue d'une action judiciaire à engager en 1993. En raison de l'existence d'ordonnances, cette action concernerait une offense au Tribunal. L'Office se propose également d'envisager une action contre certains particuliers au motif qu'ils ont été complices de l'infraction d'offense au Tribunal commise par leurs firmes et qu'ils les ont encouragées. Dans le cadre de l'étape préparatoire à l'action judiciaire menée en 1993, l'Office procède actuellement à l'interrogatoire des particuliers qui avaient connaissance des accords.

iv) Reportage télévisé sur les courses de chevaux pour les maisons de paris - La procédure de saisine du Tribunal par le Directeur général au sujet d'un accord entre Satellite Information Services Ltd (SIS) et Racecourse Association Ltd et ses affiliés se poursuit en passant par les divers stades préliminaires de la procédure. Au cours de l'année, la réponse du Directeur général à l'exposé des faits par SIS a été déposée, le Tribunal a ordonné qu'il soit statué sur certains points de droit au cours d'une audience préliminaire au début de 1993 et l'Office a engagé une action judiciaire de production de pièces dans le cadre de cette audience.

v) Isolation thermique - A la fin de l'année, l'action engagée contre certains distributeurs de matériel d'isolation thermique pour leur participation à des accords non communiqués en matière de fixation des prix, touchait à sa fin. Toutes les firmes en cause devraient maintenant souscrire à des engagements ou acquiescer à des ordonnances judiciaires arrêtées à leur encontre.

Prix imposés *(loi de 1976 sur les prix imposés)*

Au titre de la loi de 1976 sur les prix de revente, il est illégal que des fournisseurs de biens imposent des prix de revente minima aux distributeurs, ou les contraignent à faire payer ces prix en menaçant de refuser de les approvisionner ou de leur imposer quelque autre sanction. En 1992, l'Office a été saisi de 34 plaintes en violation prétendue de la loi sur les prix imposés, soit le même nombre de plaintes qu'en 1991. Dans trois affaires, le Directeur général a obtenu des engagements écrits de la part des fournisseurs et aux termes desquels ils ne chercheraient pas à imposer des prix minima de revente de leurs produits par les distributeurs. Les produits en cause étaient des vêtements d'enfants, des articles textiles et des voitures de sport.

Pratiques anticoncurrentielles *(loi de 1980 sur la concurrence)*

La loi de 1980 sur la concurrence prévoit que le Directeur général enquête sur des comportements commerciaux qui semblent anticoncurrentiels. S'il conclut qu'une forme de comportement empêche, restreint ou fausse la concurrence ou doit vraisemblablement le faire, dès lors, à moins que la partie en cause ne souscrive à un engagement qui neutralisera l'effet anticoncurrentiel, le Directeur général peut saisir de l'affaire la Commission des monopoles et des fusions pour complément d'enquête. Il évalue également l'effet du comportement sur l'intérêt général.

Rapports du Directeur général pour la loyauté dans le commerce

Le Directeur général a publié un rapport en 1992 : Southdown Motor Services Ltd (15 juillet).

Les enquêteurs ont examiné des allégations suivant lesquelles Southdown (qui au mois de mai a modifié sa dénomination en la remplaçant par Sussex Coastline Buses Ltd) avait imposé des tarifs non économiques sur des itinéraires à Bognor Regis en se proposant de compromettre la rentabilité des activités d'un concurrent. Selon les conclusions du rapport, le comportement de Southdown était anticoncurrentiel et, dans la mesure où la firme n'avait pas proposé des engagements satisfaisants, la MMC a été saisie de l'affaire le 3 septembre.

En octobre, Southdown a engagé une procédure judiciaire au motif que l'acte introductif d'instance avait un objet dépassant la question des deux itinéraires indiqués dans le rapport du Directeur général. Cette affaire a fait l'objet d'une audience, le 18 novembre. Aux termes de la décision rendue le 12 janvier 1993, il a été fait droit à la requête de Southdown et l'acte par lequel la MMC avait été saisie, a été modifié en conséquence.

Situations de monopole (loi de 1973 sur la loyauté dans le commerce)

Au titre de l'article 2 de la loi de 1973 sur la loyauté dans le commerce, le Directeur général est tenu de surveiller les activités commerciales au Royaume-Uni afin de constater l'existence de situations de monopole (au sens des articles 6, 11) et de pratiques anticoncurrentielles.

L'Office pour la loyauté dans le commerce exécute la mission susvisée sous deux formes. En premier lieu, il surveille l'activité économique des entreprises afin d'identifier les domaines dans lesquels il peut exister des situations de monopole et d'exploitation abusive de monopole. Aux fins d'application de la loi sur la loyauté dans le commerce, il existe un monopole d'échelle là où une entreprise unique ou un groupe d'entreprises unique fournit au moins un quart de tout bien ou service au Royaume-Uni ; il existe une situation de monopole "complexe", là où un quart de tout bien ou service est fourni par un groupe de personnes qui conduisent toutes leurs affaires de manière anticoncurrentielle. L'Office prête une attention particulière aux résultats économiques des firmes qui ont des parts de marché importantes, compte tenu du degré de pénétration des importations et d'information sur les niveaux de prix et les fluctuations de prix, les bénéfices et le comportement sur le marché. En deuxième lieu, il prend note des plaintes et des divers arguments émanant de l'industrie et du public.

Là où il semble exister une situation de monopole, le Directeur général peut saisir de l'affaire la MMC aux fins d'enquête. Néanmoins, il n'est pas présumé que, lorsqu'elle est constatée, une situation de monopole doive toujours faire l'objet d'une saisine ou qu'un monopole en tant que tel soit contraire à l'intérêt général sur la question de savoir si ces monopoles nuisent, ou s'il est à prévoir qu'ils nuiraient à l'intérêt général, il appartient à la MMC de statuer après avoir été saisie.

Affaires déférées par le Directeur général pour la loyauté dans le commerce à la Commission des monopoles et des fusions

Le Directeur général a saisi la MMC de huit affaires en 1992 :

30 avril	La fourniture de solutions pour verres de contact
19 août	La distribution en gros de journaux nationaux en Angleterre et au pays de Galles
19 août	La distribution, aux fins de revente, de journaux nationaux en Angleterre et aux Pays de Galles
8 septembre	La fourniture de services médicaux privés
30 septembre	La fourniture de déchets animaux en Angleterre et au pays de Galles
30 septembre	La fourniture de déchets animaux en Ecosse
19 novembre	La fourniture en vue de la vente au détail de parfums de luxe
15 décembre	La fourniture de services d'autobus dans le Mid-Kent

En outre, le ministère du Commerce et de l'Industrie a également saisi la MMC de la double affaire suivante : la fourniture de gaz à des clients conformément ou non au tarif ; et les services de transport ou de stockage de gaz par des fournisseurs publics de gaz.

Rapports établis par la MMC

Cinq rapports ont été publiés par la MMC en 1992 :

5 février	Voitures neuves
5 février	Pièces de rechanges de voitures
12 février	Services de transbordement de Cross-Solent
5 mars	Fourniture d'allumettes et de briquets à jeter
6 août	Services de radiotélédiffusion

i) Voitures neuves - La MMC a constaté qu'en raison du système de distribution sélectif et exclusif utilisé par la plupart des distributeurs de voitures au Royaume-Uni, il existait un monopole complexe privilégiant 24 fournisseurs. Dans son rapport, elle a considéré que certaines restrictions imposées par les fournisseurs de voitures neuves dans leurs accords avec des distributeurs étaient des facteurs préjudiciables ou susceptibles d'être préjudiciables à l'intérêt général.

Sans proposer de modification essentielle au système de distribution, la MMC a recommandé la levée des restrictions aux distributeurs, restrictions qui :

-- limitaient leur liberté de recourir à la publicité en dehors de leur territoire ;

-- limitaient leur liberté d'être concessionnaires ou d'acquérir d'autres concessions en dehors de ce territoire ;

-- faisaient obstacle à ce qu'ils détiennent des concessions ou acquièrent des concessions concurrentes dans des sites distincts à l'intérieur de leur territoire ;

-- restreignaient la mesure dans laquelle ils pouvaient vendre des biens et des services relatifs à des voitures automobiles en dehors de leur territoire, et

-- limitaient le nombre et la proportion du chiffre d'affaires global des voitures de fournisseurs qu'ils ou qu'un groupe quelconque de distributeurs pouvaient vendre.

Une comparaison précise des prix des voitures neuves au Royaume-Uni avec ceux des autres marchés de la Communauté européenne n'a pas amené la MMC à conclure qu'il y avait lieu de prévoir un écart tant soit peu sensible entre les niveaux généraux des prix au Royaume-Uni et ceux des marchés français et allemand dans un proche avenir. Néanmoins, la MMC a jugé raisonnable de présumer que les prix du Royaume-Uni pour certains modèles seraient supérieurs à ceux des autres pays (en particulier la Belgique et les Pays-Bas), et qu'il y avait lieu de s'attendre à des écarts de temps à autre même entre les niveaux généraux des prix.

La MMC a estimé que les prix au Royaume-Uni, et en particulier les prix pour les acquéreurs privés, seraient supérieurs à ceux qui seraient fixés sur un marché plus concurrentiel. Elle a conclu que la principale cause en était les restrictions volontaires à l'exportation (VER) qui limitaient les fabricants japonais à environ 11 pour cent du marché du Royaume-Uni (ce qui relevait le niveau général des prix des voitures) et les voitures d'entreprises et les importantes remises pour les exploitants de parcs de voitures (soit des facteurs qui a eux tous faussaient la structure des prix pour les autres acheteurs).

L'idée a été émise que les politiques actuelles en matière de VER et de taxation des voitures d'entreprises devaient être réexaminées et que la Commission des Communautés européennes devait se pencher sur la question des accords d'importation parallèles.

Après une période de concertation, le ministre a demandé au Directeur général d'étudier avec les fournisseurs de voitures les moyens de mettre en oeuvre les recommandations de la MMC et d'examiner le point de savoir si des mesures complémentaires, quelles qu'elles soient, devaient être prises par les autorités au Royaume-Uni en matière de concurrence. Aucune conclusion n'avait été dégagée à la fin de l'année.

ii) Pièces de rechange de voiture - Il existe deux principaux circuits d'approvisionnement en gros des pièces de rechange pour voiture : les distributeurs de voitures neuves à leurs concessionnaires franchisés et les fournisseurs indépendants de pièces de rechange, qui approvisionnent directement ou par l'intermédiaire de distributeurs des garages indépendants, des centres de réparation et d'entretien et des détaillants. La plupart des pièces de rechange de voiture sont vendues dans le cadre d'un service de réparation ou d'entretien d'une voiture et le choix des pièces est dans une large mesure déterminé par le choix du détaillant.

La MMC a constaté que bien qu'il existe une concurrence pour la fourniture de pièces aux fournisseurs de voitures et pour l'approvisionnement en gros du secteur indépendant, il n'existait qu'une concurrence directe limitée concernant les activités des distributeurs de voitures franchisés. Nonobstant l'existence d'une situation de monopole complexe privilégiant les fournisseurs de voitures, la MMC a estimé qu'elle n'exerçait absolument pas d'effet préjudiciable à l'intérêt général.

Elle a néanmoins identifié les aspects sous lesquels les pratiques de certains fournisseurs pouvaient être préoccupantes :

-- primes rattachant les résultats obtenus par les distributeurs en matière de ventes de pièces de rechange aux résultats obtenus pour d'autres objectifs ;

-- refus de fournir des pièces à des entreprises autres que les concessionnaires franchisés ;

-- restrictions à la capacité des fabricants de composants d'approvisionner les services après vente indépendants, et

-- refus de l'information nécessaire à l'utilisation de matériel d'identification des causes de défaillance.

Au cas où l'évolution ultérieure justifierait une réévaluation de certains des facteurs susvisés, quels qu'ils soient, la MMC a proposé d'envisager des actions complémentaires au titre de la loi sur la concurrence.

iii) Services de traversée du Solent - La MMC a constaté l'existence d'une situation de monopole en faveur de Wightlink Ltd et de sa société mère, Sea Containers Ltd, pour la fourniture de services de ferryboat vers et depuis l'île de Wight. Néanmoins, elle a conclu qu'il n'existe aucun facteur préjudiciable ou risquant d'être préjudiciable à l'intérêt général.

En dépit de l'existence de trois autres exploitants de services de traversée du Solent, Wightlink dominait le marché. En 1990, cette firme avait transporté 71 pour cent de la totalité des passagers, 85 pour cent des voitures, 94 pour cent des cars et 80 pour cent des camions. Ses bénéfices étaient substantiels, alors que les autres exploitants travaillaient à perte ou ne réalisaient que de modestes bénéfices. Il a été soutenu que la propriété des installations portuaires par les exploitants de services de ferry et les difficultés de mise en place d'installations rivales feraient obstacle à l'arrivée de nouveaux venus sur le marché, mais la MMC n'a pas constaté l'existence de preuves suffisantes à l'appui de cette thèse.

Néanmoins, il a été admis que la position dominante de Wightlink sur le marché se prêtait à une exploitation abusive et la MMC a estimé probable la nécessité de poursuivre l'examen de la rentabilité et des tarifs à l'avenir.

iv) Fourniture d'allumettes et de briquets à jeter - La MMC a constaté l'existence d'une situation de monopole privilégiant Bryant et May Ltd et ses sociétés mère : Bryant and May (Holdings) Ltd. ; Larchgreen Ltd ; Swedish Match International BV ; et Swedish Match Group BV.

Antérieurement, en 1987, la MMC avait autorisé l'acquisition par Swedish Match de Bryant et de May Ltd ainsi que d'autres entreprises appartenant précédemment à Allegheny International Inc. Dans son nouveau rapport, la Commission a relevé qu'en 1990, Bryant and May représentait 78 pour cent du volume des ventes totales d'allumettes au Royaume-Uni. C'était la seule firme dont les marques d'allumettes s'étaient imposées durablement et presque toutes les allumettes qu'elle vendait étaient fabriquées en Grande-Bretagne. Cette firme était également le grand fournisseur tant de briquets à jeter que de briquets semi-jetables (rechargeables-jetables) - la plupart de ses concurrents n'offrant que des briquets jetables (non rechargeables). Tous les briquets jetables vendus au Royaume-Uni étaient importés.

La fixation du droit d'accise sur les briquets avait servi à maintenir les ventes d'allumettes à des niveaux plus élevés que ce n'aurait été sinon le cas. Elle avait également stimulé la vente de briquets semi-jetables, par comparaison avec les briquets jetables moins chers, et avait été à l'origine d'une importante contrebande de briquets.

Dans certains accords avec d'importants clients, Bryant and May avait imposé des conditions relatives aux remises, à l'exclusivité des ventes et aux activités de promotion, et des exigences de stockage minimum. A une voix dissidente près, la MMC a estimé que les dispositions en cause étaient contraires à l'intérêt général car elles renforceraient encore la propre position de Bryant and May et affaiblirait celle de ses concurrents.

Depuis la fusion de 1987, la firme avait relevé ses prix des allumettes de marque généralement en fonction de l'inflation (tout en respectant les conditions des assurances données à cette époque). Néanmoins, des réductions de prix sensibles avaient entraîné des bénéfices excessifs et les prix étaient supérieurs à ce qu'ils auraient été sur un marché plus concurrentiel. La concurrence au niveau des prix des briquets a été cependant renforcée et la MMC n'a constaté l'existence d'aucun effet préjudiciable pour des motifs d'intérêt général.

Le ministre a reconnu le bien-fondé des constatations susvisées et de la recommandation de la MMC de contrôler les prix que Bryant and May faisait payer à leur clientèle pour les allumettes de marque. Il a demandé au Directeur général de chercher à obtenir des engagements de la firme afin de faire bloquer les prix pour une période de deux ans. Avant l'expiration de cette période de deux ans, le Directeur général doit examiner le marché afin de se prononcer sur le point de savoir s'il est nécessaire de maintenir le contrôle des prix -- compte tenu des effets de toute modification du droit d'accise sur les allumettes et les briquets. Il a également été prié de chercher à obtenir de Bryant and May l'engagement de ne pas inclure dans leurs futurs accords avec leur clientèle des dispositions sur les remises, les ventes en exclusivité et les activités de promotion et le stockage minimum, de nature à renforcer leur position et à affaiblir celle de leurs concurrents.

v) Services de téléradiodiffusion

Le Directeur général a saisi la MMC à la suite de la publication en 1991 d'un rapport indépendant commandé par le ministre du commerce et de l'industrie sur la promotion croisée entre les médias et dans lequel s'exprimaient les préoccupations particulières au sujet de la mesure dans laquelle la BBC lançait ses propres magazines sur les "pistes" de télévision et les programmes.

La MMC a constaté l'existence de deux situations de monopole d'échelle : la première privilégiant la BBC et sa filiale BBC Enterprises Ltd et la deuxième favorisant l'Independent Television Commission (ITC) et sa filiale en propriété exclusive Channel Four Television Company Ltd. A elles deux, la BBC et la ITC fournissent près de 95 pour cent des services de téléradiodiffusion.

Dans son rapport, la MMC a déclaré que les produits liés à la radiotélédiffusion ne faisaient pas l'objet d'une campagne de promotion importante sur la télévision commerciale et que la concurrence n'était pas faussée. Néanmoins, l'utilisation par la BBC de temps d'émission gratuits en vue de la promotion de ses propres magazines avait faussé la concurrence dans les secteurs de l'alimentation et de la cuisine ainsi que dans celui des magazines publiant des listings. A moins que les restrictions appropriées ne soient imposées à la BBC, il était à prévoir que la concurrence resterait faussée et qu'une distorsion semblable fausserait la concurrence dans d'autres secteurs du marché. La MMC a recommandé l'interdiction de la promotion des magazines de la BBC sur des pistes "mobiles" ou par des messages intégrés au programme, et la limitation de l'utilisation de pistes "fixes" afin d'exclure tout facteur de persuasion, d'approbation et de vente.

En se ralliant aux recommandations susvisées, le ministre des entreprises a demandé au Directeur général d'obtenir de la BBC qu'elle souscrive aux engagements requis tout en s'engageant également à n'indiquer dans ses messages publicitaires à l'antenne que le prix, l'éditeur et l'offre de ses magazines et en les accompagnant d'une indication générale sur l'offre de magazines concurrents. La BBC a signé des engagements ayant valeur légale avec le ministre, le 4 novembre.

Mesures prises à la suite des rapports antérieurs

i)   L'offre de sel blanc - Dans un rapport publié en juin 1986, la MMC a constaté l'existence d'un monopole dans l'offre de sel blanc en faveur de Imperial Chemical Industries plc (ICI) et de British Salt Ltd, une filiale de Staveley Industries plc. Alors que British Salt était le producteur le plus efficace, ses prix avaient suivi l'orientation donnée par ICI. La MMC avait conclu que le marché n'était pas concurrentiel et que les prix étaient plus élevés qu'ils ne l'auraient été dans des conditions de concurrence efficace. Elle a recommandé de contrôler les prix de British Salt afin qu'elle ne soit plus influencée par l'inefficacité relative de l'entreprise de ICI dans le secteur du sel blanc. En mars 1988, Staveley Industries a souscrit envers le ministre à des engagements fixant le niveau maximum de hausse des prix autorisée de British Salt en fonction d'un indice pondéré des coûts de production, déduction faite d'un abattement annuel d'un point en pourcentage.

L'Office a examiné ces engagements en 1992. Il a constaté que, alors que le marché de la production de sel blanc restait essentiellement dominé par un duopole, les prix de British Salt étaient maintenant sensiblement inférieurs au niveau autorisé. Il a conclu que le plafond des prix devait être rabaissé et il a négocié avec Staveley Industries une révision des engagements, qui rectifiait l'indice des coûts de production en prenant pour base la date du 31 janvier 1992 et augmentait l'abattement annuel de l'indice en le faisant passer à deux points en pourcentage. Le ministre a accepté les engagements rectifiés, le 11 juin.

ii)   L'approvisionnement en gaz - Le rapport annuel pour 1991 a fait état de la thèse du Directeur général suivant laquelle les accords actuels n'avaient pas réussi à encourager la formation d'une concurrence auto-entretenue à British Gas dans le secteur général de l'industrie et des échanges. Bien qu'il estimait que la saisine de la MMC serait justifée, il a retardé une action en ce sens afin de vérifier si British Gas proposerait des engagements qui la rendraient inutile.

De nouvelles négociations ont eu lieu au début de 1992 et, le 11 mars, le Directeur général a accepté des engagements de British Gas en ce qui concerne le marché de l'approvisionnement en gaz des grands usagers industriels et commerciaux. British Gas s'est engagée à réduire sa part du marché des contrats en la faisant passer de 95 pour cent en 1991 à 40 pour cent en 1995, y compris par la livraison à des concurrents de gaz que cette firme s'était engagée contractuellement à acheter, et à dissocier ses activités de transport et d'entreposage du gaz au sein d'une unité opérationnelle distincte. Cette unité traiterait dans des conditions de concurrence normale avec la division de la firme chargée de la commercialisation du gaz et n'exercerait aucune discrimination entre British Gas et les autres fournisseurs.

Néanmoins, ultérieurement, la MMC a été saisie de deux séries distinctes d'affaires : deux affaires ont été déférées par le ministre au titre de la loi sur la loyauté dans le commerce; elles concernaient le marché du gaz en général et la fourniture et le stockage du gaz. Deux affaires l'ont été par le Directeur général de l'approvisionnement en gaz (DGGS) au titre de la loi sur le gaz et concernait le transport et le stockage du gaz et le marché du gaz tarifé. Compte tenu de cette évolution, le Directeur général a annoncé, le 31 juillet, qu'il relevait British Gas de ses engagements sur le transport et sur le stockage.

iii) L'offre de bière - Au titre de la loi sur la loyauté dans le commerce, le Directeur général est chargé de surveiller l'application par les brasseurs des deux ordonnances rendues par le ministre à la suite du rapport de la MMC de 1989 sur la fourniture de bière. Ces ordonnances comprenaient des mesures destinées à renforcer la concurrence au sein du secteur en cause, essentiellement par un assouplissement des restrictions verticales.

L'une des ordonnances, l'ordonnance de 1989 sur l'approvisionnement en bière (clause d'achat liée), prévoyait que les brasseurs possédant plus de 2 000 débits sous licence étaient tenus de céder leurs participations dans le secteur de la brasserie, ou de céder ou libérer de tout lien la moitié des débits en sus de leurs 2 000 établissements, avant le 1er novembre 1992. Les brasseurs ont adopté diverses stratégies afin de respecter ces ordonnances. Il serait prématuré d'évaluer l'incidence sur la concurrence des modifications structurelles profondes du secteur en cause.

Demandes officieuses

Plusieurs questions examinées par l'Office ont été résolues d'une manière satisfaisante sans qu'il soit nécessaire de procéder à une enquête au titre de la loi sur la concurrence ou de déférer une affaire en matière de monopole au titre de la loi sur la loyauté dans le commerce. Les affaires les plus importantes sont exposées dans les paragraphes ci-après.

i) RAC Motor Sports Association - Cette association a accepté de modifier certaines de ses règles qui avaient pour effet d'imposer certaines limitations en ce qui concerne le calendrier et les lieux prévus pour l'organisation de courses, les personnes autorisées à y participer et le type d'équipement à utiliser.

ii) British Equestrian Trade Association (BETA) - L'association a accepté de modifier son système de protection corporelle. Il en résulte que les fabricants des équipements protecteurs du corps ne sont plus tenus de s'affilier à la BETA afin d'en obtenir l'homologation de leurs produits.

iii) VNU Business Publications - Cette firme s'est engagée à ne pas proposer de remise en contrepartie de contrats de publicité exclusive dans sa publication Accountancy Age.

iv) Cartes en plastique - L'Office a examiné les griefs selon lesquels les banques s'étaient concertées pour relever les redevances de transfert qui leur étaient payées par les "merchant acquirers" (intermédiaires entre les commerçants et les banques émettrices des cartes). Ces griefs avaient été présentés par les détaillants (et par leurs organisations représentatives), qui s'étaient également plaints des hausses consécutives des commissions de services marchands qu'ils payaient à ces "merchant acquirers".

Dans une déclaration diffusée le 22 décembre, le Directeur général a déclaré qu'il n'avait constaté l'existence d'aucun élément révélateur d'une collusion et il a jugé qu'il serait contre-indiqué que la Commission des monopoles et des fusions procède à une enquête officielle. Néanmoins, il a tenu à examiner de manière plus approfondie certains aspects du marché : le point de savoir si certaines dispositions étaient de nature à favoriser une tendance à l'uniformisation des redevances et des commissions et si tant la règle en vertu de laquelle seuls les émetteurs de cartes pouvaient être des intermédiaires commerciaux ("merchant acquirers") que les règles non discriminatoires sur les marchés des cartes de paiement et de crédit avaient quelque justification.

Services financiers

La loi de 1986 sur les services financiers prévoit que le Directeur général est tenu d'examiner les incidences sur la concurrence des règles établies par le conseil des valeurs mobilières et des placements (SIB) et par les organismes cherchant à être agréés en tant qu'organismes d'auto-réglementation, bourses de placement et les valeurs et banques de virement et de rendre compte de ses constatations auprès du ministre des Finances. Il est également tenu d'examiner les amendements et les additifs à ces règlements, et de faire rapport à ce sujet et au sujet de la surveillance de l'application des règlements et des pratiques des organismes en cause.

Au titre de la loi sur les services financiers, quiconque exerce des activités dans le domaine des placements doit appartenir à un organisme d'auto-réglementation ou être placé sous l'autorité directe de l'organisme des réglementations du conseil des valeurs mobilières et des placements (SIB) ou être régi par un organisme professionnel agréé, tel que la Law Society. Par "activités de placement", il faut entendre la gestion ou l'exercice d'activités en matière de placement et la fourniture de services consultatifs dans ce domaine. Ce secteur concerne les actions et les prises de participation, les obligations, les titres, les fonds de placement, les marchés à terme et à option, et certains contrats d'assurance à long terme (des organismes tels que les banques et les sociétés du secteur de l'immobilier qui se consacrent à d'autres activités financières qui ne sont pas visées par la loi sur les services financiers font l'objet d'une réglementation distincte).

Il y a eu de nombreux faits nouveaux sur le marché dans le secteur de la vente directe à la clientèle, ainsi qu'un effort continu de réflexion sur la structure, la portée et l'efficacité de l'auto-réglementation. Par exemple, l'examen de la réglementation régissant la vente directe à la clientèle et le projet d'une nouvelle instance de réglementation, soit la Personal Investment Authority (PIA), ainsi que la fixation de lourdes amendes par la Life Assurance and Unit Trust Regulatory Organisation (LAUTRO), ont eu pour effet que ce secteur a fait l'objet d'une étude et d'un débat particulièrement serrés. En juillet, le ministre des Finances a annoncé qu'il avait demandé au SIB d'étudier la nécessité de veiller davantage à l'application des normes réglementaires.

Le secteur de la fourniture en gros des services financiers (marchés financiers) est également confronté à une évolution. Les marchés dérivés (tels que les marchés à terme, les marchés à option et les swaps) ont connu une expansion rapide au cours des dernières années, tant sur les marchés réglementés que sur les marchés hors cote, à la suite de la mise au point de nouveaux instruments financiers. Nonobstant leur expansion, les marchés sont devenus de plus en plus concurrentiels à la suite de la mise au point de nouveaux produits et de l'entrée en scène des bourses étrangères. La Bourse de Londres a pris des mesures afin d'accroître la liquidité sur le marché des valeurs les moins négociées et son président a annoncé une révision des privilèges et des obligations des teneurs de marchés.

Le Conseil des valeurs mobilières et des placements

En ce qui concerne la vente directe de services financiers à la clientèle, l'Office a axé particulièrement son étude sur les nouvelles dispositions régissant les produits "vie" établies (mais non encore entrées en vigueur) tant par le SIB que par la LAUTRO en juillet à la suite de l'étude par le SIB de la réglemention régissant la vente directe à la clientèle. Le Directeur général devrait faire connaître son opinion sur les questions de concurrence soulevées par cette réglementation au début de 1993.

Demandes d'agrément

En juin, le Directeur général a publié un rapport sur la demande introduite par le Chicago Board of Trade (CBOT) en vue d'être agréé en qualité de bourse de valeurs étrangères. Le CBOT a demandé cet agrément afin de permettre à ses affiliés d'opérer au Royaume-Uni dans le cadre du système d'opérations boursières électronique interactif GLOBEX en dehors des heures d'activité normales du CBOT. Le Directeur général a conclu que les règles régissant le CBOT et la coopération parallèle entre le CBOT, le Chicago Mercantile Exchange and Reuters n'étaient pas préoccupantes du point de vue de la concurrence et que le système GLOBEX favorisait la concurrence. Le CBOT a été officiellement agréé par le ministère des Finances en juillet.

En 1992, en sa qualité de bourse participant au système GLOBEX, le Marché à Terme International de France (MATIF) a demandé à être agréé en tant que bourse de valeurs étrangères et de maison de compensation. New York Mercantile Exchange (NYMEX) a demandé à être agréé en qualité de bourse de valeurs étrangères doté de son propre système de traitement électronique dénommé ACCESS. Le ministre des Finances a demandé au Directeur général d'examiner leurs demandes qui devraient faire l'objet de rapports en 1993.

La Bourse de Londres

i) Publication des transactions - A la suite de son rapport de 1990 sur les règles de la Bourse relatives à la publication par les acteurs du marché des transactions portant sur les valeurs mobilières, l'Office a commandé une étude sur les effets des retards de publication. Il devrait présenter un rapport à ce sujet en 1993.

ii) Stock Exchange Alternative Trading System (SEATS) - L'Office examine si les dispositions du SEATS pour les opérations sur les titres les moins négociés soulèvent des questions en matière de concurrence. Les opérateurs de marchés relevant du système SEATS détiennent des monopoles de transactions ayant pour objet les titres SEATS mais ont l'obligation de fixer des prix permanents dans les deux sens. Le SEATS comprend également un système parallèle actionné sur ordre. Le règlement prévoit la publication sans délai de toute transaction, sauf de celles des acteurs du marché relevant du SEATS.

iii) TAURUS - L'Office a poursuivi avec la Bourse de Londres l'examen de son projet de système de transfert d'actions informatisé (TAURUS). (Les règlements arrêtés au titre de la loi de 1989 sur les entreprises prévoient que le Directeur général a l'obligation de surveiller tant le système TAURUS lui-même que l'exercice des fonctions de la Bourse en sa qualité d'exploitant du système et d'en rendre compte au ministre des Finances).

La loi de 1990 sur la radiotélédiffusion

La loi de 1990 sur la radiotélédiffusion a créé un nouveau cadre réglementaire pour la télévision, la radio et le câble. Elle a donné au Directeur général deux nouvelles missions légales : la première concerne les dispositions de mise sur réseau pour la chaîne 3 ; la deuxième concerne l'obligation, à compter du 1er janvier 1993, pour la BBC de diffuser un pourcentage prescrit des productions réalisées par les firmes indépendantes.

Mise sur réseau

Le rapport du Directeur général au sujet des dispositions de mise sur réseau de la chaîne 3 a été publié le 4 décembre. Au titre de la loi sur la radiotélédiffusion, les 15 titulaires de licences régionales étaient tenus de prendre des mesures de mise sur réseau de manière à ce que les programmes puissent être diffusés par tous les relais de la chaîne 3. La Independent Television Commission (ITC) (Commission indépendante pour la télévision) a été priée d'approuver les dispositions et de les communiquer au Directeur général afin de savoir si elles étaient anticoncurrentielles et, dans l'affirmative, si, cependant, elles entraînaient des retombées économiques positives répondant aux critères énoncés à l'article 85(3) du traité de Rome.

Le Directeur général a conclu que les dispositions proposées étaient anticoncurrentielles. Il avait deux raisons essentielles exposées ci-après, pour conclure en ce sens.

En premier lieu, il a estimé qu'une obligation faite à des producteurs de télévision indépendants fournissant des programmes au réseau de contracter avec un concessionnaire et non avec l'Independent Television Association (ITVA) Network Centre, était de nature à restreindre et fausser la concurrence dans le secteur de la production de programmes télévisuels. Les producteurs indépendants seraient confrontés à des difficultés qui semblaient devoir certainement relever leurs coûts et les désavantager par rapport aux producteurs qui étaient également des concessionnaires.

La deuxième raison concernait les conditions contractuelles types par lesquelles les concessionnaires fourniraient en programmes le réseau, lesquels visaient l'acquisition de droits de diffusion exclusive au Royaume-Uni pendant une longue période (dix ans avec une possibilité de reconduction pour une période complémentaire de cinq années) et de certains autres droits. Le Directeur général a estimé que ces conditions types limiteraient la capacité des producteurs de programme indépendants de faire concurrence aux concessionnaires dans le secteur de la production de programmes : il s'agissait d'une tentative de refus faite aux entreprises de télédiffusion concurrentes d'accéder aux droits de retransmission, de nature à restreindre la concurrence.

Bien qu'il ait reconnu que, dans l'ensemble, le projet de système de mise sur réseau avait ses avantages, le Directeur général a conclu que les dispositions anticoncurrentielles n'étaient pas indispensables pour que ces avantages soient obtenus. Les dispositions en cause ne répondaient donc pas aux critères de la concurrence énoncés dans la loi sur la radiotélédiffusion.

Conformément à la loi sur la radiotélédiffusion, après avoir conclu que les dispositions susvisées ne répondaient pas aux critères de la concurrence, le Directeur général a énoncé les modifications qu'il estimait nécessaires à cette fin. Selon ces modifications, les producteurs indépendants devaient être autorisés à contracter avec le Network Centre (réseau central) et celui-ci devait être en mesure de financer des programmes au cours de la production. En ce qui concerne les clauses contractuelles types, la période maximum d'exercice de tout droit de diffusion au Royaume-Uni acquis par le Network Centre devait être de cinq ans, avec possibilité de reconduction pour une période complémentaire de deux années. En outre, l'option exclusive de l'ITVA pour l'acquisition de droits sur d'autres programmes et grilles de programmes devait être supprimée dans les conditions types et les réalisateurs de programmes ne devaient être soumis à aucune restriction s'ils se proposaient d'acheter à nouveau ces droits.

A la fin de l'année, la Commission indépendante pour la télévision et les 15 concessionnaires ont exprimé leur intention de déférer les conclusions du rapport à la Commission des monopoles et des fusions.

Production indépendante de programmes pour la BBC et l'ITV

Selon le rapport de 1991, le Directeur général a examiné officieusement la part des programmes de la BBC et de ITV acquise par les producteurs indépendants. La loi sur la radiotélédiffusion prévoit que, dès 1993, il rend compte au ministre sur la question de savoir si 25 pour cent ou plus des émissions de la BBC réunissant les conditions requises pour être programmées, sont réalisées par des producteurs indépendants. Le Broadcasting (Independent Productions) Order 1991 (SI 1991/1408) (décret de 1991 sur la radiotélédiffusion de productions indépendantes) a défini "les programmes réunissant les conditions requises" et les "productions indépendantes" à cette fin. La Commission indépendante pour la télévision a une obligation similaire en ce qui concerne les programmes diffusés par la chaîne 3.

Autres questions en matière de concurrence au Royaume-Uni

Réglementation de la profession des commissaires aux comptes

Le Directeur général a déféré au Northern Ireland Department of Economic Development (département du développement économique de l'Irlande du Nord) les demandes introduites par des associations professionnelles de comptables en vue d'être dotées d'un statut d'organisme de supervision ou d'admission à l'exercice de la profession au titre des dispositions des Companies (Northern Ireland) Order 1990 (décret de 1990 sur les sociétés en Irlande du Nord) en ce qui concerne la réglementation de l'exercice de la profession de commissaire aux comptes.

La loi de 1990 sur les tribunaux et les services juridiques

Au cours de l'année, dans le cadre de la mission qui lui a été confiée par la loi de 1990 sur les tribunaux et sur les services juridiques, le Directeur général a présenté 12 rapports au Lord Chancelier. Deux d'entre eux revêtaient une importance particulière.

Rendant compte en avril de l'interdiction faite par le barreau aux barristers salariés de comparaître devant les juridictions supérieures, le Directeur général a conclu que cette interdiction restreindrait sensiblement la concurrence dans le secteur des poursuites pénales qui constituaient des services rendus à l'État. En ce qui concerne la mission de défense incombant à des organismes tels que les pouvoirs locaux et les firmes du secteur privé, il a cependant estimé que la situation était moins tranchée et a préconisé une modification de la règle en cause.

Dans un rapport établi en novembre au sujet d'un projet du barreau relatif aux conditions d'inscription et aux procédures de sélection de l'école de droit des Inns of Court, le Directeur général a conclu que le projet de système de quotas constituerait une barrière à l'accès à la profession et était donc anticoncurrentiel.

La réforme législative écossaise

Dans le cadre de la mission qui lui a été confiée par la Law Reform (Miscellaneous Provisions) (Scotland) Act 1990, (loi sur la réforme du droit) (dispositions diverses) (Ecosse), le Directeur général a présenté trois rapports au ministre pour l'Ecosse. Deux d'entre eux ont été établis en juin : un au sujet des règles de la société de droit écossaise (LSS) interdisant la création de pratiques multi-disciplinaires; l'autre au sujet de l'interdiction faite par la Faculty of Advocates aux avocats de nouer des relations juridiques soit avec des avocats soit avec les membres d'autres professions libérales. Le troisième rapport, établi en août, concernait la demande introduite par la société de droit écossaise (LSS) en vue de l'élargissement de la faculté pour ses membres d'être entendu devant les juridictions supérieures.

Application des règles communautaires en matière de concurrence par les juridictions du Royaume-Uni

Le 23 novembre, il a été interdit à Airlines of Britain Holdings plc (qui exploite British Midland ci-après dénommé BM) et à Virgin Atlantic Airways Ltd (Virgin) par la High Court de déposer une demande de contrôle juridictionnel dirigée contre le ministre et contre le Directeur général.

La demande susvisée concernait le visa que devaient donner les autorités britanniques de la concurrence à un accord conditionnel de cession à British Airways de leurs actifs par les propriétaires de Dan-Air, Davies et Newman plc. Le ministre a décidé le 2 novembre de ne pas saisir de la transaction la Commission des monopoles et des fusions. Le 18 novembre 1992, Virgin et BM ont entrepris des démarches en vue de l'obtention d'un contrôle juridictionnel, en faisant valoir que les autorités du Royaume-Uni chargées de la concurrence étaient tenues en vertu de l'article 88 du traité de Rome de veiller au respect de l'article 86 du traité de Rome. Elles ont demandé une déclaration et des ordonnances obligeant les autorités du Royaume-Uni à procéder à l'examen en cause.

Dans cette affaire, le juge a estimé qu'il n'était pas possible de soutenir que le ministre ou le Directeur général avaient la moindre obligation en vertu de l'article 88 d'appliquer l'article 86 à la fusion entre BA et Dan-Air. Il a statué en ce sens au motif que la réglementation des concentrations (soit le règlement n° 4064/89) prévoyait elle-même, en application de l'article 87, l'application des articles 85 et 86 et qu'il a été estimé qu'il en allait ainsi tant pour les concentrations ayant une dimension communautaire que pour les concentrations n'ayant pas cette dimension.

Les requérants ont saisi de cette affaire la Cour d'appel qui, le 27 novembre, a également rejeté le recours pour les mêmes motifs que la High Court.

Réglementation régissant les services publics privatisés

Télécommunications

i) Utilisation des équipements de réseau dans des secteurs concurrentiels - Au cours de l'année, l'Office des télécommunications (OFTEL) a été saisi de plusieurs plaintes dont les auteurs faisaient valoir que BT exploitait abusivement sa position dominante en utilisant des codes d'accès à trois chiffres afin de favoriser certains de ses propres services (par exemple Telemessages et Timeline), qui étaient ouverts à la concurrence, tout en refusant des codes similaires à des entreprises tenant à proposer des services concurrents. L'OFTEL a par la suite soulevé cette question auprès de BT.

BT a estimé que le nombre restreint de codes disponibles et leur utilisation par BT et divers exploitants publics de télécommunications (les PTO) pour le soutien et la gestion de base du réseau, par exemple les services de connexion et d'assistance pour les exploitants, en l'absence d'établissement de comptes rendus et d'enquêtes sur la facturation, faisaient obstacle à ce que ces codes d'accès à trois chiffres soient proposés à d'autres fins. L'OFTEL a jugé qu'il n'y avait pas de raison de s'y opposer, à condition que les codes ne soient utilisés par les PTO qu'à des fins de soutien aux réseaux et à la gestion. Néanmoins, il était évident que BT les utilisait également afin de permettre à la clientèle d'accéder à certains de ses propres services concurrentiels. L'égalité d'accès aux services est un important élément de la concurrence et la restriction à la fourniture de codes d'accès à trois chiffres pourrait constituer un obstacle à la formation d'un marché concurrentiel solide.

A la fin de 1992, l'OFTEL examinait les vastes implications de la pratique susvisée dans le contexte du système national de numérotation.

ii) Option 2000 - Vers la fin de l'année, BT a annoncé son tarif Option 2000 en complément de son programme d'options pour la clientèle.

Ce tarif est destiné à répondre aux besoins des organismes dont les implantations sont très dispersées et qui dépensent plus d'un million de £ par an pour des appels directs. Au titre du système, les factures individuelles relatives à certaines implantations doivent être globalisées de manière à ce qu'elles bénéficient d'un taux forfaitaire de remise appliqué au volume total des dépenses pour les appels directs sur paiement préalable d'une commission trimestrielle option clientèle et d'une commission trimestrielle option implantation. Le taux de remise est fonction de la commission option clientèle et d'une commission trimestrielle option implantation. Néanmoins, la mise en place d'un tel système de remise fondé sur la clientèle a soulevé de graves questions sur le plan de la consommation et de la concurrence et plusieurs objections ont été présentées à l'OFTEL. Tout en reconnaissant que la clientèle avait également un certain intérêt à disposer d'un tarif de remise simplifié, le Directeur général des télécommunications a conclu que les propositions initiales de BT étaient sensiblement anticoncurrentielles et auraient entraîné une discrimination illicite entre les implantations de la clientèle.

L'OFTEL craignait que la proposition initiale de l'Option 2000 n'ait pour résultat que certaines implantations, lors de leur incorporation dans un tarif, bénéficient d'une remise bien plus importante que la meilleure remise qui aurait été proposée sur la base d'une implantation unique et que cette remise complémentaire ne soit pas nécessairement fonction des économies du coût pouvant être imputable à la fourniture de services à plusieurs implantations. De ce fait, il aurait été difficile aux autres exploitants de réseau, qui ne disposent pas d'une aire d'émission géographique aussi importante que celle de BT, de lui faire concurrence. Il y aurait également eu discrimination entre les implantations selon qu'elles relevaient ou non d'un organisme à implantations multiples.

A la suite de l'échange de vues avec BT, il avait été convenu qu'elle modifierait sensiblement le projet de tarif Option 2000, essentiellement en instituant une rémunération d'implantation ainsi qu'une rémunération à option, et qu'elle modifierait son projet de tarif aux nouvelles implantations (Option 45) qui devait être institué au début de 1993, afin de réduire tout effet anticoncurrentiel.

BT s'est en outre engagée, dès qu'elle adoptera son tarif de remise après le 31 juillet 1993, au début d'une nouvelle période quadriennale de contrôle des prix, à veiller à éliminer tout effet sensiblement anticoncurrentiel et discriminatoire du tarif. L'OFTEL surveillera l'incidence de l'Option 2000 afin de veiller à ce qu'aucun effet non souhaitable imprévu ne s'exerce.

iii) Offres spéciales - En septembre, BT a officiellement notifié à OFTEL son intention de présenter des offres spéciales de tarifs moins élevés pour certains appels téléphoniques directs à longue distance à certaines heures. L'OFTEL a accueilli favorablement les propositions de BT, au motif de ce qu'elles témoignaient de ce que BT était prête à faire preuve d'esprit novateur en répondant aux besoins des consommateurs. Néanmoins, les offres soulevaient plusieurs questions en matière de concurrence et de réglementation qu'il fallait aborder pour que l'OFTEL ait la certitude que les offres futures n'exerceraient pas d'effet préjudiciable à la concurrence entre BT et les autres exploitants de réseaux publics de télécommunications (PTO). L'OFTEL craignait essentiellement qu'en raison des clauses des accords existants en matière d'interconnexion de réseaux, les PTO ayant une interconnexion avec BT ne soient pas à la hauteur des offres spéciales de BT. Ils devraient continuer à payer BT pour l'utilisation de segments de réseau par lequel passaient les appels de leur propre clientèle à des taux forfaitaires qui ne correspondaient pas aux réductions proposées à la clientèle de BT.

A la fin de l'année, l'OFTEL était toujours en pourparlers avec BT au sujet des questions susvisées et examinait le point de savoir s'il serait nécessaire de prendre des mesures d'ordre réglementaire afin de veiller à ce que des offres spéciales similaires susceptibles d'être faites par BT ne portent pas préjudice aux autres PTO. Il était vraisemblable que des mesures en ce sens seraient incompatibles avec de futurs accords ou décisions en matière d'interconnexion.

iv) Services de transmission de messages sur réseaux téléphoniques cellulaires - Au début de 1992, des pourparlers se poursuivaient entre l'OFTEL et Telecom Securicor Cellular Radio Ltd (TSCR) au sujet de l'exécution d'engagements auxquels TSCR avait souscrit à la suite d'une enquête sur une plainte déposée auprès de l'OFTEL en ce qui concerne la fourniture de services de transmission de messages sur le réseau de TSCR. La plainte concernait essentiellement les modalités d'introduction par TSCR de son service "reprise d'appel". Les clauses désavantageraient prétendument, au mépris de l'équité, les exploitants tenant à proposer des services concurrents sur le réseau de TSCR.

Les pourparlers sur la mise en oeuvre ont pris fin en septembre 1992. Le plaignant a retiré officiellement sa plainte et le Directeur général a informé TSCR en octobre qu'il mettait fin à son enquête en ce qui concerne les conditions de TSCR relatives au rappel et diverses clauses et redevances relatives au service de la transmission des messages.

Les aspects les plus importants des dispositions finalement convenues concernaient les clauses en matière de caution et d'appels de récupération à faire payer aux organismes parties à un contrat pour la fourniture de services des transmissions des messages par TSCR et pour l'accès aux services de réseaux spéciaux connexes et leur utilisation. Des clauses ont été également convenues pour les pourvoyeurs de services proposant des services de transmission de messages utilisant le service d'accès direct de TSCR.

v) La concurrence pour la fourniture de services - Le 25 juin, le Directeur général a annoncé une enquête sur les subventions croisées prétendues des pourvoyeurs de services "liés", propriété de firmes ou de groupes exploitant les réseaux téléphoniques mobiles cellulaires, et sur la préférence indue qui leur était prétendument accordée. L'enquête a été ouverte à la suite d'une plainte d'un pourvoyeur de services indépendant, qui faisait valoir que les pratiques déloyales prétendues limitaient gravement la capacité des pourvoyeurs de services indépendants de rivaliser avec les pourvoyeurs de services liés à des exploitants de réseaux. Dans sa plainte, il faisait grief également de l'exploitation abusive d'un monopole par la fixation de clauses contractuelles contraire à l'équité imposées aux pourvoyeurs de services. L'enquête se poursuivait encore à la fin de l'année.

Électricité

A la suite d'une procédure de consultation, toutes les concessions de fourniture d'électricité au deuxième niveau pour l'Angleterre et le pays de Galles, sauf pour London Electricity (qui a préféré ne pas faire inclure les modifications dans sa concession), ont été modifiées en vue de l'assouplissement de la règle de polyvalence, laquelle semblait exercer en pratique des effets indûment restrictifs.

i) Subventions croisées - Une enquête menée à la suite de plaintes au sujet de timbres d'électricité gratuits proposés aux clients lorsqu'ils achetaient certains équipements électriques a amené à conclure que les firmes en cause n'avaient pas procédé à des subventions croisées. Les enquêtes se poursuivent au sujet d'une allégation de Dixons plc, aux termes de laquelle les détaillants relevant des Regional Electricity Companies procédaient à des subventions croisées.

A la suite d'une enquête en bonne et due forme au sujet d'une plainte déposée par London Electricity au sujet d'une discrimination prétendue exercée par National Power (dont le bien-fondé n'a pas été établi), le Directeur général de l'approvisionnement en électricité a reçu des engagements de National Power et PowerGen, ce qui l'aide à surveiller l'application des conditions de concessions en matière de discrimination et de subventions croisées. Les deux producteurs d'électricité s'engagent à traiter leurs propres distributeurs de la même manière que les distributeurs concurrents.

ii) Capacité - Aux termes des modifications à leur concession, National Power, PowerGen et Nuclear Electric sont désormais tenues de fournir des précisions au Directeur général et des informations globales sur leurs prévisions relatives à leur capacité disponible en procédant à une comparaison avec les résultats effectivement obtenus. La modification de la concession de National Power et de PowerGen permettait également la désignation d'un répartiteur indépendant chargé de faire rapport sur le point de savoir si toute proposition de fermeture d'installations qu'elles présentent est raisonnable. National Power et PowerGen ont notifié la fermeture d'installations d'une capacité de 2 263 MW et un répartiteur a été désigné. Tout en se ralliant à l'avis du répartiteur suivant lequel les fermetures étaient raisonnables, le Directeur général a souligné qu'il importait de proposer à la vente l'installation à fermer en vue de la protection de la clientèle.

iii) Obligation d'un rapport sur l'exploitation forcée d'installations - La publication d'un rapport sur l'exploitation forcée d'installations a fait suite à une enquête sur l'établissement des prix et des programmes d'exploitation forcée d'installations de production d'énergie électrique pour des raisons de transport d'électricité. Le Directeur général a conclu que la clientèle n'était pas suffisamment protégée par le système actuel et identifié plusieurs domaines dans lesquels il fallait prendre des mesures afin de réduire les coûts liés à l'installation en cause.

iv) Rapport sur les turbines à gaz - Le rapport comprenait un examen de la rémunération d'installations de production à turbines à gaz et des services fournis par ces installations. Selon ce rapport, il était possible d'améliorer les services dans les domaines dans lesquels il existait des avantages potentiels -- en assurant la sécurité du système, une capacité de démarrage rentable et une réserve d'appoint -- et d'établir des conditions plus concurrentielles pour la fourniture des services en cause. Dans le rapport, il était recommandé à la National Grid Company et au Pool d'aller de l'avant en vue de la réalisation des accords révisés dès avril 1993.

v) Le rapport d'enquête sur les prix de pool - Aux termes de ce rapport, l'existence d'un duopole de production augmente l'imprévisibilité des prix de pool. Elle risque de dissuader les nouveaux concurrents potentiels d'accéder au marché et n'est pas favorable à la formation d'un marché efficace en ce qui concerne les contreparties du risque.

Les producteurs retirent un revenu substantiel des contrats et les mesures en faveur d'une plus grande vérité des prix de pool doivent être associées à un renforcement de la concurrence sur le marché où se nouent les contrats.

Eau

Modifications apportées aux concessions -- Condition F - En vertu du Competition and Service (Utilities) Act 1992 (loi de 1992 sur la concurrence et les services publics, voir ci-dessus), le Directeur général des services de distribution et de traitement des eaux (DGWS) a pour nouvelle mission de veiller à ce que les transactions entre les firmes chargées de l'approvisionnement en eau et de l'évacuation des eaux usées et toutes firmes apparentées soient conclues dans des conditions de concurrence normale et que les états réglementaires soient présentés de manière à les rendre transparents. Les dispositions légales prévoyant cette nouvelle mission sont entrées en vigueur le 1er juillet 1992. Après une première consultation en mai, le Directeur général a publié des propositions officielles de modification des concessions en août 1992.

Ces propositions portaient sur plusieurs points :

-- une interdiction des subventions croisées entre l'entreprise de distribution d'eau et d'évacuation des eaux usées agréée et toute activité non agréée de l'entreprise agréée ou toute société associée avec laquelle elle conclut des transactions ;

-- une obligation de fournir un complément d'information sur les transactions entre l'entreprise désignée et d'autres membres du groupe, y compris de communiquer des précisions exhaustives sur les transactions particulières dépassant un certain montant ;

-- l'obligation des directeurs des entreprises agréées de notifier à l'OFWAT les propositions de diversification qui risqueraient d'avoir une incidence sensible sur l'entreprise agréée et l'obligation de l'entreprise agréée de faire connaître le critère d'établissement de dividendes versés à toute société holding.

Gaz

En 1992, le monopole légal de British Gas pour l'approvisionnement de la clientèle consommant moins de 25 000 unités thermiques par an a été réduit en passant à 2 500 unités thermiques par an. La réduction de la "franchise" a pour effet que la clientèle peut désormais chercher une source d'approvisionnement en gaz concurrentielle. Le gouvernement a précisé que la limite de cette franchise sera encore abaissée et que la franchise pourrait être totalement supprimée.

En 1992, l'OFGAS a conclu que le monopole intégré de British Gas faisait peser une menace réelle sur l'émergence de la concurrence dans le secteur de la fourniture de gaz. C'est pour ce motif que l'OFGAS a décidé de citer British Gas devant la Commission des monopoles et des fusions. Techniquement, la Commission a été saisie de deux questions, la première concerne l'activité de transport et de stockage de gaz et la seconde concerne le marché du gaz tarifé. L'OFGAS est désormais nettement d'avis que seule la dissociation des activités de transport et d'entreposage du gaz permettra à la concurrence de s'affirmer durablement dans le secteur de fourniture du gaz.

Fusions

Au titre des dispositions relatives aux fusions de la loi sur la loyauté dans le commerce, des missions distinctes sont confiées au Directeur général, au ministre du Commerce et de l'Industrie et à la Commission des monopoles et des fusions. Le Directeur général a pour mission de surveiller les transactions qui risquent de déboucher (ou ont déjà débouché) sur des fusions réunissant les conditions justifiant une enquête. Il informe ensuite le ministre au sujet du point de savoir si la MMC devrait être saisie de ses transactions en vue d'un complément d'enquête. Après avoir reçu l'avis du Directeur général, le ministre se prononce sur le point de savoir si la MMC doit être saisie de l'affaire. La MMC enquête au sujet des fusions dont elle est saisie, afin de déterminer s'il s'agit d'un cas de fusion et, dans l'affirmative, si la fusion exerce ou s'il y a lieu de prévoir qu'elle exercera des effets préjudiciables à l'intérêt général. Il communique ensuite ses conclusions au ministre.

Récapitulatif des opérations de fusion

Les statistiques reprises dans le présent rapport sont dégagées des travaux exécutés par l'Office pour l'examen des fusions dans le contexte de la loi sur la loyauté dans le commerce de 1973 et ne constituent pas une estimation de l'ensemble des opérations de fusion au Royaume-Uni. Il est nécessaire de ne pas perdre de vue les éléments suivants :

-- les chiffres concernent les projets de fusion, en sus des fusions réalisées ; il peut exister plus d'un projet par objectif donné et il est tenu compte de chacun d'eux ;

-- les chiffres ne tiennent compte que des projets justifiant une enquête au titre de la loi sur la loyauté dans le commerce ; il n'est pas tenu compte des fusions dans le secteur de la presse, qui sont traitées par le ministère du Commerce et de l'Industrie au titre des articles 57 à 62 de la loi sur la loyauté et dans le commerce. Les fusions d'entreprises de distribution d'eau sont également examinées séparément au titre de la loi de 1989 sur les eaux (mise à jour par la loi de 1991 sur le secteur des eaux). Aucune affaire n'a été déférée à ce titre en 1992 ;

-- les chiffres concernent tant les demandes de conseils confidentiels que les fusions publiquement annoncées, bien qu'une affaire de conseils confidentiels qui, par la suite est devenue publique, n'y est pas reprise deux fois.

Les statistiques recueillies par l'Office central des statistiques et publiées dans le Business Bulletin : Acquisitions and Mergers, constituent un meilleur indicateur des tendances de l'ensemble des opérations de fusion et sont reprises également dans le tableau 1, bien que ces chiffres ne tiennent pas compte des fusions dans le secteur financier.

En 1992, l'Office a examiné 200 fusions et projets de fusion conformément à la loi de 1973 sur la loyauté dans le commerce. C'était là un chiffre inférieur de 30 pour cent par rapport au total pour 1991, année au cours de laquelle 285 affaires dans ce domaine ont été examinées.

Pour réunir les conditions requises pour un examen, une fusion doit entraîner l'acquisition d'actifs bruts (fixes et courants) d'une valeur de 30 millions de livres au moins, ou entraîner la création ou le renforcement d'une part de marché de 25 pour cent au moins. L'Office a considéré que, dans 67 affaires, il s'agissait de situations de fusion qui ne répondaient pas aux critères des actifs ou de la part de marché précisés par la loi sur la loyauté dans le commerce et qui donc ne réunissaient pas les conditions requises pour une enquête. Le Directeur général a donné son avis au ministre du Commerce et de l'Industrie au sujet de 125 fusions ou projets de fusion réunissant les conditions prévues. Ce nombre total comprenait 21 demandes d'avis confidentiels, dont 19 ont reçu un avis favorable et une un avis défavorable. Aucun avis n'a été donné au sujet de l'affaire restante parce que l'Office s'estimait insuffisamment informé pour pouvoir émettre un avis en connaissance de cause au sujet de la probabilité d'une saisine, au cas où l'opération de fusion se poursuivrait.

La valeur totale des actifs de toutes les firmes absorbées en cause dans les 125 affaires de fusion et réunissant les conditions requises et examinées par l'Office en 1992 s'élevaient à 83 milliards de livres.

A la fin de l'année, 40 autres fusions ou projets de fusion étaient toujours à l'examen.

Tableau 1

Opérations de fusions : 1988-1992

| Année | Projets réunissant les conditions requises au titre de la loi de 1973 sur la loyauté dans le commerce | | Industrie et Commerce | Business Bulletin
Industrie et Commerce | Affaires relevant de la loi sur la loyauté dans le commerce en % des opérations industrielles et commerciales |
| | Nombre total d'opérations | | | | |
	Nombre	Montant des actifs absorbés (en millions de £)	Nombre	Nombre	
1988	306	98 902	276	1 499	18.4
1989	281	96 109	258	1 077	24.0
1990	261	100 043	227	778	29.1
1991	183	87 333	158	498	31.7
1992	125	83 172	112	426	26.3

Source: Office of Fair Trading

Types de fusions

Une répartition des fusions en fusions "horizontales", "verticales" et "diversifiées" figure dans le tableau 2. Les fusions horizontales, qui concernent des entreprises qui ont en commun une activité occupant la première ou la deuxième place, correspondaient à 93 pour cent du total en 1992 (contre 87 pour cent en 1991). Il y a fusion verticale lorsque les activités des sociétés venant au premier ou au deuxième rang se placent à des stades différents de la production ou de la distribution du même produit. Les fusions qui ne sont ni horizontales ni verticales sont qualifiées de diversifiées.

En 1992, sur les 125 affaires de fusion réunissant les conditions requises, 116 étaient horizontales, huit diversifiées et une était verticale. Alors que la proportion de fusions horizontales s'est accrue chaque année depuis 1988, en passant à 92.8 pour cent en 1992, l'inverse s'est produit pour les fusions diversifiées, leur proportion diminuent en passant de 41 pour cent en 1988 à 6.4 pour cent en 1992. Cette évolution est allée de pair dans une large mesure avec des fluctuations relatives des valeurs des actifs.

Tableau 2

Pourcentages des projets de fusion d'après le nombre et la valeur des actifs des sociétés absorbées classées par type d'intégration : 1988-1992

Année	Fusions horizontales		Fusions verticales		Fusions diversifiées	
	en quantité	en valeur	en quantité	en valeur	en quantité	en valeur
1988	58	45	1	1	41	54
1989	60	44	2	3	37	53
1990	75	81	5	3	20	16
1991	88	89	5	5	7	6
1992	93	97	1	0	6	3

Source : Office of Fair Trading

Actifs bruts des sociétés absorbées

Par rapport à 1988 le nombre de sociétés absorbées a diminué en 1992 à tous les niveaux du volume des actifs (tableau 3). C'est là le reflet du fléchissement général des activités de fusion. Bien qu'il n'y ait pas eu d'évolution sensible des nombres relatifs de sociétés absorbées appartenant à chaque tranche de dimension des actifs, depuis 1990 la proportion du total des actifs offerts correspondant à la tranche des actifs de dimension "égale et supérieure à 1 milliard de livres" s'est accrue sensiblement (tableau 4).

Tableau 3

Analyse en fonction de la dimension des actifs bruts des sociétés absorbées -- nombre en pourcentage des totaux : 1988-1992

Nombre en:	Actifs bruts des sociétés absorbées (en milions de livres)							
	0-24.9	25-49.9	50-99.9	100-249.9	250-499.9	500-999.9	1000 et plus	Totaux
1988	59	55	75	59	19	20	19	306
1989	56	52	63	48	25	15	22	281
1990	48	51	50	44	23	25	20	261
1991	39	28	38	36	17	11	14	183
1992	28	39	16	21	6	8	7	125

Pourcentages des totaux en :

1988	19.3	18.0	24.5	19.3	6.2	6.5	6.2	100.0
1989	19.9	18.5	22.4	17.1	8.9	5.3	7.8	100.0
1990	18.4	19.5	19.2	16.9	8.8	9.6	7.7	100.0
1991	21.3	15.3	20.8	19.7	9.3	6.0	7.6	100.0
1992	22.4	31.2	12.8	16.8	4.8	6.4	5.6	100.0

Source : Office of Fair Trading

Tableau 4

**Analyse en fonction de la dimension des actifs bruts des firmes
absorbées -- valeur des actifs et pourcentages des totaux : 1988-1992**

Actifs bruts des firmes absorbées

(en millions de livres)

Total des actifs	0-24.9	25-49.9	50-99.9	100-249.9	250-499.9	500-999.9	1000 et plus	Totaux	(moyenne des actifs)
1988	510	2 046	5 507	9 657	6 367	14 406	60 409	98902	(323)
1989	345	2 042	4 366	7 200	8 619	10 477	63 058	96109	(342)
1990	257	1 845	3 519	6 757	7 742	18 262	61 662	100 043	(383)
1991	209	1 116	2 795	5 478	6 300	7 368	64 067	87 333	(477)
1992	171	1 356	1 152	3 123	1 880	5 882	69 607	83 172	(665)

Pourcentages du total des actifs en :

1988	0.5	2.1	5.6	9.8	6.4	14.6	61.1	100.0
1989	0.4	2.1	4.5	7.5	9.0	10.9	65.6	100.0
1990	0.2	1.8	3.5	6.8	7.7	18.3	61.7	100.0
1991	0.2	1.3	3.2	7.5	7.2	8.4	73.4	100.0
1992	0.2	1.6	1.4	3.8	2.3	7.0	83.7	100.0

Source : Office of Fair Trading

Firmes étrangères parties à des fusions

Alors que le nombre de firmes étrangères parties à des fusions en tant que sociétés absorbées ou absorbantes a décliné sensiblement depuis 1990, leur proportion parmi les firmes absorbantes reste supérieure au chiffre de 1988 (tableau 5).

Tableau 5

Firmes étrangères parties à des affaires de fusion : 1988-1992

	Firmes absorbées		Firmes absorbantes	
Année	Totaux	Total en % de l'ensemble des fusions	Totaux	Total en % de l'ensemble des fusions
1988	63	20.6	78	25.5
1989	64	22.8	82	29.2
1990	61	23.2	92	35.0
1991	36	19.6	70	38.3
1992	18	14.4	40	32.0

Source : Office of Fair Trading

Activités des firmes absorbées

L'importance relative de la valeur des actifs par secteur est influencée par le nombre d'acquisitions particulières importantes. En 1992, dans 11 affaires concernant le secteur bancaire et financier, les actifs des sociétés absorbées dépassaient 64 milliards de libres pour ce secteur, soit 70 pour cent de l'ensemble des actifs offerts (tableau 6) ; ce sont là des chiffres à rapprocher des chiffres de 1988, année au cours de laquelle 13 affaires concernant des actifs d'une valeur de 3.3 milliards de livres ne comptaient que pour 3.3 pour cent de l'ensemble des actifs offerts. L'écart tient dans une large mesure à l'offre d'acquisition de la Midland Bank par la Lloyds Bank, qui concernait des actifs d'une valeur de 59 milliards de livres.

Tableau 6

Analyse par principales branches d'activité, nombre, importance des actifs, nationalité des sociétés absorbées : 1992

Branche d'activité	Nombre	Actifs (en millions de £)	Moyenne des actifs (en millions de £)	Firmes étrangères	
				Nbre de firmes absor-bées	Nbre de firmes présentant une offre
Agriculture, sylviculture et pêche	-	-	-	-	-
Charbon, pétrole et gaz naturel	4	352	88	2	3
Electricité, gaz et eau	3	1 898	633	-	-
Transformation des métaux et fabrication de produits métalliques	4	160	40	-	1
Traitement des minerais et fabrication de produits à base de minerais	2	15	7	1	1
Produits chimiques et fibres artificielles	15	787	52	4	7
Ouvrages en métal (non dénommés par ailleurs)	1	668	668	-	-
Constructions mécaniques	10	469	47	2	3
Construction électrique	7	586	84	2	3
Véhicules	-	-	-	-	-
Fabrication d'instruments	2	63	32	-	1
Produits alimentaires, boisson et tabac	20	6 007	300	3	4
Textiles	-	-	-	-	-
Ouvrages et vêtements en cuir	1	236	236	1	-
Bois d'oeuvre et meubles en bois	-	-	-	-	-
Papier, imprimerie et édition	6	320	53	1	2
Industries manufacturières diverses	5	626	125	-	2
Construction	4	1 283	321	-	1
Distribution	8	2 056	257	-	4
Hôtels, restauration et réparations	2	581	290	-	1
Transport et communications	11	508	46	-	2
Banques et établissements financiers	11	64 272	5 843	1	5
Assurances	1	30	30	-	-
Services financiers divers	1	2	2	1	-
Autres services fournis aux entreprises	4	318	80	-	-
Services divers	3	1 935	645		
Total	125	83 172	665	18	40

Source : Office of Fair Trading

566

La réglementation de la Communauté européenne en matière de concentration

Au titre de la réglementation relative aux concentrations (règlement du Conseil n° 4064/89), la Commission a le pouvoir de réglementer les fusions (ou les concentrations) présentant une dimension communautaire au sens de la réglementation. 58 cas de fusions ont été notifiés à la Commission en 1992. L'affaire relative à l'entreprise commune Tarmac/Steetley présentait un intérêt particulier du point de vue du Royaume-Uni. Bien que les effets de ce projet d'entreprise commune dans le secteur des matériaux de construction auraient été limités au Royaume-Uni, cette affaire relevait de la compétence de la Commission des Communautés européennes en raison de la dimension des firmes en cause.

Après avoir constaté que le projet risquait d'être préoccupant sur le plan de la concurrence sur les marchés de la brique du nord-est et du sud-ouest de l'Angleterre et les marchés des tuiles en argile dans l'ensemble de la Grande-Bretagne, le Royaume-Uni a demandé que cette partie de la transaction soit renvoyée aux autorités du Royaume-Uni en vue d'une enquête, au titre de l'article 9 de la réglementation relative aux fusions. Il a été fait droit à sa demande et l'affaire a été ultérieurement portée devant la Commission des monopoles et des fusions. Les parties ont renoncé ultérieurement à leur projet. C'était la première fois, et jusqu'ici la seule, qu'un État membre ait déposé avec succès une demande au titre de l'article 9 du règlement.

Affaires déférées à la Commission des monopoles et des fusions

En 1992, le ministre a saisi la MMC de dix affaires (contre sept en 1991) dont quatre ont fait l'objet d'un désistement ultérieur lorsque les projets de fusion ont été abandonnés. Toutes ces affaires ont été déférées conformément à l'avis du Directeur général et pour des raisons touchant la concurrence.

Les dix affaires déférées ont été les suivantes :

18 février	Tarmac plc/Steetley plc (désistement en date du 9 mars)
28 février	Hillsdown Holdings plc/Entreprise de conserves et de fruits et légumes et de stockage de repas à la température ambiante, appartenant à British Food plc
10 mars	Allied Lyons plc/Carlsberg A/S
16 mars	Sara Lee Corporation/Entreprise Shoecare appartenant à Reckitt et Colman
22 mai	Lloyds Bank plc/Midland Bank plc (désistement le 12 juin)

10 juin	Bristow Helicopters Group Ltd/British International Helicopters Ltd (désistement le 24 juin)
10 juin	Bond Helicopters Ltd/British International Helicopters Ltd
12 juin	BM Group plc/Thwaites Ltd (désistement le 30 juin)
29 juillet	Scottish Milk Board/Entreprise laitière écossaise de la Co-operative Wholesale Society Ltd
6 octobre	The Gilette Company/actifs de Schroeder : Parker Pen Holdings Ltd

Rapports de la Commission des monopoles et des fusions

En 1992, huit rapports sur des fusions ont été publiés. Dans trois affaires, la Commission a conclu que les fusions ou les projets de fusion ne nuiraient vraisemblablement pas à l'intérêt général et que leur réalisation devait être autorisée. En pareil cas, le ministre n'a pas le pouvoir de prendre de nouvelles mesures. Les trois affaires susvisées (avec indication de la date de publication des rapports) étaient les suivantes :

26 février	UniChem plc/Macarthy plc
26 février	Lloyds Chemists plc/Macarthy plc.
7 juillet	Hillsdown Holdings plc/Associated British Foods plc

Dans les cinq affaires désignées ci-après, la Commission a constaté à certains égards que la fusion serait probablement préjudiciable à l'intérêt général. Il s'agissait des affaires suivantes :

7 mai	AAH Holdings plc/Medicopharma NV
28 juillet	Allied Lyons plc/Carlsberg A/S
3 août	Sara Lee Corporation/Entreprise Shoecare de Reckitt et Colman
16 septembre	Bond Helicopters Ltd/British International Helicopters Ltd
8 décembre	Scottish Milk Marketing Board/Entreprise laitière écossaise de Co-operative Wholesale Society Ltd

i) AAH Holdings plc/Medicopharma NV - La Commission a constaté que l'acquisition par AAH de certains actifs de Medicopharma, qui sont tous deux d'importants grossistes en produits pharmaceutiques, avait entraîné une réduction de la concurrence dans le secteur de l'approvisionnement en gros de produits pharmaceutiques dans les régions de Grampian et des Highlands en Ecosse. Elle a recommandé que AAH soit priée de se dessaisir d'une entreprise se rapprochant autant que possible de l'entreprise exploitée par Medicopharma UK à partir de son dépôt d'Aberdeen immédiatement avant la réalisation de l'acquisition. Le ministre a accepté la recommandation en ce sens et demandé au Directeur général de chercher à obtenir les engagements requis de AAH. Entre-temps, à titre de mesure de protection, il a interdit à AAH, par voie d'ordonnance prise au titre de l'article 89 de la loi sur la loyauté dans le commerce, de proposer des articles à des conditions plus favorables que celles qu'il proposait normalement ou de solliciter des commandes de la clientèle de l'ancienne firme Medicopharma.

A la suite de l'accès au marché en cause d'une nouvelle entreprise et de sa percée sur ce marché, le ministre s'est ultérieurement rangé à l'avis du Directeur général, suivant lequel il était désormais inutile d'exiger d'AAH qu'elle procède au dessaisissement. Il s'est également rangé à un autre avis suivant lequel il y avait intérêt à maintenir les mesures de protection au titre de l'article 89 jusqu'à la fin mars 1993 et AAH a souscrit aux engagements requis à cet effet.

ii) Allied Lyons plc/Carlsberg A/S - La Commission a conclu que le projet de fusion des participations de Allied et de Carlsberg dans des entreprises de brasserie et vente en gros au Royaume-Uni au sein d'une entreprise commune, dénommée Carlsberg-Tetley Ltd (CTL), exercerait des effets préjudiciables sensibles mais non importants sur la concurrence. Ces effets résulteraient de l'élimination de Carlsberg en tant que fournisseur indépendant et du renforcement sensible d'Allied. En particulier, les petits brasseurs et grossistes indépendants seraient touchés.

La Commission a recommandé que les parties s'engagent à ne pas rendre plus rigoureuses les clauses de l'approvisionnement d'une partie de la clientèle actuelle de Carlsberg pendant une période de trois ans, de réduire la durée de validité de l'accord de fourniture entre CTL et Allied en la faisant passer de sept ans à cinq ans. Elle a également proposé qu'après deux années, Allied autorise ses locataires liés et ses preneurs liés à s'approvisionner à concurrence de la moitié de leurs besoins annuels en lager en achetant à des fournisseurs de leur propre choix.

En acceptant les recommandations susvisées, le ministre a demandé au Directeur général de chercher à obtenir les engagements requis de Allied et de Carlsberg. Finalement il s'est rallié, cependant, à l'avis du Directeur général suivant lequel, au lieu d'adopter la proposition de mesures correctives de la Commission au sujet des approvisionnements en lager, il devrait plutôt accepter d'Allied l'engagement de relever de ses obligations un nombre supplémentaire de 400 autres débits sous licence, en sus de ceux qu'elle était tenue de libérer de ses obligations en vertu du The Supply of Beer (Tied Estate) Order 1989 (ordonnance de 1989 sur l'approvisionnement en bière (clause d'achat liée).

iii) Sara Lee Corporation/Entreprise de Shoecare de Reckitt et Colman - La Commission a conclu que l'acquisition de Shoecare par Sara Lee risquait d'exercer des effets préjudiciables à l'intérêt général. Elle a estimé que la réduction consécutive de la concurrence entre les deux marques dominantes de cirage pour chaussure, Kiwi et Cherry Blossom, donnait à Sara Lee Corporation la possibilité d'accroître sensiblement ses prix. Elle a donc recommandé de prier cette firme de se dessaisir de Cherry Blossom afin de remédier aux effets préjudiciables qu'elle avait identifiés. Ses recommandations ont été acceptées par le ministre, qui a demandé au Directeur général de chercher à obtenir de Sara Lee les engagements requis afin d'aboutir au dessaisissement nécessaire. Ces engagements ont été obtenus.

iv) Bond Helicopters Ltd/British International Helicopters Ltd - La Commission a conclu que le projet d'acquisition de British International Helicopters par Bond réduirait la concurrence pour la fourniture de services d'hélicoptères à l'industrie délocalisée du pétrole et du gaz du Royaume-Uni et risquait d'entraîner une hausse des prix. Seuls deux grands exploitants resteraient en lice, et chacun d'eux dominerait environ la moitié du marché. Le ministre a reconnu le bien-fondé des conclusions de la Commission et demandé au Directeur général de chercher à obtenir les engagements requis des parties en cause afin d'éviter la fusion. Des engagements à cet effet ont été obtenus et acceptés par le ministre.

v) Scottish Milk Marketing Board/Entreprise laitière écossaise de The Co-operative Wholesale Society Ltd - La Commission a conclu que, tant que les systèmes légaux existants pour la commercialisation du lait restaient en place, le projet d'acquisition de l'entreprise laitière écossaise The Co-operative Wholesale Society Ltd par le Scottish Milk Marketing Board ne nuirait ni à la concurrence, nonobstant l'accroissement de la part du marché, ni à l'intérêt général. Néanmoins, elle a également conclu qu'en cas d'abolition de ces systèmes et de leur remplacement par des systèmes régis davantage par les lois du marché, comme prévu, la fusion risquait d'exercer des effets préjudiciables à l'intérêt général à l'avenir. En l'absence de mesures de nature à neutraliser les effets préjudiciables prévus, elle a recommandé d'interdire la réalisation du projet de fusion. Le ministre du Commerce et de l'Industrie a reconnu le bien-fondé des conclusions de la Commission et de sa recommandation d'interdiction de la fusion. Sur l'avis du Directeur général, il a demandé que le nécessaire soit fait pour obtenir des parties en cause l'engagement de ne pas procéder à l'acquisition.

Engagements remplaçant la saisine

En 1992, conformément à l'avis du Directeur général, le ministre a accepté des engagements de dessaisissement des actifs afin de pallier aux effets préjudiciables qui découleraient probablement du projet de fusion dans trois affaires :

Redland plc/Steetley plc -- Le 3 mars, Redland s'est engagé à vendre deux des briqueteries de Steetley (Cranleigh et Tilmanstone) dans le sud-est de l'Angleterre et l'entreprise Steetley Clay Tile (plus le gisement d'argile en cas de nécessité).

Bowater plc/Actifs de Pembridge Investments plc (DRG Packaging) -- Le 15 septembre, Bowater s'est engagé à vendre sa fabrique de sacs et de poches de stérilisation médicale de Midsomer Norton.

Schlumberger Ltd/Actifs de Raytheon Company (Seismograph Service Group) -- Le 19 novembre, Schlumberger s'est engagé à vendre l'entreprise Seismograph Services Ltd et ses filiales, en ce qui concerne la fourniture de services de forage sismique à l'échelle mondiale.

Décision de relever des entreprises de leurs engagements

Le 25 août, le ministre a annoncé que, conformément à l'avis du Directeur général, il avait accepté de relever General Electric Company (GEC) des engagements auxquels cette firme avait souscrit en 1987 à la suite du rapport de la Commission de 1986 au sujet du projet d'acquisition de Plessey Company plc par cette firme. Aux termes de ses engagements, GEC ne pouvait acquérir plus de 15 pour cent du capital de Plessey ou de ses filiales.

Auparavant, le 2 août 1989, le ministre avait annoncé qu'il était disposé à renoncer aux engagements dans la mesure nécessaire pour que GEC Siemens plc absorbe Plessey et procède à certaines opérations consécutives de restructuration, en se fondant sur les éléments exposé dans le rapport de la Commission pour 1989 au sujet de cette transaction. S'il n'en était pas ainsi, les engagements de 1987 resteraient en vigueur. D'autres renonciations étaient nécessaires pour toute restructuration de l'ancienne entreprise Plessey non conforme aux propositions formulées dans le rapport pour 1989 et contraire aux engagements de 1987. Le ministre a ultérieurement confirmé ces renonciations le 14 mars et le 3 avril 1990 et le 5 novembre 1991.

La décision de relever GEC de ses engagements de 1987 ne modifie pas les engagements auxquels GEC et Siemens ont soucrit à la suite du rapport de 1989.

Fusions dans le secteur de la distribution et du traitement de l'eau

Conformément aux dispositions de la loi sur la distribution et le traitement de l'eau les fusions entre des entreprises de ce secteur, dont les actifs dépassent 30 millions de £, font l'objet d'une saisine obligatoire de la Commission des monopoles et des fusions. Aucun projet de fusion dans ce secteur n'a été établi au cours de l'année, bien qu'au milieu de l'année, General Utilities ait vendu une partie de ses parts de capital dans Mid-Kent Holdings plc, conformément à l'engagement pris envers le ministre à la suite d'une saisine en 1990 au sujet de la fusion.

Là où une firme dont les actifs sont inférieurs à 30 millions de £ est partie à un projet de fusion entre entreprises de distribution d'eau le projet doit être examiné au titre des dispositions normales de la loi sur la loyauté dans le commerce. Une telle fusion a été proposée au cours de l'année entre Severn Trent Water Ltd et East Worcester Water plc, qui était antérieurement la propriété de Biwater Ltd.

Suivant le critère essentiel de l'intérêt général, pour toute saisine obligatoire dans le domaine de l'industrie, il ne peut être porté atteinte à la capacité du Directeur général de procéder à des comparaisons entre les différentes entreprises de distribution ou de traitement de l'eau de sorte qu'il n'est procédé aux fusions que si d'autres avantages du point de vue de l'intérêt général présentent une importance sensiblement supérieure. Il pourrait s'agir par exemple d'abaissements sensible des redevances maximales, qui ne pourraient être obtenus sans la fusion. Le pouvoir du Directeur général de procéder à des comparaisons entre les firmes -- dénommé "concurrence comparative" -- est également un élément pertinent dans des affaires examinées au titre de la loi sur la loyauté dans le commerce, bien que, dans des affaires de cette nature, ce n'est pas là le critère essentiel. Dans le cas de la fusion entre East Worcester et Severn Trent, Severn Trent Water Ltd se proposait d'harmoniser les tarifs entre les deux firmes pour 1996-1997 ; ce qui supposait une réduction des redevances pour la clientèle de East Worcester Water de quelque 15 pour cent à compter des niveaux qui auraient été sinon appliqués.

Se conformant à un avis du Directeur général, le ministre du Commerce et de l'industrie a conclu que la Commission ne devrait pas être saisie de cette affaire de fusion. Le Directeur général pour les services de la distribution en (DGWS) a précisé qu'il ne croyait pas que cette fusion pouvait être tenue pour un précédent et qu'il y aurait une incidence sensible sur sa capacité à procéder à des comparaisons entre les firmes si toutes les firmes dont les actifs étaient inférieurs à 30 millions de £ devaient être absorbés par des firmes plus importantes.

Le DGWS examine avec Severn Trent Water Ltd des modalités pour établir les dispositions régissant la région servie conjointement par les deux firmes, à la suite de l'acquisition, en attendant une fusion complète entre les firmes et la demande d'une concession unique.

Notification préalable

En 1992, 12 avis de fusion ont été reçus par l'Office pour la loyauté dans le commerce dans le cadre de la procédure de notification préalable facultative instaurée en 1990, bien qu'une d'entre elles ait été retirée ultérieurement. Dans quatre affaires, une décision a été arrêtée dans le délai initial de 20 jours ouvrables prévus pour l'examen, deux ont nécessité une première prorogation de dix jours ouvrables et deux autres une dernière prorogation de 15 jours ouvrables. Les deux autres affaires étaient encore à l'examen à la fin de l'année.

III. Nouvelles études concernant la politique de la concurrence

Rapports de l'Office pour la loyauté dans le commerce

Rapports relatifs à la loi sur la concurrence

Southdown Motor Services Limited: the registration and operation of services 262 and 242 in Bognor Regis (Southdown Motor Services Limited: l'enregistrement et le fonctionnement des services 262 et 242 à Bognor Regis -- juillet 1992).

Rapports relatifs à la loi sur les services financiers

Le Chicago Board of Trade: a report by the DGFT to the Chancellor of the Exchequer (la Chambre commerciale de Chicago : un rapport du Directeur général pour la loyauté dans le commerce au ministre des Finances -- juin 1992).

Rapports relatifs à la politique de la concurrence

Channel 3 Networking arrangements (dispositions de mise sur réseau de la chaîne 3 -- décembre 1992).

Rapports de la Commission des monopoles et des fusions

Les monopoles

Rapport sur la fourniture de véhicules neufs au Royaume-Uni (2 volumes) (Cm 1808, février 1992)

Rechanges de voitures : un rapport sur la fourniture de rechanges de voiture au Royaume-Uni (Cm 1818, février 1992)

Services de transbordement Cross-Solent : un rapport sur l'existence d'une situation de monopole en ce qui concerne la fourniture de services de transbordement entre l'île de Wight et l'Angleterre (Cm 1825, février 1992)

La fourniture d'allumettes et de briquets jetables : un rapport sur l'offre en vue de la vente au détail au Royaume-Uni en allumettes et de briquets jetables (Cm 1854, mars 1992)

Services de radiotélédiffusion : un rapport sur la publicité, dans le cadre de la fourniture d'un service de radiotélédiffusion, d'articles fournis par l'organisme de radiotélédiffusion (Cm 2035, août 1992)

Fusions

Unichem PLC/Macarthy PLC et Lloyds Chemists PLC/Macarthy PLC : un rapport sur les projets de fusion (Cm 1845, février 1992)

AAH Holdings plc et Medicopharma NV : un rapport sur la fusion (Cm 1950, mai 1992)

Hillsdown Holdings plc et entreprises appartenant à Associated British Foods plc : un rapport sur la fusion (Cm 2004, juillet 1992)

Trinity International Holdings plc et Scottish & Universal Newspapers Ltd (Cm 2013, juillet 1992)

Allied-Lyons plc et Carlsberg AS : un rapport sur le projet d'entreprises communes (Cm 2029, juillet 1992)

Sara Lee Corporation et Reckitt & Colman plc : un rapport sur l'acquisition par Sara Lee Corporation d'une partie de l'entreprise de produits pour entretien de chaussures de Reckitt & Colman plc (Cm 2040, août 1992)

Bond Helicopters Ltd et British International Helicopters Ltd : un rapport sur la situation quant à la fusion (Cm 2060, septembre 1992)

EMAP plc et United Newspapers plc (Cm 2058, octobre 1992)

Scottish Milk Marketing Board et Co-operative Wholesale Society Ltd : un rapport sur le projet d'acquisition par la Scottish Milk Marketing Board de l'entreprise laitière écossaise appartenant à Co-operative Wholesale Society Ltd (Cm 2120, décembre 1992)

Autres ouvrages consacrés à la politique de la concurrence

Rapports

Abuse of market power: a consultative document on possible legislative options (exploitation abusive d'une position de puissance sur le marché : un document consultatif sur des options législatives possibles). ministère du Commerce et de l'Industrie (Cm 2100, novembre 1992)

Report on Gas Turbine Plant (rapport sur les installations équipées de turbines à gaz). Office of Electricity Regulation (juin 1992)

Report on Pool Prices (rapport sur les prix de pool). Office of Electricity Regulation (décembre 1992)

Report ont Constrained-On Plant (rapport sur les installations contraintes de poursuivre leurs activités). Office of Electricity Regulation (octobre 1992)

McGregor G. Separation of British Gas' Transportation and Storage Business -- Ofgas proposals (Séparation des activités de transport et d'entreposage de British Gas (proposition de l'Ofgas). Office of Gas Supply, décembre 1992

Ouvrages

BOS, P. et autres (1992), Concentration control in the European Economic Community (réglementation des concentrations au sein de la Communauté économique européenne), Graham et Trotman.

BRITTAN, L. (1992) European competition policy: keeping the playing fields level (politique européenne de la concurrence : nivellement des conditions de son exercice), Brassey's.

FRAZER T. (1992) Monopoly, competition and the law: the regulation of business activity in Britain, Europe and America (monopole, concurrence et législation : la réglementation des activités commerciales et industrielles en Grande-Bretagne et en Amérique), deuxième édition, Wheatsheaf.

JONES, C. et GONZALEZ-DIAZ, F. (1992) The EEC merger regulation (la réglementation communautaire des fusions), Sweet et Maxwell.

KUMN, K. (1992) Competition policy research: where do we stand? (étude sur la politique de la concurrence : où en sommes-nous ?), Centre for Economic Policy Research.

SINGLETON, S. (1992) Introduction to competition law (introduction au droit de la concurrence), Pitman.

Articles

Une sélection de certains des articles intéressants parus en 1992 :

BRIGHT, C., "Interim relief in UK competition" (mesures provisoires dans le droit de la concurrence du Royaume-Uni) European Competition Law Review 13(1) pp. 21 à 33.

EHLERMANN, C., "Contribution of EC competition policy to the single market" (contribution de la politique communautaire de la concurrence à l'établissement du marché unique) ; Common Market Law Review 29 (1992) pp. 257 à 282.

LANGEHEINE, B.,"Judicial review in the field of merger control" (contrôle juridictionnel dans le domaine de la réglementation des fusions) Journal of Busniess Law, mars 1992, pp. 121 à 135

McCLENNAN, A., "Mergers and joint ventures with a Community dimension and other acquisitions" (fusions et entreprises communes ayant une dimension communautaire et acquisitions diverses) Journal of Business Law, mars 1992, pp. 136 à 149

SIBREE, W., "EEC merger control and joint ventures (la réglementation communautaire des fusions et les entreprises communes)" European Law Review 17(2), pp. 91 à 104

SUBIOTTO, R., "The right to deal with whom one pleases under EEC competition law: a small contribution to a necessary debate" (le droit de traiter avec qui bon vous semble au titre de la législation communautaire régissant la concurrence: une modeste contribution à un débat nécessaire) European Competition Law Review 13(6), pp. 234 à 244.

ÉTATS-UNIS

(1er janvier - 31 décembre 1992)

Introduction

Le présent rapport décrit l'évolution des questions antitrust aux États-Unis durant l'année civile 1992. Il récapitule aussi bien les activités de la Division antitrust ("la Division") et du ministère de la Justice ("le ministère") que celles du Bureau de la Concurrence et de la Federal Trade Commission (la "FTC" ou la "Commission").

Kevin J. Arquit qui occupait le poste de Directeur du Bureau de la Concurrence de la FTC depuis 1989 a démissionné en novembre 1992. Le Directeur adjoint, Mary Lou Steptoe a assumé ses fonctions.

La Division a connu certains changements au niveau des titulaires des postes de direction. James F. Rill qui occupait le poste d'Assistant Attorney General (AAG depuis 1989), a démissionné en mai 1992. Ses fonctions ont été assurées par son adjoint Charles A. James. Après le départ de ce dernier en décembre 1992, c'est J. Mark Gidley, Assistant Attorney General Adjoint, qui a assumé les fonctions d'AAG. L'AAG adjoint Janusz Ordover a démissionné du ministère en septembre 1992 et son poste a été occupé à titre interimaire par Barry C. Harris.

I.   Modifications de la législation ou des politiques

Modifications des règles des politiques ou des directives antitrust

La Federal Trade Commission et le ministère de la Justice ont publié, le 2 avril 1992, des directives communes concernant les fusions horizontales (les Directives de 1992). Ces directives constituent une mise à jour de directives antérieures sur les fusions émanant de la FTC et du ministère, en particulier les directives sur les fusions de 1984 du ministère et la Déclaration de 1982 de la FTC concernant les fusions horizontales. Les Directives de 1992 sont les premières directives communes au ministère et à la FTC bien que les deux administrations appliquent des principes d'analyse similaires depuis de nombreuses années. Les Directives de 1992 apportent des améliorations aux analyses antérieures qui consacrent des progrès importants de la théorie et de la politique en matière de fusions. En particulier, elles énoncent de manière plus complète les différentes voies par lesquelles les fusions peuvent avoir des effets négatifs sur la concurrence, elles développent les dispositions traitant de l'entrée sur le marché, de l'efficience et des défenses contre les fusions. Enfin, elles introduisent dans l'analyse des fusions un certain nombre de facteurs non structurels susceptibles d'affecter la concurrence.

Le ministère de la Justice a annoncé le 3 avril 1992 qu'il engagerait, dans les cas appropriés, des actions à l'encontre de pratiques étrangères contraires à la concurrence ayant pour effet de limiter les exportations des États-Unis. Cette mesure se substitue à une note de renvoi figurant dans les Directives de 1988 du ministère concernant l'application de la réglementation antitrust en matière d'opérations internationales qui avait été interprétée comme limitant la contestation des pratiques étrangères à celles ayant des effets contraires à la concurrence pour les consommateurs des États-Unis. Cette mesure n'affecte pas les dispositions législatives ou réglementaires en vigueur ou les autres principes établis en matière de juridiction personnelle.

Le ministère et la FTC ont annoncé en 1992 la mise en place de nouvelles procédures applicables à la coordination de la phase de détection des enquêtes concernant les fusions avec les administrations d'application de la réglementation antitrust des États. Ces nouvelles procédures visent à réduire le nombre de demandes d'informations faisant double emploi ou se recoupant qui résultent souvent du fait qu'une même fusion fait l'objet d'une enquête à la fois par les administrations antitrust fédérales et des États. Les procédures exigent le consentement volontaire des parties à l'opération de fusion, qui peuvent lever l'obligation de secret qui empêche normalement la coordination entre administrations fédérales et des États. Pour mettre en oeuvre la procédure, les parties à une fusion faisant l'objet d'une enquête du ministère ou de la FTC et d'un organisme d'un État peuvent lever les restrictions de confidentialité et accepter de communiquer à l'organisme de l'État une copie de leur notification préalable à la fusion. Par la suite, l'administration fédérale communiquera à l'organisme de l'État toutes les demandes d'informations présentées dans le cadre de ses investigations et coopérera, dans toute la mesure du possible, avec ce dernier pour l'analyse de la fusion.

Le ministère a annoncé, le 1er décembre 1992, l'adoption d'un programme pilote destiné à expérimenter une nouvelle procédure accélérée destinée à traiter les demandes d'enquêtes concernant des projets d'entreprises communes ou des programmes d'échange d'informations. En vertu de la procédure d'enquête du ministère, les personnes qui ont des doutes sur la légalité au regard de la réglementation antitrust d'une pratique professionnelle envisagée peuvent demander au ministère de faire état de ses intentions actuelles au regard de cette pratique. La procédure accélérée est destinée à réduire le délai de réponse de la Division qui est souvent allongé par la nécessité d'obtenir et d'examiner des informations et documents complémentaires se rapportant à la proposition en cours d'examen. En vertu de la procédure d'examen accélérée les parties peuvent transmettre volontairement certains documents et informations en même temps que leur requête initiale. Lorsque les informations communiquées constituent une base d'évaluation adéquate, le ministère fera tout son possible pour fournir une réponse dans un délai de 60 à 90 jours.

Projets officiels de modifications des lois, de la législation connexe, ou des politiques antitrust

Observations du ministère de la Justice sur des projets de loi

L'Attorney General Adjoint Rill a comparu le 30 avril 1992 en tant que représentant du ministère de la Justice devant la Sous-Commission antitrust de la Commission judiciaire du Sénat pour exposer les mesures prises par le Département en ce qui concerne les restrictions à l'exportation (ces mesures sont décrites ci-dessus). M. Rill a également exposé les activités internationales de la Division Antitrust, y compris l'appui apporté par le ministère à la coopération bilatérale, sa contribution à l'Initiative sur les obstacles structurels entre le Japon et les États-Unis et sa participation aux travaux de l'OCDE tendant à un renforcement de la coopération et de la convergence en matière d'application de la règlementation antitrust au niveau global.

Le ministère a continué à soutenir les initiatives d'ordre législatif visant à étendre l'application du National Cooperative Research Act ("NCRA") de 1984 (Loi sur la recherche nationale en coopération) aux co-entreprises de production ce qui permettrait d'affranchir les entreprises légitimes de la menace d'application *per se* de la législation antitrust et de triplement des dommages intérêts. Le ministère a toutefois exprimé son opposition à certaines propositions de dispositions qui auraient eu pour effet de limiter le bénéfice de l'extension de la NCRA aux entreprises regroupant des firmes sous contrôle américain ou disposant d'installations de production aux États-Unis. Face à une menace de veto de l'Administration Bush, le Sénat a adopté en 1992 un compromis selon lequel le traitement *per se* et les dispositions d'exonération du triplement des dommages intérêts seraient étendus à l'ensemble des co-entreprises de production éligibles apportant une contribution substantielle à l'économie des États-Unis, dont les installations de production principales sont situées aux États-Unis ou dans un pays accordant aux firmes des États-Unis le bénéfice du "traitement national" au titre des dispositions de leur législation antitrust applicables aux entreprises communes de production. Ces dispositions n'ont toutefois pas été promulguées en 1992.

Le ministère a procédé en 1992, à un examen de l'impact sur la concurrence de diverses propositions de lois concernant la réforme du système de santé. Plus de 100 propositions de ce type ont été déposées au cours de la 102ème session du Congrès. Certaines d'entre elles visaient spécifiquement à modifier la législation antitrust. Le Congrès s'est préoccupé notamment du risque de conflit entre les objectifs de l'action antitrust du pouvoir fédéral et la nécessité ressentie d'un certain renforcement de la concentration dans l'industrie de la santé. Dans la déposition de l'Attorney Général Adjoint James du 24 juin 1992, le ministère a répondu à l'affirmation selon laquelle l'action antitrust du pouvoir fédéral est susceptible de faire obstacle à des réformes structurelles visant à améliorer l'efficience dans le secteur de la santé. M. James a indiqué que les politiques fédérales en matière de fusions et de création de filiales assuraient que les transactions neutres ou favorables au regard de la concurrence puissent s'effectuer tout en interdisant les opérations contraires à la concurrence. Le ministère a incité le Congrès, plutôt que d'adopter des exceptions ou autres dérogations à l'action antitrust de l'administration fédérale, à élaborer des dispositions qui clarifieraient l'application de la législation antitrust en vigueur dans les litiges privés.

Le ministère a maintenu son opposition à l'adoption de propositions de lois concernant les prix de vente imposés et qui auraient en fait annulé les décisions de la Cour Suprême des États-Unis dans les arrêts *Monsanto c. Spray Rite,* 465 U.S. 752 (1984) et *Business Electronics Corp c. Sharp Electronics Corp* 485 U.S. 717 (1988). Les propositions examinées en 1992 incluaient *i)* l'extension de la qualification de violation *per se* de la législation antitrust à un éventail plus large d'accords entre fabricants et distributeurs, *ii)* l'autorisation de présomption de l'existence d'un accord illégal du fait de l'introduction de certaines preuves incontestables. Le ministère s'est opposé à ces deux propositions motif pris de ce que leur promulgation aurait eu pour effet de décourager la conclusion d'accords de distribution efficients et favorables à la concurrence. Bien que la Chambre et le Sénat aient chacun adopté un projet de loi, les dispositions proposées n'ont pas été promulguées.

Le ministère s'est opposé au projet de loi H.R. 5096 qui aurait autorisé les Bell Operating Companies (BOC) à exercer les activités qui leur ont été ou leur sont interdites en vertu de l'Arrêt définitif modifié (le règlement amiable de 1982 qui a réglé l'action antitrust intentée par l'État contre AT & T). Cet arrêt interdit actuellement aux BOC de fournir des services de télécommunications interrégionaux ou de fabriquer du matériel de télécommunications et, jusqu'en

1992, de fournir des services d'information. Le projet H.R. 5096 aurait rétabli la totalité des restrictions imposées par l'Arrêt mais aurait permis à une BOC de déposer une requête auprès du ministère en vue d'être autorisée à entreprendre une activité soumise à restriction en démontrant qu'il n'existait pas de "possibilité substantielle" qu'elle même ou ses filiales soient en mesure d'utiliser une position de monopole pour entraver la concurrence sur un marché pertinent quelconque. L'Attorney General Barr a transmis le 30 juin 1992 au Président de la Commission judiciaire de la Chambre une lettre exprimant l'opposition du ministère au projet HR 5096. M. Barr a fait valoir que le projet n'irait pas dans le sens du renforcement de la concurrence, qu'il interdisait l'accès des BOC à de nouvelles catégories d'activités, accès qui serait favorable à la concurrence, qu'il créerait des obstacles de procédure indûment rigides et gênants à un tel accès et qu'il conférerait au ministère un rôle règlementaire qui n'était pas normalement le sien.

La position du ministère vis-à-vis d'une codification des restrictions résultant du règlement amiable AT&T ("l'Arrêt") a été également exprimée par l'Attorney General Adjoint Rill le 18 mars 1992 lors d'une audition devant la Sous Commission sur la législation économique et commerciale de la Commission judiciaire de la Chambre. Bien qu'aucune proposition de loi n'ait été déposée au moment de l'audition la Chambre des représentants a demandé l'avis du ministère sur la confirmation par voie législative des restrictions résultant de l'Arrêt et plus précisément sur le point de savoir si les restrictions imposées aux BOC et concernant les types d'activités susceptibles d'être exercées devaient être maintenues indéfiniment. M. Rill a fait part de la préoccupation du ministère quant au risque d'entrave à une évolution favorable à la concurrence des marchés des télécommunications qui résulterait de la confirmation par la voie législative des restrictions résultant de l'Arrêt définitif modifié. M. Rill a noté par ailleurs le soutien du ministère à des dispositions législatives qui lèveraient les restrictions imposées à l'activité de fabrication et l'opposition du ministère à une législation qui rétablirait les restrictions concernant la fourniture de services d'informations qui avaient été récemment levées par les tribunaux. Le ministère s'était opposé auparavant à l'insertion de dispositions imposant des conditions de contenu national et de fabrication locale dans la législation concernant la levée des restrictions en matière d'activités de fabrication.

Le ministère s'est opposé à plusieurs propositions de lois tendant à ajouter de nouveaux motifs privés de recours pour pratiques commerciales déloyales dans les échanges internationaux. Le projet S. 2352 aurait institué un nouveau motif d'action privée en vertu du Sherman Act qui aurait permis d'accorder la réparation des dommages causés et l'indemnisation des honoraires d'avocats et des frais de justice aux parties pouvant apporter la preuve que les gains retirés de mesures de protection du marché contraires à la concurrence applicables à l'étranger ont été utilisés au détriment de l'activité ou des biens d'une personne exerçant une activité d'importation ou de commerce entre États aux États-Unis. Le projet S.2508 visait à modifier le Clayton Act et la loi sur la concurrence déloyale de 1916 en prévoyant un nouveau motif de recours privé en faveur des personnes ayant subi un préjudice du fait d'importations subventionnées ou de dumping ou d'une fraude douanière. Le projet S.2610 aurait modifié la loi sur la concurrence déloyale de 1916 en supprimant l'exigence d'une intention nuisible et la responsabilité pénale. Le ministère a exprimé son opposition à l'égard de ces trois propositions de lois en faisant valoir que leur adoption pourrait conduire à décourager une concurrence légitime par les prix et à créer des frictions avec les partenaires commerciaux des États-Unis. Le ministère ajoutait que les dispositions concernant les droits compensateurs et le dumping administratif figurant dans la législation commerciale américaine en vigueur permettaient de lutter adéquatement contre les pratiques de subvention et de dumping à l'importation et que lorsque les pratiques en matière de fixation des prix étaient effectivement nuisibles le Sherman Act et la Loi sur la concurrence déloyale de 1916 les réprimaient et prévoyaient une indemnisation des préjudices subis.

Observations de la FTC sur des projets de lois

La FTC n'a présenté aucune observation écrite.

II. Mise en oeuvre des lois et des politiques antitrust : lutte contre les pratiques anticoncurrentielles

Statistiques du ministère de la Justice et de la FTC

Statistiques concernant les effectifs et l'action de la Division antitrust

Avec un effectif équivalent à 581 employés à plein temps (comprenant des avocats, des économistes, d'autres spécialistes et du personnel administratif) la Division antitrust du ministère a engagé, en 1992, 89 actions antitrust et lancé 181 enquêtes officielles. La Division a participé au jugement en appel de 20 actions antitrust devant la Cour Suprême des États-Unis ou les cours d'appel fédérales et elle a comparu en tant qu'*amicus curiae* dans six procédures d'appel au niveau fédéral dans des affaires antitrust d'ordre privé. La Division a participé à 48 procédures des organismes de règlementation en déposant des conclusions et des observations, en participant à des auditions et en présentant des conclusions orales.

La Division a engagé des poursuites pénales dans 78 affaires en 1992 et a obtenu l'inculpation ou la reconnaissance de culpabilité de 39 personnes physiques et 51 sociétés. A la fin de 1992, 151 affaires étaient en cours d'instruction devant un "grand jury". Au cours de l'année 1992, 15 personnes physiques défenderesses ont été condamnées à des peines représentant 5 102 jours d'incarcération effective et 2 489 jours d'autres formes de privation de liberté telles que l'assignation à domicile, la détention en semi liberté ou la présence obligatoire dans des centres communautaires de correction ou de traitement. Les amendes et dommages et intérêts infligés se sont élevés à plus de 26.6 millions de dollars. Par ailleurs, le ministère a procédé à une confiscation d'actif de 27.5 millions de dollars, ce qui correspond à l'amende civile la plus forte infligée en vertu de l'article 6 du Sherman Act.

Dans le cadre de son programme d'enquêtes administratives, la Division a procédé, en 1992, à l'examen de 1 621 projets de fusions et a effectué des enquêtes sur 88 opérations. Elle a ouvert en 1992 156 enquêtes administratives concernant à la fois des fusions et d'autres opérations et déposé 446 demandes civiles aux fins d'enquêtes qui constituent une forme de procédure obligatoire. Au cours de l'année, la Division a intenté 11 actions civiles et proposé 13 règlements amiables ou jugements définitifs dans des affaires civiles. Les tribunaux ont ratifié dix de ces règlements ou jugements. En ce qui concerne plus particulièrement l'action en matière de fusions, la Division a contesté publiquement huit transactions et intenté des recours pour interdire trois opérations. Quarante-sept demandes d'informations complémentaires ont été notifiées aux parties soumises aux obligations de notification préalable concernant les fusions prévues par la loi Hart-Scott-Rodino.

Statistiques concernant les effectifs et l'action de la Commission

A la fin de 1992, le Bureau de la Concurrence de la FTC disposait d'un effectif de 222 personnes: 156 avocats, 34 autres spécialistes et 32 employés de bureau. La Commission emploie également des économistes qui participent à ses activités d'application de la réglementation antitrust.

En 1992, toutes affaires concernant la concurrence confondues, y compris les opérations de fusions, la Commission a émis deux avis, déposé deux recours administratifs, approuvé définitivement 16 règlements amiables et avait fait accepter provisoirement quatre règlements amiables sous réserve des observations du public. La Commission a engagé 83 enquêtes préliminaires et 42 enquêtes complètes. Par ailleurs 15 enquêtes préliminaires ont été transformées en enquêtes complètes. Elle a modifié une ordonnance définitive. Elle a engagé trois actions devant les juridications civiles qui ont abouti à deux condamnations à des amendes de 2.736 millions de dollars au total. La troisième plainte n'avait pas encore été définitivement jugée à la fin de l'année. La Commission a également obtenu deux condamnations à des amendes de 1.39 millions de dollars au total au titre d'actions intentées en 1991. Enfin la Commission a autorisé à l'encontre d'un projet de fusion une action en vue de la délivrance d'une injonction préliminaire.

Affaires antitrust portées devant les tribunaux

Affaires portées devant la Cour Suprême

a) Affaires intéressant la Division sur lesquelles il a été statué en 1992

Aucune affaire intéressant la Division n'a été jugée par la Cour Suprême en 1992.

b) Affaires intéressant la Commission sur lesquelles il a été statué en 1992

L'affaire *Federal Trade Commission c. Ticor Title Insurance Co.*, 112 S. Ct. 2169 (1992) concerne une décision de la FTC selon laquelle les opérations collectives des compagnies d'assurance de titres de propriété concernant la tarification des services de recherche et d'étude des titres constituent une forme de concurrence déloyale (fixation des prix). Les sociétés soutenaient !que cette pratique était justifiée par la doctrine de l'"acte d'État" et échappait à toute contestation de la part des autorités fédérales au titre de la réglementation antitrust, au motif qu'il s'agissait de l'"activité d'assurance". En octobre 1991, la Cour Suprême a rendu une ordonnance *de certiorari* afin de faire réviser une décision de la Cour d'appel du troisième ressort qui avait jugé que l'action des sociétés en cause était protégée par la doctrine de l'"acte d'État". Le 15 juin 1992, la Cour a rendu un arrêt annulant la décision de la Cour d'appel, en considérant que la Commission avait à juste titre rejeté l'argument de l'"acte d'État" s'agissant des États du Montana et du Wisconsin et elle a renvoyé l'affaire devant la Cour d'appel. Durant le reste de l'année 1992, les parties ont déposé des conclusions supplémentaires devant la Cour d'appel sur les autres questions relatives à l'affaire qui sera jugée à nouveau par la Cour en février 1993.

c) Affaires intéressant des particuliers sur lesquelles il a été statué en 1992

Dans l'affaire *Eastman Kodak Co. c. Image Technical Services Inc.*, 112 S Ct 2 027 (1992) la Cour Suprême a confirmé une décision de la Cour du 9ème Ressort selon laquelle la question de savoir si Eastman Kodak, société fabriquant du matériel de photocopie et de micro-graphie disposait d'une position suffisamment forte sur le marché du service après vente et des pièces détachées pour son propre produit pour limiter la concurrence constituait un problème d'établissement de faits matériels. Dans une décision adoptée le 8 juin 1992, la Cour a conclu que le fait qu'une société ne disposait pas d'une position dominante sur le marché du premier équipement n'impliquait pas nécessairement qu'elle ne disposait pas d'une telle position sur le marché de l'après vente et des pièces détachées pour son propre produit et que lorsque des produits ou des services d'une certaine marque ne sont pas interchangeables avec ceux de la marque d'une autre société la marque de ces produits ou services peut constituer un marché séparé au sens du Sherman Act.

d) Conclusions déposées par le ministère et par la FTC dans des affaires privées portées devant la Cour Suprême

En 1992 le ministère a déposé des conclusions en qualité d'*amicus curiae* dans l'affaire *Professional Real Estate Investors Inc c. Columbia Pictures Industries Inc*, droit d'évocation accordé, 60 U.S.L.W. 3673 (U.S. 30 mars 1992) (n° 91-1043) dans laquelle était en cause la portée de la doctrine Noerr-Pennington. En vertu de cette doctrine, la législation antitrust fédérale est interprêtée comme ne s'appliquant pas aux requêtes demandant des actions de l'administration contraires à la concurrence. La question posée dans l'affaire *Professionnal Real Estate Investors* était de savoir si l'"exception de dissimulation" à la doctrine Noerr Pennington qui s'applique lorsque la requête demandant une action de l'administration dissimule en fait une interférence directe avec les activités d'un concurrent peut s'appliquer à un recours unique infructueux qui n'est pas sans fondement. Le ministère a été d'avis qu'un recours unique qui n'est pas sans fondement peut néanmoins être fallacieux et donc justifier une plainte antitrust mais que les tribunaux devaient établir des normes très strictes fondées sur des indices objectifs pour identifier ces recours fallacieux. Du point de vue du ministère et de la FTC, le requérant n'a pas été en mesure d'apporter une démonstration répondant à une telle norme. La Cour a entendu les plaidoiries en novembre 1992 et jugera l'affaire en 1993. Pour la décision de la Cour d'appel, voir 1991-2 Trade Cases (CCH) para. 69 594.

Le ministère a déposé des conclusions en qualité d'*amicus curiae* dans l'affaire *Spectrum Sports Inc. c. Mc Quillan* 113 S. Ct. 884 (1993), concernant une tentative d'acquisition d'une position de monopole et qui soulevait la question de la validité de la règle élaborée par le Neuvième Circuit et énoncée dans l'arrêt *Lessig c. Tidewater Oil Co.*, 327 F. 2d 459 (9ème Cir. 1964). La règle Lessig permettait la constatation d'une violation de la législation antitrust pour tentative de création d'un monopole sur la base d'intentions et actes spécifiques contraires à la concurrence mais en l'absence de preuve directe de la probabilité de réussite du projet telle que l'existence d'une position dominante du défendeur. Dans des conclusions déposées en 1992 aux stades de la requête et de l'appréciation du bien fondé le ministère a fait valoir que la règle Lessig qui a fait l'objet de nombreuses critiques de la part des commentateurs et qui n'a été adoptée par aucun autre Circuit en dehors de la 9ème est erronée. La Cour a suivi ces conclusions en rejetant explicitement la règle de l'arrêt Lessig du 9ème Circuit et en considérant que la preuve d'une tentative d'acquisition d'une position de monopole requérait trois éléments : *i)* une intention spécifique de limiter la concurrence *ii)* des actes ou un comportement ayant pour objet d'accomplir l'objectif illégal et *iii)* une probabilité dangereuse de réussite fondée sur des données concernant un produit et un marché géographique pertinents et la position de force du défendeur sur ce marché. La décision de la Cour est reproduite dans 1993-1 Trade Cases (CCH) para. 70.096.

Le ministère a déposé des conclusions en qualité d'*amicus curiae* aux stades de la requête et de l'appréciation du bien fondé dans l'affaire Hartford Fire Insurance Co/State of California, droit d'évocation accordé, 61 U.S.L.W. 3256 (U.S. 5 oct. 1992) (n° 91-1111, 91-1128), concernant plusieurs plaintes antitrust déposées par un grand nombre de requérants publics et privés à l'encontre d'un certain nombre de sociétés d'assurance étrangères et nationales. Le ministère a soutenu la position des plaignants selon laquelle les allégations concernant un accord entre certains assureurs de dommages et les réassureurs et tendant à refuser la possibilité de se réassurer à des assureurs concurrents constituaient un "boycott" ou une "coercition" au sens du McCarran-Ferguson Act et donc qu'une telle pratique, si elle était prouvée, serait inéligible à l'immunité vis-à-vis de la législation antitrust prévue par ce texte. Le ministère a soutenu également que la Cour d'appel avait commis une erreur en considérant qu'une société d'assurance perdait le bénéfice de l'immunité prévue par la loi en agissant de concert avec des entités étrangères non exemptées. Enfin, le ministère a adopté la position selon laquelle les principes de la courtoisie internationale tels qu'énoncés par exemple dans l'arrêt *Timberlane Lumber Co. c. Bank of America National Trust & Savings Assoc.*, 549 F. 2d 597 (9ème Cir. 1976) constituent un fondement approprié pour permettre à un tribunal de refuser d'examiner une affaire antitrust d'ordre privé comportant des éléments étrangers excessifs. Au regard, toutefois, des faits de l'espèce le ministère a fait valoir que les principes de courtoisie ne justifiaient pas le refus d'examen en ce qui concerne les réassureurs ayant leur siège à Londres. Pour la décision du 9ème Circuit voir 1991 Trade Cases (CCH) para. 69.460.

Dans l'affaire *DeKalb Board of Realtors, Inc. c. Thompson*, *cert. denied*, 61 U.S.L.W. 3264 (U.S. 9 nov. 1992) (n° 91-118), le ministère s'est opposé à une demande d'ordonnance *de certiorari* du Dekal Board of Realtors tendant à la révision de la décision de la cour du 11ème Circuit en vertu de laquelle l'imposition par DeKalb d'une condition d'appartenance au Board pour l'utilisation de ses services de listage pouvait constituer une forme de boycott ou de vente liée. La Cour Suprême a rejeté la requête. Pour la décision de la 11ème juridiction voir 1991-1 Trade Cases (CCH) para. 69 494.

Affaires jugées par des Cours d'Appel

a)   Affaires intéressant la Division jugées ou en instance en 1992

Quatorze des appels concernant des actions pénales antitrust du ministère ont été jugés en 1992. Bien que la plupart de ces décisions aient porté essentiellement sur des questions de procédure et d'administration de la preuve, plusieurs d'entre elles ont concerné des questions théoriques ou pratiques d'un assez grand intérêt. Par exemple, dans l'affaire *United States c. Star Industries Inc.* 962 F. 2d 465 (5ème Cir. 1992), *cert. denied*, 61 U.S.L.W. 3301 (19 oct. 1992), la Cour d'appel a rejeté l'argument selon lequel le rôle joué par un intermédiaire dans l'organisation de la présentation d'offres collusoires exonérait les offreurs de leur responsabilité en vertu du Sherman Act. Voir 1992-1 Trade Cases (CCH) para. 69.869.

Une autre décision importante au regard du programme d'application de sanctions pénales de la Division a été celle rendue dans l'affaire *United States c. Alston*, 974 F.2d 1206 (9ème Cir. 1992) qui a confirmé de manière expresse que la fixation des prix dans les professions libérales (en l'espèce la profession de dentiste) était illégale *per se* et passible de poursuites pénales. Voir 1992-2 Trade Cases (CCH) para. 69.962.

L'affaire *United States c. Reicher* 983 F. 2d 168 (10ème Cir. 1992) concernait une forme inhabituelle d'entente entre deux firmes dans un appel d'offres. Le défendeur Reicher a appris que sa société serait probablement la seule à soumissionner à un appel d'offres pour l'attribution d'un marché public. Souhaitant échapper aux procédures que l'administration ne manquerait pas d'invoquer si elle ne recevait qu'une offre, Reicher a persuadé une autre entreprise qui n'avait pas l'intention de soumissionner et qui aurait été incapable d'exécuter le marché de présenter un offre complémentaire. Un jury a inculpé Reicher de violation du Sherman Act mais le tribunal d'instance a prononcé un jugement d'acquittement motif pris de ce que l'entente ne mettait pas en jeu deux concurrents et n'était donc pas contraire au Sherman Act. La cour d'appel a infirmé ce jugement, acceptant l'argumentation du ministère selon laquelle une société qui soumissionne à un appel d'offres est un concurrent en dépit de son incapacité à exécuter le contrat. La cour a conclu que la détermination d'une violation en soi de la législation antitrust dans le cas d'une entente pour fausser un appel d'offres dépend de l'existence d'une entente pour éliminer la concurrence et non pas de la capacité pour chaque partie d'exécuter le contrat. Voir 1992-2 Trade Cases (CCH) para. 70.083.

L'affaire *United States c. Brown University* 805 F. Supp. 288 (E.D. Pa 1991), appel enregistré, n° 1992-1911 (3ème Cir. 30 octobre 1992) est en instance de jugement civil en appel sur requête du Massachusetts Institute of Technology. L'affaire trouve son origine dans une action civile intentée par le ministère en 1991 à l'encontre de la pratique de neuf universités très réputées (dont huit sont connues sous l'appellation collective de "Ivy League") qui se réunissent chaque année pour déterminer des méthodes uniformes de fixation des tarifs appliqués aux futurs étudiants. Après la notification de la plainte de l'administration, tous les défendeurs à l'exception du MIT ont accepté de conclure un règlement amiable de l'affaire. L'appel du MIT pose notamment la question de savoir si la pratique contestée est de nature commerciale au sens du Sherman Act et si la fixation des prix par des institutions d'enseignement à but non lucratif doit être jugée selon une norme de raison prenant en considération des justifications de politique sociale sans rapport avec la concurrence. Pour la décision du tribunal d'instance, voir 1992-2 Trade Cases (CCH) para. 69-942.

Plusieurs des appels civils intentés par la Division en 1992 concernaient l'Arrêt définitif modifié c'est-à-dire l'ordonnance de règlement amiable de 1982 qui a mis un terme à la plainte pour position de monopole intentée par le ministère à l'encontre d'AT & T. La plupart des appels intentés à propos de ce jugement concernaient des interpétations ou des modifications des restrictions imposées par l'ordonnance aux activités des Bell Operating Companies (BOC). Les deux affaires jugées en 1992, qui sont décrites ci-après, avaient une portée dépassant celle des activités particulières dans lesquelles les BOC cherchaient à s'engager.

Dans l'affaire *United States c. Western Electric Co.* 969 F. 2d 1231 (D.C. Cir. 1992) *cert. denied*, 61 U.S.L.W. 3584 (U.S. 1993), la Cour d'appel a confirmé le refus opposé par le tribunal d'instance à la demande des BOC concernant l'installation d'une forme particulière de "common channel signalling" (signalisation sur voie commune) centralisée. Elle a également considéré que l'opposition manifestée par AT & T à la modification proposée empêchait la prise en considération de la norme de l'"intérêt général" qui régit normalement les requêtes des demandeurs tendant à la modification des ordonnances antitrust de l'administration avec le consentement de cette dernière. La position prise par le ministère devant la cour d'appel a été que vis-à-vis des restrictions qui ne sont applicables qu'aux BOC, la situation d'AT& T était identique à celle des opérateurs inter régionaux non parties à l'ordonnance. Ainsi, de l'avis du ministère, le fait qu'une demande d'une BOC tendant à modifier une telle restriction soit admise par l'administration suffit pour que l'on puisse invoquer la règle de l'intérêt général en dépit de l'opposition d'AT & T. Pour l'opinion de la Cour d'appel du District de Colombia, voir 19 Trade Cases (CCH) para. 69.605.

Un recours interjeté par MCI et d'autres firmes non parties au règlement AT& T à l'encontre de la décision du tribunal d'instance autorisant les BOC à fournir des services d'information est en instance devant la Cour d'appel du District de Columbia. *United States c. Western Electric Co.* 767 F. Supp. 308 (D.D.C. 1991) appel en instance, n° para. 91-5263 (auditions 1er déc. 1992). Le 25 juillet 1991, le tribunal d'instance a fait droit aux demandes introduites par le ministère et les BOC en vue de la levée de l'interdiction imposée par le règlement amiable à l'égard de la fourniture de services d'information en concluant que la levée de cette interdiction serait compatible avec l'intérêt général tel que défini par la Cour d'appel. La question essentielle soulevée dans cette instance est celle de la signification de la règle de l'"intérêt général" applicable aux requêtes des BOC auxquelles ni l'administration ni AT & T ne sont opposées. De l'avis du ministère, le tribunal d'instance a jugé à bon droit qu'il est tenu de délivrer une requête consensuelle de modification en vertu du principe de l'intérêt général, sauf si cette requête va sans aucun doute limiter la concurrence.

La Division a déposé en 1992 des conclusions en qualité d'*amicus curiae* sur l'affaire *American Agriculture Movement c. Board of Trade* 977 F. 2d 1147 (7ème Cir. 1992). L'affaire concernait un recours contre le Chicago Board of Trade (le "Board") et contre certains de ses membres pour, notamment, entente visant à limiter les échanges en violation du Sherman Act en manipulant les prix de certains contrats à terme. Le tribunal d'instance a admis les moyens de défense du Board selon lesquels ses actions constituaient une régulation légitime du marché échappant à la législation antitrust en vertu de l'immunité accordée par le Commodity Exchange Act aux actions soumises à la règlementation de la Commodity Futures Trading Commission (CFTC) (Commission des marchés à terme de matières premières). Les conclusions à titre d'*amicus* du gouvernement des États-Unis soutenaient que les pratiques contestées n'échappaient pas à l'application des dispositions antitrust, thèse confirmée par la cour d'appel qui a considéré que l'action contestée n'était pas complètement règlementée par le Commodity Exchange Act et n'avait pas été positivement approuvée par la CFTC.

b) Affaires intéressant la Commission jugées ou en instance en 1992

L'affaire *Barnette Pontiac-Datsun, Inc c. FTC*, 955 F. 2d 457 (6ème Cir. 1992) concerne une requête en examen d'une décision de la FTC affirmant qu'un accord conclu par des concessionnaires de voitures automobiles concurrents de Détroit en vue de limiter les horaires des ventes de voitures constituait une forme de concurrence déloyale. L'affaire a été plaidée le 12 mars 1990 et est demeurée en instance pendant toute l'année 1991. Le 31 janvier 1992, la Cour d'appel a rendu un arrêt confirmant pour une part substantielle la décision de la Commission mais renvoyant l'affaire à cette dernière pour complément de procédure. Le 9 novembre 1992, la Cour Suprême a rejeté les demandes d'ordonnance *de certiorari* déposées par les parties.

L'affaire *Adventist Health System c. FTC*, n° 91-2320 (D.D.C.) concerne une action en défense à l'égard d'une procédure en cours devant la FTC qui conteste l'acquisition d'un hôpital à but non lucratif en vertu de l'article 7 du Clayton Act. La plainte a été déposée le 11 septembre 1991. Le tribunal d'instance a décidé le 17 octobre 1991 que l'affaire devait être portée devant la cour du neuvième circuit pour décision. Les requérants ont fait appel de cette décision et la Cour d'appel du District de Colombia a confirmé le 29 décembre 1992 la décision du tribunal d'instance.

L'affaire *United States c. Lousiana Pacific Corp*, 846 F. 2d 43 (9ème Cir. 1992) concerne une action civile pour refus d'obtempérer à une décision de la Commission ordonnant un désinvestissement. La plainte a été déposée le 4 septembre 1981. A la suite d'une longue procédure incluant trois arrêts de la cour d'appel du 9ème Circuit et un renvoi devant la Commission, la Cour d'appel a confirmé, le 24 juin 1992, une décision du tribunal d'instance infligeant des amendes de 4 millions de dollars à Lousiana Pacific pour violation de la décision de la Commission.

c)   Appels intéressant la FTC en instance en 1992

L'affaire *Olin Chemical Co c. FTC* n° 90-70452 (9ème Cir.) concerne une demande d'examen d'une décision de la FTC exigeant un désinvestissement dans une affaire de fusion de sociétés fabriquant des produits chlorés pour les piscines. La demande d'examen a été déposée le 5 septembre 1990. L'affaire a été plaidée devant la Cour d'appel le 10 octobre 1991 et est demeurée en instance pendant toute l'année 1992. La Cour d'appel a rendu le 26 février 1993 un avis qui confirme et rend exécutoire intégralement la décision de la Commission.

L'affaire *Dr. Pepper/Seven-Up et Harold Honickam c. FTC* n° 91-5308 (D.C.C.) concerne un recours visant une décision de la Commission qui a refusé d'autoriser Harold Honickman à acquérir les actifs de Seven-Up Brooklyn Bottling Co. conformément aux termes d'une ordonnance de règlement amiable. La plainte a été déposée le 22 octobre 1991. Le tribunal d'instance a accepté le

20 juillet 1992 la demande de jugement en procédure sommaire de la Commission, et a confirmé la décision de cette dernière de ne pas approuver l'acquisition. Les plaignants ont déposé un recours contre cette décision qui sera jugé par la cour d'appel en 1993.

Statistiques concernant les actions publiques et privées engagées en 1992

Selon le rapport annuel du Director of Administrative Office des juridictions des États-Unis, 558 nouvelles actions antitrust civiles et pénales, publiques et privées ont été intentées devant les tribunaux d'instance fédéraux au cours de l'exercice budgétaire s'achevant le 30 septembre 1992.

Affaires importantes engagées en 1992

Mesures d'application prises par le ministère et par la FTC

a)   Affaires pénales engagées par le ministère de la Justice en 1992

Au cours de l'année 1992, le ministère a engagé des actions pénales antitrust concernant toute une série de produits et de services, notamment les cylindres en acier, le lait destiné aux écoles, les carosseries de cars de ramassage scolaire, le déménagement et l'entreposage, le papier usagé, l'essence, le dyazide générique, les fruits de mer congelés, la mousse de polyurethane d'isolation et les paillettes de métal.

En 1992, Le ministère a obtenu la condamnation ou la reconnaissance de culpabilité de 51 sociétés et 39 particuliers. Des amendes pénales totales de 26.6 millions de dollars ont été infligées et les particuliers ont été condamnés à 5 102 jours d'emprisonnement effectif et à 2 489 jours d'autres peines de privation de liberté. L'affaire *United States c. Bruil* est représentative de l'action agressive engagée par la Division à l'encontre des ententes couvrant plusieurs États. Huit défendeurs ont été convaincus de pratiques de fixation des prix et d'escroquerie au courrier concernant la vente de cylindres en acier dans la région du Centre-Est des États-Unis (Ohio, Michigan, Ouest de New York, Pensylvanie occidentale et Virginie Occidentale). Les cylindres en acier sont utilisés le plus souvent pour l'emballage des produits chimiques et pétroliers. Trois des défendeurs ont été condamnés à la suite d'un procès et cinq autres ont plaidé coupables avant le procès. Les amendes infligées dans ce cas ont atteint au total 3,12 millions de dollars et trois personnes ont été condamnées chacune à des peines d'emprisonnement de deux ans environ. Voir 6 Trade Reg. Rep. (CCH) 45 091, Affaire n° 3 761A.

L'affaire *U.S. c. Southwest Bus Sales Inc.* (D.S.D, enregistrée le 14 juillet 1992) constitue un autre exemple représentatif. Les trois défendeurs ont été condamnés le 8 octobre 1992 à la suite d'un procès pour escroquerie au courrier et participation à des soumissions frauduleuses concernant des marchés d'autobus et de carosseries d'autobus dans le Dakota du Sud entre le début des années 70 et 1988. La société et ses deux responsables ont été condamnés à des amendes totales de 250 799 dollars et chacun des particuliers à une peine d'emprisonnement de deux ans.

Le programme d'application de la loi du ministère dirigé contre les soumissions frauduleuses dans le secteur des ventes de lait aux écoles a abouti à des condamnations à l'encontre de 17 sociétés et 12 particuliers en 1992. Les amendes et les dommages-intérêts ont atteint en 1992, 14 millions de dollars au total et trois particuliers ont été condamnés à des peines de prison. Depuis 1988, le ministère a engagé 79 actions dans ce domaine mettant en cause 43 entreprises et 54 personnes physiques.

L'affaire *United States c. Flav-O-Rich Inc.* constitue un exemple d'action engagée par le ministère dans le domaine de la fourniture de lait aux écoles. Le 29 septembre 1992, Flav-O-Rich, une entreprise laitière ayant son siège à Louisville dans le Kentucky a été inculpée de participation à sept ententes distinctes en vue de fausser les appels d'offres concernant des marchés de fourniture de lait et autres produits laitiers à des écoles publiques. La société a plaidé coupable pour l'ensemble des chefs d'accusation et accepté de payer des amendes et des dommages intérêts pour un total de 7.25 millions de dollars. Voir 6 Trade Reg. Rep. (CCH) para. 45 092, Affaire n° 3918.

Le ministère a continué d'engager des poursuites contre les ententes frauduleuses en matière de soumissions pour l'achat de marchandises (comme les machines et les matériels commerciaux usagés) dans les adjudications publiques. En 1992, il a obtenu la condamnation de cinq entreprises et de trois particuliers dans des affaires de soumissions frauduleuses et des amendes d'un montant total de 125 000 dollars ont été infligées. Depuis 1987, le ministère a engagé 66 actions de ce type à l'encontre de 98 sociétés et de 63 particuliers. Quatre-vingt-seize sociétés et 58 particuliers ont été condamnés, pour des infractions de ce type, à des amendes de 4.5 millions de dollars au total et 12 personnes physiques ont été condamnées à des peines de prison.

En 1992 le ministère a poursuivi ses efforts visant à faire respecter la législation dirigée contre les comportements anti-concurrentiels dans le domaine des marchés publics fédéraux. Il a engagé un grand nombre de poursuites pénales à l'encontre de pratiques de fixation des prix et de soumissions frauduleuses dans le cadre d'achats publics du gouvernement fédéral. En 1992, cette action s'est traduite par la condamnation de quatre entreprises et d'un particulier à des amendes de 600 000 dollars. Le particulier a été condamné à une peine de prison de 152 jours. Dix-neuf procédures d'instruction devant un grand jury sont en cours. Depuis le lancement de ce programme, 136 sociétés et 120 particuliers ont été inculpés de violations de la législation anti-trust à l'occasion de la fourniture de biens et de services au ministère de la Défense, les condamnations à des amendes et à des dommages intérêts ayant dépassé au total 57 millions de dollars et des peines d'emprisonnement de dix mois en moyenne ayant été prononcées contre 34 particuliers.

b) Modification ou abrogation et mise en oeuvre de règlements amiables auxquels le ministère de la Justice était partie

i) Abrogations ou modifications

Le ministère de la Justice a déposé le 8 mai 1992 une stipulation et un mémoire tendant à accepter provisoirement des propositions de modifications à un règlement amiable ayant pour effet de limiter les intérêts financiers et les droits de syndication de trois grandes chaines de télévision américaines, The American Broadcasting Companies Inc. (ABC), CBS Inc. (CBS) et the National Broadcasting Company Inc. (NBC). Lorsque les ordonnances ont été prises en 1978 et 1980, les règlements avaient pour objet de limiter le pouvoir d'acquisition des chaînes en limitant leur capacité de contrôler la rediffusion des programmes achetés à des producteurs indépendants. Dans des mémoires déposés auprès du tribunal d'instance de Los Angeles, le ministère a indiqué que ces restrictions n'étaient plus nécessaires parce que les chaînes ne disposaient plus d'une position de force sur aucun marché significatif du point de vue de la réglementation antitrust. Voir 7 Trade Reg. Rep. (CCH) para. 45 080, Affaire n° 2422-2424.

Le ministère a adopté, en 1992, des décisions mettant fin à des règlements amiables dans les affaires suivantes: *United States c. Saks & Co.,* 1992-1 Trade Cases (CCH) para. 69-845, *United States c. Loew's Inc.* 1992-1 Trade Cases (CCH) para. 69-722 et *United States c. Pyrotronics Inc.* 1992-2 Trade Cases (CCH) para. 69-965.

ii) Interprétation et mise en oeuvre

En janvier 1992, le ministère a déposé un mémoire auprès du tribunal d'instance du District de Columbia pour appuyer une requête des Bell Operating Companies (BOC) tendant à obtenir une dérogation à la restriction concernant les échanges inter-circuits énoncée par le règlement amiable ("l'Arrêt"). La dérogation qui a été accordée par le tribunal le 4 février 1993 permet aux BOC de fournir des services de télécommunications internationaux par l'intermédiaire d'entités étrangères sous réserve de certaines conditions spécifiées. Les investissements des BOC dans des opérateurs de télécommunications étrangers sont ainsi facilités puisqu'il n'est plus nécessaire d'engager des procédures de dérogation individualisées devant le tribunal compétent. Dans le passé, le tribunal a accordé aux BOC des dérogations individuelles pour la fourniture de services internationaux de télécommunication.

Le Tribunal d'instance du District occidental de Washington a officiellement autorisé le ministère le 22 octobre 1992 à modifier le règlement amiable de 1982 concernant l'affaire *United States c. C Itoh & Co.*, 1982-83 Trade Cases (CCH) para. 65010. Ce règlement amiable interdit à huit importateurs de fruits de mer japonais de se concerter ou de s'entendre sur les prix payés aux industriels de transformation des fruits de mer américains ou sur le calendrier ou la conduite des négociations avec ces industriels. Le ministère a demandé au tribunal d'interpréter le règlement amiable afin de préciser qu'il continuera à exercer un contrôle sur les parties même après l'expiration du règlement afin de réprimer les violations susceptibles d'avoir été commises tant que le règlement est en vigueur. Le tribunal a fait droit à la demande du ministère et a également accepté de modifier le règlement afin de proroger de six mois la validité de certaines dispositions relatives à des enquêtes visant à rechercher des infractions possibles au règlement. Le ministère procède actuellement à une investigation pour rechercher de possibles violations du règlement.

Le ministère a déposé, en mai 1992, un mémoire auprès du tribunal d'instance du District de Columbia afin de soutenir la requête des BOC visant à obtenir une dérogation à la restriction imposée par le règlement amiable AT & T ("l'Arrêt") leur interdisant de distribuer des matériels de télécommunications à d'autres opérateurs de télécommunications. En vertu du règlement amiable, les BOC sont autorisées à s'approvisionner en matériels pour leurs propres besoins et à distribuer du matériel aux utilisateurs finaux mais elles n'ont pas le droit de fabriquer des matériels.

En 1992, le ministère a mis la dernière main aux poursuites pénales engagées à l'encontre de NYNEX Corporation pour violation du règlement amiable AT&T. Le réquisitoire du gouvernement, notifié le 31 mai 1990, accusait NYNEX d'avoir, par l'intermédiaire de sa filiale Telco Research Corporation, fourni illégalement des services d'information en ouvrant à MCI Communications Corporation l'accès par un réseau téléphonique aux installations informatiques de Telco Research implantées dans les locaux de cette société. Le tribunal d'instance du District de Columbia a constaté que NYNEX avait sciemment violé le règlement et lui a infligé une amende de 1 million de $. Pour la décision du tribunal, voir *United States c. NYNEX Corp.* 1993.1 Trade Cases (CCH) para. 70 132.

Deux recours importants concernant l'interprétation du règlement amiable AT&T sont venus en 1992 devant la Cour d'appel du District de Columbia. Ces affaires sont décrites ci-dessus *(Western Electric).*

A la demande du tribunal d'instance, le ministère a déposé, le 2 avril 1992, un mémoire concernant le bien fondé d'un plaignant cherchant à obtenir l'application d'un règlement amiable révisé de 1950 à l'encontre de l'American Society of Composers and Publishers (ASCAP) (Société des compositeurs et éditeurs). Le plaignant, un compositeur jingles (musiques destinées aux messages publicitaires), soutenait que l'ASCAP avait une attitude injustement discriminatoire à l'égard des compositeurs de jingles en matière de distribution des recettes, en violation du règlement amiable. Le ministère a informé le tribunal que le plaignant avait assez mauvaise réputation et qu'en toute hypothèse sa plainte manquait de justification. *Voir United States c. American Society of Composers and Publishers, 1992-2 Trade Cases (CCH) para. 69 897.*

c) Mesures d'application diverses, ne concernant pas les fusions, arrêtées par le ministère de la Justice en 1992

En 1992, le ministère a engagé une série d'actions civiles en invoquant un comportement contraire à la concurrence dans des contextes étrangers à des fusions.

Le 21 décembre 1992, le ministère a engagé une action civile devant le tribunal d'instance du District de Columbia pour fixation des prix à l'encontre de huit compagnies aériennes américaines et de la Airline Tariff Publishing Company (ATP). L'ATP qui est détenue par un groupe de compagnies aériennes qui inclue les compagnies défenderesses assure un service de collecte et de diffusion de données sur les tarifs du transport aérien. Outre l'accusation de fixation des prix, le ministère soutenait que les compagnies défenderesses géraient l'ATP dans des conditions ayant pour effet de limiter anormalement la concurrence par les prix sur le marché de 40 milliards de dollars que représente le transport aérien de passagers à l'intérieur des États-Unis. La plainte évoque une pratique par laquelle, en utilisant l'ATP, les compagnies aériennes sont en mesure d'entrer dans un dialogue compliqué les unes avec les autres à propos de leurs tarifs futurs. Généralement, ce dialogue prend la forme d'échanges d'informations répétés par l'intermédiaire de l'ATP sur les propositions et contre-propositions de hausses de tarifs qui se traduiraient par des accords sur les tarifs futurs ou par la suppression des remises tarifaires. Au moment où la plainte a été déposée, le ministère a proposé un règlement amiable qui aurait réglé le différend avec deux des compagnies aériennes défenderesses, United Airlines et U.S.Air. Ces compagnies ont accepté de renoncer à utiliser les caractéristiques de l'ATP qui auraient pour effet de permettre aux compagnies aériennes concurrentes de s'entendre sur les prix ou de limiter de manière anormale la concurrence par les prix. Pour un résumé de la plainte du ministère voir *United States c. Airline Tariff Publishing Co.,* 6 Trade Reg. Rep. (CCH) para. 45092, Affaire n° 3940 et pour le texte du règlement proposé voir 7 Trade Reg. Rep. (CCH) para. 50 742.

En septembre 1992, le ministère a annoncé que la firme Salomon Brothers Inc. paierait à l'État américain une somme de 27.5 millions de dollars pour avoir violé la législation anti-trust fédérale en coordonnant avec des concurrents et d'autres opérateurs les offres présentées aux adjudications de bons du Trésor des États-Unis. La confiscation d'actifs de 27.5 millions de dollars a réglé une action civile anti-trust engagée par la Division à l'encontre de Salomon en mai 1992 au motif qu'au cours des mois de juin et de juillet 1991 Salomon et certains complices anonymes ont coordonné leurs efforts afin de limiter le montant des bons du Trésor à deux ans à échéance de mai 1993 disponibles sur les marchés secondaire et financier. La limitation de l'offre obligeait les investisseurs qui avaient effectué des ventes à terme à acheter les bons à des prix artificiellement élevés et non concurrentiels sur le marché secondaire ou à emprunter les bons à des prix de remboursement artificiellement bas et non concurrentiels sur le marché financier. La plainte anti-trust et le règlement faisaient partie d'un règlement de 290 millions de dollars concernant des plaintes associées entre Salomon, le ministère de la Justice et la Securities and Exchange Commission (Commission des opérations de Bourse) annoncé en mai 1992. La confiscation d'actif de 27,5 millions de dollars constitue l'amende civile la plus importante jamais obtenue par la Division en vertu de l'article 6 du Sherman Act. Pour une description du règlement, voir *United States c. Certain Property Owned by Salomon Bros,* 6 Trade Reg. Rep. (CCH) para. 45 092, Affaire n° 3877 et, pour le règlement amiable final conclu sur l'affaire, 7 Trade Reg. Rep. (CCH) para. 69 953.

Le 30 septembre 1992, le ministère de la Justice a engagé une action civile antitrust à l'encontre de la Greater Bridgeport Individual Practice Association Inc. (GBIPA), une association de médecins, pour boycottage illégal d'une organisation d'assurance maladie. La plainte soutenait que GBIPA et ses complices anonymes s'étaient entendus pour que les adhérents de l'association ne concluent pas de contrats individuels avec ladite organisation, ce qui améliorait la possibilité pour la GBIPA de négocier des honoraires contractuels plus élevés pour les services de ses adhérents et entravait les efforts de l'organisation d'assurance maladie pour obtenir des services de soins de qualité à des prix concurrentiels moins élevés. Au moment où la plainte était déposée, les parties ont conclu une proposition de règlement amiable interdisant à la GBIPA de conclure dans l'avenir un accord qui influence les discussions ou agréments contractuels entre des prestataires de soins individuels et des assureurs. Pour un résumé de la plainte du ministère, voir *United States c. Greater Bridgeport Individual Practice Association Inc.* 6 Trade Reg. Rep. (CCH) para. 45092 Affaire n° 3926 et, pour le texte du règlement proposé, 7 Trade Reg. Rep. (CCH) para. 50741.

Le ministère a engagé le 23 septembre 1992, une action civile antitrust à l'encontre de l'Hospital Association of Greater Des Moines et de cinq des hopitaux membres de cette association pour avoir conclu des ententes visant à restreindre l'action publicitaire des services hospitaliers. En même temps, les parties ont conclu un projet de règlement amiable permettant de régler l'affaire. La plainte soutenait que les six défendeurs avaient adopté des lignes directrices en vertu desquelles chaque hopital convenait de limiter les sommes consacrées à la publicité et de s'abstenir d'informer le public sur la qualité des services fournis. Le projet de règlement amiable interdit aux défendeurs d'appliquer ces directives ou de conclure dans l'avenir un accord limitant la forme et le volume de la publicité utilisée. Par ailleurs, le règlement requiert de chaque défendeur qu'il mette en place un programme visant à assurer le respect de la règlementation anti-trust. Pour un résumé de la plainte du ministère, voir *United States c. Hospital Association of Greater Des Moines Inc.*, 6 Trade Reg. Rep. (CCH) para. 45 092 affaire n° 3904 et pour le texte du projet de règlement 7 Trade Reg. Rep. (CCH) para. 50 739.

Le ministère a engagé le 3 février 1992 une action civile antitrust contre la Massachusetts Allergy Society Inc. (MAS) et quatre médecins pour entente en vue de fixer et d'augmenter les honoraires versés pour les soins antiallergiques par certaines Health Maintenance Organizations (HMO) (organisations d'assurance maladie) du Massachusetts. La plainte soutenait que les défendeurs s'étaient entendus pour utiliser la MAS en tant qu'agent de négociation afin d'obtenir une augmentation des honoraires auprès des HMO et de résister aux pressions de la concurrence pour des remises d'honoraires. Selon les termes d'un projet de règlement amiable conclu en même temps que le dépôt de la plainte, il est interdit à la MAS soit pour son compte soit pour le compte d'un médecin, de conclure un accord ou une entente avec des tiers payants concernant les honoraires de soins contre l'allergie. Il est également interdit à la MAS de recommander à un médecin de rompre ou de refuser de conclure un accord avec un tiers payant. Voir, pour un résumé de la plainte du ministère *United States c. Massachusetts Allergy Society Inc.,* 6 Trade Reg. Rep. (CCH) para. 45 092, affaire n° 3861 pour un résumé de la plainte du Département et, pour le texte du réglement amiable, 1992-1 Trade Cases (CCH) para. 69 846.

d) Mesures d'application ne concernant pas les fusions arrêtées par la FTC en 1992

Dans une plainte déposée auprès d'un tribunal d'instance fédéral, la Commission a accusé la firme Abbott Laboratoires qui est le principal fabricant de lait en poudre pour bébés, de pratiques frauduleuses à l'occasion de soumissions pour l'obtention d'un marché de Porto Rico concernant la fourniture de lait en poudre à plus de 40 000 bébés dans le cadre d'un programme de complément d'alimentation pour les femmes, les enfants et les bébés, subventionné par l'État fédéral. Selon la plainte, la société Abbott s'est entendue avec d'autres firmes pour fixer, stabiliser ou manipuler les soumissions de Porto Rico et pour faire appliquer un système de marché libre plutôt qu'un système de source exclusive considéré comme préférable du point de vue de la limitation des coûts. La Commission a également accusé Abbott de fournir des informations démontrant aux soumissionnaires concurrents sa préférence pour le système du marché libre et de soumissioner de telle manière que ce système était certain de prévaloir à Porto Rico. Ce comportement a conduit à fausser les résultats de l'appel d'offres et à limiter la concurrence, entraînant des millions de dollars de moins values annuellement. La Commission a demandé au tribunal d'interdire le comportement contesté et d'accorder les réparations qu'il jugerait appropriées, y compris la restitution à l'État fédéral du montant des pertes subies du fait des pratiques de concurrence déloyale de la société Abbott.

La Commission a engagé une seconde action qui doit être plaidée devant une instance administrative et accusant Abbott d'entente avec d'autres firmes pour limiter la publicité directe du lait en poudre pour bébés aux consommateurs par l'intermédiaire des grands médias. La plainte soutenait que ces pratiques incluaient des discussions au sein de l'Infant Formula Council (Association professionnelle du secteur) au cours desquelles Abbott et les autres membres de l'association convenaient d'échanger des informations sur leurs projets concernant la publicité directe aux consommateurs à travers les moyens d'information de masse. Enfin, la plainte soutenait qu'Abbott recommandait aux professionnels de la santé de demander aux autres fabricants de lait en poudre d'interrompre la publicité aux consommateurs. La Commission a conclu des propositions de règlements amiables avec Mead Johnson and Company et American Home Products en vue de régler des accusations similaires de fraude aux appels d'offres et de limitation de la publicité (Voir ci-après). Voir *Abbott Laboratories*, Docket n° 9253, 5 Trade Reg. Rep. (CCH) para. 23-208.

La Commission a adopté la décision d'un juge administratif concernant la Peterson Drug Company of North Chili, New York, Inc. convaincue de participation illégale à une entente visant à boycotter le New York State's Employee Prescription Program (système d'assurance maladie des employés de l'État de New York), qui comportait une proposition de limitation des coûts, afin d'obtenir une augmentation des taux de remboursement pour les pharmacies exécutant les ordonnances des assurés employés et pensionnés de l'État et de leurs personnes à charge. Le juge administratif a ordonné à Peterson de ne conclure aucun accord avec une pharmacie en vue d'un retrait d'un quelconque système de remboursement de frais pharmaceutiques. La Commission a engagé en 1989 des actions à l'encontre de Peterson et de quatre autres chaînes de pharmacies ainsi que d'une association commerciale, la Chain Pharmacy Association of New York State et de James E. Krahulec, un responsable de Rite-Aid, faisant valoir que l'entente avait entraîné une limitation anormale de la concurrence entre les pharmaciens et les firmes pharmaceutiques de l'État de New York qui avait été dommageable pour les consommateurs et qui avait entraîné pour l'État environ 7 millions de dollars de dépenses supplémentaires. Les autres défendeurs concernés par cette affaire ont conclu des règlements amiables séparés au cours de l'année civile 1991. *Voir Peterson Drug Company of North Chili, New York, Inc.* Docket n° 9227, 5 Trade Reg. Rep. (CCH) para. 23 189.

La Commission a fait droit à une demande de Pioneer Electronics (U.S.A) Inc. tendant à modifier un règlement amiable afin de permettre à la société de retirer sa participation aux frais de publicité des détaillants ou son agrément aux détaillants qui ont mentionné dans la publicité de ses produits des prix différents de ceux suggérés par la société. La Commission a refusé de supprimer les dispositions du règlement qui interdisent à Pioneer de refuser de traiter avec des détaillants qui ne conclueraient pas des accords par lesquels ils s'engagent à indiquer dans la publicité des produits Pioneer les prix suggérés par la société, et d'amener par la menace, la contrainte ou les retards de livraisons les détaillants à accepter les prix suggérés. La Commission a proposé aussi de modifier le règlement afin de permettre à Pioneer d'interrompre unilatéralement ses relations avec des détaillants qui vendent les produits à des prix inférieurs à ceux suggérés par la société, pratique considérée explicitement comme légale par la Cour Suprême. Cette modification n'avait pas été demandée par Pioneer. La Commission a ordonné à Pioneer "d'exposer ses motifs" c'est-à-dire de présenter des éléments justifiant que cette modification supplémentaire ne soit pas opérée. La Commission a décidé de modifier le règlement de cette manière parce que Pioneer a montré que sa capacité concurrentielle était entravée parce que dans le cadre du règlement initial il ne pouvait pas offrir des programmes publicitaires comportant une limitation des prix et utilisant des prix minimum affichés qui sont proposés par un grand nombre de ses concurrents. Voir *U.S. Pioneer Electronics Corp.* Docket n° C 2755, 5 Trade Reg. Rep. (CCH) 23 201.

La Commission a définitivement approuvé un accord amiable avec l'American Psychological Association (APA) qui était accusée de limiter la concurrence en matière de vente et de prestation de services de psychologie en interdisant à ses adhérents de pratiquer certaines formes de publicité et de sollicitation honnêtes et non mensongères et de participer à certains services de consultation. Aux termes du règlement amiable définitif, il est interdit à l'APA de limiter la diffusion d'informations honnêtes et non mensongères par ses membres et il lui est demandé de cesser son affiliation avec toute association d'État, régionale ou autre association de psychologie qui impose des restrictions similaires. L'accord n'empêche pas l'APA d'appliquer des règles raisonnables concernant les pratiques mensongères ou trompeuses de ses membres et lui permet de réglementer les sollicitations en personne et les sollicitations de témoignages de satisfaction adressées à des personnes qui, en raison de leur situation particulière, sont vulnérables à une influence indue. Par ailleurs, l'accord autorise l'APA à interdire la sollicitation de témoignages auprès de tous les patients en cours de psychothérapie. Enfin, le règlement interdit à l'APA d'empêcher les psychologues d'effectuer des paiements pour des services de renvoi des patients mais elle lui permet d'exiger la divulgation au client du fait que le psychologue a payé une redevance de consultation. Voir *American Psychological Association*, Docket n° C-3406, 5 Trade Reg. Rep. (CCH) para. 23 263.

La Commission a approuvé définitivement un règlement amiable conclu avec Realty Computer Associates Inc., firme basée à Gladstone dans le Missouri, et exerçant son activité sous le nom de Computer Listing Service (CLS) dans le domaine du service de listage multiple (MLS) de biens immobiliers qui était accusée de limiter la concurrence entre les agents immobiliers de la zone de Kansas City dans le Missouri en recourant à certaines pratiques qui réduisaient la possibilité pour les propriétaires d'immeubles résidentiels de faire concurrence aux agents immobiliers pour la localisation des acheteurs, d'empêcher l'affiliation à CLS des agents immobiliers à temps partiel et de limiter la concurrence des agences installées en dehors de la zone desservie par CLS. Aux termes du règlement amiable définitif, il est interdit à CLS, notamment, de refuser de publier des listages d'exclusivité concernant des affaires pour lesquelles les propriétaires ne versent pas de commission ou versent une commission réduite s'ils vendent leur bien sans l'assistance d'une agence. Il est également interdit à CLS d'exiger, comme condition de l'affiliation à son MLS ou de l'utilisation de ce dernier le maintien d'un bureau dans sa zone de service ou sur une propriété affectée à un usage commercial ou l'exercice d'une activité à plein temps d'agent immobilier. Le règlement n'interdirait pas à CLS de prendre des mesures pour s'assurer que ses membres exercent effectivement une activité d'agent immobilier ou que les listages qu'elle publie répondent à leurs besoins. Voir *Realty Computer Associates Inc,* Docket n° 5 Trade Reg. Rep. (CCH) para. 23 253.

La Commission a donné son accord définitif à un règlement amiable conclu avec Quality Trailer Products Corporation qui était accusé de recourir à des méthodes de concurrence déloyale en invitant un concurrent, American Marine Industries (AMI) à fixer les prix de ses essieux. Quality Trailer, qui a son siège à Azle, au Texas, fabrique, vend et distribue des essieux et des pièces destinées à la fabrication de ces derniers. La plainte soutenait que l'invitation à conclure une entente, si elle avait été acceptée par AMI, aurait constitué un accord illégal de restriction du commerce et que l'invitation elle même violait la loi sur la FTC. La Commission estime qu'une tentative d'entente, en l'absence de proposition d'intégration de bonne foi entre les deux parties, comporte un risque important de limitation de la concurrence. Aux termes du règlement amiable définitif il est interdit à Quality Trailer, notamment, de demander, de suggérer, de recommander ou de conseiller à ses concurrents d'augmenter, de fixer ou de stabiliser les prix ou le niveau des prix ou de cesser de consentir des remises et de conclure un accord visant à fixer, augmenter ou stabiliser les prix. Voir *Quality Trailer Products Corporation*, Docket n° C-3403, 5 Trade Reg. Rep. (CCH) para. 23 247.

La Commission a approuvé définitivement un règlement amiable conclu avec le Texas Board of Chiropractic Examiners, seul organisme habilité à délivrer des licences aux chiropracteurs au Texas qui était accusé de limiter la concurrence de manière anormale et de léser les clients en adoptant et en appliquant des règles interdisant aux chiropracteurs de pratiquer une publicité sincère et non mensongère. Ces règles auraient empêché les consommateurs d'obtenir des informations sur les honoraires, les services et les produits des chiropracteurs et de tirer profit d'une concurrence vigoureuse entre les praticiens. Aux termes du règlement amiable définitif, il est interdit au Board d'adopter ou d'appliquer des règles ayant pour effet d'interdire la publicité ou la sollicitation sincère et non mensongère, d'appliquer ou de menacer d'appliquer des mesures disciplinaires à l'encontre de tout chiropracteur qui fait une publicité sincère, de déclarer illégal ou contraire à l'éthique ou à la déontologie de pratiquer une publicité sincère ou d'encourager toute personne ou organisation non gouvernementale à accomplir des actes que le règlement interdit au Board d'entreprendre. Voir *Texas Board of Chiropractic Examiners*, Docket n° C-3379, 5 Trade Reg. Rep. (CCH) para. 22 665.

La Commission a définitivement approuvé des règlements amiables avec Mead Johnson & Company et American Home Products (AHP), les deux principaux fabricants de lait en poudre pour bébés qui étaient accusés de manoeuvres en vue de fausser l'appel d'offres de Porto Rico concernant un marché de fourniture de lait en poudre pour plus de 40 000 bébés dans le cadre d'un programme d'aide à la nutrition patronné par l'État fédéral et connu sous le nom de WIC. Les accusations de manoeuvres frauduleuses étaient identiques à celles visées dans la plainte contre Abbott Laboratories mentionnée ci-dessus. Aux termes des règlements amiables proposés, il serait interdit aux défendeurs, notamment, de demander à un fonctionnaire gestionnaire du WIC d'administrer les appels d'offres de manière contraire aux exigences de la réglementation fédérale ou d'un État ou de l'encourager à agir ainsi, de s'entendre avec un concurrent sur les soumissions présentées au titre du programme WIC ou de divulguer le montant ou les conditions de leurs soumissions au programme WIC avant le dépôt de leurs offres.

Le règlement amiable conclu avec Mead Johnson a également réglé certaines incriminations distinctes selon lesquelles Mead Johnson avait échangé avec des concurrents des informations concernant ses projets en matière de publicité dans les médias ce qui a eu pour effet de nuire à la concurrence en renseignant les concurrents, avait participé à l'échange d'informations sans raison légitime et indépendante d'ordre professionnel et avait adressé à quatre États des lettres dans lesquelles il annonçait le montant des remises qu'il entendait proposer dans ses offres scellées pour de nouveaux contrats WIC. Pour régler ces chefs d'accusation, il serait interdit, notamment, à Mead Johnson de participer à certains échanges d'informations avec ses concurrents à propos de la publicité directe aux consommateurs par l'intermédiaire des médias, de solliciter les concurrents pour qu'ils limitent ce type de publicité ou de faire part de sa position sur ce sujet. Le règlement amiable préserve, toutefois, le droit de Johnson de décider unilatéralement de faire ou non de la publicité. Voir *American Home Products Corp.* et *Mead Johnson & Co.* dossier n° 901-0119, 5 Trade Reg. Tep. (CCH) para. 23-209.

La Commission a définitivement approuvé un règlement amiable conclu avec Diran M. Seropian, un spécialiste de la chirurgie esthétique de Fort Lauderdale en Floride, ancien chef du personnel médical du Broward General Medical Center, qui était accusé d'entente illégale avec d'autres praticiens afin d'empêcher la concurrence de médecins de la Cleveland Clinic de Floride (CCF). Il était allégué que le Dr. Seropian et les personnels médicaux de deux hopitaux locaux avaient menacé de ne pas envoyer de patients ou de ne pas rendre de services médicaux aux hôpitaux si le Broward General Medical Center concluait un accord d'association pour fournir des services médicaux et accorder des privilèges aux médecins de la Cleveland Clinic. Aux termes du règlement amiable définitif, il est interdit au Dr. Seropian de s'entendre avec le personnel médical du Broward General Medical Center ou avec des tiers pour, entre autres, refuser de traiter avec le North Broward Hospital District, le Broward General Medical Center, le CCF ou un médecin du CCF, ou de leur adresser des patients ou de se conduire de manière discriminatoire à leur égard. Voir *Dr. Diran M. Siropian,* Docket n° 9248, 5 Trade Reg. Rep. (CCH) para. 23-183.

La Commission a approuvé définitivement un règlement amiable avec Roberto Fojo M.D., ancien président du Département d'obstétrique et de gynécologie du North Shore Medical Center à Miami auquel il était reproché de s'être entendu avec d'autres membres de ce département afin de menacer de cesser de répondre à des appels d'urgence et d'obliger ainsi l'hôpital à rémunérer les obstétriciens et gynécologues et les autres praticiens pour les services d'urgence. En vertu de l'accord type conclu entre l'hôpital et les médecins, ces derniers avaient accepté de fournir gratuitement des services de garde d'urgence et d'autres prestations en contrepartie des avantages offerts par l'hôpital. La plainte prétendait qu'après les dispositions prises par Fojo seul un petit nombre des 20 obstétriciens-gynécologues était disposé à fournir des services de garde et seulement contre rémunération. Le projet d'accord interdit à Fojo de s'entendre avec d'autres médecins pour boycotter la salle d'urgence d'un hôpital quelconque et, pendant un période de cinq ans, d'agiter la menace qu'un médecin puisse, en s'entendant avec un autre médecin, exercer un tel boycottage. Voir *Roberto Fojo M.D.*, Docket n° C-3373, 5 Trade Reg. Rep. (CCH) para. 232-113.

La Commission a donné son accord définitif à des accords amiables avec six cliniques locales de Rockford dans l'Illinois auxquelles il était reproché d'avoir participé à une entente illicite afin de boycotter les agences locales d'infirmières, afin de limiter la concurrence et de réduire la rémunération des aides soignants temporaires. Les accords amiables interdisent notamment aux défendeurs de conclure des accords avec d'autres propriétaires de cliniques en vue de refuser ou de menacer de refuser de faire appel à une agence d'aide soignantes temporaires, ou de fixer les tarifs de ces agences ou de s'immiscer dans la fixation de ces tarifs. Par ailleurs, ils interdisent aux défendeurs, pendant une période de cinq ans, de communiquer certaines informations concernant l'utilisation qu'ils font des services de leurs agences à d'autres cliniques. De plus, la conclusion d'accords avec d'autres défendeurs en vue de l'acquisition ou de l'utilisation des services d'une agence d'aides soignants temporaires participante est interdite pendant une période de dix ans. Voir *Debes Corp. et al.,* Docket n° C-3390, 5 Trade Reg. Rep. (CCH) para. 23-115.

La Commission a approuvé définitivement un accord amiable conclu avec Sandoz Pharmaceuticals Corporation qui était accusée d'avoir conclu un arrangement illicite de vente liée en exigeant des acheteurs de clozapine, un médicament utilisé pour le traitement de la schizophrénie, qu'ils acquièrent aussi les services de distribution et de suivi commercialisés et organisés par la Société dans le cadre du Clozaril Patient Management System qui est un programme d'administration du médicament aux patients. La Clozapine, qui est vendue sous la marque Clozaril, est commercialisée aux États-Unis exclusivement par Sandoz. Aux termes de la plainte, l'arrangement illicite de vente liée avait pour effet de limiter la concurrence, portait préjudice aux consommateurs en augmentant le prix du traitement et empêchait les institutions fédérales, des États et locales, et les prestataires de soins privés de gérer leurs propres services de suivi des patients. En vertu de l'accord amiable, il est interdit à Sandoz d'exiger d'un acheteur quelconque de Clozaril l'achat d'autres produits ou services à Sandoz ou à un quelconque vendeur désigné par Sandoz. Par ailleurs, Sandoz est tenu de fournir à tout autre vendeur de clozapine, à des conditions raisonnables, des informations concernant les malades qui ont mal réagi à la clozapine. Le projet de règlement permet néanmoins à Sandoz de refuser de vendre le médicament à quiconque ne fournit pas des services satisfaisants de suivi des malades. Voir *Sandoz Pharmaceuticals Corp.* n° 3385, 5 Trade Reg. Rep. (CCH) para. 23 011.

La Commission a accepté aux fins d'observations du public un projet d'accord amiable visant à règler le litige avec Southeast Colorado Pharmacal Association (SCPhA) à laquelle il est reproché d'avoir conclu une entente illicite en vue de boycotter un programme de remboursement de médicaments proposé dans le cadre d'un système d'assurance maladie de retraités de l'État et ce afin d'obliger le programme à augmenter son taux de remboursement pour les ordonnances exécutées par les membres de l'association. La SCPhA regroupe environ 19 à 22 pharmacies installées dans sept cantons de la région sud-est du Colorado. Selon les termes de la plainte, cette association a convenu, lors de réunions et à travers d'autres échanges d'informations entre ses membres, de ne pas participer au système de l'État au taux de remboursement proposé. En vertu de l'accord, il serait notamment interdit à la SCPhA de conclure ou de favoriser de toute autre manière une entente entre pharmacies en vue d'amener ces dernières à se retirer d'un "accord de participation" entre un tiers payant et une pharmacie concernant le remboursement de la délivrance de médicaments sur ordonnance ou à refuser de conclure un tel accord. Voir *Southeast Colorado Pharmacal Association,* dossier n° 911-0101, 5 Trade Reg. Rep. (CCH) para. 23-277.

La Commission a accepté aux fins d'observations du public un projet d'accord amiable avec la National Association of Social Workers (NASW) association professionnelle ayant son siège à Washington D.C, à laquelle il est reproché d'avoir limité la concurrence entre assistants sociaux en restreignant le recours par ses membres à des pratiques publicitaires et de sollicitation non mensongères. Il était plus particulièrement reproché à la NASW d'avoir adopté un code de déontologie qui interdisait à ses membres en général de démarcher les clients des collègues sans limiter cette interdiction au démarchage personnel et non sollicité de patients susceptibles d'être vulnérables à une influence indue, et de payer des honoraires pour le renvoi de patients par un confrère ce qui décourage l'utilisation de certains types de services de renvoi des patients. La plainte incriminait aussi les règles de pratique à l'intention des assistants sociaux de 1984 de la NASW qui limitait l'utilisation des témoignages de satisfaction dans la publicité ainsi que celle d'autres formes de publicité honnête. Aux termes de l'accord amiable, la NASW n'aurait plus le droit d'interdire à ses membres de faire de la publicité sincère et non mensongère et en particulier de limiter l'utilisation des témoignages des clients ou des autres consommateurs et le démarchage des clients effectifs ou potentiels d'un confrère. L'accord autoriserait la NASW à adopter et faire appliquer des directives concernant la sollicitation de la clientèle ou des témoignages de personnes pouvant être vulnérables à une influence indue, dans la mesure nécessaire à la protection des patients vulnérables. Voir *National Association of Social Workers*, Dossier n° 861-0126, 5 Trade Reg. Rep. (CCH) para. 23-298.

Affaires privées ayant des incidences internationales

Dans l'affaire *Hartford Fire Insurance Co c. State of California, cert. granted*, 61 U.S.L.W. 3256 (U.S. 5 octobre 1992), la Cour Suprême des États-Unis examinera notamment si les principes de la courtoisie internationale requièrent le rejet de l'action pour ce qui concerne les réassureurs établis à l'étranger agissant comme défendeurs (Voir ci-dessus).

L'affaire *International Raw Materials Ltd., c. Stauffer Chemical Co.* 978 F. 2d 1318 (3ème Cir. 1992) 1992-2 Trade Cases (CCH) para. 70-016 soulevait une question concernant l'effet de la propriété étrangère sur l'immunité à l'égard de la législation antitrust dont bénéficie une association d'exportateurs en vertu du Webb-Pomerene Act. La cour d'appel du 3ème Circuit a confirmé le jugement en référé rendu par un tribunal d'instance aux dépens du plaignant International Raw Material Ltd., (IRM) dans son recours antitrust contre l'American National Soda Ash Corporation (ANSAC) et ses membres. L'action privée soutenait, en partie, que la négociation par l'ANSAC pour le compte de ses membres d'un tarif favorable pour des services fournis par des terminaux nationaux constituait une violation de l'Article 1 du Sherman Act. Les défendeurs ont fait valoir comme moyen de défense l'enregistrement de l'ANSAC auprès de la FTC en vertu de la loi Webb-Pomerene. L'IRM a répondu que l'ANSAC n'était pas éligible au statut de la loi Webb-Pomerene du fait qu'un grand nombre de ses membres étaient sous contrôle étranger. La Cour d'appel du 3ème Circuit a rejeté une lecture de la loi qui traduirait l'intention du Congrès d'en limiter l'application aux entreprises sous contrôle américain et a confirmé le jugement en référé du tribunal d'instance favorable aux défendeurs. Une demande en vue de la délivrance d'une ordonnance *de certiorari* été déposée auprès de la Cour Suprême des États-Unis le 28 janvier 1993.

Dans l'affaire *Go-Video Inc. c. Matsushita Electric Industrial Co. Ltd.*, le tribunal d'instance a rejeté, notamment, la requête de la société japonaise demanderesse tendant au rejet de la plainte au motif que les allégations d'une entente illicite au niveau mondial étaient trop générales pour satisfaire le test des effets d'Alcoa. En rejetant cette requête, le tribunal a affirmé que le jugement de l'affaire pouvait être fondé sur des allégations visant une entente destinée à affecter un grand nombre de marchés au niveau mondial et que les allégations selon lesquelles l'entente empêcherait une société américaine de participer à la concurrence sur les marchés des États-Unis entraient largement dans le champ d'application de la législation antitrust américaine. Le Tribunal a fait droit à une requête conjointe des défendeurs visant à disjoindre de la plainte les allégations concernant les pratiques commerciales japonaises faisant état de son souci d'éviter aux défendeurs le risque de subir un préjudice du fait de l'accent mis sur les différences de culture et de pratiques commerciales entre les États-Unis et le Japon. Voir *re Dual-Deck Video Cassette Recorder Antitrust Litigation,* 1992-2 Trade In Cases (CCH) para. 69-973 rendant compte d'une décision de 1991 non publiée auparavant. Le recours du plaignant a été rejeté par la suite. 1992-2 Trade Cases (CCH) para. 69-974.

Dans l'affaire *PPG Industries Inc. c. Pilkington plc,* n° Civ 92-753 (D. Ariz, 28 septembre 1992) (ordonnance d'injonction préliminaire) ayant pour origine une action privée invoquant un préjudice au titre de la législation antitrust, le tribunal a délivré une ordonnance interdisant au défendeur, la société anglaise Pilkington plc, d'engager directement ou indirectement une action quelconque devant un tribunal, une administration ou une autre instance d'un pays autre que les États-Unis visant à porter atteinte à la compétence du tribunal ou à s'immiscer dans cette dernière. Pilkington a fait appel contre l'injonction préliminaire devant la Cour d'appel du neuvième Circuit, son recours ayant été déposé le 17 mars 1993.

III. Application de la législation et des politiques antitrust : fusions et concentrations

Statistiques du ministère de la Justice et de la FTC concernant les fusions

Le ministère et la Commission établissent des statistiques concernant les fusions et les acquisitions déclarées en application des dispositions sur la notification préalable des fusions de la loi Hart-Scott-Rodino. Seules les fusions qui remplissent certaines conditions de dimension ou autres doivent être déclarées en vertu de cette loi. En 1992, les deux organismes ont reçu 3 098 déclarations concernant 1 621 transactions notifiées en application du programme de notification préalable des fusions.

Examen par le ministère de la Justice de notifications préalables aux fusions

Après examen des déclarations préalables à des fusions le ministère a envoyé en 1992, 47 lettres pour demander des renseignements complémentaires ("second requests") se rapportant à 23 opérations. Pendant la même période, il a également examiné 1 539 fusions et acquisitions opérées par des banques et diverses institutions financières qui n'étaient pas visées par la loi HSR.

Examen par la FTC de notifications préalables à des fusions

A partir de l'examen des déclarations préalables à des fusions, la FTC a enquêté sur 32 opérations en envoyant des demandes de renseignements complémentaires.

Application des règles relatives aux notifications préalables à des fusions

La Commission et le ministère ont activement poursuivi l'application des dispositions en matière de déclaration de la loi Hart-Scott-Rodino (HSR) et ont engagé, à cette fin, des poursuites devant les juridictions fédérales et obtenu des condamnations à des peines civiles. La commission demande au ministère de la Justice d'engager ses actions en justice. Les plaintes et les règlements sont généralement déposés devant le tribunal d'instance du District de Columbia. Les affaires suivantes illustrent les activités d'application de la législation de la Commission dans ce domaine.

Le 7 janvier 1992, à la suite d'une plainte déposée par l'administration devant le tribunal fédéral, la société General Cinema Corp. a accepté de payer une amende civile de 950 000$ pour violation des dispositions de la loi HSR concernant la notification préalable des fusions lors de l'acquisition d'actions de Cadbury Schweppes plc. La plainte prétendait que General Cinema avait commencé à acheter des actions de Cadbury Schweppes en septembre 1986 et avait accumulé dans cette société une participation dépassant le seuil de 15 millions de dollars qui déclenche normalement les obligations de notification préalable à une fusion et de délai d'attente. General Cinema n'a déposé une notification préalable à une fusion qu'en janvier 1987. La plainte soutenait par ailleurs que General Cinema n'avait pas acquis cette participation uniquement à des fins d'investissement puisqu'il examinait les moyens de participer à la formulation, à la définition ou à l'orientation des décisions de base concernant l'activité de Cadbury Schweppes, et que l'exemption pour investissement ne s'appliquait donc pas en l'espèce. Le règlement amiable a été approuvé par la suite par la juridiction fédérale de district. Voir *General Cinema Corp.* Dossier n° 871-0047, 5 Trade Reg. Rep. (CCH) para. 23-129.

A la suite d'une plainte déposée auprès d'un tribunal d'instance fédéral par les avocats de la Commission, l'Atlantic Richfield Company (ARCO) et l'U.F. Genetics ont accepté séparément le 23 janvier et le 22 avril 1992 de verser des amendes civiles de 290 000 et 150 000 dollars respectivement pour s'être abstenus d'effectuer aux administrations fédérales chargées de l'application de la législation antitrust la notification préalable de l'achat par U.F. Genetics d'actions d'ARCO Seed Company, une filiale à cent pour cent d'ARCO. Aux termes de la plainte qui désigne à la fois ARCO et U.F. Genetics, les défendeurs ont violé les dispositions de la loi Hart-Scott-Rodino concernant la notification préalable des fusions lors de l'acquisition par U.F. Genetics de la jouissance de la totalité des actions à droits de vote de ARCO Seeds avant notification de cet achat à la Commission et au ministère et avant observation de la période d'attente requise. La plainte soutient par ailleurs que le 29 décembre 1986, U.F. Genetics a conclu avec ARCO un contrat concernant l'acquisition de ARCO Seed à un prix de 18 millions de dollars et qu'elle n'a effectué la notification requise par la loi HSR que le lendemain, étant donc en situation de violation de la loi pendant 31 jours (un jour plus le délai d'attente de 30 jours). Les projets de jugements amiables ont été approuvés par le tribunal d'instance fédéral. *Voir ARCO/U.F. Genetics,* Dossier n° 871-0073, 5 Trade Reg. Rep. (CCH) para. 23-133 et 23-182.

En février 1992, une action civile pour omission de notification préalable de fusion au titre de la loi HSR a été déposée devant le tribunal d'instance fédéral à l'encontre de William F. Farley, actionnaire majoritaire de Farley Inc., entreprise de fabrication et de vente de bonneterie et d'autres produits textiles qui a commencé à acquérir le 9 mars 1988 les actions à droits de vote de West Point Pepperell Inc. de West Point en Géorgie, autre entreprise de fabrication de produits de bonneterie et d'autres produits textiles et qui disposait le 24 mars 1988 d'une participation totale de plus de 15 millions de dollars. La plainte soutient que Farley a violé la loi en ne respectant pas les obligations de notification et de délai d'attente de la loi HSR avant d'acquérir un montant supérieur à 15 millions de dollars d'actions de West-Point Pepperell et qu'il se trouvait en position de violation de la loi entre le 24 mars et le 22 juin 1988. Un jugement définitif n'était pas encore rendu à la fin de l'année. Le 26 janvier 1993, le tribunal d'instance a rejeté la plainte, sanctionnant le refus par la Commission de se plier aux ordonnances de détection qui requièrent la production de mémoires privilégiés. *United States c. Farley* n° 92 C1071 (N.D. Ill.). L'affaire est en appel.

Le 14 août 1992, à la suite d'une plainte déposée par les avocats de la Commission devant un tribunal d'instance fédéral, Beazer PLC, une entreprise britannique générale de construction a accepté de verser une amende civile de 760 000 dollars pour avoir omis de notifier préalablement aux organismes antitrust fédéraux l'acquisition d'un montant supérieur à 15 millions de dollars d'actions de Koppers Company Inc., entreprise ayant son siège à Pittsburg en Pennsylvanie qui vend des matériaux et des services de construction, y compris des granulats. Aux termes de la plainte, Beazer a constitué une société de personnes en vue d'échapper aux obligations de notification préalable des fusions découlant de la législation fédérale jusqu'au moment où il avait acquis un montant d'actions de Koppers bien supérieur à 15 millions de dollars qui est le seuil qui déclenche l'obligation de notification. Le jugement amiable doit encore être approuvé par le tribunal. Voir *Beazer PLC,* dossier n° 881-0082, 5 Trade Reg. Rep. (CCH) para. 23-250.

Le 30 octobre 1992, à la suite d'une plainte déposée par les avocats de la Commission devant un tribunal d'instance fédéral Harold A. Honickman, une grande entreprise de mise en bouteilles de boissons de marque Pepsi et Canada Dry de l'agglomération de New York a accepté de verser une amende civile de 1 976 000 dollars pour avoir violé les obligations de notification préalable des fusions de la loi HSR. Aux termes de la plainte, l'acquisition des actifs de la Seven Up Bottling Company Inc. avait dépassé le seuil de 15 millions de dollars et le défendeur a été en position de violation de la loi HSR pendant près d'un an et demi. La plainte soutenait aussi que le défendeur avait acquis Seven Up Brooklyn Bottling en utilisant d'autres entités commerciales afin d'échapper aux obligations de notification. Voir *Harold A. Honickman,* Dossier n° 871-0096 5 Trade Reg. Rep. (CCH) para. 23-278.

Examen d'affaires concernant des fusions

Actions engagées par le ministère de la Justice

En 1992, le ministère a officiellement engagé des enquêtes sur 88 fusions et acquisitions. Il a contesté publiquement huit projets de transactions et déposé trois plaintes devant une juridiction fédérale. Sept projets de transactions ont été abandonnés ou restructurés après l'annonce par le ministère de son intention d'engager une action ou après que le ministère ait déposé la plainte.

Le 13 janvier 1992, le ministère a déposé une plainte à l'encontre du projet d'acquisition de Zapata Gulf Marine Corporation par Tidewater Inc. Les deux sociétés en cause gèrent des flottes de navires de service maritime et vendent des services maritimes aux sociétés pétrolières exploitant des gisements off-shore. L'acquisition aurait sensiblement réduit la concurrence sur le marché des navires spécialisés effectuant des opérations de remorquage et d'ancrage des plates-formes pétrolières semi submersibles dans le golfe du Mexique. Les parties ont accepté un règlement amiable qui exigeait que Tidewater se défasse d'un certain nombre de ses navires d'ancrage. Ces désinvestissements ont été opérés. Pour un résumé de la plainte du ministère, voir *United States c. Tidewater Inc.,* 6 Trade Reg. Rep.

(CCH) para. 45-092 et pour le texte du règlement amiable voir 1992-1 Trade Cases (CCH) para. 69-782.

Le ministère a annoncé le 3 février 1992 qu'il entendait engager une action civile antitrust à l'encontre d'un projet d'entreprise commune entre Ingersoll-Rand Co. et Dresser Industries Inc. qui aurait regroupé la quasi totalité des opérations mondiales de fabrication et de vente de pompes des deux sociétés. Le ministère a fait part de sa préoccupation, du point de vue de la concurrence, à l'égard de l'incidence de cette fusion sur les marchés américains des pompes industrielles utilisées dans l'industrie pétrolière et la production d'électricité. Le marché de ces pompes aux États-Unis est extrêmement concentré et l'accès au marché est difficile et coûteux en temps et en argent. En conséquence, le ministère a conclu que la fusion aurait probablement pour effet de réduire substantiellement la concurrence sur les marchés en cause. Après que le Département ait annoncé son intention de contester la fusion, les parties ont accepté de se défaire de certains actifs et matériels de production de pompes au profit d'un important fabricant de pompes des États-Unis qui ne vendait pas auparavant sur le marché en cause. Le 28 septembre 1992, le Département a annoncé qu'il ne s'opposerait pas à la fusion dans sa forme modifiée.

Le 28 février 1992, le ministère a annoncé qu'il ne s'opposerait pas au projet de fusion entre la BankAmerica et la Security Pacific, à condition que soient réalisés certains désinvestissements acceptés par la Security Pacific. La Bank America est le troisième groupe bancaire des États-Unis avec 115 milliards de dollars d'actifs et plus de 92 milliards de dollars de dépôts. Security Pacific est le septième groupe bancaire des États-Unis avec des actifs de plus de 76 milliards de dollars et des dépôts de plus de 58 milliards de dollars. La firme résultant de cette opération aurait constitué le second groupe bancaire du pays. Après une longue enquête portant sur les effets probables sur la concurrence du projet de fusion, le ministère a conclu que la transaction telle que proposée à l'origine aurait probablement pour effet de réduire substantiellement la concurrence sur le marché des activités bancaires commerciales et de détail dans plusieurs États de l'ouest des États-Unis. Pour répondre aux préoccupations au regard de la concurrence du ministère, la BankAmerica s'est engagée à se défaire de 211 agences bancaires installées dans cinq États et détenant plus de 8.8 milliards de dollars de dépôts et un portefeuille de crédits de plus de 2.7 milliards de dollars. Ce désinvestissement est destiné à permettre l'arrivée de nouveaux concurrents effectifs sur les marchés affectés.

Le 13 mars 1992, le ministère de la Justice a engagé une action civile à l'encontre du projet de fusion de deux groupes bancaires, la Society Corporation et l'Ameritrust Corporation. Dans le même temps, le ministère a rédigé un projet de règlement amiable en vue de régler l'affaire. La plainte soutenait que la fusion proposée réduirait substantiellement la concurrence dans le secteur des services bancaires aux entreprises pour la clientèle des petites entreprises dans deux cantons de l'Ohio. Aux termes du projet de règlement amiable, les parties doivent se défaire de 28 agences bancaires dans les cantons affectés. Voir *United States c. Society Corp. et Ameritrust Corp.* 6 Trade Reg. Rep. (CCH) para. 45 092 Affaire n° 3867 pour un résumé de la plainte du ministère et pour le texte du règlement 1992-2 Trade Cases (CCH) para. 69-892.

Le 1er juillet 1992, le ministère de la Justice a annoncé qu'il ne s'opposerait au projet de fusion de SABH Inc. et de Mor-Flo Industries, deux fabricants d'appareils de production d'eau chaude domestique au vu de l'annonce faite par les parties qu'elles se déferaient de certains actifs avant la fusion. Dans sa version initiale, la fusion aurait comporté des effets négatifs significatifs sur la concurrence sur le marché des appareils de production d'eau chaude domestique des États-Unis en regroupant deux des cinq seuls concurrents importants.

Le ministère a annoncé, le 20 août 1992, qu'il ne s'opposerait pas au projet d'acquisition par Page Avjet Airport Services Inc. de Butler Aviation International Inc. compte tenu de certaines modifications de structures proposées par les parties. Page et Butler sont l'un et l'autre des entreprises fournissant des services d'"opérateur de base fixe" à divers aéroports dans l'ensemble du pays. Ces services comprennent la vente de carburant et la prestation d'autres services de terminaux à la clientèle des compagnies aériennes. Selon les termes de la proposition initiale, la fusion aurait probablement réduit substantiellement la concurrence pour les services d'opérateur de base fixe sur l'Aéroport international de Boston où Page et Butler étaient les deux seuls exploitants de ces services. En réponse aux préoccupations du ministère quant aux effets sur la concurrence Page et Butler ont indiqué qu'ils se déferaient, au moment de la clôture de l'acquisition, d'une partie du bail détenu sur le terminal général de Logan. Ceci permettrait à l'autorité aéroportuaire Massport de Logan de récupérer le bail qui pourrait être attribué à un concurrent pour la prestation de services d'opérateur de base fixe, ce qui atténuerait les préoccupations du ministère.

Le ministère a déposé une action civile antitrust à l'encontre de l'acquisition de Hollis Automation Co. par Electrovert U.S.A Corp. La plainte du ministère déposée auprès du tribunal d'instance du District de Columbia soutenait que la transaction violait l'article 7 du Clayton Act en réduisant substantiellement la concurrence sur les marchés des matériels de soudage à ondes de moyenne portée à hautes performances aux États-Unis. Un projet de règlement amiable a été rédigé en même temps que la plainte du ministère. Ce règlement s'il était approuvé par le tribunal obligerait Electrovert a accorder la licence de la technologie de soudage acquise de Hollis à deux autres firmes qui utiliseraient la technologie pour la fabrication de machines de soudage à ondes aux États-Unis.

Pour un résumé de la plainte du ministère, voir *United States c. Cookson Group PLC Electrovert Ltd., et Electrovert U.S.A Corp.* 6 Trade Reg. Rep. (CCH) para. 45-092, Affaire n° 3922 et pour le texte du projet de règlement, 7 Trade Reg. Rep. (CCH) para. 50-740.

Actions engagées par la FTC en matière de fusion

La liberté des marchés des capitaux et des valeurs mobilières est indispensable au fonctionnement efficient de l'économie des États-Unis. La plupart des fusions et des acquisitions permettent une réorganisation efficiente de ces actifs et améliorent le bien-être du consommateur en réduisant les coûts et les prix. Certaines fusions peuvent toutefois, réduire sensiblement la concurrence et entraîner une hausse des prix à la consommation. La Commission s'est efforcée, au cours de l'année passée, de faire obstacle à une fusion devant le tribunal d'instance fédéral. Elle a déposé une plainte administrative à l'encontre d'un projet d'acquisition. Par ailleurs, une plainte administrative a fait l'objet d'une décision de rejet par la Commission et un juge administratif a pris une décision initiale de rejet concernant une plainte de la Commission. De plus, la Commission a conclu six accords amiables définitifs et deux projets d'accords amiables visant à traiter les effets négatifs du point de vue de la concurrence de projets d'opérations de fusions. Ces efforts témoignent de la volonté de la Commission de s'opposer aux fusions qui risquent d'avoir des effets négatifs sur la concurrence sans pour autant empêcher les opérations susceptibles d'améliorer la productivité.

a) Injonctions préliminaires autorisées

En novembre 1992, la Commission a autorisé son personnel à demander une injonction préliminaire en vue de faire obstacle au projet d'acquisition par Alliant Techsystems de la Division artillerie et de la filiale Physics International d'Olin Corporation. La Commission avait des raisons de penser que cette acquisition réduirait sensiblement la concurrence ou tendrait à créer un monopole sur le marché américain de l'approvisionnement en munitions destinées aux chars Abrams et aux hélicoptères Apache. Alliant et Olin sont les deux seuls adjudicataires qui fournissent des munitions d'entraînement et tactiques de 120 mm pour les chars et des munitions d'entraînement légères de 30 mm à l'armée américaine. Le tribunal d'instance a fait droit à la demande d'injonction préliminaire de la Commission. Cette dernière a déposé, en décembre 1992, une plainte administrative à l'encontre de l'acquisition.

L'affaire a ensuite été retirée du rôle pour permettre à la Commission d'étudier un projet de règlement amiable. La Commission a accepté, par la suite, de soumettre aux observations du public un projet d'accord amiable avec Alliant Techsystems Inc. Cet accord exigerait d'Alliant qu'il renonce à son projet d'acquisition de Olin et lui interdirait d'acquérir sans l'autorisation préalable de la Commission les actions ou les actifs de toute autre société ayant la qualité d'adjudicataire de marchés de défense pour la fourniture de munitions d'entrainement et tactiques de 120 mm ou de munitions d'entrainement de 30 mmm. L'accord interdirait aussi à Alliant de transférer ou de céder ses actions ou ses actifs à une société titulaire de contrats de fourniture de ces types de munitions. Ces deux obligations s'appliqueraient pendant une durée de dix ans. Enfin, Alliant doit stipuler que tout document confidentiel échangé entre les deux sociétés sera détruit ou restitué. Voir *Alliant Techsystems Inc.*, Docket n° 9254, 5 Trade Reg. Rep. (CCH) para. 23.302.

b) Décisions administratives de la Commission

La Commission a annulé une décision d'un juge de droit administratif et rejeté une plainte selon laquelle l'acquisition par Owen-Illinois Inc. de Broadway Inc. serait susceptible de réduire sensiblement la concurrence dans la fabrication et la vente de récipients en verre. Le juge de droit administratif avait décidé que l'acquisition de Broadway par Owens-Illinois en 1988 aurait regroupé deux des trois principaux fabricants de récipients en verre des États Unis pour constituer le fabricant le plus important, créant un marché extrêmement concentré. La décision du juge de droit administratif a fait l'objet d'un recours devant la commission pleinière. Cette dernière a annulé la décision, considérant que la définition du marché de l'ensemble des récipients en verre était incorrecte et décelant, au niveau de l'utilisateur final, six segments constituant des marchés de produits pertinents. Tout en constatant la difficulté d'entrer sur le marché, la Commission a conclu que le comportement contraire à la concurrence était peu probable parce que ces six marchés ne représentaient que 15 pour cent de l'ensemble du secteur des récipients en verre ; d'autres concurrents présents dans les 85 pour cent restants du secteur pouvaient se reconvertir en quelques heures dans la production pour les marchés inélastiques et neutraliser une entente potentielle. Les acheteurs pouvaient recourir à des producteurs secondaires et sur plusieurs marchés ils disposaient de capacités de production propres ou d'une protection contractuelle à long terme contre les hausses de prix. Qui plus est, plusieurs des principaux acheteurs de récipients en verre de ces segments n'avaient pas d'objection vis-à-vis de l'acquisition. Voir *Owens-Illinois*, Docket n° 9212, 5 Trade Reg. Rep. (CCH) para. 23.162.

Un juge de droit administratif a rejeté une action de la Commission à l'encontre d'une fusion concernant des hôpitaux d'Ukiah, en Californie, considérant que cette opération n'avait pas d'effet négatif sur la concurrence. La Commission avait, à l'unanimité, annulé la première décision initiale du juge rejetant la plainte et avait renvoyé l'affaire devant le juge pour une décision sur le fond. La plainte administrative soutenait que l'acquisition porterait préjudice aux consommateurs en réduisant sensiblement la concurrence dans les services hospitaliers généraux de soins d'urgence en donnant à Adventist Health System/West, la société mère de Ukiah Adventist, le contrôle de trois des cinq hôpitaux de la région Southeastern Mendocino d'Ukiah (Californie). Le juge, dans sa seconde décision initiale, a décidé que l'acquisition ne pouvait avoir aucun effet sur les malades relevant des régimes Medicare ou Medi-Cal (les régimes d'assurance médicale destinés aux résidents à faibles revenus de Californie) parce que l'hôpital ne peut appliquer des prix supérieurs à ceux autorisés par ces régimes, ni sur les malades qui bénéficient de la gratuité des services. L'avocat de la plainte a intenté un recours contre cette seconde décision initiale devant la Commission en décembre 1992. Voir *Adventist Health System West,* Docket n° 9234, 5 Trade Reg. Rep. (CCH) para. 23.300.

La Commission a approuvé définitivement un accord amiable conclu avec Rohm & Haas Company à propos de l'acquisition des actifs de production de polymère en émulsion de Union Oil of California (Unocal) qui aurait réduit substantiellement la concurrence et conduit à une hausse des prix et à une diminution de la qualité du service sur le marché américain de l'acrylique simple. Ces deux sociétés sont productrices d'acrylique simple, un type de polymère en émulsion qui constitue un ingrédient essentiel de la peinture latex pour l'extérieur des habitations. En vertu du réglement amiable définitif, Rohm & Haas Company est autorisé à acquérir les actifs de production de polymère en émulsion de Unocal à condition qu'il cède, dans les 180 jours, la technologie et la licence du polymère acrylique en émulsion d'Unocal à Union Carbide ou à un autre acheteur agréé par la FTC. Le règlement requiert, par ailleurs, Rohm & Haas, pendant une période de dix ans, d'aider l'acheteur à assurer la transition vers la pleine capacité de production. De plus, Rohm & Haas est tenu, pendant une période de dix ans, d'obtenir l'approbation de la commission avant d'acquérir une entité quelconque qui produit de l'acrylique simple destiné à la peinture pour extérieur. Voir *Rohm & Haas Company,* Docket n° C-3387, 5 Trade Reg. Rep. (CCH) para. 23.195.

La Commission a donné son accord définitif à un accord amiable avec Vons Companies Inc., une chaine de magasins d'alimentation californienne, visant à règler le contentieux découlant de deux transactions liées par lesquelles la société avait acquis les supermarchés d'un concurrent, William Bros Markets, et vendu son supermarché de San Luis Obispo à une chaine de drugstores qui n'avait pas l'intention d'exploiter le magasin en tant que supermarché. La plainte soutenait que ces transactions avaient pour effet de réduire la capacité du marché et d'augmenter la part de marché de Vons. Selon la Commission, Vons avait effectué cette transaction bien qu'il ait reçu une offre supérieure d'un autre acheteur potentiel qui avait l'intention de continuer l'exploitation du supermarché. Aux termes du règlement, Vons a accepté de vendre son supermarché de San Luis Obispo à un acquéreur agréé par la Commission qui continuera d'exploiter le magasin comme un supermarché. Le règlement exige aussi de Vons, pendant la période des dix années à venir, d'obtenir l'approbation de la Commission avant d'acquérir un supermarché quelconque dans la région de San Luis Obispo. De plus Vons devra, pendant dix ans, obtenir l'accord préalable de la Commission pour acquérir un supermarché dans un lieu quelconque des États Unis dans les neuf mois qui suivront la fermeture de tous ses supermarchés situés dans un périmètre de sept miles autour du magasin acquis ou leur cession à un acquéreur qui n'entendrait pas en poursuivre l'exploitation comme supermarchés. Voir *Vons Companies Inc.*, Docket n° C-3391, 5 Trade Reg. Rep. (CCH) para. 23.200.

La Commission a définitivement approuvé un accord amiable conclu avec University Health Inc. (UHI) et deux de ses filiales qui exploitent un hôpital universitaire sans but lucratif à Augusta, en Georgie. L'accord règle les imputations selon lesquelles l'acquisition par ces organismes de l'hôpital St Joseph, un autre établissement à but non lucratif d'Augusta, aurait pu priver les malades, les organismes d'assurance maladie et les médecins de cette région des avantages de la concurrence en matière de services hospitaliers de soins intensifs. Aux termes du règlement, il est interdit aux défendeurs pendant dix ans d'acquérir, en totalité ou en partie, l'hôpital St Joseph ou tout autre hôpital général de soins intensifs de la région d'Augusta, sans l'accord préalable de la Commission. Une autre disposition valable pendant dix ans requiert des défendeurs qu'ils notifient au préalable à la Commission tout accord avec un autre hôpital local visant à établir des installations ou services hospitaliers nouveaux dans la région d'Augusta. *Voir University Health Inc.* Docket n° 9246, 5 Trade Reg. Rep. (CCH) para. 23.218.

La Commission a définitivement approuvé un accord amiable conclu avec Hanson PLC, une firme britannique propriétaire de Kaiser Cement Company réglant les imputations selon lesquelles son projet d'acquisition de la société britannique Beazer PLC pouvait réduire sensiblement la concurrence dans le secteur du ciment dans le nord de la Californie. Beazer détenait une participation de 50 pour cent dans Cencal Cement Company. Selon la plainte de la Commission, le projet d'acquisition éliminerait la concurrence entre Kaiser et Cencal et renforcerait sensiblement le risque d'entente ou de coordination interdépendante entre les firmes subsistant sur le marché. Le règlement autorise l'acquisition mais à la condition que Kaiser cède, dans les 180 jours, sa participation de 50 pour cent dans Cencal acquise, dans la transaction, à l'autre co-propriétaire Ssangyong Celment Inc. ou acquière la participation de ce dernier et se défasse de la totalité de Cencal Company dans les 12 mois au profit d'un acquéreur agréé par la Commission. Dans l'un et l'autre cas, Cencal doit être géré séparément de Hanson en vertu d'un accord de "détention séparée" jusqu'à sa cession. L'accord interdit également à Hanson, pendant dix ans, d'acquérir, sans l'autorisation préalable de la Commission, tout actif ou plus de trois pour cent des actions d'une société qui fabrique, vend, transporte ou distribue du ciment dans le nord de la Californie. Voir *Kaiser Cement Company (Hanson plc, et al)* Docket n° C-3374, 5 Trade Reg. Rep. (CCH) para. 23.107.

La Commission a définitivement approuvé un accord amiable mettant fin aux imputations selon lesquelles le projet d'acquisition par Mannesmann A.G. de Rapistan Company réduirait sensiblement la concurrence sur le marché américain des convoyeurs rapides à capacité légère ou moyenne destinés aux distributeurs. Tant Rapistan que la filiale de Mannesmann ayant son siège à Cincinnati, The Bushman Company, fabriquent et vendent ces convoyeurs. La plainte soutenait que l'acquisition non seulement supprimerait toute concurrence réelle entre les deux concurrents mais permettrait aussi à Mannesman d'acquérir une position dominante sur le marché et accroîtrait le risque de collusion. En vertu du projet de règlement, Mannesmann cèdera, dans les 12 mois, Bushman à un acquéreur agréé par la Commission et maintiendra la séparation entre les actifs de Bushman et ceux de Rapistan jusqu'à ce que cette cession soit réalisée. Mannesmann est, de plus, tenu, pendant une période de dix ans d'obtenir l'accord de la Commission avant toute acquisition d'une entreprise qui fabrique et vend le convoyeur en cause. Voir *Mannesmann A.G.*, Docket n° C-3378, 5 Trade Reg. Rep. (CCH) para. 23 117.

La Commission a définitivement approuvé un accord amiable conclu avec Service Corporation International (SCI) mettant fin aux imputations selon lesquelles le projet d'acquisition par cette société de Pierce Brothers Holding Company réduirait sensiblement la concurrence entre les entreprises de pompes funèbres de la région de San Bernardino/Riverside, en Californie en éliminant la concurrence entre SCI et Pierce et en tendant à créer une position dominante sur ce marché. SCI est le principal propriétaire et gestionnaire de centres funéraires d'Amérique du Nord. L'acquisition regrouperait les 600 centres funéraires et 150 cimetières de SCI situés dans 42 États et les 63 centres et 12 cimetières de Pierce situés en Caroline du sud et en Floride. Aux termes du règlement, SCI est autorisé à acquérir Pierce mais doit se dessaisir de quatre de ses centres funéraires et obtenir l'accord de la Commission avant l'acquisition de tout centre funéraire dans la région de San Bernardino/Riverside. SCI a également accepté de maintenir une gestion séparée de tous les actifs qu'il acquerrait dans la région de San Bernardino/Riverside jusqu'à ce que les quatre désinvestissements aient été achevés. Voir *Service Corporation International*, Docket n° C-3372, 5 Trade Reg. Rep. (CCH) para. 23.110.

La Commission a accepté de soumettre aux observations du public un projet d'accord amiable conclu avec Dentsply International Inc. en vue de résoudre les imputations selon lesquelles son projet d'acquisition de certains actifs de production de produits dentaires de Johnson & Johnson serait susceptible d'entraîner une hausse des prix et une diminution de l'offre sur le marché des États Unis d'un alliage d'argent utilisé dans les soins dentaires. L'accord autoriserait cette acquisition à condition que Dentsply se désaisisse, dans les neuf mois, de la totalité de ses actifs liés à la fabrication et à la distribution de sa ligne "Valiant" de produits en alliage d'argent aux États Unis au profit d'un acquéreur agréé par la Commission. En vertu d'un accord de "gestion séparée", Dentsply doit désigner des personnes physiques pour gérer les actifs de Valiant de manière distincte de ses autres activités, maintenir la viabilité et la valeur commerciale de ces actifs jusqu'à ce qu'ils puissent être cédés et obtenir, pendant une période de dix années, l'accord de la Commission avant toute acquisition d'un fabricant ou distributeur d'alliage d'argent. Voir *Dentsply International Inc.*, dossier n° 921-0084, 5 Trade Reg. Rep. (CCH), para. 23.268.

La Commission a accepté de soumettre aux observations du public un projet d'accord amiable concernant le projet d'acquisition de certains actifs de Drackett Company, un fabricant de produits d'entretien de la maison qui est une filiale à 100 pour cent de Bristol-Myers Squibb Company par S.C. Johnson & Son Inc. (Johnson), un des principaux fabricants de ces produits aux États Unis. Selon la plainte, l'acquisition réduirait sensiblement la concurrence ou tendrait à la création d'un monopole dans la fabrication et la vente de produits désodorisants de l'air aérosols ou à action permanente et de produits d'entretien des meubles commercialisés aux États Unis. En vertu du projet d'accord, Johnson serait autorisé à réaliser l'acquisition à condition qu'il se désaisisse des actifs utilisés pour la production, la fabrication et la vente des produits "Renuzit" de Drackett (désodorisant "Renuzit", produits d'entretien des meubles "Endust" et "Behold"). Au surplus, Johnson devrait, pendant une période de dix ans, obtenir l'accord de la Commission avant d'acquérir un intérêt quelconque dans un fabricant ou un distributeur de produits désodorisants ou d'entretien des meubles. Voir *S.C. Johnson & Son, Inc.*, dossier n° 931-0023, 5 Trade Reg. Rep. (CCH), para. 23.307.

c) Actions engagées par un tribunal d'instance

L'affaire *CableAmerica Corp. c. FTC*, n° 91-N-2932-NE (N.D. Ala.) concerne une action intentée contre une enquête en cours de la Commission au titre de la loi Clayton et de la loi Hart Scott Rodino sur un projet de fusion de sociétés de réseaux cablés. Les plaignants font valoir que la Commission n'a pas compétence pour enquêter sur les regroupements de sociétés de cables ni pour les réglementer parce que cette compétence appartient exclusivement à la Commission fédérale des communications. La plainte a été déposée le 16 décembre 1991. Le 13 avril 1992, le tribunal a fait droit à la requête de la Commission tendant au rejet de la plainte, considérant que l'action des plaignants était prématurée et qu'en toute hypothèse la Commission avait compétence pour enquêter sur les acquisitions de sociétés de cable et pour les réglementer.

L'affaire *Dr Pepper/Seven Up et Harold Honickman c. FTC* n° 92-2760 (D.D.C.) concerne un recours, déposé le 9 décembre 1992, en révision d'une décision de la Commission qui a refusé son autorisation préalable à Harold Honickman pour l'acquisition des actifs de New York Seven-Up Bottling Company à Manhattan, dans le Bronx et dans le canton Westchester de l'État de New York. L'affaire sera examinée et décidée par le tribunal d'instance en 1993.

Examens d'activités auxquels le ministère de la Justice a procédé

En 1992, le ministère de la Justice a répondu à huit demandes d'enquêtes sur des activités professionnelles. Par ailleurs, le ministère a annoncé la mise en place d'une nouvelle procédure accélérée d'enquête sur les projets d'entreprises communes et sur les demandes d'échanges d'informations. Une description détaillée de ce programme figure ci-dessus.

Le 14 janvier 1992, le ministère de la Justice a informé l'Experience Information Bureau Inc. (EIB) qu'il n'avait pas l'intention actuellement de contester, au titre de la législation antitrust, la création d'une base de données d'échange d'informations destinée aux courtiers en assurance vie et invalidité contractée lors de l'octroi d'un crédit. L'EIB a proposé de collecter, auprès de ses souscripteurs, des données concernant leur expérience de certaines institutions de prêt et comportant notamment un profil des crédits couverts, des informations sur les primes perçues et les créances assurées. L'EIB utiliserait ensuite ces données pour calculer un ratio de pertes pour chaque institution de crédit qui serait mis à la disposition de ses souscripteurs. La lettre adressée par le ministère à l'EIB déclarait que l'échange d'informations historiques proposé par l'EIB devrait aider ses souscripteurs à établir des politiques et des pratiques de courtage d'assurance indépendantes et qu'il n'apparaissait pas susceptible de faciliter des ententes sur les prix.

Le 5 mai 1992, le ministère de la Justice a informé Affiliated Distributors (AD), une société de Pennsylvanie desservant environ 170 distributeurs de matériel électrique dans l'ensemble du pays qu'il n'avait pas actuellement l'intention de contester, en vertu de la législation antitrust, sa proposition de mettre en oeuvre d'un programme de comptes nationaux pour le compte de ses distributeurs indépendants. Aux termes de la proposition soumise pour examen au ministère, AD identifierait des possibilités de contrats nationaux de matériel électrique. Ces contrats seraient limités aux clients nécessitant des livraisons dans au moins trois entrepôts situés au moins à 250 miles les uns des autres. AD demanderait alors à ses distributeurs de lui fournir des offres de prix et présenterait des soumissions. Le ministère a déclaré que le programme de comptes nationaux pouvait renforcer la concurrence en permettant aux distributeurs membres d'AD de présenter des offres pour des comptes nationaux qu'ils n'auraient pu normalement desservir. Le ministère observait par ailleurs que la proposition était structurée de manière à minimiser les risques d'entente: les offres de prix soumises à AD par les membres intéressés ne seront pas divulguées aux autres membres, les membres de AD ne sont pas obligés de participer au programme des comptes nationaux et les membres sont autorisés à faire concurrence à AD pour l'obtention de contrats nationaux. De plus, AD ne choisira pour participer à une offre aucun membre qui pourrait assurer lui même les prestations requises par le contrat.

Le 15 juin 1992, le ministère de la Justice a approuvé un programme de partage de l'information qui lui était soumis par Hyatt, Imler, Ott et Blount (HIOB), une firme d'experts comptables ayant son siège à Atlanta, en Georgie. Le ministère a indiqué qu'il n'avait pas actuellement l'intention de s'opposer, en vertu de la législation antitrust, au projet de HIOB de collecter et de publier certaines informations sur les tarifs des services rendus par les hôpitaux de Georgie. Aux termes de cette proposition, HIOB collecterait auprès des hôpitaux participants des informations sur les tarifs pratiqués en matière de services de soins. HIOB calculerait ensuite des tarifs moyens et utiliserait les données pour établir des barèmes de tarifs élevés, moyens et bas pratiqués, pour des services identiques, par des hôpitaux de même catégorie de Georgie.

Le 5 mai 1992, le ministère de la Justice a informé l'Automotive Service Association of Michigan Inc. (ASA) qu'il n'avait pas l'intention de contester, au titre de la législation antitrust, la proposition de l'association de créer un système de bons de remises des fournisseurs. Selon cette proposition, l'ASA constituerait un carnet de bons qui contiendrait des remises proposées sur certaines pièces détachées pour automobiles vendues par différents fournisseurs. Ces carnets seraient ensuite cédés aux petits garages de réparation automobile qui ne peuvent généralement pas bénéficier des remises consenties sur les commandes importantes de pièces détachées. Sur la base des faits présentés par l'ASA, le ministère a conclu qu'il était peu probable que ce système de remises des fournisseurs facilite l'apparition d'une situation de monopsone ou d'une entente entre les membres de l'ASA participants, dès lors que ces membres représentaient moins de 20 pour cent du marché de la réparation automobile dans la région concernée.

Le ministère de la Justice a informé, le 3 septembre 1992, les parties à un projet d'entreprise commune, Advanced Reactor Corporation (ARC), qu'il n'avait pas présentement l'intention de contester, au titre de la législation antitrust, leur plan visant à apporter un soutien commun à un effort de recherche-développement concernant une norme de conception pour des réacteurs nucléaires à eau légère de technologie avancée. L'ARC se compose de 16 entreprises publiques d'électricité des États Unis, du ministère de l'énergie et de l'Electric Power Research Institute (Institut de recherche sur l'énergie électrique). Sur la base des informations communiquées par l'ARC, le ministère a conclu que l'entreprise commune favoriserait la concurrence en encourageant la mise au point d'un nouveau produit. En raison du risque commercial élevé associé à la recherche et à la conception des centrales nucléaires, le ministère a admis qu'il était peu probable qu'un membre de l'ARC quel qu'il soit puisse entreprendre, seul, un effort de recherche développement. Qui plus est, il était peu probable que l'entreprise commune puisse avoir un effet contraire à la concurrence sur les marchés secondaires de la transmission d'électricité ou des services d'architecture et d'ingénierie.

Le ministère de la Justice a informé, le 23 octobre 1992, l'Association of Ship Brokers and Agents Inc. (ASBA) qu'il n'avait pas présentement l'intention de contester, au titre de la législation antitrust, la constitution d'un Tanker Broker Panel (panel des courtiers en navires citernes) destiné à fournir aux sociétés pétrolières des estimations des tarifs de marché pour les mouvements de marchandises internes aux sociétés. Tel qu'il a été décrit au ministère, l'objectif du service serait d'aider les sociétés pétrolières à attribuer, à des fins fiscales et comptables, un coût exact basé sur les conditions du marché aux transports de marchandises de la société effectués par des navires appartenant à cette dernière. Le panel qui se composerait de onze courtiers en navires citernes et d'un administrateur de l'ASBA, répondrait aux demandes de sa clientèle de sociétés pétrolières en interrogeant ses membres sur les tarifs de marché probables pour un transport sur un parcours donné. Les courtiers participants ne seraient pas autorisés à facturer des honoraires pour le service rendu ou à communiquer des estimations de tarifs à des tiers autres que les sociétés pétrolières clientes de l'ASBA. Le ministère a approuvé la proposition, notant que cet échange d'informations créerait un concurrent à la seule source actuelle de ce type d'estimations de tarifs, le London Tanker Broker Panel.

Le 26 octobre 1992, le ministère de la Justice a annoncé qu'il n'avait pas présentement l'intention de contester, en vertu de la législation antitrust, une proposition de Transplant Associates (TA) de conclure un contrat avec des firmes tierces pour constituer une base de données concernant les tarifs pratiqués par les médecins membres de l'association pour les greffes de reins et de foie. TA est une organisation professionnelle de fournisseurs à base de sélection regroupant environ 85 médecins qui pratiquent les greffes de rein et de foie dans un centre médical du Texas. TA a proposé de confier par contrat à des firmes de comptabilité et de recherches la tâche de rassembler et d'évaluer des données auprès des praticiens membres de l'association afin d'effectuer une analyse statistique des tarifs moyens des greffes. TA utiliserait ces données pour évaluer les propositions de contrats à honoraires fixes d'organismes jouant le rôle de tiers payants. Le ministère a conclu que la proposition de TA était assortie de sauvegardes suffisantes pour empêcher la divulgation des honoraires individuels aux membres de l'association ou à d'autres prestataires. Par ailleurs, le ministère a conclu que la proposition entraînerait probablement une augmentation de la participation des prestataires de greffes à des contrats à honoraires fixes de couverture de tierces parties, ce qui se traduirait, finalement par une réduction du coût des greffes de foie et de rein.

Le ministère a annoncé, le 31 décembre 1992, qu'il n'avait pas présentement l'intention de contester, en vertu de la législation anti-trust, une proposition présentée par la Southern Peanut Association (SEPA) concernant l'adoption de règles applicables au commerce des cacahuètes décortiquées. La SEPA est une association de grandes firmes de décorticage des cacahuètes de Floride, Georgie et Alabama. Les règles commerciales proposées fixeraient des conditions types générales des contrats, telles que les instructions en matière de transport et de livraison, les méthodes d'échantillonage et les procédures d'arbitrage. L'adoption de ces règles serait entièrement volontaire pour chaque contrat conclu entre un acheteur et un vendeur. Le ministère a déclaré que les règles proposées pourraient être favorables à la concurrence dans la mesure où la normalisation des conditions contractuelles pourrait donner aux acheteurs une idée plus claire de ce qu'ils achètent, ce qui aurait pour effet d'accroître l'efficience des transactions du secteur.

IV. Questions de politique de réglementation et de politique commerciale

Politiques de réglementation

Participation du ministère de la Justice aux procédures de réglementation

Le ministère a continué, durant l'année 1992, à préconiser un renforcement de la concurrence dans les secteurs règlementés en insistant pour qu'il soit mis fin aux ingérences inutiles ou contre-productives des pouvoirs publics dans le libre jeu des forces du marché. Lorsque des objectifs réglementaires légitimes exigeaient une intervention de l'État sur un marché, le ministère a recommandé le recours aux formes d'intervention les moins préjudiciables à la concurrence. Les initiatives prises par le ministère en 1992 dans le domaine de la réglementation sont décrites ci-dessous.

Le ministère a continué, en 1992, son action auprès de la Federal Maritime Commission (FMC) (Commission maritime fédérale) pour qu'elle abroge les règlementations inutiles et coûteuses. Par des procédures distinctes, elle a instamment prié la FMC d'exempter des obligations en matière de notification des tarifs prévues par le Shipping Act de 1984 les transporteurs communs non propriétaires de navires et les exploitants de terminaux maritimes. Dans les deux cas, le ministère a fait valoir que les conditions du marché ne justifiaient pas une réglementation des tarifs et que l'exigence inutile d'une notification des tarifs entravait la concurrence et entraînait une augmentation des coûts des affréteurs. La FMC a annoncé, le 28 octobre 1992, une proposition d'instruction qui créerait une dérogation à l'obligation de notification au profit des accords concernant les installations conclus par les exploitants de terminaux.

Le ministère a présenté des commentaires le 3 mars 1992 alors que la FMC opposait un refus à un projet d'accord de la North Atlantic Conference of Port Authorities qui aurait autorisé ses membres à se mettre d'accord sur les services et les tarifs concernant la manutention des cargaisons transportées par les entreprises de transport maritime dans le commerce intérieur et extérieur. Le 18 mars 1992, la FMC a informé la Conférence que l'accord ne serait pas approuvé à l'égard des services concernant les marchandises destinées au commerce intérieur et que les membres de la Conférence seraient soumis à la législation antitrust si leurs accords collectifs de tarifs pour la manutention des marchandises destinées au commerce extérieur affectaient aussi les tarifs de la manutention des marchandises intérieures.

Se référant à des observations déposées par le ministère en juin 1992, la FMC a adopté, le 10 juillet 1992, une décision visant à réviser ses réglementations en vue d'interdire aux conférences de transport maritime d'imposer des obligations en matière de fixation des prix, de notifications et de redevances qui empiètent sur le droit des membres de ces conférences de fixer les tarifs de leurs services à des niveaux inférieurs à ceux établis par les conférences.

Le ministère a déposé des observations auprès de la FMC tendant au rejet d'un projet d'accord entre transporteurs qui aurait pour effet de réduire de 20 pour cent la capacité des transports par conteneurs sur les échanges à destination de l'ouest à travers l'Atlantique Nord. Le projet d'accord entre 12 transporteurs échapperait à l'application de la législation antitrust s'il n'était pas rejeté par la Commission. Si son entrée en vigueur était autorisée, elle entrainerait probablement une hausse significative des tarifs du transport maritime pour les importations. Le ministère a affirmé que l'accord est déficient sur le plan juridique parce qu'il ne prévoit pas un "droit d'action indépendante" adéquat tel que requis par le Shipping Act. Sur ce, les transporteurs ont modifié leur accord sur le plan technique afin de le faire entrer dans le champ d'activité autorisé par la loi.

Au cours de l'année 1992, le ministère de la Justice a poursuivi sa participation à la procédure du ministère des Transports (DOT) destinée à examiner les réglementations régissant les systèmes de réservation informatisés des compagnies aériennes. Le DOT a adopté en septembre 1992 une règle définitive qui préserve les dispositions anti discriminatoires préconisées par la Division depuis 1984.

Le 14 mai 1992, le ministère a déposé des observations en réponse auprès du DOT demandant instamment qu'il soit mis fin à l'immunité globale dont bénéficie, vis-à-vis de la législation antitrust, l'Association du Transport Aérien International (IATA) et fournissant des données montrant que les mesures de fixation des tarifs de l'IATA ont probablement entraîné une augmentation des tarifs du transport aérien international aux États Unis de plusieurs centaines de millions de dollars par an.

L'IATA a également été au centre des observations présentées par le ministère le 4 juin 1992 à l'appui de l'initiative "ciel ouvert" du ministère des Transports (DOT). Cette initiative encouragerait la conclusion de traités bilatéraux libéraux dans le domaine du transport aérien avec les pays européens qui lèveraient les restrictions imposées par l'État en matière de capacité et de tarifs. Bien que favorable à la liberté du ciel, le ministère a rappelé au DOT que les avantages de cette dernière en termes de liberté du marché ne pouvaient être pleinement obtenus si des restrictions privées à la concurrence telles que l'entente sur les tarifs au sein de l'IATA subsistaient. Le ministère a demandé au DOT, en tant que mesure annexe à la politique de liberté du ciel, d'abroger ou de limiter sensiblement l'immunité de l'IATA au regard de la législation antitrust.

En 1992, le ministère a présenté à l'Interstate Commerce Commission (ICC) (Commission du commerce inter États) des données prouvant les abus en termes de fixation des tarifs commis par l'industrie du transport routier de marchandises, en vue d'une utilisation dans son enquête sur les pratiques de fixation des tarifs. L'enquête de l'ICC a été entreprise à la suite des preuves présentées par le ministère selon lesquelles les transporteurs concurrents trompent systématiquement la surveillance de l'ICC et concluent des accords de tarifs qui constitueraient des violations en soi du Sherman Act, n'était l'immunité accordée par l'ICC à l'égard de la législation antitrust.

Comme le ministère le lui avait fortement recommandé, l'Interstate Commerce Commission a rejeté une requête de l'industrie du camionnage visant à la fixation de tarifs minimum pour les cargaisons "ne représentant pas une pleine charge". Les observations très détaillées du ministère sur cette requête declaraient que le système de tarifs minimum entraverait la concurrence, encouragerait l'inefficience et imposerait des charges réglementaires inutiles à l'industrie du transport routier. Dans sa décision du 7 avril 1992, l'ICC a refusé de réglementer les tarifs minimum.

Le ministère a présenté, le 25 septembre 1992, des observations à l'Interstate Commerce Commission (ICC) dans une procédure concernant le projet d'acquisistion de trois chemins de fer du Wisconsin desservant des régions essentielles du Midwest des États-Unis. Le ministère a indiqué à l'ICC qu'à son avis, la transaction entrainerait vraisemblablement une réduction substantielle de la concurrence sur divers marchés du transport de marchandises en provenance et à destination du Wisconsin et de la péninsule supérieure du Michigan.

Le ministère a annoncé, le 10 janvier 1992, qu'il avait recommandé au ministère de l'Agriculture des États-Unis (U.S.D.A) d'accélérer la déréglementation de la commercialisation du lait. La position du ministère a été présentée dans un dossier déposé auprès du U.S.D.A le 31 décembre 1991 en réponse au projet de ce ministère de modifier ses réglementations en matière de commercialisation du lait en assouplissant les restrictions applicables à la vente de lait reconstitué. Le ministère de la Justice critique depuis longtemps le programme de commercialisation du lait du ministère de l'agriculture qui fixe des prix minima pour les produits laitiers liquides et qui limite effectivement l'offre de lait cru et de lait reconstitué. S'exprimant au nom du ministère, l'AAG Rill a déclaré que l'action de l'U.S.D.A à l'égard du lait reconstitué représentait "un premier pas important dans la bonne direction (mais qui) ne va pas assez loin dans la révision de l'ensemble du système de règlementation de la commercialisation du lait au vu des réalités actuelles du marché". Le ministère a instamment prié l'U.S.D.A de faire un pas décisif vers les principes de liberté du marché afin d'améliorer l'efficience de la commercialisation du lait et le bien-être des consommateurs américains. Le 6 mars 1992, le ministère a présenté des observations complémentaires à l'U.S.D.A, le priant, une nouvelle fois, de mettre fin au programme fédéral d'achat de lait et fournissant des données montrant que ce programme coûte environ un milliard de dollars par an aux consommateurs des États-Unis.

Le ministère s'est également opposé à des projets de réglementations du ministère de l'Agriculture visant à limiter la vente d'oranges fraîches. Conformément à la position du ministère, l'U.S.D.A a adopté, le 13 février 1992, une ordonnance qui lève les restrictions en volume applicables à la vente aux consommateurs des États-Unis d'oranges Navel fraîches d'Arizona et de Californie.

Le ministère a présenté, le 3 février 1992, au ministère du Commerce (DOC) des observations concernant un projet de modification du "plan de gestion des pêcheries" de morue de l'Alaska. Cette modification aurait eu pour effet de répartir un quota annuel de morue entre les firmes qui transforment le poisson en mer et celles qui exploitent des usines de transformation sur le rivage. Le ministère a soutenu que tant le système actuel que le projet de modification n'étaient pas conformes à l'objectif statutaire de l'efficience de l'exploitation des pêcheries. Les deux systèmes créent, pour les transformateurs tant en mer que sur le rivage, une incitation à prendre le maximum de poissons possible avant que le quota soit atteint. Cette "course à la prise" entraîne un sur-investissement important dans les matériels de pêche et de transformation ainsi qu'un excédent de l'offre. Le ministère a recommandé au DOC de rejeter le projet de modification et d'envisager une approche fondée sur le marché, par exemple un système de permis transférables d'utilisation du quota, pour l'attribution des droits de pêche. A la fin de l'année 1992, le DOC a approuvé le projet d'attribution mais pour une période plus courte, et il examine actuellement la possibilité de mettre en place un système fondé sur le marché.

Le ministère a continué à apporter son soutien aux initiatives de déréglementation dans le secteur de l'énergie. En avril 1992, le ministère a soutenu la proposition de la Federal Energy Regulatory Commission (FERC) (Commission fédérale de réglementation de l'énergie) de substituer, dans le secteur du transport de gaz naturel par gazoduc, les réglementations des incitations aux règlementations du coût du service lorsqu'il existe une position de force sur le marché. Le ministère a également recommandé à la FERC de recourir à la fixation des prix par le marché lorsque les firmes de gazoduc ne disposaient pas d'une position de force sur le marché.

Le ministère a présenté, le 31 juillet 1992, à la Federal Energy Regulatory Commission (FERC) des observations en réponse à des questions posées lors d'une conférence technique sur la réforme de la tarification des oléoducs. Dans le cadre d'une évaluation des cas dans lesquels les tarifs des oléoducs pouvaient être déréglementés, le personnel de la FERC s'était enquis de savoir si le rapport du Département intitulé "la déréglementation des oléoducs" (mai 1986) fournissait des orientations suffisantes pour permettre à la commission de mettre en oeuvre une réglementation fondée sur le marché de l'industrie des oléoducs. Dans ses commentaires, le ministère a appuyé les initiatives de la FERC visant à la fixation des prix par des mécanismes de marché, précisé les objectifs et la méthodologie du rapport de 1986 et expliqué l'utilité et les limites de ce rapport au regard de la détermination des cas dans lesquels une déréglementation des tarifs est appropriée.

Le ministère a participé activement à un certain nombre de procédures intentées devant la Federal Communications Commission (FCC) (Commission fédérale des communications). Le ministère s'y est fait l'avocat de l'introduction d'une concurrence plus forte dans les domaines des télécommunications qui se caractérisent encore par des positions de force importantes sur les marchés et la réduction des fardeaux réglementaires inutiles dans les domaines où la concurrence s'est développée.

Le ministère a présenté des observations détaillées recommandant à la FCC d'exiger une extension de l'interconnexion entre les sociétés de téléphone locales et leurs concurrents locaux, notamment par un découplage des tarifs et l'utilisation de locaux communs afin de renforcer la concurrence dans la fourniture de services locaux de téléphone. Le ministère a également soutenu des propositions visant à réformer la structure des tarifs des services à accès commuté et à accorder une flexibilité en matière de tarifs pour les services à accès spécial. Le 17 septembre 1992, la FCC a adopté des règles étendant la flexibilité en matière d'interconnexion et de fixation des tarifs aux services à accès spécial et, conformément aux recommandations du ministère, elle a ordonné un effort supplémentaire d'élaboration de la réglementation afin d'étendre ce concept aux services à accès commuté.

Le ministère a présenté, le 24 mars 1992, des observations dans le cadre de la procédure de la Federal Communications Commission (FCC) visant à alléger la réglementation des exploitants de communications internationales sous contrôle étranger. Le ministère a recommandé que la réglementation en matière de position "dominante" qui implique un examen minutieux et très détaillé des tarifs et de l'entrée sur le marché ne soit maintenue pour les marchés internationaux que lorsque l'exploitant sous contrôle étranger dispose d'une position dominante dans la partie étrangère du circuit international. Dans tous les autres cas, le ministère a recommandé à la FCC de n'appliquer que les formes minimales de réglementation requises par la loi.

Dans le cadre de l'élaboration d'un autre règlement important de la FCC, le ministère a soutenu l'introduction de la concurrence entre les sociétés de téléphone et les sociétés de télévision par câble pour la transmission de programmes audio-visuels. Le ministère a présenté, le 13 mars 1992, des observations à l'appui de la proposition de la FCC visant à autoriser les sociétés locales de téléphone à transmettre des programmes audio visuels sur la base du principe du transporteur public, projet connu sous le nom de "video dialtone", concluant que ce système encouragerait la concurrence et réduirait la position de force que pourraient posséder les réseaux de télévision par câble sur les marchés locaux. Les observations du ministère allaient dans le sens de l'opinion préliminaire de la FCC selon laquelle les dispositions du Cable Communications Policy Act de 1984 (la "loi sur le câble") ne s'opposaient pas à ce que les sociétés de téléphone fournissent le video dialtone. Les observations soutenaient aussi la proposition de la Commission de recommander au Congrès d'abroger l'interdiction de participations croisées entre des sociétés de téléphone et des sociétés de télévision par câble énoncée par la loi sur le câble. La FCC a adopté le concept de "video dialtone" le 16 juillet 1992, créant un cadre réglementaire de la concurrence cohérent avec la loi sur le câble qui inclut la transmission de services audio-visuels par les sociétés locales sans discrimination sur la base du principe du transporteur public.

Le ministère a continué à s'intéresser aux problèmes posés, du point de vue de la concurrence, par les participations des réseaux de télévision dans des entreprises d'autres secteurs des communications. Il a présenté, le 15 mai 1992, des observations sur la recommandation de la FCC tendant à l'abrogation de l'interdiction en soi de la détention de sociétés de télévision par câble par des réseaux de télévision. Il a fait valoir, dans ses observations, que la croissance vigoureuse de la télévision par câble et le changement de la position des réseaux de télévision avaient levé le risque que derniers puissent limiter la concurrence des systèmes de câble. La FCC a annoncé, le 18 juin 1992, l'abrogation de cette interdiction de détention et son remplacement par certaines limitations structurelles concernant les participations réseaux-câble.

Le ministère a reçu, au cours de l'année 1992, 13 requêtes présentées en vertu de l'Export Trading Company Act et de ses règlements d'application et a accepté la délivrance de dix certificats d'examen. Les biens et services couverts par ces certificats incluaient, notamment, des fruits, des produits textiles, des matériels de télécommunications et des services accessoires aux échanges.

a) Activités de la FTC en matière réglementaire et au regard de la législation des États

Dans l'exercice de ses tâches en matière de concurrence et de protection du consommateur, la Commission cherche à empêcher ou à atténuer les préjudices causés aux consommateurs par les activités privées ou publiques qui entravent le fonctionnement normal du marché. Dans certains cas, les lois ou les règlements ou les règles d'autodiscipline peuvent porter préjudice au consommateur dans la mesure où ils restreignent l'accès au marché, protègent les positions dominantes, découragent l'innovation, limitent la capacité de réaction des entreprises à la concurrence ou entraînent un gaspillage des ressources. L'objectif du programme de défense du consommateur est donc de réduire le préjudice qui risque de lui être causé en informant les administrations et les instances d'autodiscipline compétentes des effets potentiels, tant positifs que négatifs, sur les consommateurs de leurs projets de législation ou de réglementation.

Les observations du point de vue de la défense du consommateur sur les questions relevant de la législation antitrust sont formulées par le personnel des Bureaux de la concurrence et des affaires économiques et par les dix directions régionales sous l'autorité générale de l'Office of Consumer and Competition Advocacy (Bureau de la protection du consommateur et de la concurrence). Ce dernier constitue le centre de planification, d'examen et d'information pour les activités du personnel dans ce domaine. Au cours de l'année civile 1992, le personnel de la Commission a présenté des observations ou des conclusions en qualité d'amicus aux instances fédérales et des États et aux instances d'autodiscipline sur des questions se rapportant à la législation antitrust dans des domaines comme les télécommunications, les transports, la commercialisation et la santé.

b) Instances fédérales

Le personnel du Bureau des affaires économiques a présenté des observations sur une proposition tendant à retirer du règlement amiable du ministère de la Justice à l'encontre de CBS, ABC et NBC les dispositions interdisant à ces chaînes d'acquérir des intérêts financiers dans certains programmes de télévision ou d'assurer la syndication de tels programmes. Les services de la FTC ont affirmé qu'étant donné les conditions actuelles du marché, les préoccupations concernant un risque d'abus de position des réseaux de télévision avaient diminué et que les interdictions formulées par le règlement n'était plus nécessaires pour empêcher une situation de monopsone ou de monopole mais pouvaient au contraire entraver la conclusion d'arrangements contractuels efficients. Les services concluaient donc que les projets de modifications seraient conformes à l'intérêt général.

Le personnel du Bureau de la concurrence a présenté, en réponse à une communication de la FCC concernant un projet de règlementation, des observations qui recommandaient de faire preuve de souplesse en ce qui concerne le projet de la FCC d'introduire la télévision ATV et de laisser les forces du marché décider si elle doit remplacer la télévision traditionnelle. Des considérations d'efficience économique suggèrent que la détermination de la quantité de spectre à attribuer à l'ATV doit être guidée par les forces du marché. Le personnel du Bureau a également suggéré de laisser davantage de temps aux diffuseurs pour construire leurs installations d'ATV plutôt que d'exiger que les installations soient construites dans les deux ans de l'attribution du permis et d'utiliser un système de tirage au sort plutôt que des auditions comparatives pour attribuer des licences d'ATV lorsque le nombre de demandeurs éligibles dépasse celui des licences à attribuer.

Le personnel du Bureau des affaires économiques a présenté, en réponse à une communication de la FCC concernant un projet de réglementation, des observations qui soutiennent les propositions de la commission tendant à assouplir les règles et politiques concernant la propriété des stations de télévision. Les nouvelles règles permettraient la propriété commune d'un plus grand nombre de stations au plan national, autoriseraient la détention à la fois d'une station radio AM, d'une station FM et d'une station TV sur un marché donné ou la détention à la fois de stations de télévision et de radio AM ou encore la détention commune de stations de télévision dont les zones de diffusion se recouvrent. Appliquant aux données disponibles l'analyse des Directives sur les fusions concernant les marchés géographiques et de produits et les autres facteurs pertinents, le personnel a constaté qu'il pourrait exister un grand nombre de combinaisons qui ne soulèveraient pas de préoccupation du point de vue de la concurrence concernant les marchés locaux. Le personnel a également constaté que les limitations sur la propriété à l'échelle nationale étaient fondées sur des mesures qui ne semblaient pas soulever de problèmes de concurrence parce que l'échelle pertinente est locale. Sauf si aucun avantage en termes d'efficience n'est à attendre de ces transactions, ou si le coût de décisions au cas par cas est trop élevé, une interdiction de portée générale apparait peu justifiée. Le personnel a recommandé plutôt une approche du cas par cas.

Le personnel du Bureau des affaires économiques a participé à des délibérations interministérielles concernant les obstacles à l'accès au marché qu'ont rencontrés les entreprises américaines en République populaire de Chine. L'enquête incluait l'absence de publication par les autorités chinoises des lois ou réglementations concernant les formalités douanières ou les obligations en matière de tests et de certification. Le United States Trade Representative (U.S.TR) (Représentant des États-Unis pour le commerce) a constaté que ces obstacles avaient, soit empêché ou retardé l'entrée de produits américains sur le marché chinois, ou évincé en fait par leurs effets sur les prix les produits américains du marché chinois, ou eu des effets discriminatoires à l'encontre des exportations américaines et en faveur des produits locaux ou en provenance d'autres pays.

Le personnel du Bureau des affaires économiques a présenté des observations en réponse à une communication de la SEC (Commission des opérations de bourse) concernant un projet de réglementation visant à simplifier et à étendre les dispositions exonérant les petites entreprises émettrices de diverses obligations en matière d'information et de diffusion. En ce qui concerne la réglementation A, la SEC proposait d'autoriser les entreprises à "tâter le terrain" en annonçant leur intention de procéder à une émission avant de lancer une offre publique de souscription, d'adopter un formulaire simplifié de prospectus d'information et de relever le plafond des émissions de 1.5 à 5 millions de dollars. En ce qui concerne la règle 504 de la règlementation D, la SEC proposait de supprimer les restrictions en matière de publicité des offres et celles affectant la revente, par des investisseurs indépendants, des titres souscrits à l'émission. Le personnel du Bureau a soutenu les projets de modifications, concluant que ces propositions permettraient probablement de réduire le coût du financement des petites entreprises et de renforcer la concurrence sur les marchés des capitaux et l'efficience de ces marchés. Toutefois, pour éviter le risque simultané que la réduction des obligations en matière d'information et la libéralisation de la revente n'entraînent une augmentation des activités frauduleuses, le personnel a suggéré qu'il serait souhaitable que la SEC surveille l'évolution de la situation afin de faire en sorte que les dispositions en matière de responsabilité civile et de lutte contre la fraude protègent suffisamment les investisseurs contre des reventes frauduleuses. Il a suggéré également que la SEC envisage une indexation des plafonds prévus par la règlementation afin de garantir une plus grande certitude et d'éviter d'avoir à réviser fréquemment les montants pour tenir compte de l'inflation.

c) États

En réponse à une demande d'un législateur de l'État de Californie, le personnel du Bureau de la concurrence a présenté des observations sur le projet A.B 2371 visant à engager la responsabilité des raffineurs qui exploitent des stations-service en cas de fixation de prix de gros trop élevés par rapport aux prix au détail. Les raffineurs seraient responsables, qu'il y ait ou non effet contraire à la concurrence, et ne pourraient échapper à leur responsabilité en démontrant que leurs prix ont été fixés en fonction des prix également faibles pratiqués par un concurrent. Le personnel du Bureau a conclu que cette législation aurait probablement des effets contraires à la concurrence et se traduirait par une hausse des prix de l'essence pour les consommateurs californiens et les visiteurs de l'État.

En réponse à une demande d'un législateur de l'État de Californie, le Bureau de la protection du consommateur et de la concurrence a présenté des observations sur le projet S.B. 1986 qui visait à limiter la possibilité pour les organismes d'assurance maladie d'organiser la fourniture de services pharmaceutiques par des contrats conclus avec des firmes non résidentes en interdisant la conclusion de contrats d'exclusivité avec ces dernières et en exigeant que les firmes résidentes soient autorisées à conclure des contrats en vue de fournir des services aux même conditions. Selon ces observations, en l'absence d'un volume d'activité suffisant, un fournisseur soumissionnaire potentiel pourrait être dans l'impossibilité de proposer des prix plus faibles ou des services supplémentaires. En permettant à tout autre fournisseur de s'aligner sur les prix d'un contrat avec une pharmacie non résidente, le projet de loi découragerait les pharmacies de se faire concurrence. Du fait que toutes les autres pharmacies pourraient "profiter" de son contrat, un fournisseur non résident pourrait hésiter à supporter les coûts de l'établissement d'une offre. Le personnel concluait donc que les interdictions prévues par le projet S.B. 1986 pouvaient décourager la concurrence entre les pharmacies, ce qui entraînerait, pour les consommateurs, une hausse des prix et une limitation inutile de leur possibilité de choix en ce qui concerne les régimes d'assurance maladie sans contrepartie substantielle du point de vue de l'intérêt général.

Le Directeur du Service régional de Denver a comparu devant la Commission des anciens combattants et des affaires militaires du Sénat de l'État du Colorado à propos du projet S.B. 92-203 visant à élargir l'interdiction de la fixation de prix de l'essence au détail inférieurs aux prix de revient et a observé que ce projet risquait d'entraîner une hausse des prix de l'essence pour les consommateurs du Colorado. Dans sa déclaration, il a expliqué que le projet de loi pouvait affaiblir la vigueur de la concurrence et faire peser sur la distribution d'essence au Colorado des coûts qui n'existaient pas dans d'autres États.

Le personnel du service régional de Denver et du Bureau de la concurrence a présenté des observations à la suite d'une demande du Sénat de l'État du Kansas sur le projet H.B. 2628 visant à réglementer les ventes d'essence en dessous du prix de revient au Kansas. Selon les observations présentées, ce texte tendrait à protéger les raffineurs et les distributeurs d'essence de la concurrence et se traduirait donc par une hausse des prix de l'essence au Kansas. De plus, ce projet pourrait atténuer la vigueur de la concurrence et faire peser sur la distribution de l'essence au Kansas des coûts qui n'existent pas dans d'autres États. Les conclusions étaient que cette législation aurait probablement des effets négatifs sur la concurrence et se traduirait pour les consommateurs et les visiteurs du Kansas par une hausse des prix de l'essence.

Le personnel du Service régional de Boston a comparu devant la Commission de la législation des entreprises de la Chambre de l'État du Maine à propos d'un projet de loi L.D. 1866 visant à lever plusieurs restrictions importantes affectant la pratique commerciale de l'optométrie dans le Maine. Le législateur du Maine a été incité à abroger les dispositions de la loi de l'État qui empêchent les optométristes de pratiquer dans des cabinets particuliers et de s'associer à des sociétés parce que ces restrictions entrainent une hausse des coûts et limitent l'accès des consommateurs aux soins oculaires sans aucune contrepartie en termes d'avantages pour les consommateurs. Selon les observations présentées, les restrictions affectant ces formes d'exercice des activités professionnelles empêchent la formation et le développement de types de pratiques professionnelles qui peuvent être innovatrices, plus efficientes et susceptibles d'offrir des services de qualité comparable ou supérieure et de faire concurrence aux fournisseurs traditionnels.

Le Bureau de la protection du consommateur et de la concurrence a présenté des observations en réponse à une demande du Sénat de l'État du New Hampshire sur le projet H.B. 470, visant à exiger de tout "Health Maintenance Organization" (HMO) qui sollicite des offres pour l'attribution de la qualité de fournisseur préférentiel de services pharmaceutiques aux souscripteurs du HMO qu'il conclue un contrat avec toute pharmacie qui satisfait les conditions de l'appel d'offres. Le personnel a conclu que ces dispositions pourraient avoir involontairement pour effet d'augmenter les coûts et de réduire le nombre et les types de programmes d'assurance maladie proposés au choix des consommateurs et que s'il était promulgué, le projet de loi risquait d'accroître la difficulté, pour le HMO, de proposer à moindre coût des régimes comportant une couverture des frais pharmaceutiques.

Le Bureau de la protection du consommateur et de la concurrence a présenté des observations, en réponse à une demande du Conseil de vérification de la législation de l'Assemblée générale de Caroline du Sud, sur les pratiques restrictives ou contraires à la concurrence pouvant résulter des lois et règlementations des Conseils pharmaceutiques et des examinateurs médicaux, ainsi que des examinateurs vétérinaires, des examinateurs des infirmiers et des chiropracteurs de Caroline du Sud. Il a été noté dans les observations qu'il ne semblait pas exister, en général, à cet égard, de problème majeur du point de vue de la concurrence. Les réglementations actuelles applicables à la facturation des sollicitations et des renvois de clients par les médecins pouvaient soulever de graves problèmes de concurrence mais elles étaient, apparemment en cours de révision. Le personnel a suggéré que les réglementations concernant l'utilisation d'avoués par les vétérinaires soient étudiées pour déterminer si elles ont, en pratique, des effets négatifs sur la concurrence.

Le personnel du Service régional de Dallas et du Bureau des affaires économiques a présenté, en réponse à une demande du Conseil municipal de Dallas, des observations sur la modification éventuelle des restrictions imposées par la législation fédérale à l'égard de l'aéroport Love Field de Dallas ("Love Field"). La législation fédérale interdit actuellement aux compagnies aériennes commerciales de proposer des vols sans escale, des vols directs ou des vols de correspondance entre Love Field et des destinations extérieures au Texas, à la Louisiane, à l'Arkansas, à l'Oklahoma et au Nouveau mexique ("la zone des cinq États"). La proposition du Conseil maintiendrait l'interdiction actuelle des vols sans escale vers des destinations extérieures à la zone des cinq États mais autoriserait les transporteurs à annoncer et à proposer des vols directs et de correspondance vers ces destinations à travers des points situés dans la zone des cinq États. Le personnel a conclu que cette modification aurait probablement pour effet d'accroître la concurrence entre les compagnies aériennes, d'améliorer la commodité des liaisons et de réduire l'encombrement de l'aéroport international Fort Worth de Dallas. Les clients de Dallas, Fort Worth et autres aéroports pourraient donc en retirer des avantages substantiels. Certains des avantages pouvant résulter de cette modification pourraient prendre la forme de réductions des tarifs aériens, de réductions des tarifs de trajet et de parking et de diminution des délais d'attente.

Le Service régional de Dallas a présenté des observations en réponse à une demande de la Commission consultative sur la législation à validité temporaire du Texas sur les pratiques restrictives ou contraires à la concurrence qui pourraient résulter des statuts des Conseils des optométristes, des chirurgiens dentistes, des médecins, des podologues, des pharmaciens et des vétérinaires du Texas. Pour les optométristes, le personnel du Service a recommandé la levée des dispositions interdisant aux personnes de la spécialité de travailler avec des emplacements commerciaux ou de former des associations avec ces derniers. Pour les dentistes, le service a recommandé la levée d'une interdiction visant le démarchage. Par ailleurs, pour plusieurs professions, le personnel a recommandé la levée des restrictions affectant la publicité des affirmations de supériorité. Il a prévenu que, même si l'interdiction de la facturation des renvois de clientèle par les médecins et les vétérinaires pouvait profiter aux consommateurs en empêchant les fraudes ou les abus, la réglementation visant à éviter les abus en la matière ne devait pas être de portée si large qu'elle entrave les pratiques favorables à la concurrence. Le personnel a recommandé aussi que les médecins soient autorisés à dispenser des médicaments sous réserve d'obligations raisonnables concernant la santé publique et la sécurité.

Le personnel du Service régional de Denver et du Bureau de la concurrence a présenté, en réponse à une demande du Bureau des affaires juridiques du Département du commerce de l'Utah, des observations sur l'Utah Motor Fuel Marketing Act (loi sur la commercialisation des carburants) et sur les projets d'amendements à ce texte. Les observations ont cité les études du ministère de l'énergie et de l'État réfutant les prémisses tant de la loi que du projet d'amendement selon lesquelles les raffineurs qui sont propriétaires de stations service vendent l'essence en dessous du prix de revient pour évincer du marché les détaillants franchisés et indépendants. Si le projet de loi est voté, a déclaré le personnel, les réductions de prix à court terme qui sont destinées à attirer de nouveaux clients risquent d'être découragées et les raffineurs risquent d'être empêchés de réaliser toutes les économies résultant de l'intégration verticale qui peut souvent réduire les coûts de transaction et de prospection et faire baisser les prix à la consommation. La conclusion des observations était que ce texte aurait des effets contraires à la concurrence et se traduirait probablement par des hausses des prix de l'essence pour les consommateurs et les visiteurs de l'Utah.

Le Service régional de Cleveland a comparu devant la Public Service Commission du Michigan ("MPSC") pour donner son avis sur un projet de texte modifiant les réglementations du transport routier à l'intérieur de l'État. Les règles pouvaient faciliter l'accès au marché des transporteurs routiers en éliminant les restrictions détaillées applicables aux autorisations, les contestations peu sérieuses et les transactions non concurrentielles sur les procédures d'application. De l'avis du personnel, l'assouplissement des restrictions d'accès au secteur du transport routier avait été bénéfique pour les consommateurs et pour la concurrence en accroissant les possibilités de choix, en améliorant le service et en réduisant les prix. Le personnel a suggéré que la MPSC envisage des attributions larges et générales d'autorisations opérationnelles plutôt que les autorisations de portée étroite qu'elle a proposées (dans un effort pour réduire les protestations). Le personnel a soutenu les projets de règles qui sont considérés comme susceptibles de favoriser la productivité, l'efficience et la concurrence au sein de l'industrie du transport routier dans le Michigan.

Le Service régional de Chicago a présenté des observations au Board of Chiropractic Examiners du Missouri sur sa proposition visant à imposer plusieurs obligations en matière d'information sur les offres de services "gratuits" ou "à prix réduits". Ces règles exigeraient la fourniture d'informations détaillées sur un formulaire qui devrait être signé par chaque malade et dans toutes les communications et publicités proposant des services "gratuits" ou "à prix réduits". Elles exigeraient de tout praticien offrant un service gratuit ou à prix réduit qu'il ne facture aucun autre service au patient le même jour ou dans les 72 heures. Le personnel a été d'avis que les règles proposées imposeraient des contraintes inutilement larges en matière de communication d'informations sur les tarifs au public et que les obligations et conditions qu'elles imposeraient pour les offres de services gratuits et à prix réduits risqueraient d'être plus pesantes qu'il n'est nécessaire pour protéger le public contre des publicités malhonnêtes et mensongères. Leur effet probable serait plutôt de gêner les consommateurs et de décourager la publicité et la concurrence sur les prix.

Le Service régional de Denver a présenté des observations sur une législation visant à empêcher les prothésistes dentaires de nouer certaines relations professionnelles avec les dentistes. Selon les observations présentées, les restrictions affectant ces formes d'exercice des activités professionnelles peuvent empêcher la formation et le développement de types de pratiques professionnelles qui peuvent être innovatrices, plus efficientes, susceptibles d'offrir des services de qualité comparable ou supérieure et de faire concurrence aux fournisseurs traditionnels. Le personnel a donc conclu que le projet de loi pourrait entraver la concurrence et ainsi porter préjudice aux consommateurs.

Le service régional de Seattle a comparu devant le comité d'examen des règles administratives de la législature de l'État de Washington pour donner un avis sur des règles récemment adoptéespour le Washington State Board of Optometry qui affectent la manière dont les optométristes traitent avec les opticiens en ce qui concerne les prescriptions de lentilles de contact. En vertu des nouvelles règles, les opticiens peuvent poser des lentilles de contact mais seulement sous le contrôle étroit des optométristes. Le service a présenté les conclusions d'une étude de la FTC sur les lentilles de contact selon lesquelles il n'existait pas de différence significative de qualité entre les services de pose de lentilles de contact rendus par les opticiens, les optométristes et les ophtalmologistes. Le personnel a donc conclu que le fait d'autoriser les optométristes à contrôler le niveau de la concurrence des opticiens pour la prestation de ces services pourrait se traduire par une hausse des prix sans amélioration de la qualité du service.

Activités du ministère de la Justice en matière de politique commerciale

Le ministère a poursuivi sa participation aux débats interministériels et aux prises de décisions concernant la formulation et l'application de la politique des États-Unis en matière de commerce international. Le ministère est membre de plusieurs groupes d'examen de la politique du commerce extérieur présidés par l'Office of U.S. Trade Representative et il donne des avis sur les questions antitrust et sur d'autres questions juridiques aux négociateurs américains sur les affaires commerciales. En 1992, le ministère a négocié, pour le compte des États Unis, le chapitre relatif à la politique de la concurrence de l'accord de libre échange nord américain et a participé aux négociations multilatérales de l'Uruguay Round dans le cadre de l'Accord général sur les tarifs douaniers et le commerce. Dans le cadre de l'Initiative commune sur les obstacles structurels entre les États Unis et le Japon, le ministère a mis l'accent sur le renforcement de l'application de la législation antitrust japonaise afin d'éliminer les pratiques contraires à la concurrence qui entravent les échanges commerciaux et les investissements. Le ministère et la FTC participent, l'un et l'autre, aux discussions bilatérales et multilatérales et aux projets de travaux visant à améliorer la coopération en matière d'application de la législation sur la concurrence.

V. Études nouvelles relatives à la politique antitrust

Notes de synthèse du ministère de la Justice sur les questions économiques

Le Groupe d'analyse économique de la Division antitrust prépare régulièrement des notes de synthèse sur des sujets intéressant les praticiens de la législation antitrust. On trouvera, dans l'Appendice II, une liste des notes qui ont été publiées au cours de l'année 1992. Ces notes peuvent être obtenues auprès de l'Economic Analysis Group, Antitrust Division, Department of Justice, Judiciary Center Building, Room 11-453, 555 Fourth St., N.W., Washington D.C. 20001.

Rapports économiques, documents de travail économiques et études diverses de la Commission

La Commission est avant tout un organisme chargé de l'application de la loi mais elle réunit, analyse et publie aussi des informations sur divers aspects de l'économie du pays. Ces travaux, qui sont réalisés par le Bureau des affaires économiques, comprennent des études sur un grand nombre de sujets se rapportant aux questions antitrust, à la protection du consommateur et à la règlementation. On trouvera dans l'Appendix II une liste des études de la FTC qui sont à la disposition du public. Des exemplaires de ces études peuvent être obtenus en s'adressant à la Federal Trade Commission, Division of International Antitrust, 601 Pennsylvania Ave., N.W., Washington D.C. 20580.

Appendice I
ministère de la Justice : Division antitrust

Notes de synthèse du Groupe d'analyse économique

1. WERDEN, Gregory J. (1992), "Market Delineation under the Merger Guidelines : A Tenth Anniversary Retrospective," EAG 92-1, 2 janvier, à paraître dans *Antitrust Bulletin*.

2. PITTMAN, Russell (1992), "Merger Law in Central and Eastern Europe,"EAG 92-2, 9 janvier; publié dans *American University Journal of International Law and Policy* 649.

3. MAJERU.S., David W. (1992), "Durable Goods Monopoly with a Finite But Uncertain Number of Consumers," EAG 92-3, 3 février.

4. VAN SICLEN, Sally J. "A Practical Analysis of the Economics of Demonopolization", EAG 92-4 19 mars 1992.

5. VISTNES, Gregory S. (1992), , "Strategic Alliances, Cliques and Competition in Markets with Network Goods" EAG 92-5, 20 mars.

6. VISTNES, Gregory S. (1992) "Interval Contracts" EAG 92-6, 16 avril.

7. RASKOVITCH, Alexander et FROEB Luke M., "Has Competition Failed in the Credit Card Market?" EAG 92-7, 12 juin.

8. WERDEN, Gregory J. (1992), "The History of Antitrust Market delineation," EAG 92-8, 2 juillet, à paraître dans *Marquette Law Review*.

9. ORDOVER, Janusz A. et FITTMAN Russell W. (1992), "Competition Policies for Natural Monopolies in a Developing Market Economy," EAG 92-9, 9 novembre.

10. GRAMLICH, Fred, "Mergers that Sunstantially Lessen Competition : Benefit-Cost Approach to Merger Enforcement," EAG 92-10, 17 décembre.

Appendice II
Commission fédérale du commerce

Rapports économiques et documents de travails, 1992

Rapports économiques

1. SCHUMANN, Lawrence, ROGERS, Robert P. et RERITZES, James D. (1992), *Case Studies of the Price Effects of Horizontal Mergers,* avril. L'étude examine les suites des fusions dans trois secteurs: le dioxyde de titane, le ciment et le carton ondulé. Elle observe des résultats mitigés, probablement favorables à la concurrence dans les secteurs du ciment et du carton ondulé et potentiellement fortement contraires à la concurrence dans le dioxyde de titane (en fonction de la spécification du modèle).

2. BOND, Ronald S. et MURPHY, R. Dennis, *An Analysis of Department Store Reference Pricing in Metropolitan Washington,* septembre. Ce rapport présente des données statistiques concernant les préjudices résultant probablement pour le consommateur du fait du système des prix de références pratiqués par les grands magasins, stratégie couramment utilisée et consistant à afficher dans des publicités paraissant dans la presse les remises consenties par rapport aux prix normaux. L'étude conclut que même si les prix considérés comme normaux par les grands magasins sont plus élevés que ceux que les consommateurs pourraient probablement constater ailleurs, les prix dits de rabais sont généralement tout à fait compétitifs.

Documents de travail

1. KLEIT, Andrew N. (1992), *Efficiencies without Economists : The Early Years of Resale Price Maintenance,* (WP#193), avril.

2. REITZES, James D. et GRAWE, Oliver R. (1992), *Market Share Quotas (WP#194),* avril 1992.

3. KLEIT, Andrew N. (1992), *Beyond the Rhetoric : An Inquiry into the Goal of the Sherman Act, (WP#195)* août.

4. MORRIS, John R. et LANGENFELD, James A. (1992) *Advertising Restrictions as Rent Increasing costs, (WP#196)* mai.

5. ROGERS, Robert P. (1992), *The Minimum Optimal Steel Plant and the Survivor Technique of Cost Estimation (WP#197)* août.

MAIN SALES OUTLETS OF OECD PUBLICATIONS
PRINCIPAUX POINTS DE VENTE DES PUBLICATIONS DE L'OCDE

ARGENTINA – ARGENTINE
Carlos Hirsch S.R.L.
Galería Güemes, Florida 165, 4° Piso
1333 Buenos Aires   Tel. (1) 331.1787 y 331.2391
Telefax: (1) 331.1787

AUSTRALIA – AUSTRALIE
D.A. Information Services
648 Whitehorse Road, P.O.B 163
Mitcham, Victoria 3132   Tel. (03) 873.4411
Telefax: (03) 873.5679

AUSTRIA – AUTRICHE
Gerold & Co.
Graben 31
Wien I   Tel. (0222) 533.50.14

BELGIUM – BELGIQUE
Jean De Lannoy
Avenue du Roi 202
B-1060 Bruxelles   Tel. (02) 538.51.69/538.08.41
Telefax: (02) 538.08.41

CANADA
Renouf Publishing Company Ltd.
1294 Algoma Road
Ottawa, ON K1B 3W8   Tel. (613) 741.4333
Telefax: (613) 741.5439
Stores:
61 Sparks Street
Ottawa, ON K1P 5R1   Tel. (613) 238.8985
211 Yonge Street
Toronto, ON M5B 1M4   Tel. (416) 363.3171
Telefax: (416)363.59.63

Les Éditions La Liberté Inc.
3020 Chemin Sainte-Foy
Sainte-Foy, PQ G1X 3V6   Tel. (418) 658.3763
Telefax: (418) 658.3763

Federal Publications Inc.
165 University Avenue, Suite 701
Toronto, ON M5H 3B8   Tel. (416) 860.1611
Telefax: (416) 860.1608

Les Publications Fédérales
1185 Université
Montréal, QC H3B 3A7   Tel. (514) 954.1633
Telefax : (514) 954.1635

CHINA – CHINE
China National Publications Import
Export Corporation (CNPIEC)
16 Gongti E. Road, Chaoyang District
P.O. Box 88 or 50
Beijing 100704 PR   Tel. (01) 506.6688
Telefax: (01) 506.3101

DENMARK – DANEMARK
Munksgaard Book and Subscription Service
35, Nørre Søgade, P.O. Box 2148
DK-1016 København K   Tel. (33) 12.85.70
Telefax: (33) 12.93.87

FINLAND – FINLANDE
Akateeminen Kirjakauppa
Keskuskatu 1, P.O. Box 128
00100 Helsinki
Subscription Services/Agence d'abonnements :
P.O. Box 23
00371 Helsinki   Tel. (358 0) 12141
Telefax: (358 0) 121.4450

FRANCE
OECD/OCDE
Mail Orders/Commandes par correspondance:
2, rue André-Pascal
75775 Paris Cedex 16   Tel. (33-1) 45.24.82.00
Telefax: (33-1) 49.10.42.76
Telex: 640048 OCDE
Orders via Minitel, France only/
Commandes par Minitel, France exclusivement :
36 15 OCDE
OECD Bookshop/Librairie de l'OCDE :
33, rue Octave-Feuillet
75016 Paris   Tel. (33-1) 45.24.81.67
(33-1) 45.24.81.81
Documentation Française
29, quai Voltaire
75007 Paris   Tel. 40.15.70.00
Gibert Jeune (Droit-Économie)
6, place Saint-Michel
75006 Paris   Tel. 43.25.91.19
Librairie du Commerce International
10, avenue d'Iéna
75016 Paris   Tel. 40.73.34.60
Librairie Dunod
Université Paris-Dauphine
Place du Maréchal de Lattre de Tassigny
75016 Paris   Tel. (1) 44.05.40.13
Librairie Lavoisier
11, rue Lavoisier
75008 Paris   Tel. 42.65.39.95
Librairie L.G.D.J. - Montchrestien
20, rue Soufflot
75005 Paris   Tel. 46.33.89.85
Librairie des Sciences Politiques
30, rue Saint-Guillaume
75007 Paris   Tel. 45.48.36.02
P.U.F.
49, boulevard Saint-Michel
75005 Paris   Tel. 43.25.83.40
Librairie de l'Université
12a, rue Nazareth
13100 Aix-en-Provence   Tel. (16) 42.26.18.08
Documentation Française
165, rue Garibaldi
69003 Lyon   Tel. (16) 78.63.32.23
Librairie Decitre
29, place Bellecour
69002 Lyon   Tel. (16) 72.40.54.54

GERMANY – ALLEMAGNE
OECD Publications and Information Centre
August-Bebel-Allee 6
D-53175 Bonn   Tel. (0228) 959.120
Telefax: (0228) 959.12.17

GREECE – GRÈCE
Librairie Kauffmann
Mavrokordatou 9
106 78 Athens   Tel. (01) 32.55.321
Telefax: (01) 36.33.967

HONG-KONG
Swindon Book Co. Ltd.
13–15 Lock Road
Kowloon, Hong Kong   Tel. 366.80.31
Telefax: 739.49.75

HUNGARY – HONGRIE
Euro Info Service
Margitsziget, Európa Ház
1138 Budapest   Tel. (1) 111.62.16
Telefax : (1) 111.60.61

ICELAND – ISLANDE
Mál Mog Menning
Laugavegi 18, Pósthólf 392
121 Reykjavik   Tel. 162.35.23

INDIA – INDE
Oxford Book and Stationery Co.
Scindia House
New Delhi 110001   Tel.(11) 331.5896/5308
Telefax: (11) 332.5993
17 Park Street
Calcutta 700016   Tel. 240832

INDONESIA – INDONÉSIE
Pdii-Lipi
P.O. Box 269/JKSMG/88
Jakarta 12790   Tel. 583467
Telex: 62 875

ISRAEL
Praedicta
5 Shatner Street
P.O. Box 34030
Jerusalem 91430   Tel. (2) 52.84.90/1/2
Telefax: (2) 52.84.93
R.O.Y.
P.O. Box 13056
Tel Aviv 61130   Tél. (3) 49.61.08
Telefax (3) 544.60.39

ITALY – ITALIE
Libreria Commissionaria Sansoni
Via Duca di Calabria 1/1
50125 Firenze   Tel. (055) 64.54.15
Telefax: (055) 64.12.57
Via Bartolini 29
20155 Milano   Tel. (02) 36.50.83
Editrice e Libreria Herder
Piazza Montecitorio 120
00186 Roma   Tel. 679.46.28
Telefax: 678.47.51
Libreria Hoepli
Via Hoepli 5
20121 Milano   Tel. (02) 86.54.46
Telefax: (02) 805.28.86
Libreria Scientifica
Dott. Lucio de Biasio 'Aeiou'
Via Coronelli, 6
20146 Milano   Tel. (02) 48.95.45.52
Telefax: (02) 48.95.45.48

JAPAN – JAPON
OECD Publications and Information Centre
Landic Akasaka Building
2-3-4 Akasaka, Minato-ku
Tokyo 107   Tel. (81.3) 3586.2016
Telefax: (81.3) 3584.7929

KOREA – CORÉE
Kyobo Book Centre Co. Ltd.
P.O. Box 1658, Kwang Hwa Moon
Seoul   Tel. 730.78.91
Telefax: 735.00.30

MALAYSIA – MALAISIE
Co-operative Bookshop Ltd.
University of Malaya
P.O. Box 1127, Jalan Pantai Baru
59700 Kuala Lumpur
Malaysia   Tel. 756.5000/756.5425
Telefax: 757.3661

MEXICO – MEXIQUE
Revistas y Periodicos Internacionales S.A. de C.V.
Florencia 57 - 1004
Mexico, D.F. 06600   Tel. 207.81.00
Telefax : 208.39.79

NETHERLANDS – PAYS-BAS
SDU Uitgeverij Plantijnstraat
Externe Fondsen
Postbus 20014
2500 EA's-Gravenhage   Tel. (070) 37.89.880
Voor bestellingen: Telefax: (070) 34.75.778

NEW ZEALAND
NOUVELLE-ZÉLANDE
Legislation Services
P.O. Box 12418
Thorndon, Wellington   Tel. (04) 496.5652
                              Telefax: (04) 496.5698

NORWAY – NORVÈGE
Narvesen Info Center – NIC
Bertrand Narvesens vei 2
P.O. Box 6125 Etterstad
0602 Oslo 6   Tel. (022) 57.33.00
                              Telefax: (022) 68.19.01

PAKISTAN
Mirza Book Agency
65 Shahrah Quaid-E-Azam
Lahore 54000   Tel. (42) 353.601
                              Telefax: (42) 231.730

PHILIPPINE – PHILIPPINES
International Book Center
5th Floor, Filipinas Life Bldg.
Ayala Avenue
Metro Manila   Tel. 81.96.76
                              Telex 23312 RHP PH

PORTUGAL
Livraria Portugal
Rua do Carmo 70-74
Apart. 2681
1200 Lisboa   Tel.: (01) 347.49.82/5
                              Telefax: (01) 347.02.64

SINGAPORE – SINGAPOUR
Gower Asia Pacific Pte Ltd.
Golden Wheel Building
41, Kallang Pudding Road, No. 04-03
Singapore 1334   Tel. 741.5166
                              Telefax: 742.9356

SPAIN – ESPAGNE
Mundi-Prensa Libros S.A.
Castelló 37, Apartado 1223
Madrid 28001   Tel. (91) 431.33.99
                              Telefax: (91) 575.39.98

Libreria Internacional AEDOS
Consejo de Ciento 391
08009 – Barcelona   Tel. (93) 488.30.09
                              Telefax: (93) 487.76.59
Llibreria de la Generalitat
Palau Moja
Rambla dels Estudis, 118
08002 – Barcelona
             (Subscripcions) Tel. (93) 318.80.12
             (Publicacions) Tel. (93) 302.67.23
                              Telefax: (93) 412.18.54

SRI LANKA
Centre for Policy Research
c/o Colombo Agencies Ltd.
No. 300-304, Galle Road
Colombo 3   Tel. (1) 574240, 573551-2
                              Telefax: (1) 575394, 510711

SWEDEN – SUÈDE
Fritzes Information Center
Box 16356
Regeringsgatan 12
106 47 Stockholm   Tel. (08) 690.90.90
                              Telefax: (08) 20.50.21
Subscription Agency/Agence d'abonnements :
Wennergren-Williams Info AB
P.O. Box 1305
171 25 Solna   Tel. (08) 705.97.50
                              Téléfax: (08) 27.00.71

SWITZERLAND – SUISSE
Maditec S.A. (Books and Periodicals - Livres
et périodiques)
Chemin des Palettes 4
Case postale 266
1020 Renens   Tel. (021) 635.08.65
                              Telefax: (021) 635.07.80

Librairie Payot S.A.
4, place Pépinet
CP 3212
1002 Lausanne   Tel. (021) 341.33.48
                              Telefax: (021) 341.33.45

Librairie Unilivres
6, rue de Candolle
1205 Genève   Tel. (022) 320.26.23
                              Telefax: (022) 329.73.18

Subscription Agency/Agence d'abonnements :
Dynapresse Marketing S.A.
38 avenue Vibert
1227 Carouge   Tel.: (022) 308.07.89
                              Telefax (022) 308.07.99

See also – Voir aussi :
OECD Publications and Information Centre
August-Bebel-Allee 6
D-53175 Bonn (Germany)   Tel. (0228) 959.120
                              Telefax: (0228) 959.12.17

TAIWAN – FORMOSE
Good Faith Worldwide Int'l. Co. Ltd.
9th Floor, No. 118, Sec. 2
Chung Hsiao E. Road
Taipei   Tel. (02) 391.7396/391.7397
                              Telefax: (02) 394.9176

THAILAND – THAÏLANDE
Suksit Siam Co. Ltd.
113, 115 Fuang Nakhon Rd.
Opp. Wat Rajbopith
Bangkok 10200   Tel. (662) 225.9531/2
                              Telefax: (662) 222.5188

TURKEY – TURQUIE
Kültür Yayinlari Is-Türk Ltd. Sti.
Atatürk Bulvari No. 191/Kat 13
Kavaklidere/Ankara   Tel. 428.11.40 Ext. 2458
Dolmabahce Cad. No. 29
Besiktas/Istanbul   Tel. 260.71.88
                              Telex: 43482B

UNITED KINGDOM – ROYAUME-UNI
HMSO
Gen. enquiries   Tel. (071) 873 0011
Postal orders only:
P.O. Box 276, London SW8 5DT
Personal Callers HMSO Bookshop
49 High Holborn, London WC1V 6HB
                              Telefax: (071) 873 8200
Branches at: Belfast, Birmingham, Bristol, Edin-
burgh, Manchester

UNITED STATES – ÉTATS-UNIS
OECD Publications and Information Centre
2001 L Street N.W., Suite 700
Washington, D.C. 20036-4910 Tel. (202) 785.6323
                              Telefax: (202) 785.0350

VENEZUELA
Libreria del Este
Avda F. Miranda 52, Aptdo. 60337
Edificio Galipán
Caracas 106   Tel. 951.1705/951.2307/951.1297
                              Telegram: Libreste Caracas

Subscription to OECD periodicals may also be
placed through main subscription agencies.

Les abonnements aux publications périodiques de
l'OCDE peuvent être souscrits auprès des
principales agences d'abonnement.

Orders and inquiries from countries where Distributors have not yet been appointed should be sent to:
OECD Publications Service, 2 rue André-Pascal,
75775 Paris Cedex 16, France.

Les commandes provenant de pays où l'OCDE n'a
pas encore désigné de distributeur peuvent être
adressées à : OCDE, Service des Publications,
2, rue André-Pascal, 75775 Paris Cedex 16, France.

11-1994

LES ÉDITIONS DE L'OCDE, 2 rue André-Pascal, 75775 PARIS CEDEX 16
IMPRIMÉ EN FRANCE
(24 95 01 2) ISBN 92-64-24334-8 - n° 47650 1995